D1082091

Gilles Kepel

Jihad
Expansion et déclin de l'islamisme

Gallimard

Gilles Kepel est professeur à l'Institut d'études politiques de Paris et responsable du programme doctoral sur le monde musulman. Il a publié notamment *Le Prophète et Pharaon. Aux sources des mouvements islamistes* (1984), *Les banlieues de l'Islam* (1987), *La revanche de Dieu* (1991), *À l'ouest d'Allah* (1994).

À la mémoire de Michel D'Hermies,
le maître,
l'ami.

Ɛ Ⴖ•ⵔⵛⴻⵉ•

REMERCIEMENTS

Ce livre est issu d'une enquête de plus de cinq années qui a été rendue possible, pour l'essentiel, grâce à une aide de la Fondation Singer-Polignac. Je tiens à remercier ici ceux qui me l'ont attribuée, ainsi que M. Jean-Pierre Machelon, alors directeur adjoint du département Sciences de l'homme et de la société du CNRS, pour sa confiance et ses conseils. Au long des pérégrinations qui m'ont conduit de l'Indonésie au continent américain, j'ai bénéficié de l'hospitalité de nombreuses institutions, tout particulièrement les centres de recherches français à Téhéran (Ifri), à Tachkent (Ifeac) Amman (Cermoc), au Caire (Cedej) ; je remercie également les services culturels des ambassades de France en Indonésie, en Malaisie, au Pakistan, au Soudan, au Maroc, en Algérie, au Sénégal, qui, en m'invitant à présenter des conférences, m'ont permis de prolonger celles-ci par des séjours sur le terrain. De même, la Fondation Abdulaziz à Casablanca, la Fondation Bouabid à Rabat, le Codesria à Dakar, l'Inesg et l'Ena à Alger, m'ont fourni des forums où débattre et tester les thèmes de cet ouvrage. Ceux-ci ont vu le jour pendant le séjour que j'ai effectué en 1995-96 comme *visiting professor* à New York University et à Columbia University. Je sais gré à Martin Schain, Robert Paxton, Richard Bulliet de leur invitation. Leonard Binder, à l'Université de Californie (Ucla), m'a incité à leur donner une première forme, et ses exigences m'ont beaucoup stimulé. Je lui suis reconnaissant d'avoir publié, en anglais, la première esquisse de ce travail, ainsi qu'à Abdou Filali Ansari et Hassan Aourid, qui en ont fait paraître la version arabe. J'ai également une très grande dette à l'égard de la Fondation nationale des sciences politiques, d'abord envers sa bibliothèque, si riche et dont le personnel et les responsables m'ont gratifié de tant de disponibilité et de gentillesse, et surtout envers les étudiants du programme doctoral « monde musulman », qui ont subi, dans mon séminaire, les diverses phases de l'élaboration de ce projet, l'ont discuté, critiqué et enrichi de leurs remarques et de leur expérience. Mes collègues et amis qui ont revu ce travail et n'ont pas mesuré leur temps ni leur énergie pour m'aider à comprendre des situations que je maîtrise mal sont trop nombreux pour que je puisse les citer tous, mais ma reconnaissance leur est acquise ; je tiens toutefois à remercier spécialement Ruth Grosrichard, Olivier Roy, Ghassan Salamé, Malika Zeghal, Mariam Abou Zahab, Mahmoud Azab, Naoufel Brahimi El Mili, Xavier Bougarel, David Camroux, Nilüfer Göle, Jean-François Legrain, Yann Richard, Aboul Manaïch, Ibrahim Gharaïbeh, Enes Kariç, Ahmed Rashid, Mohammed Hikam, Andrée Feillard et Rémy Leveau. De plus, à tous ceux qui, rue de Chevreuse, m'ont témoigné leur support pendant ces cinq années, je voudrais dire ma profonde gratitude. Enfin, Charlotte et Nicolas ont accepté patiemment que leur père disparaisse trop souvent dans un avion ou entre ses livres. Qu'ils sachent que leur présence et leur amour filial ont été le plus précieux des soutiens, sans lequel je n'aurais pu mettre au monde cet enfant de papier.

INTRODUCTION

Le dernier quart du vingtième siècle a été marqué par l'émergence, l'ascension puis le déclin des mouvements islamistes — un phénomène aussi spectaculaire qu'inattendu. Alors que le reflux de la religion dans la sphère privée semblait un acquis définitif du monde moderne, l'expansion soudaine de groupes politiques qui voulaient proclamer l'État islamique, ne juraient que par le Coran, se réclamaient du *jihad*, combat sacré pour la cause de Dieu, et recrutaient leurs militants dans la population des villes, remit en cause bien des certitudes. Dans un premier temps, ils ont suscité un rejet horrifié : pour les intellectuels de gauche, dans le monde musulman comme en Occident, ils représentaient une variante religieuse du fascisme ; pour les libéraux, la résurgence d'un fanatisme médiéval. Puis, à mesure que ces mouvements gagnèrent en importance, le désarroi toucha bon nombre de leurs critiques. À gauche, on se mit à découvrir qu'ils avaient une base populaire. Des marxistes, anciens ou récents, espérant trouver là l'implantation de masse qui leur avait fait défaut, parèrent les islamistes de vertus sociales, recherchèrent le dialogue politique, parfois se convertirent. À droite, on notait qu'ils prêchaient l'ordre moral, l'obéissance à Dieu, l'hostilité aux impies — et donc aux matérialistes communistes et socialistes. On les encouragea, les finança généreusement quand il le fallut. Même si le regard du monde extérieur demeurait en majorité hostile, des voix en nombre croissant firent l'éloge d'un courant censé incarner désormais l'authenticité des musulmans d'aujourd'hui, la vérité ultime de leur civilisation, dans l'univers multiculturel de l'an 2000.

Comme cela s'était déjà produit plus tôt dans le siècle à propos du communisme et du national-socialisme, les mouvements islamistes ont suscité beaucoup d'écrits engagés, polémique ou apologie. C'est la part la plus visible des livres et des articles qui leur sont consacrés. Ainsi s'établit d'ordinaire l'opinion que l'on se fait d'eux : elle s'empresse aux jugements de valeur, sans guère prendre le temps de la connaissance. Or, ces mouvements ont produit, au fil des années, une profusion de textes, discours, brochures, tracts et sermons. Leur décryptage est malaisé, car il suppose la connaissance précise du contexte voire des langues de contrées aussi diverses que la Malaisie, le Pakistan, l'Algérie, l'Égypte, la Turquie, l'Iran ou la Bosnie — pour se limiter à quelques exemples. Ils ont aussi fourni matière à de nombreuses monographies savantes de grande qualité, traitant une masse de données et offrant des interprétations précieuses, mais dont l'impact est resté limité aux cénacles académiques.

L'ambition de ce livre est de rendre compte du phénomène dans son ensemble, à travers le monde, pendant le quart de siècle écoulé. D'observer son évolution, le jeu de ses différentes composantes et ses relations avec son environnement, tant dans les pays concernés au premier chef qu'avec les sociétés et les États d'Occident. On peut en effet aujourd'hui, une génération après ses premières apparitions, en dresser un véritable bilan. On dispose désormais du recul nécessaire, et d'une documentation assez diverse et abondante, pour corriger les premières impressions qu'avait suscitées la curiosité, les extrapolations construites à partir de l'analyse d'un cas ou d'un autre, même exemplaires. On peut, surtout, prendre en compte la durée : observer dans le temps comment l'idéologie de départ se modifie en fonction des aléas du contexte politique, des rapports des militants à l'argent et au pouvoir. On peut enfin ouvrir une perspective comparative qui nous permette, selon la recommandation du philosophe, de « bien voir les ressemblances entre les choses » de Kuala Lumpur à Alger et de Peshawar à Téhéran — méthode la plus adéquate pour analyser un phénomène social complexe, diffus, de grande ampleur, et en acquérir l'intelligence.

En se situant dans un vaste spectre de temps et d'espace, on transposera d'une situation à une autre les questions suscitées par telle expérience particulière, les éclairant mutuellement et élucidant ainsi ce que l'approche d'une seule laissait obscur. À l'origine de ce livre, il y eut une interrogation très simple : certains mouvements islamistes étaient parvenus à s'emparer du pouvoir, tandis que d'autres (les plus nombreux) y avaient échoué. Pourquoi Khomeini avait-il réussi en Iran, alors que les assassins de Sadate n'avaient pas été capables de transformer leur « régicide » en révolution ? En comparant les deux situations, on en venait naturellement à identifier quels groupes sociaux s'étaient lancés dans la révolution iranienne et dans les mouvements égyptiens respectivement, comment ils s'étaient rassemblés sous la houlette d'un clerc religieux dans un cas, tandis que la désunion avait prévalu dans l'autre. L'analyse sociale, en repérant l'épaisseur et la complexité des phénomènes, rend caduque d'emblée l'opinion commune qui, se fondant sur des jugements de valeur, projette sur un mouvement idéalisé ou diabolisé, mais réduit à un fantasme sans véritable matière, des représentations préconçues et mal établies.

Il y a vingt ans, pareille démarche était impossible. Aujourd'hui, elle est impérieuse. On arrive en effet au terme d'un cycle historique : les mouvements islamistes sont entrés, comme nous le verrons, dans une phase de déclin qui s'accélère depuis le milieu des années 1990. Interpréter ses causes, jauger son impact, envisager ses conséquences, sont d'un enjeu crucial pour l'avenir proche d'un monde musulman qui compte, au début du troisième millénaire, plus d'un milliard de fidèles — dépassant désormais le nombre des catholiques. *A posteriori*, l'ère islamiste, entre le début des années 1970 et la fin du vingtième siècle, s'est avérée un révélateur des bouleversements considérables et dramatiques qu'a connus l'univers où elle est advenue, une génération après les indépendances. Elle a constitué, dans une large mesure, la phase de négation de l'époque antérieure, celle du nationalisme. Aujourd'hui, en l'an 2000, l'épuisement de l'idéologie et de la mobilisation islamistes ouvre la voie à un troisième moment, de dépassement. Cette phase qui débute avec le vingt et unième siècle verra sans doute le monde musulman entrer de plain-pied dans la modernité, selon des modes de fusion inédits avec l'univers occidental — notamment par le biais des émigrations et de leurs effets, de la révolution des télécommunications et de l'information. Pour en anticiper au plus juste les conséquences, il faut dresser le bilan de la période écoulée, comprendre comment l'islamisme a supplanté le nationalisme, tout en conservant certains de ses caractères, puis comment, selon quelles procédures, le déclin islamiste peut à son tour ouvrir la voie à une démocratie musulmane qui, à ce jour, élabore ses fondements.

Théorisé dès la fin des années 1960 par quelques idéologues (le Pakistanais Mawdoudi, l'Égyptien Qotb et l'Iranien Khomeini), le mouvement ne s'implante dans les sociétés que pendant la décennie suivante. L'ère islamiste débute véritablement dans les lendemains de la guerre israélo-arabe d'octobre 1973, remportée par l'Arabie Saoudite et les autres États exportateurs de pétrole — dont le prix bondit dans des proportions inouïes. Sa première phase, celle du basculement, est scellée par la révolution islamique de 1979. Autant l'Iran de Khomeini incarnera le pôle radical, galvanisant les masses et mobilisant les déshérités contre l'ordre injuste, autant la dynastie saoudienne, gardienne des Lieux Saints de La Mecque et de Médine, mettra sa fabuleuse richesse au service d'une conception conservatrice des rapports sociaux. Elle exalte le rigorisme moral et finance en son nom la diffusion à travers le monde de tous les groupes ou partis qui pourront s'en réclamer. D'emblée, le mouvement islamiste est double — et ce sera toute la difficulté de son interprétation. On y trouvera la jeunesse urbaine pauvre, issue de l'explosion démographique du tiers-monde, de l'exode rural massif et qui a accès, pour la première fois dans l'histoire, à l'alphabétisation. On y verra aussi la bourgeoisie et les classes moyennes pieuses. Celles-ci sont pour partie les héritières de familles marchandes du bazar et du souk marginalisées au moment de la décolonisation par les militaires ou les dynasties qui s'emparent alors du pouvoir. Elles sont également faites des médecins, ingénieurs ou hommes d'affaires partis travailler dans les pays pétroliers conservateurs. Rapidement enrichis, ils ont été tenus écartés du jeu politique. Tous ces groupes sociaux, que leurs ambitions et leurs visions du monde séparent, vont trouver, le temps d'une génération, dans le langage politique islamiste la traduction commune de leurs frustrations distinctes et la projection transcendante de leurs espoirs divers. Le discours en sera tenu par de jeunes intellectuels, frais émoulus, pour la plupart, des facultés scientifiques et techniques, inspirés par les idéologues des années 1960.

Ainsi, dès la fin des années 1970, les principaux acteurs de la mouvance islamiste sont en place sur la scène politique de la majorité des pays musulmans. Ils apparaissent aussi dans l'espace régional où l'Arabie Saoudite d'un côté, l'Iran révolutionnaire de l'autre, vont se livrer une bataille féroce pour contrôler le sens à donner à l'islamisme même. Entre ces deux pôles, en Égypte, au Pakistan, en Malaisie, les gouvernements encouragent les militants en qui ils voient des alliés contre le socialisme, encore vivace, mais ne parviennent pas toujours à brider la dynamique populaire qu'ils enclenchent — en témoigne l'assassinat du président Sadate au Caire, en 1981, par le groupe Al Jihad.

Au début de la décennie 1980, l'islamisme se répand partout dans le monde musulman, où il devient la référence majeure des débats sur l'avenir de la société : le caractère équivoque de son message, dans lequel peuvent se reconnaître aussi bien le capitaliste barbu que l'habitant des bidonvilles, facilite sa propagation. Cette seconde phase est celle de l'expansion fulgurante, mais aussi de l'aiguisement des contradictions. Sa référence religieuse, qui ne le rend comptable en définitive que dans l'au-delà, lui assure un délai de grâce par rapport à ses réalisations concrètes. En promettant de rétablir la société de justice des premiers temps de l'islam, l'État instauré par le Prophète à Médine, l'islamisme incarne une utopie d'autant plus attirante qu'elle s'oppose à des régimes précocement usés par la corruption, la faillite économique et morale, l'autoritarisme, la suppression des libertés publiques — l'ordinaire du monde musulman à cette époque.

Le contrôle de cette force de mobilisation considérable ne laisse indifférente aucune des puissances régionales : certaines s'efforceront de la brider, d'autres de l'encourager, toutes d'intervenir en son sein. La révolution iranienne a en effet donné à songer aux gouvernants : en s'aliénant en bloc les religieux, le chah était isolé, privé de tout point d'appui dans la société. Khomeini a vaincu parce qu'il a su unifier, dans une dynamique irrépressible, le bazar, les pauvres, et même les classes moyennes laïques qui croyaient pouvoir disposer à leur gré de celui qu'elles prenaient pour un vieillard charismatique mais impotent. Tout l'effort des régimes au pouvoir dans les années 1980 consistera à dissocier les diverses composantes du mouvement islamiste. Ils donneront des gages à la bourgeoisie pieuse pour la détacher des couches populaires, redoutant que les émeutes récurrentes mais sans lendemain ne se transforment désormais en de nouvelles révolutions islamiques. En multipliant les concessions dans le domaine culturel et moral, les pouvoirs établis favoriseront dans l'ensemble le climat de la réislamisation dans une acception réactionnaire. Ils livreront en pâture les intellectuels laïques, les écrivains et autres « élites occidentalisées » à la vindicte des clercs religieux les plus rétrogrades, dans l'espoir

que ces derniers donneront l'onction à leur mainmise sur l'État. L'Arabie Saoudite jouera un rôle
central dans ce processus, distribuant ses largesses,
suscitant vocations et allégeances, et « fidélisant »
les classes moyennes pieuses grâce aux produits
financiers offerts par le système bancaire islamique
qui se structure à cette époque.

À l'échelle internationale, cette décennie est dominée par la lutte acharnée que se livrent la monarchie
saoudienne et l'Iran de Khomeini. À l'exportation de
la révolution que Téhéran pense sur le modèle des
révolutions française et russe s'oppose la politique
d'endiguement de Riyad — inspirée par le *containment* américain contre les Soviétiques durant la
guerre froide. La guerre déclenchée contre l'Iran
révolutionnaire en 1980 par Saddam Hussein avec la
bénédiction des monarchies du Golfe et la bienveillance de l'Occident voit le maître de Bagdad, chef
d'un parti laïque, mobiliser à ses côtés la religion
pour en ôter le monopole à son adversaire. Téhéran
à son tour utilise terrorisme et prise d'otages occidentaux, à travers le Hizballah libanais, pour faire
basculer en sa faveur le rapport des forces, et per-
turbe le pèlerinage à La Mecque. Mais le principal
terrain de ce conflit se déroule en Afghanistan. Le
jihad que financent dans ce pays les pétromonarchies de la péninsule Arabique et la CIA a pour but
explicite d'infliger à l'Union soviétique entrée à
Kaboul en décembre 1979 un « Vietnam » qui précipitera sa chute. À l'échelle de l'islam, il a aussi pour
fonction de détourner les militants radicaux du
monde entier de la lutte contre le Grand Satan américain — à laquelle les incite Khomeini — et de les
canaliser contre l'URSS. Le *jihad* afghan a une
importance cardinale dans l'évolution de la mouvance islamiste à travers le monde. Il en devient la

cause par excellence, à quoi s'identifient tous les militants, modérés comme radicaux. Il supplante, dans l'imaginaire arabe, la cause palestinienne et symbolise le passage du nationalisme à l'islamisme. Combattent en Afghanistan, outre les *moujahidines* originaires de ce pays, des « jihadistes » venus d'Égypte, d'Algérie, de la péninsule Arabique, d'Asie du Sud et du Sud-Est, qui constituent des « brigades internationales ». Surentraînés à la guérilla, vivant en milieu clos, ils élaborent une variante de l'idéologie islamiste axée sur la lutte armée, couplée à un rigorisme religieux extrême. Jusqu'en 1989, les services spéciaux saoudiens, pakistanais et américains sont convaincus de tenir sous contrôle ces « *Freedom Fighters* » barbus qui participent au grand combat contre l'Empire du Mal soviétique, et fournissent à la cause islamiste la plus exaltée une alternative par rapport à la révolution iranienne. Cette année-là, l'expansion du mouvement connaît son apogée : dans le soulèvement palestinien, l'*Intifada*, l'hégémonie de l'OLP est bousculée par *Hamas* ; en Algérie, pionnier du tiers-mondisme, naît le Front Islamique du Salut — qui remportera sans appel les premières élections libres depuis l'indépendance ; au Soudan, un coup d'État militaire fait de l'idéologue islamiste Hassan el Tourabi le maître du pays. En Afghanistan, l'Armée rouge se retire — consacrant la victoire du *jihad* et de son parrain saoudien — tandis que Khomeini, qui a dû signer l'armistice avec l'Irak, compense l'échec à exporter la révolution iranienne par la célèbre *fatwa* appelant à tuer Salman Rushdie. Par ce geste, il projette symboliquement l'espace de l'islam, l'Oumma, dans le monde occidental, en commençant par l'Europe de l'Ouest : le citoyen britannique Rushdie est décrété passible d'une peine de mort prononcée contre lui par un ayatollah iranien.

La même année, le port du voile par des collégiennes musulmanes en France déclenche un débat national qui exprime la percée de mouvements islamistes dans la jeune génération des enfants d'immigrés. Au même moment, la chute du mur de Berlin, prélude à l'effondrement du système communiste, permet à l'Oumma de se déployer politiquement au-delà du Rideau de Fer, incluant graduellement les nouveaux États musulmans d'Asie centrale, du Caucase, puis la Bosnie — au centre même de l'Europe. Enfin, la disparition du messianisme socialiste semble libérer un espace d'utopie où l'islamisme doit pouvoir s'engouffrer. Mais le sentiment d'expansion irrésistible qui caractérise alors cette idéologie et les mouvements qui s'en réclament repose sur des fondements sociaux extrêmement fragiles. L'alliance entre la jeunesse urbaine pauvre et les classes moyennes pieuses, scellée par les intellectuels qui élaborent la doctrine islamiste, résiste mal à des affrontements de longue haleine contre les pouvoirs établis. Ceux-ci s'emploient avec une efficacité croissante à dresser les deux composantes du mouvement l'une contre l'autre, en exposant l'antagonisme entre leurs aspirations concrètes, par-delà leur volonté commune mais floue d'instaurer l'État islamique et d'appliquer la *chari'a*.

Contrairement aux attentes des uns et aux appréhensions des autres, la dernière décennie du siècle n'a pas tenu les promesses des années 1980 [1]. Une actualité brûlante a propulsé sur le devant de la scène internationale des groupes aussi extrémistes que le GIA algérien et les Talibans afghans, ou l'improbable Oussama ben Laden. Paris comme New York ont subi des attentats spectaculaires perpétrés par des militants se réclamant de cette mouvance. Pourtant l'islamisme — comme amalgame de groupes sociaux différents soudés dans une idéologie commune — va commencer à se défaire, précipitant le déclin de l'ensemble. Les violences et la désagrégation marquent de la sorte les années 1990.

Le détonateur de ce processus a été l'invasion du Koweït par l'armée de Saddam Hussein en août 1990. En déclenchant la guerre pour faire main basse sur le coffre-fort koweïtien, le maître de l'Irak, ruiné par huit ans d'affrontement contre l'Iran, savait incarner une cause dans laquelle beaucoup d'Arabes comme de musulmans, notamment les démunis, se reconnaîtraient, face à l'égoïsme et aux habitudes somptuaires des pétromonarchies. En menaçant l'Arabie Saoudite, contrainte d'appeler à la rescousse une coalition internationale menée par les États-Unis, il révoquait la légitimité religieuse de la dynastie. Celle-ci avait dû inviter des militaires « infidèles » à souiller le sol prétendument sacré de ce pays. Elle ruinait sa prétention à garder le contrôle des Lieux Saints de l'islam. Ce faisant, l'offensive irakienne fit exploser le consensus islamiste qu'avait laborieusement bâti le système saoudien, et qu'il avait réussi à préserver face au maelström de la révolution iranienne. Toute la frange radicale du mouvement ainsi que la jeunesse urbaine pauvre qui s'identifiait à elle se retournèrent contre le royaume et les réseaux internationaux qu'il contrôlait — dans lesquels étaient généralement impliquées les classes moyennes pieuses des divers pays musulmans. Outre la dissidence au nom d'Allah apparue sur le territoire saoudien même dès 1991, la désagrégation du conglomérat islamiste se manifesta dans toute son ampleur avec la dérive des « jihadistes » partis pour l'Afghanistan, et qui, depuis leur base de Peshawar, échappèrent désormais à tout contrôle, mordant les mains américaines et arabes qui les avaient nourris. Ivres du *jihad*, ces groupes, convaincus d'avoir, seuls, fait tomber l'Union soviétique, transposèrent l'expérience afghane à l'ensemble du monde, et imaginèrent pouvoir précipiter la chute des régimes « impies » de la planète, en commençant par les pays musulmans, Arabie comprise. Dès la chute de Kaboul aux mains de certains partis de *moujahidines*, en avril 1992, ils se disséminèrent, avec pour destination principale trois pays : la Bosnie, l'Algérie et l'Égypte. Dans chacun, ils tentèrent de transformer le conflit en un *jihad* dont ils assureraient le commandement. En Bosnie, ils ne parvinrent pas à « réislamiser » le sens de la guerre civile, et les accords de Dayton de décembre 1995 signèrent leur échec. En Algérie, grâce à leur participation aux maquis, ils apportèrent aux combattants islamistes une plus-value considérable en matière de technique guerrière, mais propagèrent une idéologie ultra-extrémiste, aboutissant à des exactions qui finirent par les couper des milieux sociaux qui leur avaient été les plus favorables. En Égypte aussi, passé le premier impact spectaculaire de leur violence, ils s'aliénèrent une population qui ne se reconnaissait pas dans des modes d'action et une doctrine mûris dans les camps autour de Peshawar. Dans les trois cas, l'échec commence à se manifester à partir de 1995 — après des actions terroristes dont la réussite technique même se retourne contre les intentions politiques de leurs auteurs. L'influence des stages en camp chez les « Afghans » se fait aussi sentir en France, où les mieux formés des activistes arrêtés à la suite des attentats de 1994 et 1995 ont également séjourné. Ce découplage entre l'extrémisme des « jihadistes » coupés de la réalité et les aspirations sociales, politiques et culturelles, qu'avait traduites la progression régulière de l'islamisme tout au long des années 1980 donne un coup d'arrêt à celle-ci. L'arrivée au pouvoir des Talibans à Kaboul en 1996, avec son cortège de mesures coercitives contre les femmes et d'exécutions sommaires de « pécheurs », le fanatisme des étudiants des medressas sunnites pakistanaises radicalisés qui massacrent, dans la même haine des impies, leurs compatriotes chi'ites du Penjab et les hindous du Cachemire indien, ont effrayé les classes moyennes pieuses. Et l'année qu'a passée aux affaires le gouvernement de coalition dirigé par le Premier ministre islamiste Erbakan en Turquie, en 1996-97, n'a fait qu'accélérer la déréliction de l'alliance que ces classes moyennes et la jeunesse urbaine pauvre avaient conclue dans le langage politique de l'islamisme militant.

À partir du printemps 1997 en effet, un certain nombre de signes indiquent que plusieurs des acteurs sociaux de la coalition islamiste cherchent à sortir de l'impasse dans laquelle ils ont le sentiment que celle-ci les a conduits. L'élection du président Khatami en Iran — contre la volonté de l'establishment clérical de la République islamique, mais avec le soutien massif de la jeunesse née après la révolution et des classes moyennes urbaines, a été l'exemple le plus frappant, symboliquement, de cette volonté de changement — et d'un renversement de tendance qui semble désormais fortement engagé. On en trouve d'autres illustrations dans la plupart des pays où les mouvements islamistes ont été puissants, et où, partout, à leur idéologie déclinante commence à se substituer la recherche d'un pacte social nouveau, contracté avec les classes moyennes laïques, autrefois diabolisées. Il s'articule autour du

respect des droits de l'homme ainsi que de l'aspiration à une forme musulmane de démocratie — un
terme « occidental » encore voué à l'imprécation il y
a peu dans les cercles islamistes. De l'Indonésie —
où un président musulman qui se réclame de la laïcité a été élu après la chute de la dictature d'un
Suharto qui avait conclu un flirt poussé avec l'intelligentsia islamiste — à l'Algérie — où le gouvernement formé par le président Bouteflika rassemble
laïques militants et islamistes modérés — en passant
par le Pakistan — où le Premier ministre Nawaz
Charif, protecteur de la mouvance islamiste a été
renversé par un général se réclamant d'Atatürk — ou
le Soudan — où un autre général a mis sur la touche
l'éminence grise du régime, Hassan el Tourabi —,
beaucoup d'indicateurs convergent pour marquer la
déprise d'une idéologie et de l'alliance de classes
qu'elle avait cimentée. Il reste à voir comment ce
mouvement évoluera, et, surtout, si les élites au pouvoir, qui bénéficient d'une opportunité historique
pour promouvoir la démocratie dans les pays
qu'elles contrôlent, sauront en saisir l'occasion,
accomplir les sacrifices nécessaires pour élargir leur
base sociale, ou persisteront dans une logique
d'appropriation patrimoniale de l'État, annoncia-
trice de nouvelles tempêtes et de nouveaux
désastres.

NOTE SUR LA TRANSCRIPTION, LES NOTES ET LES CARTES

Les termes provenant de langues du domaine musulman
(arabe, persan, turc, ourdou, malais, etc.) sont transcrits selon
leur prononciation usuelle dans chaque langue, et selon
l'usage dominant des ouvrages rédigés en caractères latins,
même lorsque ces termes proviennent d'un même mot arabe

(par exemple, *da'wa* [prédication] a donné *dakwah* en Malaisie; *jama'a* [association] est prononcé *gama'a* en Égypte).

L'ensemble des notes est renvoyé à la fin du volume. On y trouvera à la fois le développement de certains thèmes traités dans le corps du texte, destiné surtout aux spécialistes, et l'ensemble des sources utilisées.

Des cartes permettent de situer la plupart des lieux mentionnés dans le texte et figurant dans l'index.

PROLOGUE

LA GESTATION

1

Une révolution culturelle

Le 29 août 1966, Sayyid Qotb, penseur de l'islamisme moderne, est pendu dans l'Égypte de Nasser. L'événement n'est traité qu'en pages intérieures de la presse internationale, pour être rapidement oublié. Il suscite surtout des protestations parmi les sympathisants et les anciens membres des Frères musulmans, une organisation dissoute douze ans plus tôt et dont on estime alors, dans les salles de rédaction et les chancelleries, qu'elle appartient au passé. Pourtant, cette pendaison radicalisera la rupture entre le nationalisme alors triomphant — qu'incarne Nasser dans le monde arabe et dans sa version socialiste — et l'islamisme que Qotb a mis à jour. À la fin de la décennie suivante, le rapport de forces entre les deux idéologies sera renversé et l'islamisme sera devenu une nouvelle utopie mobilisatrice. Beaucoup, enthousiastes comme résignés, croiront qu'elle porte les évolutions futures du monde musulman. La contribution de Qotb y jouera un rôle essentiel, avec celle de deux autres figures majeures, le Pakistanais Mawdoudi (1903-1979) et l'Iranien Khomeini (1902-1989). Mawdoudi et Qotb, dont les pensées sont en contact, exercent d'abord leur influence dans le monde sunnite, alors que Khomeini, dont l'idéologie s'élabore dans un autre registre, fonctionne en premier lieu dans le cadre de l'islam chi'ite. Tous trois partagent une même vision principalement politique de l'islam, et appellent à l'établissement d'un État islamique. En ce sens, ils s'opposent tant au nationalisme séculier qui prédomine dans les années 1960 qu'aux conceptions traditionnelles de l'islam qui ne font pas du combat politique une priorité absolue. Mais ils représentent trois sensibilités différentes : Qotb préconise une rupture radicale avec l'ordre établi, qui saura attirer une partie de la jeunesse, scolarisée comme défavorisée, mais aliénera à ses idées la plupart des clercs religieux et des classes moyennes. Mawdoudi, pour qui l'instauration de l'État islamique doit se faire graduellement, séduira une partie des classes moyennes, sans parvenir à convaincre la masse de la population pakistanaise. Khomeini, quant à lui, réussira à embrigader à la fois déshérités et classes moyennes, intellectuels radicaux et clercs religieux. Cela expliquera en partie la victoire de la révolution islamique dans le seul Iran.

Dans les pages qui suivent, nous examinerons d'abord comment chacun de ces trois idéologues de l'islamisme contemporain a pris position par rapport à son environnement politique et religieux dans les années 1960, durant la phase de gestation intellectuelle d'un mouvement qui n'émergera concrètement dans la société qu'au cours de la décennie suivante. On verra comment ils ont mené la critique des idéologies nationalistes alors prédominantes. Puis on passera en revue le contexte islamique général de l'époque par rapport auquel il leur a fallu se définir : la religion populaire des confréries comme l'islam savant des clercs, ou oulémas. En effet, l'idéologie islamiste n'est pas apparue dans un vide, elle s'est inscrite, de manière contradictoire, dans une tradition dont elle a repris quelques éléments, en exacerbant certains, ou en délaissant d'autres, avec des succès variables selon les pays et les situations.

C'est d'abord dans le domaine de la culture, au sens large, que l'islamisme a mené la bataille, avant d'investir la société et la politique. Ce combat a été mené contre le nationalisme, pour substituer une vision du monde, une communauté de sens, à une autre. Cette révolution culturelle islamiste s'est effectuée à travers des groupes restreints de militants et d'intellectuels auxquels on prêtait peu ou pas d'attention à la fin des années 1960. Mais elle a su anticiper, à sa manière, certains des traumatismes majeurs qui se produiraient dans les sociétés dix ans plus tard, et se préparer à fournir des réponses à ces événements.

Jusqu'au début des années 1970, la culture du nationalisme était prédominante dans la plupart des pays musulmans. Elle avait été élaborée par des élites indigènes qui avaient su lutter avec succès contre la colonisation européenne, empêcher sa mainmise (comme Atatürk en Turquie, dès les années 1920) ou mener leur pays à l'indépendance (comme dans la majorité des autres pays, après la Seconde Guerre mondiale).

Les nationalistes, arabes, turcs, iraniens, pakistanais, malaisiens, indonésiens, et autres, avaient fragmenté le monde de l'islam historique (le *dar el islam*) en communautés de sens distinctes fondées sur l'usage et la diffusion de chaque langue écrite moderne, celle de la presse, des livres, et de la radiodiffusion formelle [1]. Ils en avaient pris possession, l'avaient mise au service d'idéaux traduits et adaptés des langues européennes, en retournant contre le colonisateur ou l'impérialiste les notions de liberté et d'égalité issues de la culture des Lumières. Ce projet d'émancipation — qui s'effectuait dans la « langue nationale » et la créait comme telle — leur avait permis de bousculer les clercs religieux, les oulémas, qui traditionnellement avaient exercé seuls leur magistère sur la langue écrite savante et en avaient fait le vecteur de l'expression sacrée des valeurs de la société.

Les intellectuels nationalistes étaient pour leur part généralement issus des écoles de style européen implantées dans le monde musulman. Or, en dépit de leurs qualifications, ils n'avaient pas eu accès aux emplois moyens et supérieurs contrôlés par le pouvoir colonial, dont la langue officielle était celle de la métropole. Et leur combat en faveur de l'indépendance politique avait aussi pour but d'introniser la langue écrite moderne locale comme langue nationale officielle, afin que l'identité nouvelle des citoyens des États indépendants s'affirme par son usage. Les élites nationalistes au pouvoir, après avoir laïcisé l'écrit, se l'étaient approprié pour exprimer les valeurs de la nation, de l'État et de la modernité telles qu'elles les concevaient. Avec le passage des années, cette langue écrite moderne, à cause de la censure généralement très stricte qu'exerçaient sur les media et les livres ces dirigeants autoritaires, était devenue entre leurs mains un instrument bien contrôlé de propagande et de légitimation politique de leur domination sur la société.

C'est à ce moment que firent irruption Sayyid Qotb et Mawdoudi. Par leur production écrite, ils s'emparèrent à leur tour de cette langue pour en faire le vecteur de leurs propres valeurs, fondées non plus sur la nation, mais sur la réactivation d'une référence religieuse à l'islam — comme critère de l'identité culturelle, sociale et politique, à l'exclusion de tout autre.

Le premier front ouvert dans cette bataille culturelle fut celui de l'Histoire et du temps. Avec la proclamation des États nouveaux, les nationalistes avaient voulu fonder une Histoire dont ils seraient désormais les acteurs, marquant une rupture radicale et résolue avec le passé. La Turquie n'était plus l'Empire ottoman, les États arabes n'étaient plus des colonies européennes, le Pakistan s'était séparé de l'Inde : une ère nouvelle commençait. Pour Sayyid Qotb[2] et ses émules, au contraire, l'histoire moderne des pays musulmans depuis les indépendances est dénuée de toute valeur exemplaire. Elle est même dévalorisée, stigmatisée par un terme arabe venu du Coran, *jahiliyya*, qui désigne l'état d'« ignorance » dans lequel vivaient les Arabes avant la Révélation de l'islam au prophète Mohammed, au début du septième siècle de l'ère chrétienne. Les musulmans de l'âge des nationalismes ignorent l'islam, selon Qotb, à l'instar des Arabes païens de la *jahiliyya* primitive. De même que ceux-ci adoraient des idoles de pierre, les contemporains de Qotb vénèrent, selon lui, les idoles symboliques que sont la nation, le parti, le socialisme, etc. En déniant ainsi la prétention des nationalistes à fonder l'Histoire et en les rejetant dans les ténèbres d'avant la Révélation, Qotb effectue une révolution culturelle. Lorsqu'il écrit dans les années 1960 ses ouvrages majeurs, qui sont devenus depuis lors des best-sellers dans tout le monde musulman (*À l'ombre du Coran*, son commentaire coranique, et *Signes de piste,* le *Que faire ?* du mouvement islamiste), Qotb appelle de ses vœux l'émergence d'une « nouvelle génération coranique » qui pourra bâtir dans le monde contemporain une nouvelle communauté de sens, islamique, sur les ruines du nationalisme, comme le Prophète et sa génération avaient édifié la communauté des croyants sur les décombres du paganisme arabe qu'ils avaient détruit.

En faisant porter ses espoirs sur une « génération », Qotb inscrit précisément son propos dans le temps : c'est aux jeunes nés après l'indépendance, à ceux qui ne peuvent plus bénéficier de la grande redistribution sociale effectuée au lendemain du départ des colons et de la répartition de leurs dépouilles qu'il s'adresse. Pour les convaincre, il faut qu'il s'exprime dans l'idiome dans lequel ils ont été formés et qu'il le subvertisse. Il inaugure un mode d'écriture islamique simple et dépouillé, loin de la rhétorique compliquée des oulémas, pleine de références à la tradition et chargée de gloses. Alors qu'ils exprimaient les valeurs de l'islam dans un style archaïque propre à l'énonciation d'une vérité distante, Qotb se met à la portée de ses lecteurs en s'emparant de ce vecteur de la communication politique qu'est la langue écrite moderne pour en faire l'outil de sa prédication.

Afin de dévaloriser le nationalisme comme idéal, il utilise un couple de concepts que Mawdoudi a inventé : la « souveraineté » (*hakimiyya*) et « l'adoration » (*'ouboudiyya*)[3]. Il en fait le critère de différenciation de l'islam et du non-islam, du Bien et du Mal, du Juste et de l'Inique. Dans l'islam, c'est Allah qui détient seul la souveraineté, et qui est l'objet unique de l'adoration des hommes. Le seul dirigeant juste est celui qui gouverne selon ce qu'Allah a révélé. En revanche, lorsque la souveraineté est détenue par une « idole » (la nation, le parti, l'armée, le peuple, etc.), et que celle-ci est objet de l'« adoration » des foules (que la propagande des régimes autoritaires excellait à mettre en scène), règne le Mal, l'Inique le Faux — l'anti-islam, la *jahiliyya*.

La force de ce raisonnement — et la cause de

l'extraordinaire attrait qu'il exercera sur la jeunesse des années 1970 — vient de la rupture radicale qu'il opère dans le registre de l'imaginaire : il brise l'ancienne utopie devenue un système de pouvoir autoritaire, comme le Prophète brisait les idoles du paganisme, et la remplace par l'utopie de l'islam. Nul besoin de définir celle-ci, d'en préciser le programme, puisque l'islam est déjà advenu : il suffit de se reporter à l'expérience originelle du Prophète et de ses compagnons, et d'en tirer son inspiration. La faiblesse du raisonnement tient dans la latitude laissée à l'interprétation de ce que fut cette expérience, et à la façon de la reproduire au vingtième siècle. Qotb est mort avant d'avoir pu préciser sa pensée sur ce point, et ceux qui s'autoriseront de lui composeront un ensemble hétéroclite (des sectaires illuminés qui traiteront toute la société d'impie aux militants qui réserveront ce qualificatif aux seuls pouvoirs établis) créant une confusion qui sera préjudiciable à terme à la mouvance islamiste dans son ensemble.

L'apport de Qotb est central pour éclairer la gestation de l'islamisme sunnite dans tout le monde musulman, bien qu'il ait lui-même été déterminé surtout par son expérience proprement égyptienne. Héritier de la tradition des Frères musulmans, il l'a transformée en puisant une partie de son inspiration dans l'œuvre de son contemporain pakistanais Mawdoudi, pour en faire une synthèse propre au caractère plus activiste et radical.

LES FRÈRES MUSULMANS,
MATRICE DE L'ISLAMISME
MODERNE

Lorsque Qotb, dans la première moitié des années 1960, écrit les ouvrages qui feront de lui après sa mort l'idéologue le plus influent de l'islamisme contemporain, il est enfermé dans les prisons nassériennes pour son appartenance à l'Association des Frères musulmans[4]. Créée en 1928, pendant l'époque coloniale, et brisée en 1954 par le jeune État de Nasser, elle avait élaboré, à travers l'œuvre de son fondateur Hassan el Banna (1906-1949) et sa pratique d'organisation de masse, le modèle de la pensée et de l'action islamistes au vingtième siècle. S'il en a reçu son inspiration première, Qotb est aussi, au soir de sa vie, en situation de tirer le bilan des échecs du mouvement, et de s'adapter à la situation nouvelle née de la disparition du colonialisme et de l'avènement d'un État indépendant hostile.

En rétrospective, l'expérience des Frères permet de situer la pensée de Qotb et de ses nombreux disciples ; mais d'autres tendances de l'islamisme contemporain, moins radicales, s'en sont également réclamées, et en font une lecture différente.

Le contexte dans lequel est créée l'Association, à la fin des années 1920, est celui d'un intense désarroi dans le monde musulman. Cette période correspond en effet à l'apogée de la colonisation européenne, mais aussi à la disparition du califat ottoman d'Istanbul, aboli par Atatürk en 1924. Le monde de l'islam est donc à la fois dépecé par les puissances chrétiennes, et bouleversé de l'intérieur : le califat, qui symbolisait l'unité des croyants à travers le monde, est remplacé par une république nationaliste turque et laïque. La création des Frères musulmans est l'une des formes de réponse à ce désarroi. L'Association reprend en effet à son compte la dimension politique de l'islam, en se substituant à un calife disparu censé l'incarner. Face aux partis nationalistes égyptiens de l'époque, qui réclamaient l'indépendance, le départ de l'occupant anglais et une Constitution démocratique, les Frères leur rétorquaient, par un slogan toujours usité dans la mouvance islamiste : « Le Coran est notre Constitution. » Par là, ils signifiaient que, selon une autre de leurs formules, « l'islam est un système complet et total », et qu'il n'est nul besoin d'aller chercher dans des valeurs exogènes, européennes et donc particulières, le fondement de l'ordre social puisque celui-ci se trouve dans le Coran — qui est, selon eux, universel. Cette doctrine est propre à l'ensemble de la mouvance islamiste, toutes tendances confondues : la solution aux problèmes politiques que connaissent les musulmans réside dans l'instauration d'un État islamique, qui applique la *chari'a* (loi tirée des Textes sacrés de l'islam) comme devait le faire, selon la tradition, le calife.

L'Association des Frères musulmans devint en quelques années un mouvement de masse, qui toucha en particulier la petite bourgeoisie urbaine d'extraction modeste, récemment alphabétisée, imprégnée d'une vision religieuse du monde. Banna et ses disciples surent politiser cette religiosité : ils la firent passer du registre de la société traditionnelle dont elle exprimait les normes et les règles à celui du monde urbain colonial. L'islam des Frères refusait de se cantonner au piétisme et au culte, mais opposait une modernité « islamique » à celle de l'Europe. Le sens de cette expression n'a jamais été réellement précisé — et son équivoque même a permis de rassembler sous sa bannière des groupes sociaux aux origines et aux aspirations diverses. En effet, si l'on considère la modernité comme la différenciation des champs sociaux, politique, religieux, culturel, etc., le projet des Frères des années 1930 comme de leurs héritiers contemporains lui est opposé, puisqu'il fond dans un même ensemble « total et complet » société, État, culture, et religion, d'où tout procède. L'ordre social auquel ils aspirent est sans contradictions, et les partis politiques sont déconsidérés car ils rompent l'unité de la communauté des croyants — et l'affaiblissent face aux ennemis de l'islam. Ainsi, les Frères purent à la fois être particulièrement bien implantés parmi un groupe social qui était politiquement aliéné, marginalisé et mécontent (la toute petite bourgeoisie urbaine, les petits fonctionnaires, les instituteurs) et avoir des rapports cordiaux avec l'entourage du roi d'Égypte Farouk, qui voyait dans l'Association un utile contrepoids aux nationalistes laïques. À tous, ils tenaient le langage de l'unité des croyants, mettant l'accent sur le caractère moral et religieux de leur message.

Cette ambivalence se retrouvera dans beaucoup de mouvements islamistes contemporains. Elle a été remarquée très tôt et a suscité des interprétations contradictoires, notamment chez les intellectuels arabes de gauche. Traditionnellement, ils tenaient les Frères pour un mouvement populiste qui encadrait les masses afin de diluer leur conscience de classe dans un vague sentiment religieux, et ainsi faisait le jeu de l'ordre établi. L'analyse évoquait parfois les fascismes européens des mêmes années 1930. Mais depuis les années 1980 est apparue une lecture « progressiste » de l'idéologie des Frères d'hier, dont les auteurs voient dans la mouvance islamiste contemporaine une prolongation. Parce

qu'ils permettaient à des groupes sociaux qui ne
maîtrisaient pas la culture des élites européanisées
de s'intégrer à la société moderne, ils favorisaient le
processus démocratique : grâce à eux, le peuple
pourrait accéder au pouvoir, par le biais de sa
culture islamique. Ce débat se poursuit aujourd'hui[5].
Mais ces deux analyses réduisent l'islamisme à
l'expression des intérêts finals d'un seul groupe
social : les réactionnaires qui manipulent un mouvement populiste, dans un cas, le peuple idéalisé à travers son authenticité culturelle supposée, dans
l'autre.

Or, l'histoire des Frères illustre dès l'entre-deux-
guerres le caractère socialement très ambigu de ce
premier mouvement islamiste du siècle — que l'on
retrouvera à l'identique lorsque cette mouvance
connaîtra son plus grand essor, durant les années
1980. Il a été puissant lorsqu'il est parvenu à rassembler, au nom de la référence culturelle à l'islam et de
l'évocation d'une société islamique réconciliée, des
groupes sociaux qui seraient sans cela demeurés
antagoniques : plèbe urbaine, ruraux, étudiants,
entourage du Palais royal, etc. Mais il a périclité
lorsque ses différentes composantes sont entrées en
conflit, sans que l'identité culturelle et religieuse suf-
fise alors à maintenir leur unité. Celle-ci a été mise
en péril dès que le fondateur, Banna, fut assassiné,
en 1949, dans un climat de violence politique généralisée qui marque les dernières années de la monarchie égyptienne. Les Frères y eurent leur part,
comme les autres partis. L'Organisme secret,
branche paramilitaire de l'Association, pratiqua le
terrorisme. Les tenants d'une lecture « fascisante »
de l'idéologie des Frères y voient la confirmation de
leurs thèses, tandis que ceux qui les considèrent
comme des progressistes relativisent l'importance

du passage à la violence qu'ils imputent à une tendance marginale du mouvement.

Lorsque les Officiers libres, Nasser et ses camarades, renversent l'ancien régime et s'emparent de
l'État en juillet 1952, les Frères sont pris dans une
contradiction entre leur base sociale et leur idéologie. Dans un premier temps, ils applaudissent à la
prise du pouvoir par des fils du peuple auxquels res-
semblent la majorité de leurs membres, à la dissolution des partis politiques qui fragmentent la
Communauté des Croyants, et ils voient dans
l'Égypte de Nasser l'occasion d'édifier la société sans
clivages, garantie par l'instauration de l'ordre islamique, qu'ils appellent de leurs vœux. Mais le projet
nationaliste du raïs vient rapidement en concurrence avec l'islamisme des Frères. Tous deux se disputent la même base (la petite-bourgeoisie urbaine),
et recherchent l'unanimisme de la société. Le conflit
entre ces deux visions parallèles s'achève dans le
sang, à l'occasion d'une tentative d'assassinat de
Nasser imputée aux Frères à l'automne 1954. Leur
organisation est dissoute, les membres arrêtés ou
exilés et plusieurs dirigeants pendus. On estime à
l'époque que l'islam des Frères musulmans a subi
une défaite historique définitive, qu'il n'est qu'un
vestige de l'époque coloniale révolue. Il n'a plus sa
place dans une société qui se modernise à marches
forcées sous la bannière d'un nationalisme autoritaire qui évoluera vers le socialisme et l'alliance
soviétique. En réalité, le mouvement, décapité,
commence une traversée du désert qui durera deux
décennies en Égypte, mais qui lui donnera l'occasion de se diffuser largement à l'étranger et de se
ressourcer, notamment en faisant le bilan de son
échec face au nassérisme. Ce bilan et les perspectives contrastées qui en seront tirées dessineront la

plupart des tendances encore présentes aujourd'hui dans la mouvance islamiste, des plus radicales aux plus modérées, qui se définiront ensuite par rapport aux positions prises par Sayyid Qotb. Mais en termes sociaux l'échec des Frères à résister à l'affrontement avec Nasser est dû, par-delà les aléas des machinations politiques, au fait que le nassérisme naissant est parvenu à attirer à lui cette petite-bourgeoisie urbaine, ces étudiants et ces ruraux qui comptaient pour beaucoup parmi les militants et les sympathisants, et à leur proposer des perspectives d'ascension et d'intégration sociales tangibles dès la prise du pouvoir. La force d'attraction d'une idéologie — et ses limites — tient à son articulation à une pratique sociale : les succès et les échecs de l'islamisme au vingtième siècle, des Frères musulmans jusqu'à l'époque contemporaine, en sont l'illustration, loin des interprétations téléologiques qui font de ce mouvement, pour le meilleur ou pour le pire, l'aboutissement nécessaire de l'histoire du monde musulman.

SAYYID QOTB, QUERELLES D'HÉRITIERS

Les succès des Frères venaient de leur capacité à rassembler, autour de leur programme, des groupes sociaux divers, à mener un travail de prosélytisme qui s'accompagnait d'une activité caritative intense, autour des dispensaires, des ateliers, des écoles installés à la périphérie des mosquées contrôlées par l'organisation. À l'époque de leur plus grande expansion, ils se percevaient comme l'émanation par excellence du peuple égyptien dont ils accompagnaient l'évolution espérée vers la société islamique idéale. La domination coloniale était vilipendée, mais la monarchie égyptienne, sa sujette, ménagée :

des relations suivies furent tissées avec l'entourage du roi Farouk, auquel Banna fut présenté.

La répression nassérienne change radicalement la donne : la mouvance islamiste issue de l'organisation dissoute se retrouve persécutée par un État auquel elle voue une hostilité radicale, et aliénée par rapport à la population. Aliénation à la fois physique (les cadres sont en exil ou en prison) et spirituelle : même si l'on fait la part de la propagande et de la coercition, le peuple égyptien plébiscite Nasser. Or il est le bourreau des Frères. C'est dans pareil contexte que Qotb élabore la figure de la *jahiliyya*, de la barbarie anté-islamique. Il en qualifie l'ensemble du monde de son époque, y compris les pays qui se disent musulmans. Il faut l'abattre, comme le Prophète avait détruit la *jahiliyya* originelle, pour édifier sur ses ruines l'État islamique. Par rapport à la pratique ancienne des Frères, immergés dans la société et sans animosité de fond contre le monarque, la notion de *jahiliyya* marque une rupture. Elle signifie que l'on ne tient plus les membres du corps social pour musulmans. Dans la doctrine islamique, il s'agit d'une accusation très grave, le *takfir*. Par ce terme, qui dérive de *kufr* (« impiété »), on déclare impie quelqu'un qui est, ou se prétend, musulman, on l'excommunie, en le mettant au ban de la Communauté des Croyants, de l'Oumma. Pour ceux qui prennent au pied de la lettre la loi islamique dans son acception la plus rigoriste, pareil impie ne bénéficie plus d'aucune protection légale ; selon l'expression consacrée, « son sang est licite » : il est passible de la peine de mort.

Le *takfir* constitue une sorte de sentence de dernier recours. Les docteurs de la loi, les oulémas, qui sont en principe seuls habilités à la prononcer après avoir pris les précautions juridiques idoines, ont toujours considérablement hésité à l'utiliser, car, employée mal à propos et sans restriction, elle amenait discorde et sédition dans les rangs des croyants. Ils risquaient de s'excommunier mutuellement sans plus de précaution et de mener l'Oumma à sa perte. Or, Qotb, mort avant d'avoir pu préciser sa pensée, laisse ouverte l'interprétation de son usage du terme *jahiliyya* et de sa conséquence, le *takfir*, avec ses effets imprévisibles.

Trois grands types de lecture en ont été faits par ceux qui se référaient à lui, et qui ont débattu de sa pensée dans les camps de prisonniers et autour d'eux. Les plus extrémistes ont considéré que l'impiété régnait partout, hors de leur petit noyau de croyants authentiques. Ils ont prononcé un *takfir* généralisé, qui a même concerné leurs codétenus. D'autres ont limité l'excommunication aux dirigeants — impies parce qu'ils ne gouvernaient pas selon les injonctions contenues dans les Textes sacrés — mais en ont épargné la masse des croyants. D'autres enfin, principalement parmi les Frères musulmans qui avaient été élargis ou vivaient hors d'Égypte, et qui se reconnaissaient dans le successeur de Banna comme Guide suprême de l'organisation, Hassan el Hudaybi, ont proposé une interprétation allégorique des passages les plus controversés de l'œuvre de Qotb. La rupture avec la société, la *jahiliyya*, devait être comprise dans un sens spirituel et non matériel. En effet, les Frères se voulaient des prédicateurs, non des juges : il fallait prêcher la société pour l'amener à mieux s'islamiser, non la condamner pour impiété.

À la fin des années 1960, ces trois tendances ne se manifestent qu'à l'intérieur d'une mouvance largement clandestine : elles opposent des jeunes qui veulent en découdre avec l'État, voire punir la société pour son acceptation passive de cet État « impie », à ce qui reste de l'establishment des Frères. Bien implanté en Arabie Saoudite ou en Jordanie[6], effrayé par pareil radicalisme, celui-ci préfère le compromis politique, lorsqu'il est possible, à un affrontement avec l'État, car la répression de 1954 en Égypte a laissé un souvenir traumatique. Il attend son heure — jusqu'à la défaite catastrophique des armées arabes face à Israël lors de la guerre des Six Jours de juin 1967. Elle touche de plein fouet les États issus du nationalisme arabe, déstabilise Nasser, qui offre alors sa démission puis la reprend dans un contexte dramatique. Le consensus des valeurs nationalistes dominantes depuis l'Indépendance, qui fondait la légitimité du pouvoir, commence à s'effriter. C'est dans cette brèche culturelle que s'engouffrera, avec d'autres idéologies de contestation, la pensée isla miste reconstituée autour de la mise à jour qu'en a faite Qotb. Or celle-ci, à l'aube des années 1970, ne se laisse plus interpréter par son seul contexte arabe. Elle a été fécondée par un apport venu du sous-continent indien, celui de Mawdoudi.

MAWDOUDI, POLITICIEN
ISLAMISTE

L'Arabie ayant été le lieu de la Révélation islamique et l'arabe la langue du Coran, on réduit fréquemment le monde musulman au monde arabe — quitte à concéder l'existence d'un islam « périphérique » qui aurait une relation de subordination à ce dernier. Pourtant les Arabes ne représentent guère, à la fin du vingtième siècle, que moins du cinquième du milliard de musulmans vivant dans le monde, dont les centres démographiques se trouvent dans le sous-continent indien et en Asie du

Sud-Est. Une même vue réductrice est souvent de mise lorsqu'on traite de l'islamisme contemporain : celui-ci ne se limite ni au monde arabe, ni au Moyen-Orient. Il plonge de profondes racines dans l'Inde et le Pakistan. À travers Mawdoudi, et des filières moins connues, comme l'école déobandie, où se sont formés les Talibans, les textes en langues ourdoue, largement traduits en arabe et en anglais, ont exercé une influence majeure sur l'évolution globale de l'islamisme international à travers le siècle.

Contrairement à l'Égypte, où les Frères furent brisés par la répression nassérienne en 1954, ce qui créa une interruption entre la période coloniale et l'époque contemporaine, l'islamisme du sous-continent indien s'est développé en continu des années 1930 à aujourd'hui. Et pendant les décennies des persécutions au Caire, c'est l'œuvre de Mawdoudi (1903-1979)[7] qui prend le relais pour fourbir les théories et les concepts qui adapteront l'idéologie islamiste aux nouvelles conditions politiques que crée l'avènement des États indépendants « irréligieux ». Il a en effet très tôt jeté les bases culturelles de l'État islamique, défini en opposition au « nationalisme musulman » qui allait donner naissance au Pakistan à partir de 1947.

Plus encore que les islamistes arabes, Mawdoudi situe d'abord son activité dans le registre de la culture au sens global. Il investit le domaine de la langue écrite des musulmans du nord de l'Inde, l'ourdou, en laquelle il est un auteur prolifique, comme journaliste puis comme écrivain. Cette langue est un dérivé du sanscrit auquel s'est agrégé un important vocabulaire arabe, turc et persan, et que l'on rédige en caractères arabes. Idiome composite des conquérants musulmans du sous-continent indien[8], il fut érigé en langue nationale du Pakistan

à sa création, en 1947, et symbolise l'identité politique du nationalisme pakistanais, dans son opposition à l'Inde — qui adopta le hindi. Mais ce
nationalisme avait un rapport ambigu à l'islam : ses
promoteurs voulaient faire du Pakistan « l'État des
musulmans » de la péninsule Indienne, et non un
« État islamique » (comme Israël, créé l'année suivante, en 1948, avait été pensé par le sionisme laïque
comme « État des Juifs » et non « État juif »). Ils
souhaitaient rassembler dans un territoire circonscrit les musulmans du sous-continent, sur une
base « sociologique » (sans prendre en compte
l'intensité de leur engagement religieux) pour en
faire les citoyens d'une nation moderne, aux institutions largement inspirées du modèle britannique. La
création de cette nation inventée nécessita des
échanges de populations importants, accompagnés
de massacres. Le pays se composa de deux zones
distinctes séparées de près de 2 000 kilomètres : le
Pakistan actuel (alors « occidental ») et le futur Bangladesh (alors « Pakistan oriental »), qui fera sécession en 1971, témoignant de la fragilité de la
construction originelle où la seule appartenance
religieuse voulait tenir lieu de ciment national. Dans
ce cadre, l'ourdou — langue de culture des musulmans de la région de Delhi que ne pratiquaient pas
les habitants des territoires formant le nouvel État —
fut promu langue écrite nationale unificatrice, vecteur par excellence du nationalisme des élites au
pouvoir.

Mawdoudi publie en ourdou son premier livre, *Le
jihad dans l'islam*, à la fin des années 1920, à
l'époque où Banna crée les Frères musulmans en
Égypte. Il est d'emblée hostile au projet d'un « État
des musulmans » circonscrit, qui donnerait le pouvoir à des élites nationalistes, et milite pour un État

islamique à l'échelle de l'Inde entière. Pour lui, tout nationalisme est impiété (*kufr*), d'autant plus si sa conception de l'État est d'inspiration européenne. En outre, il n'a que défiance envers les oulémas, à qui il reproche de s'être accommodés d'un gouvernement non musulman, depuis que l'occupant britannique s'est emparé du pouvoir en 1857. Mawdoudi prône l'islamisation « par le haut », grâce à un État où la souveraineté s'exerce au nom d'Allah et qui applique la *chari'a*, déclarant que la politique est une « composante intégrale et inséparable de la foi islamique, et l'"État islamique" que l'action politique des musulmans cherche à édifier, la panacée à tous leurs problèmes[9] ». Pour lui, les cinq « piliers de l'islam » traditionnels (la profession de foi, la prière, le jeûne de Ramadan, le pèlerinage et l'aumône) ne sont qu'une formation, qu'une préparation au *jihad* — combat contre les créatures d'Allah qui ont usurpé Sa souveraineté[10]. Sous sa plume, la religion est transformée en une idéologie de lutte politique. Pour mener ce *jihad*, il organise « l'avant-garde de la révolution islamique » dans un parti fondé en 1941, la *jama'at-e islami*, qui présente de nombreuses ressemblances avec le modèle léniniste. Mais ses références explicites vont à « l'avant-garde » des premiers musulmans : rassemblés autour du Prophète, lors de l'Hégire, en l'an 622, ils avaient rompu avec les Mecquois idolâtres, partant créer à Médine l'État islamique. Son parti a la même fonction. Le premier, au vingtième siècle, Mawdoudi a théorisé politiquement cette rupture originelle qui fonde l'islam et l'a transformée en stratégie d'action. Il s'est inspiré pour cela des partis « d'avant-garde » européens des années 1930. Qotb et ses successeurs s'inscriront dans la même démarche. Mais contrairement à ceux-ci, qui construiront leurs organisations dans la clandestinité et traduiront la « rupture » avec la société impie en affrontements souvent violents, le parti de Mawdoudi mènera une existence légale pour le plus clair de son histoire (qui continue à ce jour), même si le fondateur et de nombreux dirigeants connurent la prison à plusieurs reprises. Le *jihad* pour construire l'État islamique s'est exprimé dans les faits par la participation au système politique pakistanais.

À la différence des Frères musulmans égyptiens des années 1930 à 1950, mais aussi des partis islamistes de la fin du siècle, comme le Parti de la Prospérité turc ou le Front Islamique du Salut algérien, la *jama'at-e islami* n'est pourtant pas parvenue à conquérir une audience de masse, et ses résultats électoraux sont demeurés médiocres. Sa base sociale est restée limitée à la classe moyenne inférieure éduquée, sans accès aux couches les plus pauvres — où l'usage de la langue ourdoue est peu répandu, alors que Mawdoudi et ses disciples firent de celle-ci l'idiome de leur prédication. Surtout, le programme social du parti est resté très équivoque. Il proclamait son hostilité de principe au capitalisme comme au socialisme, mais c'est d'abord ce dernier qui s'est attiré ses foudres. Dans la gestation de l'islamisme contemporain, l'apport de Mawdoudi tient au caractère pionnier de la rupture culturelle qu'il est le premier à théoriser — à la fois contre les « nationalistes musulmans » et le monde des oulémas. Il tient aussi à la continuité de son parti, à une époque où beaucoup d'islamistes arabes étaient désorganisés par la répression, et à l'influence intellectuelle qu'il a exercée sur eux au moment où ils reconstruisaient leur idéologie pour contrer le nationalisme alors triomphant.

Vers la fin des années 1960, c'est l'influence croisée de Qotb et Mawdoudi qui prépare, dans le

monde musulman sunnite, l'émergence du mouvement islamiste de la décennie suivante. L'un est issu
du Moyen-Orient, où l'islam est prégnant depuis
quatorze siècles, et où la colonisation européenne
n'a pas pu remettre en cause son enracinement.
L'autre provient du sous-continent indien, où la
majorité de la population est restée hindoue, malgré
quelque dix siècles de domination politique islamique. Quand l'Empire colonial britannique la ren-
verse, en 1857, les musulmans locaux ressentent un
péril qui donnera naissance, chez certains, à une
idéologie obsidionale. Selon Mawdoudi, l'État islamique est la seule sauvegarde possible pour des
musulmans menacés. Mais ce mot d'ordre de rupture culturelle n'incite pas à la révolution sociale. Il
prône la participation politique de la *jama'at-e
islami* aux institutions du Pakistan. La séparation de
l'avant-garde islamiste d'avec la société ne se traduit
pas par la dissidence, la guérilla, le soulèvement, la
constitution d'un maquis. À l'inverse, Sayyid Qotb,
en reprenant la notion d'État islamique à Mawdoudi, établit un programme d'action beaucoup plus
radical. L'avant-garde doit détruire l'État impie,
rompre avec lui sans délai, ne pas se compromettre
avec un système politique dont il n'y a rien à
attendre. Qotb jette les bases d'une conception révolutionnaire de la prise du pouvoir absente chez
Mawdoudi, qui fera de nombreux émules parmi la
jeunesse radicalisée. Mais ni l'un ni l'autre ne
donnent de contenu social explicite à leur discours :
certes, Qotb dépeint l'islam tel qu'il le conçoit,
comme l'aboutissement de la justice sociale, mais il
ne se fait pas explicitement le porte-parole des « déshérités » — à l'inverse des révolutionnaires chi'ites.
Il situe le clivage majeur dans la société entre islam
et *jahiliyya*, mais rien dans son discours ne permet

d'en inférer une contradiction entre « opprimés » et
« oppresseurs » — entre « déshérités » et « arrogants », comme le fera la révolution iranienne.

KHOMEINI, NAISSANCE
1 UN CLERC RÉVOLUTIONNAIRE

En 1971, le chah d'Iran Mohammed Reza Pahlavi
organisa sur le site de Persépolis des festivités grandioses auxquelles furent invitées la jet-set et l'aristocratie du monde. Alors à l'apogée de sa puissance, le
chah célébrait le deux mille cinq centième anniversaire de la monarchie iranienne dont il se voulait le
descendant — alors qu'il était le fils d'un officier put-
chiste qui s'était emparé du pouvoir en 1921 et fait
couronner en 1925. Le chah, en traversant les millénaires, s'était efforcé d'inventer, en ressuscitant les
mânes de Cyrus le Grand, une identité iranienne éter-
nelle qui, du même coup, devait légitimer sa monarchie et réduire l'islamisation de son pays à un
accident historique. On aurait sans doute beaucoup
fait rire les invités de Persépolis en leur prédisant
qu'un vieillard enturbanné prendrait le pouvoir huit
ans plus tard au terme d'une révolution islamique qui
embraserait le pays et frapperait l'imagination du
monde. Pourtant, au même moment, l'ayatollah Khomeini, de son exil dans la ville sainte chi'ite de Nadjaf,
en Irak, avait recueilli en un volume intitulé *Pour un
gouvernement islamique*[11] un ensemble de conférences qui contenaient l'essentiel des dispositions
prises par la République islamique à partir de 1979.

Cet ouvrage, passé à peu près inaperçu à sa parution, avait accompli une révolution intellectuelle
sans équivalent parmi les musulmans sunnites à
cette époque : un haut clerc chi'ite reprenait à son
compte des idées élaborées par des intellectuels isla-

mistes de formation moderne, et leur donnait l'aval d'un docteur de la loi. À l'inverse, aussi bien Mawdoudi que Qotb, dépourvus de formation proprement cléricale, avaient vu leurs idées combattues par les oulémas, à qui ils ne ménageaient pas leurs critiques. Et l'islamisme militant sunnite, en devenant un mouvement social à partir du milieu des années 1970, restera handicapé par un rapport conflictuel avec ceux-ci. Cela entravera sa croissance. En Iran au contraire, dès le début de la décennie, en la personne de Khomeini, un clerc prône une stratégie de rupture avec l'ordre établi. Il peut mobiliser des réseaux de partisans et de disciples bien davantage que n'y parviennent des intellectuels de formation moderne. Ce sera l'une des causes du succès de la révolution islamique en Iran, sans pareil dans le monde arabe sunnite.

Au cours des années 1960, tandis que Sayyid Qotb est emprisonné puis pendu en Égypte, la genèse de l'islamisme iranien s'effectue autour de deux pôles. De jeunes militants réinterprètent la doctrine chi'ite dans une perspective révolutionnaire en s'inspirant du marxisme et du tiers-mondisme. Une partie du clergé, symbolisée par Khomeini, s'oppose au chah à partir de positions antimodernes. Le génie politique de l'ayatollah consistera à reprendre à son compte les aspirations des jeunes militants, ce qui lui permettra d'élargir son audience aux classes moyennes urbaines modernes et éduquées qui seraient restées sans cela rétives à une personnalité perçue comme trop traditionnelle, voire rétrograde.

La figure intellectuelle la plus marquante de cette jeunesse islamiste militante est Ali Shari'ati (1933-1977). Issu d'une famille religieuse, il part faire ses études supérieures à Paris, où il fréquente les combattants de l'indépendance algérienne. Il fera passer dans le corpus chi'ite les idéaux qu'il découvre chez les intellectuels de gauche et les révolutionnaires du tiers-monde, de Sartre à Guevara et Frantz Fanon. Pour cela, il relit la doctrine religieuse, dont il dispute l'interprétation à un clergé qualifié de réactionnaire. L'un des axes doctrinaux du chi'isme [12] est la commémoration du martyre de l'imam Hussein, fils d'Ali, quatrième calife de l'islam et petit-fils du Prophète. Il fut défait et mis à mort à Karbala (dans le sud de l'Irak actuel), en 680, par les armées du calife sunnite de Damas, que les chi'ites, partisans de la famille d'Ali, tenaient pour un usurpateur. Traditionnellement, cette cérémonie est l'occasion d'exprimer ce que l'on nomme le « dolorisme » chi'ite : les fidèles se flagellent rituellement, pleurent abondamment à l'évocation du martyre de Hussein et de sa famille, se faisant reproche de ne l'avoir pas secouru. Au long de l'Histoire, le clergé en a fait le symbole d'un retrait du monde, en particulier du pouvoir et de la politique, jugés mauvais et souillés. Cela d'autant que, selon la majorité des chi'ites, le douzième imam, descendant de Ali, Mohammed al Mahdi, a disparu en 874, pour ne revenir qu'à la fin des temps. Durant son « occultation », le monde est empli de ténèbres et d'iniquité, et il ne retrouvera la lumière et la justice qu'avec le retour du « messie ». Sur le plan politique, cette interprétation a eu pour conséquence une attitude « quiétiste » : les fidèles tiennent le pouvoir pour mauvais, mais lui font une allégeance de façade, nommée *taqiyya*, sans se révolter contre lui. Leur dévotion et leur cœur vont aux clercs, organisés de manière hiérarchisée derrière de grands interprètes des textes sacrés, dont l'indépendance est garantie par la *zakat*, l'aumône légale, acquittée directement par les fidèles.

Cet équilibre politico-religieux à caractère millé-
nariste, rythmé par les deuils et les célébrations du
martyre des imams, fut la cible des attaques de
Shari'ati, parce qu'il s'accommodait d'un pouvoir
inique ici-bas, dans l'attente de récompenses dans
l'au-delà et du retour du Mahdi. Mais là où ses amis
marxistes auraient rejeté l'ensemble du système en
le qualifiant d'opium du peuple, il réserva ses critiques au « clergé réactionnaire » face auquel il
revendiquait une interprétation véridique de la doctrine chi'ite qui ne se traduirait plus par les flagella-
tions, le quiétisme et l'attente du messie, mais par la
continuation du combat d'Ali et de Hussein contre le
pouvoir injuste. Plus question de se lamenter sur
leur destin : à leur exemple, il fallait prendre les
armes contre le souverain inique d'aujourd'hui, le
chah, comme ils l'avaient fait en leur temps contre
les monarques sunnites usurpateurs. Cela évoque la
démarche de Qotb, incitant ses disciples à rejouer la
geste du Prophète, à abattre l'État impie comme
Mohammed avait défait La Mecque idolâtre. Dans
les deux cas, on prétend revenir au « message fondamental » de la religion, on en efface toute l'élaboration historique vilipendée comme compromission,
et on privilégie la rupture radicale avec l'ordre établi.

Contrairement à Qotb, qui s'exprime dans un
vocabulaire issu pour l'essentiel de la doctrine islamique, Shari'ati laisse transparaître dans ses écrits
et ses propos l'influence du marxisme, en particulier
de la lutte des classes. Il n'hésite pas à remplacer la
traditionnelle formule qui ouvre le discours de tout
musulman pieux « Au nom de Dieu le clément le
miséricordieux » par un « Au nom du Dieu des déshérités [13] », blasphématoire pour les milieux traditionnels. En effet, à l'occasion de sa traduction en

persan des *Damnés de la terre* de Frantz Fanon, il a rendu l'opposition entre « oppresseurs » et « opprimés » par les termes coraniques « *mostakbirine* » (« arrogants ») et « *mostadafine* » (« affaiblis », d'où « déshérités »), transposant de la sorte la théorie de la lutte des classes en vocabulaire islamique, et a conféré à celle-ci une place centrale qui n'existe pas dans la doctrine religieuse telle qu'elle est communément reçue.

La démarche de Shari'ati était affaire de conviction — il était sincèrement et profondément croyant — mais aussi d'opportunité : selon lui, l'échec des mouvements progressistes, généralement athées, à mobiliser les masses et à prendre le pouvoir dans le monde musulman des années 1960-70 était imputable à leur éloignement culturel par rapport aux populations qu'ils voulaient toucher, et qui percevaient l'univers à travers des catégories de pensée imprégnées par la religion. Pourtant, les formulations islamiques de Shari'ati ont produit un mélange bizarre qui, comme tel, n'est pas parvenu à convaincre les masses qu'il souhaitait mobiliser. Tout au plus son influence, directe ou indirecte, s'est-elle fait sentir sur des mouvements islamo-marxistes iraniens, notamment les Mojahedines du Peuple[14], engagés dans la lutte armée contre le régime du chah, mais dont le recrutement s'effectuait pour l'essentiel dans les rangs des étudiants, et qui, malgré leurs actions spectaculaires, ne parvinrent pas à s'implanter dans la population. Et Shari'ati lui-même, en dépit du succès de ses conférences, resta un intellectuel relativement isolé, dont la mort en exil à Londres, en 1977, peu avant le déclenchement du processus révolutionnaire, ne suscita guère de réactions. En réalité, sa postérité, qui se manifesta par de nombreuses rééditions posthumes de ses œuvres après la révolution, vient du fait que ses idées ou à tout le moins une partie d'entre elles ont été « récupérées » par l'ayatollah Khomeini, qui les a combinées avec le corpus traditionnel dont il avait, contrairement à Shari'ati, une maîtrise patentée et reconnue par la masse du peuple.

Né en 1902, un an avant Mawdoudi et quatre ans avant Qotb, Khomeini avait, à partir de 1962, pris la tête d'une faction minoritaire du haut clergé chi'ite qui, en opposition à l'attitude quiétiste de la majorité des clercs, était entré en dissidence par rapport à la dynastie des Pahlavi. Il avait jusqu'à cette époque mené une carrière d'enseignant à Qom, l'une des villes saintes du chi'isme, et s'était tenu à l'écart des troubles politiques, rédigeant des traités doctrinaux au caractère conservateur. Il prit alors position contre les projets de « révolution blanche » du chah, dont le programme, outre une réforme agraire qui lésait le clergé gros propriétaire terrien, prévoyait l'octroi du droit de vote aux femmes, la prestation du serment par les élus sur un livre saint qui n'était pas obligatoirement le Coran, puis un référendum à l'appui de ces mesures. Les déclarations de Khomeini, qui critiquaient notamment ces derniers points, galvanisèrent les opposants : ceux-ci transformèrent la commémoration du martyre de Hussein, en juin 1963, en manifestation contre le pouvoir. L'année suivante, il dénonça violemment l'immunité juridique que le chah avait accordée aux conseillers militaires américains en Iran, l'accusant d'avoir vendu le pays pour quelques dollars, et il fut déporté. Il devait s'établir dans la ville sainte chi'ite de Nadjaf, en Irak, jusqu'en octobre 1978, où il gagnerait Neauphle-le-Château, dans la région parisienne, avant son retour triomphal à Téhéran le 1er février 1979 [15].

Son opposition au chah, jusqu'en 1970, s'exprima surtout dans le domaine moral et proprement religieux[16], sans message révolutionnaire qui appelle au renversement du régime au nom de l'islam. Cette année-là, une série de conférences qui seraient ultérieurement publiées sous le titre *Velayat-e faqih : Hokumat-e Islami* (« Le gouvernement islamique, sous la garde du docteur de la loi », abrégé en *Pour un gouvernement islamique*) rompait radicalement avec la logique politique du quiétisme chi'ite en général, mais aussi avec l'attitude précédente de Khomeini. Il y appelait au renversement de la monarchie et à l'établissement sur ses ruines d'un gouvernement islamique dont le docteur de la loi chi'ite devrait être le guide suprême. Par là, il mettait fin à toute la construction intellectuelle qui s'accommodait d'un prince mauvais, dans l'attente du messie et la soumission au clergé, et prônait la conquête effective du pouvoir par ce même clergé. Ce bouleversement majeur de la tradition chi'ite dominante renvoyait — sans le dire — l'écho de la réinterprétation de la doctrine par les jeunes intellectuels islamo-révolutionnaires dont Shari'ati était la figure emblématique. Dans les deux cas, l'objectif consistait à prendre le pouvoir après avoir chassé le souverain inique. Mais là où Shari'ati vilipendait les clercs réactionnaires et voyait dans les intellectuels « éclairés » (*rawshanfekran*) comme lui les guides de la future révolution, Khomeini attribuait ce rôle au clerc religieux, au *faqih* — c'est-à-dire à lui-même, comme le démontrerait l'histoire de la République islamique.

Cette « récupération » de la pensée des intellectuels activistes se manifesta plus encore avec l'usage systématique des termes « *mostadafine* » et « *mostakbirine* » dans les discours de Khomeini après

1970, quasi absents de son vocabulaire auparavant[17]. En se faisant ainsi le porte-parole des « déshérités » (un concept assez vague qui finit par
inclure les marchands du bazar opposés au chah),
l'ayatollah de Nadjaf parviendrait à réaliser par son
discours ce que personne ne saurait réussir à cette
époque dans l'islam sunnite : cumuler les soutiens
des milieux traditionnels ruraux et urbains qui suivraient toujours les avis d'un haut clerc patenté et
des groupes sociaux modernes des villes, élèves et
étudiants, classes moyennes salariées, employés et
ouvriers, sensibles à un vocabulaire qui les valorisait
comme classes sociales porteuses de l'avenir face
aux oppresseurs « arrogants » regroupés autour du
chah et de sa cour.

Mais au début des années 1970, pareilles idées
n'en étaient encore qu'au stade de la gestation. Leur
impact, parmi les musulmans sunnites comme
chi'ites, restait limité à des cercles militants. Elles
étaient largement inconnues des intellectuels des
villes, pour lesquels l'idiome politique de référence
restait le nationalisme, et dont l'opposition éventuelle aux pouvoirs en place passait principalement
par les diverses variantes du marxisme alors en
vogue. Elles n'étaient guère prises au sérieux par les
régimes, plutôt préoccupés par la propagation sur
leurs campus des idées « subversives » issues des
mouvements de 1968 en Europe et aux États-Unis.
Enfin, elles peinaient à s'imposer dans le champ religieux islamique lui-même, dominé par des clercs
socialement conservateurs, qui concevaient leur rôle
comme directeurs de conscience, voire censeurs
d'un pouvoir qu'ils ne songeaient ni à renverser ni à
supplanter, et par des groupes mystiques ou piétistes sans objectifs politiques explicites. Or la mouvance islamiste va s'implanter dans la société, à

partir des années 1970, en conquérant l'hégémonie sur le sens de l'islam, en imposant ses valeurs propres et en s'efforçant de marginaliser ou déconsidérer les autres interprétations de la religion. Elle va aussi passer des alliances avec une partie des clercs et des mouvements piétistes, avec lesquels elle entretiendra des rapports de force complexes et changeants. Pour pouvoir en comprendre les évolutions, il faut donc d'abord se représenter quels sont, à l'aube de l'émergence islamiste, les acteurs et le contexte global du champ religieux musulman dans lequel les militants vont chercher à prendre pied.

2

Le champ religieux musulman dans le monde à la fin des années 1960

Du Maroc à l'Indonésie et de la Turquie au Nigeria, les pays qui forment le monde musulman à la fin des années 1960 font partie d'ensembles divers, et leur référence commune à l'islam n'est pas un enjeu politique majeur. Pour les élites au pouvoir, l'appartenance à des communautés de sens construites autour du nationalisme, local ou régional (comme l'arabisme), ou à l'un des blocs qui se partagent le monde issu des accords de Yalta est primordiale. Pourtant, des institutions islamiques, des établissements éducatifs, des confréries, et un réseau très dense de mosquées et de lieux de prière maintiennent un caractère spécifique au monde musulman. Entre les divers pays qui le composent, circulent des hommes, des idées, des fonds, qui tissent des liens, favorisent telle interprétation de la doctrine religieuse au détriment de telle autre. Aucun État n'est indifférent à ces phénomènes, ne serait-ce que pour éviter que, même s'ils se déploient hors de son contrôle, ils ne s'exercent à son détriment et au bénéfice d'un État rival. Et plusieurs mouvements religieux, qui n'ont alors que peu de visibilité politique, maintiennent ou développent une présence dans le domaine social, à l'échelle d'un pays, d'une région ou de l'ensemble du domaine isla mique. Tous seront concernés, dès la décennie suivante, par le grand bouleversement qu'entraînera l'émergence des mouvements islamistes, et leur réaction, lorsqu'elle s'affirmera, sera souvent un facteur important du succès ou de l'échec des militants à s'implanter dans la société.

L'ISLAMISATION PAR LA BASE

On a rappelé plus haut que l'un des principaux traumatismes subis par l'islam au début du vingtième siècle fut l'abolition du califat par Atatürk en 1924. Cette institution n'exerçait plus alors aucun pouvoir politique effectif à l'échelle de l'ensemble du monde musulman, mais elle maintenait l'idéal de son unité spirituelle, quoique dépecé par les puissances coloniales européennes[1]. Lors de la Première Guerre mondiale, quand l'Empire ottoman était l'allié de la Prusse et de l'Autriche-Hongrie, le sultan-calife d'Istanbul, en qualité de Commandeur des Croyants, avait appelé les musulmans sujets des Empires britannique, français et russe au *jihad* contre leurs maîtres coloniaux. Cet appel était resté sans grand effet sur les populations concernées, mais il avait suffisamment inquiété les états-majors alliés pour que ceux-ci favorisent l'expression du culte musulman chez les spahis et les tirailleurs envoyés combattre — et mourir — dans les tranchées. Par exemple, c'est cette prise de conscience des autorités françaises de l'opportunité de favoriser un « islam francophile » qui devait aboutir à la création de la Grande Mosquée de Paris, en juillet 1926[2]. Il s'agissait non seulement de veiller à éviter que l'islam de l'Empire français soit soumis à l'influence dominante de mouvements religieux transnationaux militant contre le colonialisme, mais aussi de sur-

veiller et d'encadrer l'islam traditionnel des confréries et de la dévotion populaire.

Or, en 1927, un an avant la création des Frères
musulmans en Égypte et deux ans avant que Mawdoudi publie son premier livre, commence à se développer en Inde un courant qui deviendra, à la fin du
vingtième siècle, le plus important des mouvements
de réislamisation à l'échelle du monde : la *tablighi
jama'at* (abrégée en *tabligh*), « société pour la propagation de la foi » musulmane [3]. Il se veut étranger à
la politique. Au départ, son fondateur, Muhammad
Ilyas, se fixe pour objectif de ramener à la foi, par
une pratique intensive, les musulmans indiens « égarés » qui ont été perméables à l'influence dominante
de l'environnement culturel hindou et n'ont
conservé de leur appartenance à l'islam qu'une
vague affiliation. Pour cela, il prône l'imitation littérale et minutieuse de l'exemple du Prophète, incarnation par excellence des vertus islamiques. Ce
mimétisme doit permettre aux fidèles de rompre,
dans leur vie quotidienne, avec les mœurs et les coutumes « impies » qui contreviennent à l'islam dans
son acception la plus stricte. Ainsi l'adepte pronon-
cera-t-il, avant d'entreprendre un trajet, les invocations que le Prophète prononçait dans des
circonstances similaires, dormira-t-il, autant que
possible, comme Mohammed dormait selon ce que
rapporte la tradition, à savoir couché sur le flanc
droit, à même le sol, une main sous la joue, face à La
Mecque, se vêtira-t-il si possible d'une djellaba
blanche, etc. Le mouvement voulait à la fois désac-
coutumer ses disciples de leur environnement et les
encadrer au sein d'une communauté de croyants de
stricte obédience. Cette démarche connut le succès
là où l'islam était minoritaire tout d'abord, puis au
fur et à mesure que le *tabligh* se répandait dans le

monde, partout où des musulmans étaient projetés hors de leur milieu traditionnel par l'exode rural ou l'émigration vers de nouveaux lieux où des modes de vie sécularisés déstabilisaient brutalement les équilibres ancestraux. Par-delà les aléas de l'existence, le mouvement raffermit des certitudes, fournit des repères immuables, une communauté de sens vécue et rassurante.

Le *tabligh* est aussi opposé à l'islam traditionnel des confréries et des mystiques (il vitupère comme idolâtre le culte des tombeaux, fréquent dans la dévotion populaire) qu'à la « politisation » de l'islam mise en œuvre par Mawdoudi, Qotb, Khomeini et leurs successeurs. Pour ses fondateurs, ce n'est pas de l'État qu'il faut attendre la mise en œuvre de l'islam dans la société, mais de soi-même, et de l'effort à effectuer pour convertir les autres. Le développement extraordinaire du mouvement, aujourd'hui présent partout où il y a des musulmans sur la planète, tient aussi à l'un de ses articles de foi, qui convainc les adeptes de parcourir le monde, afin de faire du groupe, selon l'expression d'Ilyas, « une école mobile, un couvent itinérant et un phare de vérité et de bon exemple, tout cela à la fois ». Or les déplacements des *tablighis* s'effectuant autant que possible à pied, suivant l'exemple du Prophète, ils ont ainsi construit minutieusement, durant sept décennies, un réseau exceptionnel de relais et de contacts sur toute la surface du globe, à partir desquels essaiment de nouveaux militants. Dans les années 1960, le *tabligh* a déplacé son centre opérationnel de Delhi, en Inde, à Raiwind, près de Lahore, au Pakistan, et il joue déjà à cette époque un rôle important : il propage partout dans le monde, dans les petites mosquées où ses adeptes passent la nuit durant leurs pérégrinations, parmi les groupes de croyants de base qu'ils prêchent, une vision rigoriste et unificatrice de l'islam, qui trouve son origine dans le sous-continent indien, et non plus dans le Moyen-Orient arabe. À partir des années 1970, le *tabligh* sera également, *nolens volens*, un éclaireur qui ouvrira la voie aux islamistes politiques, dont certains sauront utiliser ses relais, ses réseaux, et ses anciens adeptes pour leurs objectifs particuliers. Pourtant, rares sont ceux qui prêtent attention, alors, à ce groupe qui se déploie dans la discrétion, à la base, et qui fuit la publicité et la politique.

Si le *tabligh* est l'exemple le plus abouti de mouvement transnational à caractère fluide, informel, et représente le réseau le plus étendu dès la fin des années 1960, une multitude d'autres groupes composent le champ islamique de cette époque. La plupart n'ont pas d'objectif politique, et s'assignent un but cultuel et souvent social. Mais dès qu'ils ont accès à un nombre important de fidèles, ils exercent de fait une fonction de médiateurs entre le pouvoir et la masse des individus. Les États s'efforcent donc de les contrôler, de les coopter s'ils sont ouverts à la collaboration, de les contenir ou les réprimer s'ils y sont hostiles ou indifférents.

LES ÉTATS ET L'ISLAM :
ENTRE CONTRÔLE ET RÉPRESSION

À cette époque, la plupart des pays musulmans ont accédé à l'indépendance — à l'exception notable des républiques musulmanes soviétiques (et de la Bosnie), qui ne connaîtront celle-ci que vingt ans plus tard. En référence à l'islam, on peut sommairement diviser les régimes au pouvoir en deux grands ensembles, qui recoupent imparfaitement les appartenances ou les alliances du moment par rapport aux deux blocs. D'une part, les « progressistes » en relations suivies avec Moscou (à l'instar de l'Égypte de Nasser, de la Syrie et de l'Irak baassistes, de la Libye de Kadhafi, de l'Algérie de Ben Bella puis Boumediene, du Yemen du Sud, dans le monde arabe, ou de l'Indonésie de Soekarno). Ils considèrent les institutions islamiques traditionnelles comme réactionnaires, en limitent considérablement les fonctions sociales autonomes, et les soumettent à un contrôle très strict pour tenter d'en faire des courroies de transmission de l'idéologie socialiste du pouvoir dans le champ religieux. D'autre part, les pays alliés à l'Occident, parmi lesquels la position des gouvernements par rapport au champ religieux islamique varie entre une laïcité plus ou moins affichée (la Turquie ou, à un moindre degré, la Tunisie de Bourguiba) et un usage exclusif de l'islam comme source de la légitimité du régime (l'Arabie Saoudite principalement).

Lorsque les classes dominantes traditionnelles, aristocratie tribale, propriétaires fonciers, commerçants du bazar, sont parvenues après l'Indépendance à garder une position de force, et que l'État a un caractère monarchique, les dignitaires religieux demeurent au premier plan. En revanche, quand les groupes urbains modernes ont pris le pouvoir, en ont chassé pachas et notables, ont proclamé la république et *a fortiori* quelque forme de socialisme, les dignitaires de l'islam ont généralement été épurés, et relégués au second plan. Les mesures de nationalisation ne les ont pas épargnés : les biens de mainmorte (*waqfs* ou *habous*) [4], un patrimoine considérable de terres ou d'immeubles « légués à Dieu » par les croyants et qui assuraient traditionnellement l'entretien des fondations pieuses et l'indépendance financière des oulémas qui les géraient, ont été saisis par l'État — en contrepartie de la fonctionnarisation des clercs religieux et du versement d'un salaire —, ce qui limitait considérablement leur indépendance.

Les relations entre pouvoir politique et islam en cette fin des années 1960 couvrent donc un large spectre qui va de la fusion saoudienne à la laïcité turque. Or cette laïcité même, qui est exceptionnelle dans le monde musulman, ne signifie pas que le pouvoir reste neutre comme l'État français ou se désintéresse des activités religieuses. Dans l'espace restreint qu'il leur circonscrit, il exerce sur elles un contrôle très strict : interdiction des confréries et de tout parti qui remettrait en cause le caractère laïque de la Constitution, mais encadrement de l'enseignement islamique par un organisme officiel qui diffuse une version « acceptable » de la religion. La laïcité de la république fondée par Atatürk est l'héritière du positivisme d'Auguste Comte, mais elle est également la fille de l'étatisation de l'islam par l'Empire ottoman[5], où un *sheikh ul islam* (« cheikh de l'islam ») choisi par le sultan-calife veillait à ce que ce dernier ne soit pas mis en cause par des clercs ou des prédicateurs trop zélés. De même, dans les pays du « socialisme arabe », la légitimation religieuse du régime fait l'objet de soins attentifs, même si cela n'occupe guère le débat public, centré autour du combat anti-impérialiste, anti-sioniste, etc. Ainsi les manuels scolaires égyptiens, syriens et irakiens des années 1960 sont-ils soucieux d'inculquer aux enfants que le socialisme n'est autre que l'islam bien compris — et les brochures qui vantent le caractère socialiste inhérent à l'islam sont alors légion[6]. Mais on veille à ce que cet islam-là soit sous surveillance.

Contrairement à une opinion communément admise à l'époque chez les théoriciens du « développementalisme », qui mesurent les progrès de la modernisation à l'aune de la sécularisation, l'islam n'a nulle part disparu de la culture populaire, de la vie sociale ou de l'ordre politique. Mais il est décliné différemment selon les régimes, combiné avec le nationalisme de manière variable selon que telle ou telle classe sociale s'est emparée du pouvoir au moment de l'indépendance.

Le champ religieux musulman au sens large, à la fin des années 1960, se situe entre deux pôles. L'islam populaire privilégie la dévotion, l'affect, et son rapport à Dieu passe généralement par la médiation de « virtuoses du salut » — de saints personnages, morts ou vivants : les fondateurs ou les guides de confréries mystiques (soufis). L'islam savant favorise une relation intellectuelle au divin, fondée sur la lecture et l'exégèse des Textes sacrés par des clercs spécialisés, les oulémas. Ce terme, passé en français sous sa forme pluriel (singulier : *alim*), désigne ceux qui, à l'issue d'une formation spéciale dans des écoles ou des universités religieuses, sanctionnée par un diplôme, détiennent un savoir socialement reconnu sur le Coran, le Hadith (recueil des Traditions du Prophète) et l'ensemble de la jurisprudence élaborée par les oulémas précédents. Cette distinction binaire, qui traverse toute l'histoire de l'islam, n'a pas un caractère absolu ni exclusif : certains grands mystiques étaient des lettrés, comme dans le christianisme ou le judaïsme, et certains clercs religieux étaient issus du milieu des confréries. Mais, dans l'ensemble, elle permet de se représenter comment se répartissent les diverses manières d'être musulman, d'en restituer ce pluralisme que l'émergence de l'islamisme à partir des années 1970 tendra à réduire à sa dimension politique.

LA PERSISTANCE DES CONFRÉRIES

L'islam populaire des confréries maille encore, à la fin des années 1960, le monde rural et le petit peuple urbain. La population des pays musulmans reste composée en majorité de paysans illettrés — avant les bouleversements démographiques de la décennie suivante, qui feront basculer le centre de gravité de ces sociétés vers le monde à écriture des villes et de leurs banlieues. Cette religion populaire joue un rôle clef d'intermédiaire entre le fonds des croyances traditionnelles, d'origine souvent pré-islamique, et la culture livresque de l'islam. Ainsi de telle confrérie de haute Égypte dont le rituel rappelle celui de la barque funéraire qui faisait traverser le Nil aux défunts à l'époque pharaonique, de tels tombeaux de saints musulmans dans le sous-continent indien ou l'archipel indonésien qui déploient de nombreux attributs de la dévotion hindoue (escaliers monumentaux, lacs sacrés où l'on conserve des crocodiles, profusion de colliers d'œillets d'Inde dont on pare les tombes comme une statue de Shiva[7]) ou des grands marabouts d'Afrique noire héritiers du fétichisme. Cette religiosité populaire organisée autour du culte de saints proches et accessibles qui servent d'intercesseurs auprès du Prophète et dispensent aux fidèles leur *baraka* (« bienfaits », « bénédiction ») représente des enjeux importants dans plusieurs domaines : elle engendre des flux financiers et commerciaux considérables, en collectant les dons, mais aussi en gérant de vastes terres agricoles ou en organisant des réseaux commerciaux qui mettent à profit la dispersion des adeptes à travers le monde (phénomène que la confrérie des mourides[8] du Sénégal a porté au

paroxysme); elle assure l'intégration sociale, procurant des emplois, répartissant des subsides, voire
favorisant les mariages; enfin, elle procure aux pouvoirs établis une forme de stabilité politique, garantissant la docilité des adeptes, en échange de la
reconnaissance par l'État du rôle central des confréries, du respect de leurs biens fonciers, d'exemptions
fiscales, etc.

Les colonisateurs européens avaient très vite
compris leur fonction d'intermédiaire : après les
avoir combattues, ils passèrent des accords avec les
confréries. La photographie de marabouts d'Afrique
du Nord ou d'Afrique noire françaises, la Légion
d'honneur épinglée sur le burnous ou le boubou, est
l'un des clichés de l'imagerie coloniale [9]. À l'Indépendance, le destin politique de cet islam populaire
organisé fut dépendant de plusieurs facteurs : selon
son niveau de compromission avec la puissance
coloniale ou la participation de ses dirigeants à la
lutte nationale, selon sa puissance, selon sa propension à collaborer avec le nouveau régime et les dispositions idéologiques de celui-ci envers lui. Ainsi,
en Algérie, la persistance de sentiments pro-français
chez nombre de guides de confréries (surnommés
pour cette raison les « Beni oui-oui »), leur faible
participation à la guerre d'Indépendance menée par
le FLN entre 1954 et 1962, ne leur permirent pas de
résister à un nouveau pouvoir qui disposait de la
suprématie militaire, de l'aura de la résistance
armée, et dont les dirigeants voyaient sans sympathie les « superstitions » et l'« idolâtrie » de religieux
« réactionnaires » comme un obstacle à la marche
de l'Algérie indépendante vers le socialisme. Les
confréries furent démantelées, et leur patrimoine
foncier saisi pour mettre en œuvre la réforme
agraire. À moyen terme, cela devait créer un vide

institutionnel en Algérie dans le champ religieux. À la fin des années 1960, pareille situation semblait sans inconvénient pour le régime ; on verra plus loin comment ce vide permit le développement rapide et massif de la mouvance islamiste algérienne dans la seconde moitié des années 1980. Dans un autre pays où l'éradication des confréries avait été menée dès 1925, la Turquie républicaine et laïque, l'on observe au lendemain de la Seconde Guerre mondiale leur renaissance, notamment dans le monde rural. Leurs cheikhs marchandent alors les voix de leurs disciples aux partis politiques nouvellement créés[10].

Mais dans la plupart des pays musulmans, à l'ère de l'Indépendance, les nouveaux régimes recherchent un *modus vivendi* avec l'islam populaire, en lequel ils voient d'abord un facteur de stabilité sociale dont le bouleversement serait plus dommageable que bénéfique à l'ordre récemment établi. Pour les adeptes, le guide de confrérie, appelé *cheikh, marabout, pir* selon les régions, représente d'ordinaire l'autorité dernière : ils lui vouent une obéissance absolue, d'autant plus marquée en milieu populaire. De plus, les confréries se tiennent généralement trop éloignées de la sphère politique pour censurer au jour le jour la législation ou l'action du pouvoir — contrairement à l'islam savant dont les oulémas veillent en principe à la conformité de celles-ci avec les injonctions des Textes sacrés.

Ainsi, en Égypte, Nasser prit-il appui sur le monde des confréries contre les Frères musulmans et la mouvance islamiste. Toutefois, l'urbanisation rapide du pays devait limiter graduellement l'influence des confréries égyptiennes, mal adaptées à encadrer la masse de la jeunesse scolarisée. Au Sénégal, « paradis des confréries », celles-ci ont su au contraire contrôler aussi bien le monde rural que l'univers urbain. Les « khalifes généraux » mouride et tidjane dont la majorité des Sénégalais se considèrent comme les *talibés* (« disciples »), ont la haute main sur les revenus de l'agriculture et du commerce et, avec le départ des Français, ils détiennent la plupart des clefs de l'influence politique. Lorsque l'islamisme a commencé à poindre dans ce pays à la fin des années 1970 sous l'égide d'étudiants admiratifs de la révolution iranienne ou de retour des universités arabes du Moyen-Orient, il s'est rapidement heurté à la puissance des marabouts qui ne l'ont laissé se développer que dans la mesure où il ne nuisait pas à leurs intérêts, et l'ont brisé dès que cela risquait de se produire.

LE MODÈLE SAOUDIEN

Si la plupart des États musulmans des années 1960 ont adopté une attitude assez complaisante envers l'islam populaire des confréries, il en est un dans lequel elles font jusqu'à ce jour l'objet d'une prohibition bien plus sévère qu'en Turquie laïque ou en Algérie (où les interdits ont été levés) : l'Arabie Saoudite. Dans ce pays, c'est l'islam savant des oulémas qui détient le monopole du discours religieux — et qui, au-delà, fait entendre le seul discours acceptable sur les valeurs centrales de la société et l'ordre politique : mystiques et intellectuels laïques y sont tenus dans le même opprobre. La monarchie saoudienne tire en effet son origine et les raisons de son succès initial d'une alliance passée en l'an 1745 entre l'émir Muhammad Ibn Saoud et un réformateur puritain, Muhammad Ibn Abd al Wahhab (1703-1792), pourfendeur des « superstitions » coupables d'avoir adultéré l'islam originel. L'idéologie wahhabite qui en est dérivée a une importance capitale pour qui veut comprendre l'islamisme contemporain sunnite, issu de la pensée de Qotb ou de Mawdoudi, car elle partage avec lui des points de doctrine majeurs — notamment l'impératif de revenir aux fondements de l'islam par-delà les interprétations humaines du dogme, l'application rigoureuse de toutes les injonctions et prohibitions dans les domaines juridiques, moraux, privés, etc. Mais elle est porteuse d'un conservatisme social exclusif, alors que l'islamisme peut être revendiqué par des groupes sociaux révolutionnaires tout autant que conservateurs.

Cette contiguïté a eu une importance déterminante pour le devenir de l'islamisme sunnite : c'est en Arabie Saoudite que bien des Frères musulmans égyptiens pourchassés par Nasser trouvent refuge dès le milieu des années 1950. Ils fournissent au pays qui commence à bénéficier de revenus pétroliers considérables une couche de cadres et d'intellectuels, mieux formés que la plupart des Saoudiens à cette époque. Ils jouent un rôle influent au sein de l'université de Médine — achevée en 1961 — une institution où la pensée des Frères est enseignée à des étudiants venant de tout le monde musulman, facilitant sa propagation. Beaucoup bâtissent également des fortunes qui seront réinvesties pour partie dans leur pays après la mort de Nasser en 1970, contribuant à la création d'un secteur bancaire islamique qui financera la mouvance militante. Ainsi, dès avant l'émergence des années 1970, un courant où se mêlent oulémas wahhabites et intellectuels islamistes s'est constitué, que l'on surnommera le « pétro-islam ». Il prône une stricte application de la loi islamique, la *chari'a*, dans les domaines politique, moral, culturel, etc., mais n'a pas de préoccupation sociale, moins encore révolutionnaire, et l'humour arabe opposera du reste ces islamistes de la *tharwa* (« richesse ») à ceux de la *thawra* (« révolution ») — en jouant sur l'assonance des deux termes. La prise du pouvoir révolutionnaire préconisée par Sayyid Qotb, de même que sa qualification de l'ensemble du monde de son époque (y compris les États de la péninsule Arabique) comme a-islamique, comme *jahiliyya*, sont généralement vues dans ces milieux comme une exagération imputable aux tortures subies par les Frères dans les geôles nassériennes. Mais son œuvre y est tenue en haute estime, éditée et commentée par son frère Mohammed Qotb, qui vit en Arabie Saoudite.

Il existe donc, dès la fin des années 1960, une mouvance intellectuelle fluide, basée dans ce pays, plutôt conservatrice, qui a des rapports distanciés mais point hostiles à la pensée radicale, dont elle s'emploie à édulcorer les aspérités plus qu'elle ne s'y oppose. Et dans le contexte géopolitique de l'époque, la guerre froide, ce courant wahhabiste-islamiste prospérant sous l'égide de la monarchie saoudienne proche alliée des États-Unis et qui a pour pires ennemis Nasser et les socialistes arabes n'est pas pour déplaire au bloc occidental. Au tournant des années 1970, les régimes du monde musulman qui se trouveront aux prises avec une contestation gauchiste encourageront, pour rétablir l'ordre sur les campus, des étudiants barbus qu'ils considèrent comme l'émanation de ce courant. Ils ne pourront imaginer que certains deviendront, au cours de la décennie, la principale force de contestation de l'ordre établi.

De fait, la monarchie saoudienne semble alors capable d'encadrer cette mouvance pour la faire servir ses objectifs internationaux : en 1962 est créée à La Mecque la Ligue Islamique Mondiale, organisation non gouvernementale à financement saoudien,

première institution cohérente et systématique qui
vise à « wahhabiser » l'islam dans le monde[11], et à y
contrer l'influence de l'Égypte de Nasser. Elle procède par l'envoi de missionnaires religieux, par des
dons d'ouvrages des penseurs de cette filiation (Ibn
Taïmiyya et Ibn Abd al Wahhab, notamment[12]) et
surtout l'octroi de fonds destinés à financer la
construction de mosquées et à subventionner des
associations islamiques. Elle identifie les bénéficiaires, les fait venir en Arabie et leur fournit la
« recommandation » *(tazkiyya)* qui leur ouvrira les
largesses d'un généreux donateur privé, membre de
la famille royale, prince ou simple homme d'affaires.
L'organisation est dirigée par des membres de l'establishment religieux saoudien, mais les côtoient
d'autres Arabes, issus ou proches des Frères musulmans, ainsi que des oulémas du sous-continent
indien, proches de l'école déobandi ou du parti
fondé par Mawdoudi.

LES OULÉMAS ENTRE DÉCLIN
ET ENDURANCE

Nulle part ailleurs à la fin des années 1960, les
oulémas ne sont parvenus, comme en Arabie Saoudite, à conserver le contrôle du discours public sur
les valeurs centrales de la société. Ils ont perdu
beaucoup de leur indépendance traditionnelle par
rapport au pouvoir. Ils sont fonctionnaires de l'État,
qui parvient généralement à leur faire émettre des
fatwas, des avis religieux autorisés, approuvent ses
choix politiques. Cette approbation se mue parfois
en résistance à telle initiative jugée « non islamique[13] ». Mais parce qu'il leur a fallu partager le
magistère avec les intellectuels de formation
séculière, ils ont été affaiblis. Ces derniers jugent le

système social selon des critères qui proviennent de la tradition européenne des Lumières traduits et acclimatés dans les langues locales : ils ne se réfèrent pas à la Vérité transcendantale mais à des normes qui ont la raison humaine pour fondement (la démocratie, la liberté, le progrès, le socialisme, etc.). Les oulémas, eux, se prononcent sur la conformité de l'organisation de la société avec les prescriptions contenues dans les Textes sacrés de l'islam. Par leur formation, ils estiment détenir, comme corps constitué, le monopole du savoir en ce domaine et ils stigmatisent ceux qui voudraient se livrer à l'exégèse sans être des clercs patentés. L'intellectuel séculier qui s'essaie à une interprétation allégorique du Coran de sa seule autorité ou, pis encore, l'ancien *alim* qui trahit ses pairs en proposant une lecture sacrilège des Textes sacrés en revenant sur l'interprétation convenue d'un point du dogme est l'objet de leur anathème. Tout au long du vingtième siècle, ces téméraires ont eu à pâtir des foudres de la censure. Dans certains cas extrêmes, les intellectuels mis à l'index de la sorte ont fini par tomber sous les balles d'un fanatique, ou ont dû opter pour l'exil afin de se soustraire à la menace. Mais à la fin des années 1960, la plupart des intellectuels de formation séculière dans le monde musulman délaissent les questions religieuses qui ne leur paraissent plus jouer un rôle central pour l'organisation de la société, et ne disputent pas aux oulémas la fonction de « gardiens de l'islam » qui ne leur semble plus constituer un enjeu essentiel.

En Égypte, siège d'Al Azhar, institution millénaire où se forment des oulémas venant de partout dans le monde, dont elle tire un prestige immense, le pouvoir nassérien entreprend une grande réforme qui prend effet en 1961[14]. Elle fait passer l'institution sous le contrôle direct de l'État, pour embrigader professeurs et élèves, et illustrer la compatibilité entre l'islam et le socialisme nassérien. On verra même les *azhari*s, revêtus d'uniformes militaires, défiler au pas cadencé sous le contrôle d'officiers de l'armée. Une partie des étudiants et du corps professoral est conquise, tandis que d'autres oulémas, faute de pouvoir résister ouvertement à un pouvoir très coercitif, « traînent les pieds ». La réforme est prise suffisamment au sérieux par les adversaires de Nasser pour que l'Arabie Saoudite fonde l'année suivante la Ligue Islamique Mondiale, comme nous l'avons mentionné. Mais en liant l'institution au pouvoir de manière trop directe, elle la prive de crédibilité. Le corps des oulémas ne parviendra plus, à la fin des années 1960, à jouer son rôle traditionnel d'intermédiaire entre l'État et la population, prêchant à celle-ci l'obéissance à celui-là, tout en étant libre de le critiquer afin qu'il s'amende et fasse régner la justice. Sa hiérarchie apparaîtra trop dépendante des dirigeants politiques, ce qui laissera un espace vacant pour ceux qui prétendent interpeller librement le régime, et le critiquer au nom des idéaux de l'islam tels qu'ils le comprennent, qu'ils aient reçu ou non une formation d'ouléma.

Dans les deux autres pays arabes où existent des institutions millénaires de formation des clercs religieux, la Tunisie — où la Zitouna a été fondée dès 734 — et le Maroc — où la Qarawiyyine de Fès date de 859 —, le régime issu de l'Indépendance adopte envers ses oulémas des politiques différentes. En Tunisie, Bourguiba, formé à la laïcité de la IIIe République en France, s'appuie sur des classes moyennes urbaines modernes. Son long combat contre le colonisateur français lui confère une légitimité politique très forte. Il se passe de l'onction des clercs, vide la Zıtouna de sa substance en éliminant le corps des oulémas. Il se livrera à des actes symboliques frappants pour marquer la laïcisation de la société — buvant un verre de limonade en direct à la télévision pendant le jeûne du Ramadan, ou interdisant d'immoler un mouton lors de l'Aïd el Kébir (ou *'Id al Adha*, fête du sacrifice qui commémore le sacrifice d'Abraham). Mais il prend soin d'y apporter une justification religieuse : le développement économique devenait un *jihad*, un combat sacré dans la voie d'Allah qui dispensait de certaines obligations rituelles risquant d'en compromettre le succès. Contrairement à l'Égypte où la réforme d'Al Azhar avait pour but de mieux contrôler et utiliser le corps des oulémas, la Tunisie de Bourguiba les fait disparaître de la scène, ce qui permet au « Combattant Suprême » d'user de l'islam à sa guise, s'il en éprouve le besoin. Cette absence se fera sentir dans les années 1970, lorsque le Mouvement de la Tendance Islamique (MTI) occupera rapidement le champ religieux sans véritable résistance des clercs, trop affaiblis — contraignant le pouvoir à user principalement de la répression pour venir à bout de la mouvance islamiste.

Au Maroc, après la fin du protectorat français, en 1957, les oulémas, soutiens fidèles du roi Mohammed V, sont tout disposés à conférer au souverain la légitimation islamique dont il fait l'un des atouts de son pouvoir face à la contestation des classes moyennes urbaines. Pourtant, le monarque, qui leur accorde honneurs et prérogatives — à l'opposé de la situation tunisienne —, veille à les priver de toute possibilité d'expression autonome et potentiellement critique[15]. Son fils Hassan II, qui monte sur le trône en 1961, ne s'autorise que de lui-même pour ce qui est de l'islam. Il se réclame à la fois de la descendance du Prophète Mohammed (d'où son titre de souverain « chérifien ») et se pare du titre de « Commandeur des Croyants » *(amir al mouminine)*, qui sacralise sa personne. Comme tel, il reçoit l'acte d'allégeance *(bay'a)* des oulémas, des descendants du Prophète, des membres de la dynastie, mais cette allégeance n'a guère, dans la conception royale, de dimension contractuelle. Les oulémas marocains jouent donc un rôle institutionnel, mais se limitent à entériner les dispositions que prend le Commandeur des Croyants : il reste la référence dernière en matière d'islam. À la fin des années 1960, le champ religieux marocain est à la fois largement étendu et légitime, mais aussi sous contrôle. Lorsque la mouvance islamiste commencera à se manifester au début de la décennie suivante, elle pourra ainsi agir aisément dans un milieu dont elle parle le langage, sans attirer la suspicion officielle. Son implantation sociale en sera facilitée, mais il lui sera très difficile de passer à une stratégie de rupture politique sans briser le tabou de la sacralité du monarque, ce à quoi la masse de la population restera fortement opposée.

En Algérie, où n'existait aucune grande tradition nationale de formation d'oulémas (qui se partageaient traditionnellement entre la Zitouna de Tunis et la Qarawiyyine de Fès), l'Association des oulémas algériens [16], fondée à Constantine en 1931 par Abdel Hamid Ben Badis, trois ans après les Frères musulmans égyptiens, avait la même sensibilité que ces derniers sur divers points de doctrine, mais son impact était resté limité à des cercles de lettrés urbains, sans implantation de masse, contrairement au mouvement de Hassan el Banna. Réservés au départ envers les militants indépendantistes du FLN dont ils questionnent la piété, ils ne rejoignent l'insurrection qu'en 1956, deux années après son déclenchement. Ils contribueront à la justification islamique d'une guerre d'indépendance dont les combattants se nomment *moujahidines* (mot à mot : « combattants du *jihad* ») et les victimes sont qualifiées de *chouhada* (pluriel de *chahid* : « martyr de la foi »)[17]. À l'indépendance, en 1962, ce courant est marginalisé par le président Ben Bella, alors militant socialiste, qui les considère, ensemble avec toute la mouvance religieuse, les confréries et les marabouts, comme des réactionnaires. En 1966, une association intitulée *Al Qiyam* (« les valeurs »), qui a protesté contre la pendaison de Qotb en Égypte, est dissoute. Pendant cette décennie et la suivante, un courant islamique conservateur s'organisera en Algérie au sein du parti unique FLN (surnommé pour cette raison « barbéfèlène » par l'humour algérois). Mais le champ religieux ne compte guère d'oulémas de renom. À tel point que, lorsque la mouvance islamiste commencera à apparaître au début des années 1980 (avec une décennie de retard sur la plupart des autres pays), le pouvoir se sentira contraint, pour l'endiguer, d'importer des oulémas égyptiens, qui seront mis à la tête de l'université islamique de Constantine nouvellement créée, faute de trouver sur place la ressource nécessaire. Et les intellectuels du FIS pourront aisément investir ce champ, sans trouver face à eux beaucoup de docteurs de la loi, de savants versés dans la connaissance et l'exégèse des Textes sacrés, capables de présenter de l'islam une lecture autre que la leur.

Cet affaiblissement général des oulémas que l'on constate partout dans le monde arabe, à l'exception de l'Arabie Saoudite, à la fin des années 1960, est également perceptible, avec des nuances, dans le reste du monde musulman. Mais dans la plupart des cas ils ont conservé des positions institutionnelles, d'importance variable selon le pays. En Turquie, les medressas, les écoles religieuses traditionnelles qui formaient les oulémas durant l'Empire ottoman, avaient été abolies après la proclamation de la République par Atatürk, dans le cadre des mesures de laïcisation autoritaire des années 1920. Les décennies 1950 et 1960 ont vu en revanche la création par l'État de lycées pour imams et prédicateurs *(imam hatip lisesi)*, qui devaient connaître une expansion considérable jusqu'à la fin du siècle[18]. Confronté à la persistance d'un islam rural considéré comme archaïque voire antirépublicain, l'État kémaliste avait voulu former une génération de prédicateurs « modernes », nourris de principes selon lesquels l'islam bien compris et la laïcité turque étaient parfaitement compatibles, et bénéficiant d'une éducation mixte religieuse et séculière. Cette initiative, de laquelle on peut rapprocher la réforme d'Al Azhar par l'État nassérien en 1961, devait former des oulémas politiquement fiables, mais rester d'ampleur limitée. Aucun de ces deux objectifs ne fut véritablement atteint. Les lycées pour prédicateurs connurent un succès considérable, en offrant soudain un accès à l'instruction à toute une jeunesse rurale qui était restée à l'écart des lycées laïques. Ils lui permirent une ascension sociale, sans qu'elle paie le prix de la laïcisation des consciences. Les bénéficiaires de ce type d'éducation firent prévaloir leur culture de départ sur les objectifs que s'était fixés l'État. Ils devaient constituer, à partir des années 1970, une base pour l'implantation des partis politiques islamistes dirigés, sous des noms divers, par M. Erbakan.

À l'autre extrémité du monde musulman, en Indonésie, lors de la déclaration d'Indépendance, en

1945, un débat sur les fondements de l'État avait opposé les oulémas — rassemblés dans l'organisation *Nahdatul Ulema*[19], créée en 1926 — ainsi que divers groupes islamiques militants, à des nationalistes laïques dont la figure de proue, Soekarno, ne cachait pas son admiration pour Atatürk[20]. L'État ne fut pas fondé sur l'islam, mais sur un ensemble de « cinq principes » (les *panca sila*), dont le nationalisme, et la foi en un Dieu unique. Ce compromis, qui ménageait les minorités non musulmanes, chinoises, chrétiennes et hindoues (environ 10 % de la population), prenait aussi en compte le caractère fluide de l'islam indonésien, caractérisé par un fonds de syncrétisme avec les pratiques et les croyances hindoues antérieures, très présentes à Java, la plus peuplée des îles de l'archipel[21]. Mais les partisans les plus virulents de la création d'un État islamique, regroupés dans le mouvement *Dar ul Islam* prirent le maquis en 1949 à Java, et ne furent réduits qu'en 1962 par l'armée[22] — dont les jeunes officiers acquirent leur formation en combattant une insurrection à caractère religieux. Quant au mouvement des oulémas et aux autres groupes islamiques militants, organisés en partis politiques, ils participèrent activement à la répression sanglante du Parti communiste indonésien en 1965. Ils accueillirent favorablement la mise en place d'un « ordre nouveau » par le général Suharto en 1967. Pourtant, ce dernier, en confiant le contrôle du pays à l'armée, marginalisa des institutions religieuses dont l'importance lui paraissait menacer la stabilité de son régime. À l'aube des années 1970, les oulémas indonésiens et les divers groupes qui œuvrent pour faire de l'islam la source de la législation sont donc dans une position de faiblesse politique, en dépit des millions d'adeptes qu'ils contrôlent, dans un pays qui dépasse alors les cent cinquante millions d'habitants. Mais malgré le harcèlement du pouvoir, ils sauront conserver des filières de formation, des réseaux de solidarité, un vaste tissu d'écoles coraniques et de mosquées, qui redeviendront un enjeu politique central à la fin de la décennie, lorsque le militantisme islamiste poindra dans la jeunesse indonésienne.

L'EXCEPTION PAKISTANAISE

Au Pakistan, fondé en 1947 sur la base du « nationalisme musulman », le conflit qui oppose les élites modernisatrices de formation britannique et les divers courants religieux sur la définition même de cette notion permet aux oulémas de jouer un rôle plus important que dans la plupart des autres pays. Bien organisés, ils s'appuient sur des réseaux d'écoles religieuses traditionnelles, les *dini medressas*, dont les élèves et anciens élèves leur fournissent une base puissante.

L'islam pakistanais contemporain est l'héritier de mouvements créés en réaction à la situation particulière au sous-continent indien lorsque l'Empire britannique détrôna le dernier souverain musulman de Delhi, en 1857. Comme leurs coreligionnaires passant sous domination coloniale ailleurs dans le monde, les musulmans d'Inde perdirent alors le pouvoir politique ; mais ils se retrouvaient aussi dans le même temps en situation largement minoritaire (de l'ordre de un pour trois) face à des hindous qu'ils avaient vassalisés au long des dix siècles écoulés. Le plus important de ces mouvements de réaffirmation islamique, dit « déobandi », fut fondé en 1867 dans la ville de Deoband[23], au nord de Delhi, d'où son nom. Il avait pour objectif de former des oulémas

capables de produire des *fatwas* (avis juridiques
autorisés) sur tous les aspects de la vie quotidienne,
afin d'établir leur caractère conforme ou non aux
prescriptions de l'islam, interprétées dans un sens
rigoriste, puritain et conservateur — assez proche
du courant wahhabite d'Arabie. Grâce à l'édiction de
cet ensemble de règles précises, les musulmans
pourraient continuer à vivre dans une société non
islamique sans risque. Établies dans toute l'Inde du
Nord-Ouest de l'époque, et bien implantées sur les
territoires qui formeraient le Pakistan, les *medressas*
déobandies ont produit, en plus d'un siècle, un
ensemble de *fatwas* estimé à plusieurs centaines de
milliers. De nos jours encore, chaque *medressa*
d'importance comporte un « centre des *fatwas* »
(darul ifta) où des oulémas assis sur le sol, leur
bibliothèque islamique à portée de main, rédigent à
longueur de journée des *fatwas* en réponse à des
questions sur le caractère licite de tel agissement qui
leur ont été posées de vive voix, par lettre ou par
téléphone[24]. En systématisant cette pratique, les
déobandis ont constitué un univers mental autonome, qui permet à leurs adeptes de vivre « islamiquement » quelles que soient les vicissitudes de
leur environnement politique ou social. Mais à la
différence des adeptes du *tabligh*, qui se tiennent
loin de la politique, les déobandis s'efforcent,
lorsqu'ils le peuvent, de faire pression sur le pouvoir
pour que leurs conceptions de l'islam s'étendent à la
société et passent dans la législation. Structurés
autour d'un réseau d'écoles religieuses qui éduquent
principalement des jeunes issus de familles traditionnelles, rurales ou urbaines, impécunieuses ou
refusant d'envoyer leurs enfants dans les écoles
d'État, ils sont, dès la création du Pakistan, en situation de négocier avec le gouvernement. En effet, ils

demandent des ressources toujours croissantes pour
financer leurs écoles (des pensionnats où les élèves
sont pris en charge gratuitement, l'une des causes de
leur succès populaire) et veulent que l'État garan-
tisse des emplois à leurs diplômés, qui ont pour seul
savoir les matières religieuses enseignées de la façon
la plus classique. À cette fin, ils militent pour l'islamisation des lois, de l'administration, du système
bancaire, etc., qui permettront d'utiliser les compé-
tences de leurs élèves, de leur garantir l'embauche,
puis de leur conférer à terme des positions de pouvoir

Dès les premières années du Pakistan. les partis
religieux divers font pression pour islamiser le pays
À côté de la *jama'at-i islami* de Mawdoudi, créée en
'94 qui a pour objectif ultime la conquête du pouvoir politique et l'instauration de l'État islamique,
comme nous l'avons décrit plus haut. il existe en
effet des partis d'oulémas — un phénomène singulier dans le monde musulman — qui expriment les
intérêts politiques particuliers de ce groupe socio-
professionnel et des réseaux de leurs élèves, et
recherchent à ce titre l'islamisation de l'appareil
administratif et gouvernemental, sans souhaiter
pour eux-mêmes le pouvoir effectif. Les deux principaux sont le JUI (*jami'at-i ulama-i islam,* association
des oulémas de l'islam), qui est l'émanation des déobandis, et le JUP (*jami'at-i ulama-i Pakistan,* association des oulémas du Pakistan), encadré par des
oulémas plus tolérants avec le mysticisme et le culte
des saints (abhorrés par les déobandis), les barelwis[25].

Les militaires et les élites occidentalisées au pouvoir durant les années 1960 menèrent une politique
destinée à réduire l'influence des divers mouvements religieux. Mais ils n'y parvinrent que partielle-

ment et temporairement — par contraste avec Nasser à la même époque par exemple : en effet, là où le raïs pouvait jouer sur de multiples registres, notamment sur la force de l'identité nationale égyptienne, pour relativiser et contrôler la référence islamique dont se réclamaient les Frères musulmans comme les oulémas d'Al Azhar, les dirigeants pakistanais butaient sur l'ambivalence du « nationalisme musulman » fondateur du pays. Sans l'islam, le Pakistan n'existe pas : plus rien ne justifie son existence distincte de l'Inde, et plus grand-chose n'unit les peuples qui le composent, Pachtounes et Sindhis, Pendjabis, Baloutches et réfugiés venus d'Inde (Mouhajirs), sans mentionner les Bengalis, qui font sécession en 1971. Or, lorsque l'identité nationale est directement tributaire de la nature de l'identité islamique, ceux qui peuvent définir celle-ci détiennent une position de force pour maintenir la cohésion nationale même. C'est pourquoi les oulémas, aussi bien que Mawdoudi et son parti, purent résister aux mesures prises à leur encontre durant les années 1960, alors que les Frères musulmans d'Égypte étaient brisés par la répression.

Lorsque s'achève cette décennie, la situation générale de l'islam est plus contrastée que ne le laissaient penser les analyses dominantes de l'époque, qui prêtaient principalement attention aux élites nationalistes et modernisatrices parvenues au pouvoir aux lendemains de l'Indépendance. En effet, le monde de l'islam traditionnel, bien qu'affaibli par la montée en puissance d'intellectuels qui se sont émancipés de ses coutumes et de ses enseignements, et qui construisent leur vision du monde à partir de savoirs acquis en Occident, n'a pas été anéanti par les attaques dont il était l'objet. Il garde en particulier un accès privilégié aux milieux défavorisés urbains et ruraux, qui n'ont guère été touchés en profondeur par les changements. Les bénéficiaires ont été les classes moyennes et la petite-bourgeoisie des villes qui se sont identifiées au nationalisme. Jusqu'à la fin des années 1960, ces milieux défavorisés se manifestent peu sur la scène politique, et restent socialement assez stables, par contraste avec la décennie qui suivra. En revanche, ils connaissent un accroissement démographique phénoménal. Ils se révéleront quand arriveront à l'âge adulte, dans les années 1970, leurs enfants, dont les représentations du monde auront été façonnées, fût-ce superficiellement et d'une manière qui ne répondra pas à leurs attentes, par l'environnement religieux traditionnel des confréries comme des oulémas. Ils seront d'autant plus disponibles pour entendre un discours qui reprend le vocabulaire de l'islam, mais le transforme pour le mettre directement en prise avec une réalité que l'explosion démographique, l'exode rural et la hausse vertigineuse des prix du pétrole ont bouleversée. Ce discours sera celui des idéologues islamistes, élaboré préalablement autour d'un Qotb, d'un Mawdoudi ou d'un Khomeini, mais il connaîtra des modes de réalisation variables selon le milieu de sa réception, en fonction des configurations politiques et sociales propres à chaque pays, et de la manière dont le champ religieux y est structuré.

PREMIÈRE PARTIE

LE BASCULEMENT

1

Sur les décombres du nationalisme arabe : 1967-1973

Les années 1970 sont marquées par l'irruption des mouvements islamistes militants dans la plupart des pays du monde musulman. Elles ont culminé avec le triomphe de la révolution iranienne, en février 1979, détruisant l'État « impie » du chah et bâtissant sur ses ruines une république islamique qui applique les préceptes établis par l'ayatollah Khomeini au début de la décennie. Les événements d'Iran ont bouleversé les représentations communes de l'islam dans son ensemble : ce que l'on tenait pour une religion plutôt conservatrice et rétrograde, dont la pertinence sociale et politique allait déclinant tandis que progressait la modernisation, est tout à coup devenu l'objet de toutes les attentions, de tous les espoirs ou de toutes les craintes. La mouvance islamiste elle-même, dont très peu soupçonnaient l'existence, a été associée à une révolution aux contours imprécis mais dont la nature paraissait aussi radicale qu'antioccidentale.

Or, la politisation de l'islam durant cette décennie ne se réduit pas à la révolution iranienne, même si celle-ci en représente le cas le plus spectaculaire. Cinq ans auparavant, les lendemains de la guerre d'octobre 1973, en consacrant la puissance financière saoudienne, avaient permis au courant wah-

habite-islamiste, puritain et socialement conservateur, de se répandre partout et de conquérir une
position de force dans l'expression internationale de
l'islam. Son impact est moins visible que celui de
l'Iran khomeiniste, mais il est plus profond et il
s'inscrit dans la durée. Ce courant a pris l'avantage
par rapport au nationalisme progressiste qui avait
triomphé dans les années 1960, a réorganisé le
champ religieux en favorisant les associations et les
oulémas qui s'inscrivent dans son obédience, et, en
injectant des flux financiers considérables dans le
domaine islamique, a suscité nombre d'allégeances.
Et s'il oppose volontiers la civilisation islamique
vertueuse à la corruption de l'Occident, l'Arabie
Saoudite d'où provient le plus clair de ses fonds
reste un allié essentiel des États-Unis et de l'Occident, face au bloc soviétique. La même année 1979
débute à Téhéran par la victoire de la révolution
islamique au cri « À bas l'Amérique ! » et s'achève
par l'invasion soviétique en Afghanistan, qui aura
pour conséquence l'engagement massif de la CIA
aux côtés des combattants du *jihad* afghan. Et l'aide
américaine et saoudienne aux *moujahidines* passera
en grande partie par le Pakistan du général Zia ul
Haqq, fervent admirateur de Mawdoudi, dont plusieurs collaborateurs sont alors ministres à Islamabad.

   On ne saurait donc réduire l'émergence islamiste
des années 1970 à un mouvement révolutionnaire
ou anti-impérialiste qui mobiliserait des masses
déshéritées grâce à l'usage habile de slogans religieux — pas plus, à l'inverse, qu'à une simple
alliance anticommuniste américano-saoudienne.
Pour prendre la mesure du phénomène dans son
ensemble, il faut répertorier ses multiples dimensions, mettre en relation la phase de gestation, les

réseaux, les filières, les tendances et les idées qui s'y sont constituées (tels que nous les avons présentés ci-dessus) avec les bouleversements démographiques, culturels, économiques et sociaux propres à cette décennie. On pourra alors observer quels sont les groupes qui s'engagent dans la mouvance islamiste, comment ils parviennent ou non à faire alliance pour s'emparer du pouvoir, à rassembler autour d'eux de larges couches de la population, et quels sont ceux qui les combattent. On verra comment et pourquoi certains mouvements sont brisés par les régimes en place, d'autres divisés par des États qui savent coopter les plus modérées de leurs composantes, d'autres enfin capables de faire la révolution. Par-delà les évidences qui semblent s'imposer au sens commun, c'est la comparaison des divers mouvements islamistes apparus alors qui nous permettra d'en comprendre la structure.

Pendant cette décennie la première génération née avec l'Indépendance arrive à l'âge adulte, dans la plupart des pays du monde musulman. Elle n'a donc aucune mémoire propre des luttes de libération anticoloniales qui ont fourni aux régimes nationalistes au pouvoir leur légitimité. Cette nouvelle génération va se trouver en décalage par rapport aux élites qui gouvernent : elle est extrêmement nombreuse, à cause de l'explosion démographique, et elle ne peut bénéficier, contrairement à ses parents et ses aînés, de l'insertion et, moins encore, de l'ascension sociales exceptionnelles qu'avaient permises l'Indépendance, le départ des colons et le partage de leurs biens. Entre 1955 et 1970, la croissance de la population dans le monde musulman est considérable (de l'ordre de 40 % à 50 % selon les pays). En 1975, les moins de 24 ans représentent partout plus de 60 % des habitants, et l'urbanisation

comme l'alphabétisation progressent massivement[1].
L'univers de l'islam qui était principalement rural
depuis ses origines, dominé par des élites urbaines
restreintes détenant le monopole de la lecture,
connaît un bouleversement radical avec cette masse
de jeunes qui représentent la première génération
installée en ville et maîtrisant l'écrit. Ces nouveaux
venus sont confrontés à des défis de tous ordres
pour lesquels les connaissances transmises par leurs
parents, majoritairement analphabètes, sont de peu
d'utilité. Le hiatus culturel et social entre les deux
générations est considérable, et sans équivalent
depuis que le monde de l'islam existe. Or ces jeunes
des années 1970 ne sont pas bien insérés : leur
urbanisation est fréquemment synonyme d'entassement dans des zones d'habitat précaire à la périphérie des villes (bidonvilles du Maghreb, *achwaiyyat* du Moyen-Orient, *gecekondu*[2] de Turquie, etc.).
Et surtout, le savoir qu'ils ont acquis grâce à l'enseignement public de masse en langue nationale les
fait aspirer à changer de statut, à s'élever dans la
société, tandis que leurs parents et aïeux s'accom-
modaient d'autant mieux de rôles sociaux immuables qu'ils n'avaient rien connu d'autre et
vivaient dans l'univers étroitement borné du village.
   Le changement est d'abord sensible par la généralisation de l'enseignement secondaire, puis supérieur, dans une moindre mesure, en milieu urbain :
il ne procure pas seulement l'accès passif à la
culture écrite (la lecture du journal), mais ouvre à
sa pratique, permettant de choisir ses sources
d'information et de les comparer, de s'exprimer de
manière formelle en public, de débattre et de se sentir de plain-pied, intellectuellement, avec les élites
nationalistes au pouvoir. Or, ce bond en avant
culturel ne se traduit pas par le progrès social

attendu. Cette frustration engendre un ressentiment contre ces élites, jugées coupables d'accaparer l'État, de frustrer du pouvoir et de la richesse les jeunes qui ont investi dans l'acquisition du savoir.

Ainsi, c'est dans le champ culturel que s'exprimera le mécontentement social et politique, à travers le rejet de l'idéologie nationaliste des régimes en place, et la substitution à celle-ci de l'idéologie islamiste. Ce processus s'effectue d'abord par la médiation des étudiants : les campus, dominés au tournant de la décennie 1970 par les groupes de gauche, passent sous le contrôle des mouvements islamistes. Ceux-ci diffusent les idées élaborées par les Qotb, Mawdoudi ou Khomeini, mais qui n'avaient pu trouver jusque-là une audience de masse, faute de médiateurs assez nombreux, suffisamment mécontents pour épouser leurs théories de rupture et assez éduqués en langue nationale écrite moderne pour les comprendre et s'y identifier.

L'intelligentsia islamiste se forme parmi les étudiants de cette époque. Elle ne constitue pas un groupe social homogène aux objectifs bien définis. C'est en partant d'une rupture dans le domaine de la culture avec le nationalisme qu'elle fait de l'islamisme un combat pour l'hégémonie politique. Cela permettra au mouvement de recruter ses adeptes dans des milieux différenciés, dont les intérêts de classe sont divergents. À partir du noyau des idéologues estudiantins, deux groupes sociaux seront particulièrement perméables à la mobilisation islamiste : la jeunesse urbaine pauvre — la masse des exclus, issus de l'explosion démographique et de l'exode rural, dont le « hittiste [3] » algérien désœuvré est l'incarnation par excellence — et la bourgeoisie pieuse, ces classes moyennes privées d'accès au politique et économiquement bridées par des régimes militaires ou monarchiques. Comme nous le verrons plus loin, ces deux groupes, s'ils réclament en chœur l'application de la *chari'a* et l'instauration de l'État islamique, ne s'en font pas la même représentation. Les premiers lui donnent un contenu socialement révolutionnaire, tandis que les seconds y voient surtout l'occasion de se substituer aux élites en place, sans bouleverser les hiérarchies de la société. Cette ambiguïté est au fondement de la mouvance islamiste contemporaine. Le propre de l'idéologie diffusée par l'intelligentsia consiste à occulter l'antagonisme entre les intérêts des deux principales composantes, à les projeter dans une dynamique culturelle et politique qui les concilie en les tendant vers l'objectif commun de la conquête du pouvoir.

Mais sous l'unité apparente du discours islamiste, les contradictions entre les objectifs de la jeunesse urbaine pauvre et de la bourgeoisie expliquent que le mouvement puisse être investi par des forces et des groupes d'intérêt classés à droite comme à gauche, dans un pays donné ou à l'échelle internationale. L'appui massif de l'Arabie Saoudite — monarchie « réactionnaire » s'il en est — et les encouragements américains à l'expansion de la mouvance islamiste n'ont pas pour objectif de porter au pouvoir la jeunesse urbaine pauvre qui assimile application de la *chari'a* et révolution sociale. C'est un soutien à la bourgeoisie pieuse dont on estime, à Riyad comme à Washington, qu'elle sera mieux à même de neutraliser ces classes dangereuses en les payant de mots et de symboles religieux que ne sauraient le faire les élites nationalistes dont la légitimité est usée et dont coercition et répression sont les principales armes[4]. À l'inverse, le soutien du Parti communiste iranien (Toudeh) et de l'ex-Union soviétique à la révolution en Iran, le ralliement de bon nombre d'anciens marxistes à travers tout le monde musulman à la cause islamiste, voire l'appui de municipalités communistes françaises à des organisations de jeunesse islamistes en banlieue, ont été motivés par leur croyance que « les masses » ayant rejoint ce mouvement, il fallait en accentuer le caractère « progressiste » et populaire pour faire de l'islamisme un mouvement anti-impérialiste et anticapitaliste[5], en évitant que la bourgeoisie pieuse ne le capte et ne neutralise ses potentialités révolutionnaires.

Cette dualité sociale est inhérente aux mouvements islamistes — elle en constitue l'essence même — et elle explique leur focalisation sur les dimensions morales et culturelles de la religion. Ils conquerront la base la plus large — jusqu'à s'emparer du pouvoir, comme en Iran — lorsqu'ils seront capables de mobiliser ensemble jeunesse urbaine pauvre et bourgeoisie pieuse grâce à une idéologie axée sur la morale et un programme social flou. Chaque composante du mouvement peut le comprendre et l'interpréter à son gré, à cause de la polysémie qui caractérise le langage religieux.

À l'inverse, lorsque la jeunesse urbaine pauvre et la bourgeoisie pieuse se désunissent, le mouvement devient incapable de s'emparer du pouvoir. L'idéologie perd son caractère fédérateur : plusieurs discours islamistes concurrents émergent, pour s'exclure mutuellement. L'un, dit « radical », épouse les revendications spécifiques de la jeunesse urbaine pauvre, l'autre, « modéré », reflète les vues de la bourgeoisie pieuse. Dans ce cas — que la guerre civile algérienne de 1992-98 a poussé au paroxysme avec l'affrontement intra-islamiste entre

le GIA « radical » et l'AIS[6] « modérée » —, l'intelligentsia est trop faible pour produire une idéologie
de mobilisation qui agrège les deux composantes du
mouvement. Pareille situation a généralement permis aux élites au pouvoir d'en diviser durablement
les rangs, en profitant de la dérive terroriste d'un
certain nombre de radicaux pour effrayer la bourgeoisie pieuse : elle serait la première victime de la
rage sociale de la jeunesse urbaine pauvre si l'appareil répressif de l'État venait à faire défaut. En Algérie, là encore, le racket des notables islamistes par
des groupes radicaux dès 1994-95 a illustré ce cas
de figure. En Égypte, les effets néfastes du terrorisme contre les touristes sur les revenus des classes
moyennes locales et du petit peuple vivant de cette
industrie ont aidé l'État à jeter l'opprobre sur
l'ensemble de la mouvance, en dernier lieu après le
massacre de Louxor à l'automne 1997[7]. Et plusieurs
États du monde musulman ont su utiliser ces divisions pour coopter au pouvoir une partie de l'intelligentsia islamiste et de la bourgeoisie pieuse,
multipliant les signes ostentatoires d'islamisation de
la vie quotidienne tout en maintenant inchangées
les hiérarchies sociales, comme l'exemple du Pakistan ou de la Malaisie à partir de la fin des années
1970 nous le montrera.

L'apparition de l'intelligentsia islamiste est la
condition première à l'existence du mouvement.
Elle se manifeste dès le début des années 1970, sur
les campus d'Égypte, de Malaisie et du Pakistan,
puis se répand dans l'ensemble du monde musulman, en bénéficiant des relais et de la puissance
financière dont dispose le courant wahhabite depuis
la guerre d'octobre 1973. Dans chacun de ces cas,
elle s'impose en prenant la place du nationalisme,
en lui substituant d'autres idéaux.

Nationalisme arabe comme islamisme visaient à rassembler des classes sociales hétérogènes, le premier en les dissolvant au sein d'une « unité arabe » sublimée, le second en les fondant en une Communauté des Croyants virtuelle. Mais le nationalisme s'est scindé au cours du temps en deux camps antagoniques : « progressiste », derrière l'Égypte nassérienne, la Syrie et l'Irak baassistes, et « conservateur », derrière les monarchies de la péninsule et la Jordanie. Cette « guerre froide arabe » avait fait de l'affrontement contre Israël le seul facteur consensuel : il fut frappé de plein fouet par la défaite de la guerre de Six Jours de juin 1967. Mais ce sont les progressistes, et surtout Nasser, à l'initiative de la guerre et victime de la pire humiliation militaire, qui en subissent d'abord le contrecoup. La démission spectaculaire du raïs au soir de la défaite — même s'il la reprend et l'utilise pour éliminer ses rivaux du moment — marque une rupture majeure dans le domaine symbolique : la promesse de la victoire future contre l'État sioniste est invalidée par la catastrophe de 1967. Le traumatisme vécu alors par les intellectuels arabes a suscité de profondes remises en cause, dont le livre du philosophe syrien Sadeq Jalal al 'Azm [8] *Autocritique après la défaite* est l'exemple le plus achevé — dans une perspective laïque. Ultérieurement les milieux islamistes et philo-saoudiens feront de 1967 le châtiment divin sanctionnant l'oubli de la religion. Ils opposeront la guerre perdue de 1967 — où les soldats égyptiens montaient au combat en criant : « Terre ! Air ! Mer ! » — à celle de 1973 où ils criaient : « *Allah Akbar !* », ce qui leur aurait rendu le sort des armes plus favorable.

Quelle qu'en soit l'interprétation, la défaite a sapé

l'édifice idéologique du nationalisme, et a créé un
vide qui facilitera, quelques années plus tard, la
pénétration dans la société des idées islamistes nouvelles issues de l'œuvre de Qotb, restées jusqu'alors
confinées dans certains cercles de Frères musulmans et dans les prisons et les bagnes. Le milieu
étudiant égyptien a joué le rôle principal dans cette
expansion idéologique. À l'avant-garde de la révolte
contre le pouvoir il est d'abord dominé par la
gauche socialiste qui pousse à la reprise des hostilités contre Israël et impute la défaite à la trahison
des généraux et des profiteurs du régime militaire.
En février 1968, les étudiants se révoltent, appuyés
par les ouvriers de la ville industrielle de Helouan,
dans la banlieue du Caire. À l'automne, une autre
vague d'agitation dans le delta du Nil et à Alexandrie voit quelques étudiants liés aux Frères musulmans, encore très minoritaires, se manifester[9]. Pour
le pouvoir nassérien, la constitution d'un pôle idéologique sur sa gauche est alors le principal danger.
Il met à mal sa légitimité progressiste. D'autant plus
que, au même moment, la cause palestinienne, que
les États arabes avaient utilisée pour donner corps
au nationalisme, leur échappe. Ses organisations
conquièrent leur autonomie avec l'accession de Yasser Arafat à la tête de l'OLP en 1969.

En devenant les acteurs de leur propre destin et
en incarnant la résistance arabe contre Israël après
la faillite militaire des États, les Palestiniens ont
peuplé, notamment auprès des étudiants, l'imaginaire nationaliste que le nassérisme peinait à mobiliser. Or la tension entre ces organisations installées
dans les camps de Jordanie et le roi Hussein débou-
cha sur un affrontement sanglant, en septembre
1970, le Septembre noir, de la résistance, au cours
duquel furent infligées aux Palestiniens les pertes

les plus lourdes de leur histoire récente [10]. Ce n'était pas l'État hébreu, mais un État arabe qui frappait les nouveaux champions du nationalisme arabe. Cela lui porta un coup supplémentaire, au moment où la mort de Nasser, ce même mois, lui enlevait sa figure la plus charismatique.

En cette année 1970, la crise du nationalisme paraît favoriser des mouvements de gauche, incarnés par la résistance palestinienne, et relayés par les mobilisations étudiantes parfois appuyées sur des mouvements ouvriers. Mais cette floraison sera de courte durée. Les États, y compris ceux qui se disent « progressistes », mobilisent leurs ressources contre une menace qu'ils jugent d'autant plus grave que l'air du temps, après les événements de 1968 dans le monde occidental, est à « l'agitation » gauchiste. D'autre part, la gauche ne sera guère capable de s'implanter au-delà du monde estudiantin, des intellectuels des villes, et d'une « classe ouvrière » numériquement réduite. Son discours radical effraie les classes moyennes, et reste incompréhensible pour la masse de la population car il utilise des concepts et des formules marxistes d'origine européenne trop éloignées de son univers de représentations.

Le succès de l'islamisme combinera paradoxalement les frayeurs des uns et les attentes déçues des autres. Les pouvoirs, qui le perçoivent à travers le conservatisme saoudien, l'encouragent pour faire pièce aux gauchistes sur les campus. Et certains jeunes radicaux et intellectuels de gauche, faisant le bilan de leur insuccès auprès des masses, se convertissent à une idéologie qui leur paraît plus authentique.

Les événements du Septembre noir palestinien d'Amman ont montré le caractère explosif du mécontentement populaire mobilisé par des forces de gauche contre des régimes autoritaires et défaits militairement. À l'inverse, les Frères musulmans jordaniens ont soutenu le roi Hussein pendant l'épreuve[11]. Les autres dirigeants arabes ont retenu la leçon. C'est ce qui amènera le successeur de Nasser, Sadate, après avoir assis son pouvoir en Égypte en faisant arrêter les nassériens pro-soviétiques lors de la « révolution du redressement », le 15 mai 1971, à libérer graduellement l'ensemble des prisonniers d'opinion Frères musulmans[12]. Très vite, les campus deviennent leur lieu d'implantation privilégié. Dès la rentrée de l'année universitaire 1972-73, marquée par une agitation incessante pour reprendre la guerre contre Israël, et qui fait de la question étudiante un enjeu central de politique intérieure, une première organisation islamiste est créée à la faculté polytechnique du Caire. Elle n'a encore que peu d'impact par rapport aux marxistes mais elle fait connaître ses propres mots d'ordre : elle bénéficie de l'aide des services secrets, même si cela ne fait pas l'unanimité parmi ses militants.

En encourageant la mouvance islamiste Sadate renonce au monopole de l'État sur l'idéologie et à la captation de la religion qu'avait instaurés son prédécesseur. Là où l'État nassérien mobilisait les foules par le nationalisme et réprimait toute pensée dissidente, son successeur compense la faiblesse doctrinale de son régime en laissant s'exprimer des acteurs religieux autonomes pour qu'ils neutralisent la gauche. Cette libéralisation relative de la religion se produit alors que le domaine proprement politique reste strictement contrôlé. Il n'existe pas de liberté de la presse véritable, pas de marché libre des idées, sinon dans l'enceinte des mosquées, à travers un discours religieux que les islamistes sauront capter à leur profit. Le phénomène que l'on constate en Égypte connaît son équivalent dans d'autres pays musulmans, en particulier en Tunisie, en Algérie et au Maroc, où les étudiants gauchistes, encore largement francophones à cette époque, se voient opposer des islamistes arabisants, qui vont chercher leurs modèles dans des livres publiés en Arabie Saoudite et non plus au Quartier latin.

2

La victoire du pétro-islam et l'expansion wahhabite : 1973

La guerre d'octobre 1973 constitue un moment d'accélération majeur de ce processus. Déclenchée à l'initiative de l'Égypte et de la Syrie afin de laver l'humiliation de 1967 et de permettre aux régimes autoritaires de refonder leur légitimité, elle voit les armées de ces deux pays, qui bousculent les lignes israéliennes sur le canal de Suez et le Golan, réussir leur offensive, mais subir une contre-offensive menaçante. Celle-ci est arrêtée à la suite de l'embargo sur les livraisons de pétrole à destination des alliés occidentaux de l'État hébreu, décrété par les pays arabes exportateurs, et l'armistice est alors signé sur la route Suez-Le Caire, à 101 kilomètres de la capitale égyptienne, au point où sont parvenus les soldats israéliens. Les États arabes du champ de bataille ont remporté une victoire dans l'ordre symbolique : elle permettra à Sadate et au président syrien Assad (en arabe : « lion ») de se présenter respectivement comme le « Héros de la traversée » (du canal de Suez) et le « Lion d'octobre[1] ». Mais les vainqueurs réels de la guerre sont les pays exportateurs d'« huile », en premier lieu l'Arabie Saoudite. Outre le succès politique de l'embargo, ce pays a raréfié l'offre d'hydrocarbures, projetant les prix vers le haut[2]. Dotés soudain de revenus immenses,

les États pétroliers ont acquis une position dominante dans le monde musulman.

L'Arabie Saoudite acquiert alors des moyens illi-
mités pour mettre en œuvre son ancienne ambition
d'hégémonie sur le sens de l'islam à l'échelle de
l'Oumma, de la Communauté des Croyants tout
entière. Durant les années 1960 le dynamisme du
nationalisme avait relativisé l'importance politique
de la religion. La guerre de 1973 change la donne.
La doctrine wahhabite ne jouissait de prestige, en
dehors de la péninsule, que parmi les milieux rigoristes (ou « salafistes ») qui se réclamaient d'une
mouvance internationale disparate : les Frères musulmans arabes y côtoyaient des groupes indiens et
pakistanais ainsi que des musulmans négro-africains
ou asiatiques passés par La Mecque et revenus prêcher « à l'arabe » dans leur pays pour y purger l'islam
des « superstitions ». Les traditions islamiques nationales ou locales enracinées dans la piété populaire,
les clercs se réclamant des diverses écoles juridiques
du sunnisme implantées dans les grandes régions du
monde musulman (hanéfite dans les zones turques et
l'Asie du Sud, malékite en Afrique, chaféite en Asie du
Sud-Est [3]) ou du chi'isme conservaient encore partout avant 1973 une position dominante. Ils tenaient
en suspicion le puritanisme d'inspiration saoudienne, incriminant son caractère sectaire. Or, après
cette date, les institutions wahhabites changent de
dimension et se livrent au prosélytisme à grande
échelle dans l'univers sunnite (les chi'ites, tenus pour
hérétiques, restent en dehors du mouvement). Leur
objectif sera à la fois de faire de l'islam un acteur de
premier plan sur la scène internationale, le substituant aux nationalismes défaits, et de réduire les
modes d'expression pluriels de cette religion au credo
des maîtres de La Mecque. Leur zèle embrasse le

monde entier, par-delà les frontières traditionnelles de l'islam et jusqu'en Occident, où les populations immigrées musulmanes constitueront une cible de prédilection du prosélytisme saoudien[4].

Mais la propagation de la foi n'est pas le seul enjeu pour les dirigeants de Riyad : l'obédience religieuse devient une clef de répartition de leurs aides et subsides aux musulmans du monde, la justification de leur prééminence et le moyen de dissiper les convoitises que suscite leur fortune au regard de la masse de leurs coreligionnaires pauvres d'Afrique et d'Asie. En devenant les gestionnaires d'un immense empire de la bienfaisance et de la charité, le pouvoir saoudien cherche à rendre légitime une prospérité identifiée à la manne divine parce qu'elle est advenue dans la péninsule où le prophète Mohammed a reçu la Révélation. Cette entreprise permet de défendre une monarchie fragile en la projetant vers l'extérieur à travers sa dimension caritative et religieuse. Cela contribue aussi à faire oublier que la protection du royaume repose en dernier recours sur la puissance militaire américaine, et que le régime dont les oulémas vilipendent les impies et l'Occident est dans la dépendance étroite des États-Unis. Pareille stratégie protégera la maison Saoud pendant l'essentiel des années fastes du pétrole, jusqu'à ce que la guerre du Golfe de 1990-91 bouleverse les équilibres.

Le « système » saoudien transnational s'immisce, à la fois par son réseau de prosélytisme, par ses subsides et par les flux d'immigration de main-d'œuvre qu'il attire, dans les relations entre société et État de la plupart des pays musulmans. En fournissant des ressources financières à des individus, il leur permet de relâcher leurs liens d'allégeance envers les élites nationalistes au pouvoir. Au cours des années 1970, ces élites considèrent pourtant les revenus dérivés du

pétrole comme une aubaine car ils soulagent temporairement des régimes menacés par l'explosion
démographique. Jeunes diplômés et universitaires
chevronnés, artisans et ruraux, s'expatrient à partir
du milieu de la décennie vers les pays pétroliers,
depuis le Soudan, l'Égypte, la Palestine, le Liban, la
Syrie, la Jordanie, le Pakistan, l'Inde, le Sud-Est
asiatique, etc. Les États du Golfe comptent 1,2 million de travailleurs immigrés en 1975 (dont 60,5 %
d'Arabes), 5,15 millions en 1985, dont 30,1 %
d'Arabes et 43 % de ressortissants du sous-continent
indien (en majorité musulmans). Au Pakistan, en
1983, les versements des émigrés installés dans le
Golfe sont estimés à quelque 3 milliards de dollars
— à comparer avec les 735 millions de dollars du
total de l'aide étrangère que reçoit ce pays [5].

L'impact social et économique de ces migrations
est énorme. Tout d'abord, elles allègent le chômage,
notamment celui des diplômés, à une période cru-
ciale où arrive sur le marché du travail la première
génération née après l'Indépendance, fille de l'explosion démographique, de l'exode rural et de la
généralisation de l'enseignement. Or, c'est cette
génération-là qui se montre particulièrement réceptive au mécontentement social. Ensuite, elles
injectent des devises dans les économies nationales,
à travers les fonds envoyés à la famille restée au
pays, et créent des flux nouveaux de circulation de
richesses, de biens et de services, qui échappent au
contrôle des États. Enfin, elles assurent une ascension sociale accélérée à la plupart des migrants, qui
s'en retournent au pays en ayant changé de statut.
Le petit fonctionnaire sous-payé d'hier revient au
volant d'une voiture étrangère, « fait construire »
dans une banlieue résidentielle et fructifier des
économies, ou vit de négoce, sans rien devoir pour

cela à l'État, qui n'aurait pu lui procurer pareilles ressources.

L'ascension sociale s'accompagne, chez beaucoup de ces migrants revenus de l'eldorado pétrolier, d'une intensification de la pratique religieuse. L'épouse de bon ton portera un *hijab* chic, et sa bonne lui donnera du « *Hajja* », le titre réservé à celles qui ont accompli le pèlerinage à La Mecque, quand les bourgeoises de la génération précédente aimaient à s'entendre appeler « Madame », à la française, par les domestiques[6]. Ceux qui ont séjourné dans les pétromonarchies de la péninsule se sont enrichis dans un environnement salafiste ou wahhabite auquel beaucoup attribuent la cause spirituelle de leur prospérité matérielle.

À partir de la fin des années 1970, puis tout au long des deux décennies suivantes, ces anciens migrants qui déploient une religiosité à la saoudienne deviennent de plus en plus visibles. Certains ont leurs quartiers dans les banlieues résidentielles neuves, autour de mosquées de style dit « pakistanais international » caractérisé par la profusion de marbre et de néons verts. Cette rupture avec les traditions architecturales islamiques locales au profit d'une mosquée « standard » construite grâce aux pétrodollars illustre, dans l'environnement urbain, la diffusion internationale du wahhabisme dans le domaine doctrinal. Une culture civique axée sur la reproduction des modes de vie dans le Golfe voit également le jour : des *shopping centers* pour femmes voilées imitent les *malls* d'Arabie où la consommation à l'américaine se marie avec les exigences de la ségrégation des sexes[7]. Enfin, une part significative de l'épargne de cette nouvelle catégorie socio-culturelle ira s'investir dans le système financier islamique. Prospérant après la guerre d'octobre et se réclamant

du strict respect des interdits islamiques sur l'usure
— c'est-à-dire prohibant la pratique du taux d'intérêt
fixe —, il cherche à capter une grande partie des
pétrodollars des émigrés (on le verra dans la
deuxième partie). Ce groupe social nouveau qui
deviendra l'une des composantes de la « bourgeoisie
pieuse » estimera ne devoir rien aux élites nationalistes au pouvoir depuis l'Indépendance.

Parallèlement à ces changements sociaux, le choc
de 1973 se traduit par le redéploiement dans
l'ensemble du monde des agences religieuses contrôlées par l'Arabie Saoudite, grâce aux fonds inépui-
sables dont dispose désormais la *da'wa*, la
prédication wahhabite. Fondée en 1962 pour contrer
la propagande nassérienne en milieu religieux, la
Ligue Islamique Mondiale, une fois ce danger
écarté, ouvre des bureaux dans chaque région de la
planète où vivent des musulmans et joue un rôle
d'éclaireur, recensant les associations, les mosquées,
les projets. Le ministère des Affaires religieuses
saoudien fait imprimer et distribuer gratuitement
des millions de Corans, mais aussi des quantités
gigantesques d'exemplaires de textes doctrinaux
wahhabites aux mosquées du monde entier, de la
savane africaine aux rizières d'Indonésie et aux
HLM des banlieues européennes. Pour la première
fois en quatorze siècles d'histoire du monde musulman, on peut trouver d'un bout à l'autre de l'Oumma
les mêmes volumes, les mêmes cassettes, qui proviennent des mêmes circuits de diffusion : un corps
de doctrine unique se matérialise à l'identique
— mais il ne comporte qu'un petit nombre de titres,
appartenant à une seule obédience, à l'exclusion de
tous les autres courants de pensée qui ont fait le pluralisme de l'islam. En tête de ce hit-parade des
auteurs de la filiation wahhabite figure Ibn Taï-

miyya (1268-1323), référence première de la mouvance islamiste sunnite toutes tendances confondues. Sa diffusion massive par les services de
propagation de la foi du régime conservateur de
Riyad n'en empêchera cependant pas l'usage par les
courants les plus radicaux. Ils le citeront d'abondance pour justifier l'assassinat de Sadate en 1981
ou même pour vouer aux gémonies les dirigeants
saoudiens et appeler à les renverser au milieu des
années 1990.

Cet effort d'uniformisation doctrinale s'accompagne de distribution de subsides pour construire
des mosquées — plus de mille cinq cents financées à
l'étranger au cours du demi-siècle écoulé, sur les
seuls fonds publics saoudiens [8]. Leur prolifération, à
partir du milieu des années 1970, est l'une des transformations les plus visibles du paysage d'un monde
musulman qui s'urbanise à grande vitesse. Les donations du Golfe ont joué le premier rôle, même si
d'autres acteurs politiques ou économiques ont par
la suite investi des capitaux considérables, à partir
du moment où le contrôle des foules qui s'y rassemblaient et des sermons qu'elles entendaient devenait
un enjeu majeur qu'aucune instance, les États moins
que toute autre, ne pouvait négliger.

La plupart des circuits de financement de mosquées aboutissant dans le Golfe ont relevé d'initiatives privées. Une association *ad hoc* préparait un
dossier justifiant le projet par le besoin de spiritualité des croyants du lieu. Puis elle cherchait à obtenir une « recommandation » *(tazkiyya)* du bureau
local de la Ligue Islamique Mondiale pour un généreux donateur du royaume ou de l'un des émirats
voisins. Cette procédure a subi avec les années de
nombreuses critiques, les sommes versées ayant été
dans un certain nombre de cas détournées de leur

objet[9]. Mais elle a créé une demande et suscité des vocations de bénéficiaire. Les dirigeants saoudiens espéraient en faire autant de sympathisants et de relais du wahhabisme. De fait, comme on le verra au chapitre suivant, cette politique s'avérera efficace pour limiter les effets dévastateurs de la révolution iranienne de 1979 sur l'hégémonie saoudienne en milieu islamique. En revanche, elle ne pourra endiguer l'enthousiasme déclenché dans le monde musulman par Saddam Hussein, lorsqu'il dénoncera l'alliance entre la monarchie et l'Occident lors de la guerre du Golfe de 1990-91. On touche là aux limites de la politique de propagation religieuse du royaume : sa grande générosité financière lui a valu une adhésion parfois plus intéressée que sincère, et la « wahhabisation » qu'elle voulait mettre en œuvre a fluctué en fonction des cours du baril de pétrole. Mais l'Arabie Saoudite n'avait plus le choix, dès lors qu'elle avait opté pour la propagation islamique comme instrument d'influence extérieure. En finançant tous ceux qui se réclamaient de l'islam, elle risquait de subventionner des groupes révolutionnaires hostiles à la monarchie de Riyad.

Outre les migrations et la wahhabisation de l'islam mondial, la troisième conséquence de la guerre de 1973 fut de transformer les rapports de forces entre États arabes et musulmans en faveur des pays pétroliers. Cela permit d'échafauder, sous la houlette saoudienne, un « espace de sens[10] » islamique mondial par-delà les divisions que le nationalisme avait aiguisées entre Arabes, Turcs, Africains ou Asiatiques. Tous vont faire l'objet d'une nouvelle offre d'identité qui privilégie leur qualité commune de musulmans et relativise la langue, l'ethnie ou la nationalité. Cette offre ne correspond pas nécessairement à une demande chez l'ensemble des personnes concernées.

Elle contribue souvent à la susciter — lorsqu'elle promet ascension sociale, succès économique ou politique, fournit des repères stables dans une décennie 1970 que bouleversent l'explosion démographique, l'exode rural, les migrations internationales, la scolarisation de masse et l'urbanisation hasardeuse.

Sur le plan institutionnel, les débuts de l'espace de sens islamique contemporain remontent à 1969, pleine époque de crise du nationalisme arabe, avec la création de l'Organisation de la Conférence Islamique (OCI). Celle-ci fit suite à un sommet islamique convoqué à Rabat en septembre de cette année, après qu'un extrémiste venu d'Australie eut tenté d'incendier la mosquée Al Aqsa, sur l'esplanade du Temple, à Jérusalem, occupée depuis deux ans par Israël. La création de la nouvelle organisation tirait prétexte d'un incident inscrit dans le conflit israélo-arabe pour en faire une agression contre l'islam en général, et mobiliser l'ensemble des États musulmans, par-delà les seuls Arabes. De vingt-neuf à la fondation de l'OCI, les membres sont passés à cinquante-cinq lors de son huitième sommet, à Téhéran, en novembre 1997[11]. L'installation à Djedda, en Arabie Saoudite, du secrétariat général marquait la forte implication de ce pays dans une organisation internationale chargée, selon sa charte, de « promouvoir la solidarité islamique entre les États membres », de consolider leur coopération dans tous les domaines, et notamment de « coordonner tous efforts pour la sauvegarde des Lieux Saints, le soutien à la lutte du peuple palestinien afin de l'aider à retrouver ses droits et libérer sa terre » et de « renforcer le combat de tous les peuples musulmans, afin de sauvegarder leur dignité, leur indépendance et leurs droits nationaux. »

L'impact de l'OCI sur le devenir du monde est

resté faible, du fait des divisions entre ses membres, et du non-paiement des cotisations par la plupart des États, à l'exception des pays pétroliers du Golfe et de la Malaisie. Mais elle a servi de forum pour identifier des causes et leur donner un sens islamique — à commencer par la cause palestinienne qui avait jusqu'alors cristallisé la seule identité nationaliste arabe. En 1974, elle admet l'OLP comme État membre, en 1979 elle exclut l'Égypte pour avoir signé la paix avec Israël, en 1980 l'Afghanistan passé sous contrôle soviétique. Dans chacun de ces cas (et dans les positions critiques envers l'Iran qu'elle adoptera pendant les années 1980), elle institutionnalise un consensus autour des vues de l'Arabie Saoudite. En décembre 1973, au moment même de l'explosion des prix du pétrole, l'OCI prend la décision de créer la Banque Islamique de Développement, et de la baser à Djedda. Opérationnelle en octobre 1975 [12], celle-ci finance des projets de développement dans les pays musulmans les plus pauvres et permet d'employer des fonds provenant surtout des pays du Golfe dans le cadre du système bancaire islamique [13]

Par-delà le cadre formel de l'OCI, l'un des principaux vecteurs d'influence saoudiens est le contrôle du pèlerinage à La Mecque, le *hajj*, incarnation rituelle de l'unité de l'Oumma, de la Communauté des Croyants à travers le monde. Promesse de salut pour tout musulman pieux, il restait une entreprise malaisée et assez rarement accomplie par la masse des fidèles avant la baisse du coût des transports aériens à l'époque contemporaine. Autrefois, le *hajj* bénéficiait d'un prestige incomparable, mais lui étaient substitués des pèlerinages secondaires plus accessibles, en particulier vers les tombeaux de saints disséminés un peu partout et objets de la dévotion populaire. Dès que le roi Abd al-Aziz ibn Saoud se fut emparé définitivement de La Mecque et de Médine en 1924-25 après en avoir chassé les Hachémites, il entreprit de rendre le pèlerinage plus fonctionnel, afin d'attirer davantage de pèlerins — qui fournissaient au royaume, avant l'exploitation du pétrole, le plus clair de son revenu. Ils n'étaient que quatre-vingt-dix mille en 1926 : ils dépassent les deux millions en 1979 et évoluent entre un million et demi et deux millions par an depuis lors[14]. Cet accroissement spectaculaire a permis de faire coïncider l'idéal du *hajj* et sa réalisation concrète pour un grand nombre de musulmans à travers le monde. Mais cela s'est traduit simultanément par la wahhabisation de ce rituel.

À peine maîtres des villes saintes, les wahhabites saccagèrent les tombeaux des imams et de Fatima, la fille du Prophète, dont la vénération par les chi'ites constituait à leurs yeux une idolâtrie inacceptable. Puis ils organisèrent le pèlerinage selon leur rite. L'accueil et l'encadrement sont du seul ressort du monarque saoudien, qui prend en 1986 le titre de Serviteur des deux Lieux Saints pour mieux marquer le contrôle wahhabite sur le plus grand rassemblement annuel des musulmans de la planète — et le plus sacré. C'est un instrument d'hégémonie essentiel sur l'espace de sens islamique. Il sera violemment contesté, d'abord avec l'attaque de la Grande Mosquée de La Mecque en novembre 1979, à l'aube du quinzième siècle de l'hégire, par des opposants saoudiens, puis, tout au long des années 1980, par l'Iran khomeiniste, qui transformera plusieurs *hajj* en manifestations violentes[15], et enfin par Saddam Hussein et tous les opposants « radicaux » du régime saoudien après la guerre du Golfe de 1990-91.

3

L'assassinat
d'Anouar el-Sadate
et la valeur d'exemple
des islamistes égyptiens

En même temps que l'Arabie Saoudite établissait son hégémonie sur l'Oumma après 1973, des mouvements islamistes commencèrent à poindre dans la plupart des pays musulmans. Dans l'univers sunnite, les trois plus puissants se déployèrent en Égypte, en Malaisie et au Pakistan, avec des effets contrastés. C'est dans la vallée du Nil qu'ils furent les plus spectaculaires, puisque Sadate mourut de leur main. Mais ils ne parvinrent pas à conquérir le pouvoir et instaurer l'État islamique [1].

En 1973, l'été qui précède la guerre d'octobre, les *gama'at islamiyya* (« associations islamiques ») naissent dans le milieu étudiant à l'occasion du premier camp d'été qu'elles organisent pour leurs membres. Sympathisants et militants s'y initient à une « vie islamique pure » : accomplissement régulier des prières quotidiennes, formation idéologique, apprentissage de la prédication et des tactiques du prosélytisme, socialisation propre au groupe, etc. Il s'y préparera le réseau de cadres qui feront des *gama'at* le mouvement dominant sur les campus. En 1977, elles remportent la majorité aux élections de l'Union des Étudiants Égyptiens — dont Sadate a démocratisé les procédures en 1974, convaincu que tout danger gauchiste est définitivement écarté.

Leur succès est dû en premier lieu à la « solution islamique » qu'elles savent opposer à la crise sociale que connaît alors l'Université égyptienne. Au cours de la décennie, le nombre d'étudiants fait plus que doubler, atteignant le demi-million, sans que les infrastructures suivent. Cela se traduit par la dégradation des conditions générales d'acquisition du savoir, le décalage entre les aspirations culturelles de cette génération — généralement la première dans la famille à parvenir à l'Université — et l'accès au marché du travail. Les valeurs modernes et séculières de l'enseignement sont remises en cause : les *gama'at* les dénoncent comme un discours menteur, incapable de transcrire la réalité sociale. Elles lui substituent leur vision de l'islam comme « système total et complet », destiné à interpréter le monde et surtout à le transformer.

Dans le domaine concret de la vie estudiantine, les *gama'at* savent combiner offre de services adaptés et inculcation de normes morales, en soumettant le projet social aux exigences culturelles de l'« ordre islamique ». Par exemple, elles s'efforcent d'améliorer la situation spécifique des étudiantes, pour qui la promiscuité dans des moyens de transport et des amphithéâtres bondés est déplaisante, et dont les plus modestes voient leur budget grevé par les exigences de la mode vestimentaire. Aux transports publics déficients, les associations islamistes du Caire substituent, grâce aux fonds que leur attribuent de généreux donateurs, des minibus réservés aux étudiantes, puis, le service étant attractif et la demande excédant l'offre, seulement à celles qui portent le voile, le *hijab*. La privatisation des transports apparaît ainsi comme une manière de répondre « islamiquement » à un problème social. Dans les travées, elles imposent la séparation des sexes — soulageant dans un premier temps les jeunes filles — avant d'en faire une norme répressive de comportement qui marque le contrôle moral des *gama'at* sur les campus. De même pour le vêtement : la « tenue islamique » (voile, manteau long et ample, gants) proposée aux étudiantes à des prix très bas, grâce à des subventions dont l'origine reste imprécise, est présentée comme la réponse à un problème social, la cherté des habits à la mode. Il ne s'agit pas de lutter pour rendre la société moins inégalitaire, mais d'afficher un égalitarisme de surface, par le moyen d'une tenue uniforme, qui exprime du même coup le contrôle culturel islamiste sur les campus. Comme l'écrit l'un des idéologues des *gama'at*, le jeune médecin Issam al Aryan, dans un article publié en 1980 : « Lorsque le nombre d'étudiantes qui portent le voile est élevé, c'est un signe de résistance à la civilisation occidentale et le début de l'*iltizam* [la stricte observance] envers l'islam. » Il en fait le premier signe de l'existence d'un mouvement islamiste puissant — avec le port de la barbe et de la djellaba blanche chez les étudiants et l'affluence aux prières publiques des deux fêtes, la rupture du jeûne *(Aïd el Fitr)* et le sacrifice *(Aïd el Kébir)*, qui sont pour les *gama'at* l'occasion de démontrer leur force en encadrant des milliers de fidèles dans toutes les grandes villes d'Égypte.

Jusqu'en 1977, date du voyage de Sadate à Jérusalem, le pouvoir égyptien et les *gama'at islamiyya* vivent une véritable lune de miel. La presse, contrôlée par le régime, ne tarit pas d'éloges. Le « président croyant » qui veut établir le règne de « la science et la foi » voit dans l'intelligentsia islamiste estudiantine le moyen d'encadrer une jeunesse prompte à revendiquer, par un exutoire culturel et moral exprimé en termes religieux, dont le gouvernement fait également un usage abondant. Par ailleurs, Sadate a laissé revenir en Égypte les Frères musulmans bannis par Nasser et qui ont fait fortune en Arabie Saoudite : ils ont leur part dans l'ouverture économique *(infitah)* mise en œuvre à partir de 1975 pour rendre l'initiative au secteur privé et démanteler l'économie étatisée depuis les années 1960 sur conseil soviétique. Ils seront les modèles de réussite que nombre d'émigrés partant pour le Golfe après 1973 tâcheront d'imiter. Les capitaux et les relations dans les pétromonarchies qu'apporte cette bourgeoisie pieuse font d'elle un partenaire choyé, que le pouvoir s'efforce de coopter. Elle se reconnaît volontiers dans la branche « modérée » des Frères musulmans, qui ne fait que de rares références à l'œuvre trop « radicale » de Sayyid Qotb, et qu'anime M. Telmesani, emprisonné sous Nasser et élargi par Sadate en 1971. Il édite librement à partir de 1976 le mensuel *Al Da'wa* (« l'appel à l'islam ») — alors que de multiples entraves restent mises à la libre expression de la presse.

Le pari de Sadate — que reprendront beaucoup de chefs d'État du monde musulman au cours des années suivantes — consiste à encourager l'émergence d'un mouvement islamiste qu'il perçoit comme socialement conservateur, et dont il escompte le soutien politique, en contrepartie d'une assez large autonomie culturelle et idéologique laissée à l'intelligentsia islamiste et d'un meilleur accès de la bourgeoisie pieuse à certains secteurs de l'économie privatisée. Il appartient à ces islamistes bien en cour d'endiguer l'irruption de groupes radicaux qui voudraient subvertir l'ordre social.

Ce *gentleman's agreement* prend fin en 1977. Cette année-là débute par des émeutes contre la politique d'ouverture économique, dont les conséquences sociales sont redoutées dans la population. Puis un groupe islamiste radical, la Société des Musulmans (surnommée par la police *al takfir wa-l hijra*, « excommunication et hégire »), affronte le pouvoir, prenant en otage un ouléma et l'assassinant. Enfin, en octobre, le mois suivant le procès du groupe, Sadate se rend à Jérusalem pour y faire la paix avec Israël, ce qui aura raison des relations qu'il avait établies avec l'intelligentsia islamiste et la bourgeoisie pieuse.

L'irruption sur la scène politique de *al takfir wa-l hijra* manifeste que la mouvance islamiste ne saurait se réduire aux « modérés » que choie alors le régime, et qu'ils n'ont pas su attirer une frange radicale que les années suivantes verront croître et basculer dans le terrorisme. Ce groupe, par son caractère extrême, a frappé les esprits dans le monde musulman tout entier, par-delà la seule Égypte, et le qualificatif *takfiri* (« celui qui excommunie les autres musulmans ») est passé dans l'arabe courant pour désigner les éléments les plus sectaires du mouvement. Né dans les camps de relégation nassériens à la fin des années 1960 parmi les étudiants arrêtés lors des rafles de 1965, il a pour chef, en 1977, un jeune ingénieur agricole, Choukri Mustapha, qui pousse à la limite la pensée de Qotb, inachevée par le supplice de son auteur en 1966.

Selon lui, si le monde contemporain n'est que *jahiliyya*, que société a-islamique, cela signifie que personne n'est vraiment musulman, sauf ses disciples. Interprétant les Textes sacrés à son gré, en illuminé, Choukri prononçait le *takfir* : il déclarait *kafir* (« impie », « non musulman ») tout un chacun, à l'exception de ses adeptes. Et dans la doctrine islamique le *kafir* peut être mis à mort. Puis, en sur-interprétant les idées de Qotb qui prônait la

« séparation » d'avec la *jahiliyya* — sans préciser s'il entendait par là une simple abstraction spirituelle ou une rupture complète — Choukri coupait ses fidèles du monde impie. Il les installait dans des grottes de haute Égypte ou des appartements communautaires, voulant imiter à la lettre le Prophète qui accomplit sa *hijra* (hégire), la rupture fondatrice de l'islam, en fuyant La Mecque idolâtre où il risquait sa vie pour chercher refuge à Médine. Depuis ces lieux d'exil intérieur, Choukri escomptait passer un jour, lorsque son groupe serait suffisamment fort, à la conquête de l'Égypte dont il abattrait la *jahiliyya* pour y établir l'islam véritable — comme le Prophète, là encore, avait conquis La Mecque où il était rentré en vainqueur huit ans après l'avoir fuie.

La secte recrutait dans des milieux modestes restés à l'écart du libéralisme économique des années Sadate. Elle proposait à ses adeptes un projet de vie communautaire caractérisé par la rupture de tous les liens contractés dans la société égyptienne de *jahiliyya*, notamment les liens matrimoniaux. Choukri recomposait les unions à son gré, ce qui motiva les plaintes de familles dont les filles, les sœurs ou les femmes avaient été « détournées », mais sans que l'État intervînt contre un mouvement qui restait marginal et sans danger politique à court terme. Les adeptes, à qui Choukri interdisait d'être fonctionnaires de l'État impie, vivaient de petit négoce ; certains d'entre eux avaient été envoyés travailler dans le Golfe, d'où ils expédiaient des mandats. Tout, dans la pratique sociale de la secte, évoquait un bricolage fruste de petites gens, qui proposait à son niveau des réponses aux tensions auxquelles étaient confrontés ses membres dans l'Égypte postnassérienne de l'ouverture économique.

Les autorités religieuses avaient réfuté les idées de

Choukri, assimilées par un clerc, ouléma d'Al Azhar, le cheikh Dhahabi, au kharijisme, une doctrine des premiers temps de l'islam qui prononçait le *takfir* contre tout musulman accusé de péché. Puis, des conflits entre la Société des Musulmans et un autre groupe islamiste radical qui lui avait pris des adeptes tournèrent à l'affrontement armé, Choukri estimant que tout dissident qui quittait la secte abandonnait *ipso facto* l'islam, et méritait le châtiment de l'apostat, la mort. La police arrêta alors certains adeptes pour trouble à l'ordre public, et Choukri, afin d'obtenir leur libération, fit prendre en otage le cheikh Dhahabi. Le refus des autorités de négocier se solda par l'assassinat de l'ouléma, suivi de l'arrestation, du jugement et de l'exécution de Choukri.

Dans les rapports entre le régime de Sadate et la mouvance islamiste, le procès de *al takfir wa-l hijra* marqua l'échec de la stratégie du pouvoir : coopter l'intelligentsia estudiantine des *gama'at islamiyya* et la bourgeoisie pieuse des Frères musulmans pour se prémunir contre les débordements de la jeunesse urbaine pauvre. Au procès le procureur militaire incrimina, par-delà Choukri, les islamistes en général et même l'institution religieuse, à savoir Al Azhar, qui avait pourtant vu assassiner l'un des siens : elle fut jugée incapable d'inculquer le « vrai islam » à la jeunesse, livrée de ce fait à l'influence d'un « charlatan » comme Choukri. Cette affaire devait être le prélude à la rupture de toute la mouvance avec le régime, en raison du voyage de Sadate à Jérusalem, qui eut lieu le mois suivant le procès. Le raïs ne pouvait admettre les mises en cause de sa politique, qualifiée dans ces milieux de « paix honteuse avec les juifs ». L'Union des Étudiants fut dissoute, les biens des *gama'at* séquestrés, leurs camps

d'été fermés par la police. À titre d'avertissement, le
mensuel des Frères musulmans subit les foudres de
la censure.

Pourtant, à mesure que montait la tension entre
pouvoir et islamistes, ces derniers n'en présentaient
pas pour autant un front uni. M. Telmesani et ses
amis se voulaient opposants respectueux. Les pages
publicitaires de leur mensuel, pleines de réclames
pour des sociétés appartenant à des Frères enrichis
pendant leur exil dans le Golfe, comptaient aussi de
nombreuses annonces émanant de sociétés à capitaux d'État. Les accommodements entre la bourgeoisie pieuse et le pouvoir, leur complémentarité,
n'étaient pas remis en cause par les vicissitudes politiques, et ne pouvaient guère faire basculer celle-ci
dans une stratégie de renversement violent du
régime. Mais, faute d'une attitude oppositionnelle
sans compromis, elle perdit le contact avec les militants les plus radicaux, issus du milieu étudiant et
de la jeunesse urbaine pauvre, qui prendraient seuls
l'initiative d'aller au combat contre Sadate.

La radicalisation de l'opposition islamiste après
1977 se traduit d'abord par le basculement de la
base des *gama'at* : la prédication sur les campus se
mue en action clandestine dans les ceintures de pauvreté des agglomérations égyptiennes (Le Caire,
Alexandrie, et les grandes villes de haute Égypte,
Assiout et Minia). C'est de ces zones que seront originaires la plupart des inculpés arrêtés après l'assassinat de Sadate et l'insurrection d'Assiout en octobre
1981. Les plus politiques des militants se ras-
semblent au sein d'une nébuleuse de groupes,
l'Organisation du Jihad. Un jeune ingénieur électricien, Abdessalam Faraj, leur sert de théoricien,
avec un opuscule dont le titre *Al Farida al Gha'iba*
(« l'impératif   occulté »   ou   « l'obligation   man-

quante ») se réfère à l'obligation des oulémas de prononcer le *jihad* contre tout gouvernant qui
n'applique pas l'islam (même s'il se dit musulman).
À le lire, les clercs religieux ont trahi : cela l'autorise,
muni de son diplôme d'électricien et nourri des
œuvres d'Ibn Taïmiyya qu'il cite dans une édition
largement diffusée par l'Arabie Saoudite, à se substituer à eux et à proclamer le *jihad* contre Sadate,
« apostat de l'islam nourri aux tables de l'impérialisme et du sionisme ». Directement suivi d'effet
avec l'assassinat du raïs, ce texte, inscrit dans la
lignée de Qotb, exprime la fracture intérieure de
l'intelligentsia islamiste, et s'avérera pour le mouvement égyptien un handicap insurmontable. Outre sa
dénonciation du pouvoir « impie », son appel à
l'action violente pour le renverser, et sa condamnation de la trahison des oulémas, il se livre à une critique impitoyable de la composante « modérée » de
la mouvance.

Selon lui, les Frères musulmans, en cultivant
l'opposition légale au système, sous-estiment son
caractère foncièrement impie, et ne font que le renforcer en y participant. Pour instaurer l'État islamique, Faraj et ses conjurés exécutent un coup de
force : l'assassinat de Sadate, durant la parade militaire commémorant la traversée du canal de Suez, le
6 octobre 1981. Dans leur esprit cela devait déclencher le soulèvement des « masses », prélude à une
« révolution populaire ». Dans les interrogatoires qui
ont suivi les arrestations, les inculpés employèrent
ces expressions en référence à l'Iran où la révolution
venait de triompher. Mais les islamistes iraniens
avaient su, chez eux, mobiliser côte à côte, sous la
houlette d'un clerc, l'ayatollah Khomeini, la jeunesse
urbaine pauvre, les marchands du bazar et même les
classes moyennes laïques. À l'inverse, Faraj et ses

amis s'étaient coupés de la bourgeoisie pieuse égyptienne, vilipendant les clercs religieux, dont « L'Obligation manquante » avait fait sa première cible. Ils furent incapables de transformer leur attentat en révolte générale au nom de l'islam, de fédérer les oppositions contre le pouvoir « impie ». Pourtant, au moment de l'assassinat de Sadate, l'impopularité du raïs, qui venait de remplir ses prisons avec toutes les tendances politiques, même les plus modérées, atteignait son comble, ce qui le projetait dans un isolement confinant à la paranoïa. Alors que le vice-président Moubarak lui succédait, et qu'une insurrection dirigée par l'Organisation du Jihad à Assiout était réduite par les parachutistes, les militants radicaux étaient traqués dans les quartiers populaires. La hiérarchie d'Al Azhar, par la suite, a consacré beaucoup d'efforts à prouver que les idées de Faraj et de ses compagnons étaient « déviantes » et qu'elles n'étaient pas fondées à se réclamer d'Ibn Taïmiyya. Vilipendés par les activistes, les oulémas ont répliqué qu'eux seuls étaient habilités à interpréter les grands Textes de la tradition islamique, hors de portée des « ignorants », fussent-ils diplômés en électricité. Pourtant, c'est la politique saoudienne de diffusion massive de ces ouvrages, favoris des clercs wahhabites, qui les avait rendus accessibles à la jeunesse radicale scolarisée. Elle devait en faire une lecture aussi moralement conservatrice qu'eux, mais bien plus déstabilisante pour l'ordre établi.

Le cas égyptien au terme de la décennie 1970 est la première illustration de l'échec politique que subirent les islamistes lorsque leurs trois composantes furent désunies. Mais il exprime aussi l'impasse d'un régime qui, dans l'espoir de maintenir l'ordre social, a voulu s'allier la bourgeoisie pieuse et utiliser l'intelligentsia islamiste « modérée », laissant à celle-ci la haute main sur la morale et la culture, et donnant à celle-là quelques accès à l'économie privatisée. Car, à la suite du voyage de Sadate à Jérusalem puis à la paix avec Israël, les orientations de l'État égyptien se sont heurtées aux valeurs axiales de cette mouvance, même modérée : l'hostilité envers les Juifs en général et l'État hébreu en particulier. Le régime a ainsi été pris à son propre piège : le discours de l'intelligentsia islamiste, bienvenu tant qu'il attaquait la gauche, est devenu un facteur d'instabilité en rassemblant et radicalisant l'opposition. La composante bourgeoise du mouvement, même si elle ne s'était pas engagée dans la voie de l'affrontement, a été débordée par des groupes de jeunes urbains pauvres et d'étudiants partisans du *jihad*.

Les islamistes égyptiens, malgré leur échec initial, ont néanmoins joué un rôle de précurseur. Leur exemple sera médité et suscitera l'émulation des militants jusqu'en Afrique subsaharienne ou en Asie centrale — grâce au prestige du pays où avaient été fondés les Frères musulmans et où vécut Sayyid Qotb.

4

Islamisme, business et tensions ethniques en Malaisie

Au début des années 1970, la Malaisie fait soudain irruption dans l'espace de sens islamique. Dans ce pays qu'on croyait à la périphérie du monde musulman, les voyageurs s'étonnent à cette époque que beaucoup de jeunes femmes, vêtues jusqu'alors du sarong coloré traditionnel de l'Asie du Sud-Est, arborent désormais la « tenue islamique » mise à la mode sur les campus égyptiens par les étudiantes des *gama'at islamiyya*[1]. Dans les rues de Kuala Lumpur, les mosquées s'équipent de haut-parleurs où résonnent les harangues de sermonnaires du Vendredi, qui exhortent les fidèles à devenir « meilleurs musulmans », citant Mawdoudi à longueur de prêches. Un mouvement islamiste puissant a surgi. Connu sous le nom de *dakwah* (de l'arabe *da'wa* : l'appel à l'islam et la prédication), il s'est épanoui dans la foulée d'un événement traumatique, les émeutes du 13 mai 1969. Comme en Égypte où la fin des années 1960 voit poindre sous le nationalisme arabe usé la revendication islamiste, le choc de 1969 en Malaisie expose la fragilité du projet nationaliste local et fraie la voie à l'expression politique de la religion — qui s'entremêle ici à des conflits ethniques et à la répartition inégalitaire de la richesse entre Malais « de souche » et descendants d'immigrés chinois.

Dans ce jeune pays, indépendant en 1957, stratégiquement situé sur les détroits qui séparent les océans Indien et Pacifique, la colonisation anglaise avait importé en masse des Indiens et surtout des Chinois : les premiers travaillaient dans les plantations d'hévéas et les seconds faisaient fructifier le commerce, notamment maritime (où s'illustre Singapour, qui appartenait à la Malaisie coloniale). À l'Indépendance, les Chinois, qui représentent un gros tiers de la population, contrôlent la quasi-totalité de la richesse ; dans leur grande majorité, ils ne sont pas musulmans. Les Malais de souche, ou *Bumiputra*, tous fidèles de l'islam, arrivé au quatorzième siècle dans les détroits sur les navires des commerçants omanais et indiens, sont restés largement à l'écart de la modernisation. Avec un peu plus de la moitié des citoyens du nouveau pays (les Indiens, en partie musulmans, représentant les quelque 15 % restants), ils vivent pour la plupart dans des communautés rurales, ou *kampung*.

Le premier défi de l'État indépendant consiste à gérer un équilibre ethnique délicat : forts de leur nombre, les *Bumiputra* réclament une nouvelle répartition de la richesse. Le régime au pouvoir, où s'associent les élites des trois communautés, sur la base de la répartition des forces à la fin de l'époque coloniale, est soumis à la pression de la jeunesse malaise de souche, qui émigre en masse vers les villes, passe sans transition du monde analphabète et traditionnel des campagnes, marqué par l'économie de subsistance, à la ville chinoise, extravertie, riche de ses réseaux d'outre-mer et de sa culture écrite. C'est dans pareil contexte qu'éclatent les émeutes de 1969 : elles tournent au pogrom anti-chinois, au pillage des commerces, et menacent la capacité de l'État malaisien à gérer une société multiethnique.

Les jeunes *Bumiputra* qui étudient en ville sont défavorisés culturellement par la suprématie de l'anglais[2]. Leur combat pour imposer la langue malaise (que maîtrisent mal la plupart des Chinois) est au centre de leurs revendications. Au lendemain des émeutes, le pouvoir leur cédera sur ce point, ouvrant la voie à une politique systématique de « discrimination positive » : ils seront prioritaires pour entrer à l'Université d'État et pour obtenir des emplois publics ainsi que des postes de fonctionnaires d'autorité, au détriment des Chinois. Le nouvel équilibre qui s'instaure à partir des années 1970 voit le transfert d'une partie de la richesse chinoise vers les *Bumiputra*. Parmi eux, une élite restreinte contrôle l'octroi des autorisations et permis, les conseils d'administration, etc. Les Chinois sont encouragés à accroître leur prospérité — pour mieux la partager.

Mais la masse des jeunes d'origine malaise n'a guère accès, dans les années 1970, à cette rente politique. Confrontée à des mutations rapides et dramatiques, où se mêlent exode rural, explosion démographique, passage brusque à l'alphabétisation, il lui faut définir son identité — face aux Chinois, et pour justifier de ses aspirations à dominer le pays. Or le folklore du *kampung* n'est que de peu de secours face à la culture sophistiquée de la ville chinoise. C'est l'islam, sous sa forme militante, qui remplira cette fonction. Comme en Égypte et ailleurs, il répond aux bouleversements structurels qui caractérisent cette décennie, fournit un langage qui donne à ses adeptes l'espoir, en s'emparant du pouvoir, de contrôler le changement et non de le subir. S'y ajoute, dans le cas malaisien, la spécificité ethnique : l'exacerbation de l'identité culturelle islamiste projette les jeunes *Bumiputra* ruraux dans le monde urbain, les met de plain-pied avec les autres ethnies, plus anciennement établies en ville. L'islamisme malais est aussi, pour ceux qui s'y engouffrent, le marqueur par excellence de la différence identitaire. Cela explique l'ampleur de son succès, bien plus précoce et plus massif qu'au Moyen-Orient.

Le plus important mouvement, l'Abim (Ligue de la Jeunesse Musulmane Malaisienne), est actif à partir de 1971. Il vise à faire de ces jeunes de « meilleurs musulmans », les incite à « purger » leur islam rural des croyances syncrétiques qui évoquent l'hindouisme anciennement implanté dans la péninsule malaisienne — et les « civilise » du même coup. Les intellectuels islamistes de l'Abim, issus du milieu étudiant, offrent à leurs recrues une religion urbaine, fondée sur des textes écrits (notamment les traductions en malais de Mawdoudi). Ils tiennent un discours de rupture culturelle qui fait de la société islamique idéale un concept flou où pourront se reconnaître des groupes sociaux différents. Leurs adeptes sont disponibles pour des engagements politiques variables, qui peuvent bouleverser l'ordre établi comme le consolider.

Or le mécontentement gronde pendant cette décennie : le monde paysan malais se voit distancer, et ses fils les moins instruits vivent mal de leur emploi dans les nouvelles usines de sous-traitance de produits japonais, taïwanais ou coréens, créées par des Sino-Malaisiens, qui tirent parti des bas salaires locaux. En 1974, des manifestations violentes de ces jeunes ruraux prolétarisés ont lieu à Baling, une ville du nord du pays. Les étudiants s'agitent aux côtés des squatters qui protestent contre leurs conditions de vie dans les périphéries urbaines. L'Abim les soutient, et son dirigeant,

Anwar Ibrahim, frais émoulu de l'Université et âgé alors de 27 ans, le paye de deux années de prison. Le pouvoir stipule là les limites que les intellectuels islamistes issus du mouvement étudiant ne doivent pas franchir. Ils peuvent prêcher, ouvrir des écoles, établir des associations caritatives autour du réseau des mosquées, afin d'accompagner et d'encadrer le passage au monde urbain moderne et capitaliste de la jeunesse pauvre issue de la campagne, mais en aucun cas iis ne doivent l'aider à bouleverser l'ordre établi en donnant à son mécontentement une expression religieuse.

Outre l'Abim le pays compte le spectre complet de la mouvance islamiste — depuis l'équivalent local des Frères musulmans jusqu'aux groupes extrémistes armés et aux sectes. Le Pas (Parti Islamique de Malaisie), représenté au Parlement, parfois membre des coalitions gouvernementales, et dont les places fortes se situent dans l'État rural du Kelantan, où son président est fréquemment élu *chief minister*, fait partie du système dans lequel il joue un rôle d'opposition légale bien circonscrit. C'est un parti ancien, fondé en 1951, qui se livre en permanence à une surenchère à l'islamisation dans laquelle le pouvoir ne peut que se laisser entraîner, sous peine d'apparaître comme impie. Cette fuite en avant est devenue un rituel politique malais, connu sous le nom de *kafir-mengafir* (« se traiter mutuellement de *kafir*, d'impie »). Elle se traduit par toujours plus de fonds publics pour l'islamisation et par la multiplication de décrets pour organiser le temps de travail des fonctionnaires musulmans en fonction des horaires de prière ou du Ramadan, codifier le port du voile, contraindre les entreprises de restauration à fournir aux consommateurs des produits *halal*, etc. Dans les années 1970, le Pas est toutefois peu présent parmi la jeunesse urbaine dans laquelle fleurissent les mouvements estudiantins de *dakwah*.

À l'autre extrême de la mouvance islamiste, est apparue vers cette époque une secte au rôle ambigu. Intitulée Darul Arqam[3], fondée en 1968 par un prédicateur inspiré, Ashaari Mohammed, elle avait édifié une sorte de Thébaïde islamique pure. Les adeptes étaient vêtus de longues djellabas de style arabe blanches ou vertes, et avaient le front ceint d'un ample turban noir. Tables et chaises, téléviseurs y étaient proscrits. Darul Arqam avait établi — en Malaisie et dans les pays de la région — une quarantaine de communautés de vie « islamiques », plus de deux cents écoles, des associations caritatives et des dispensaires spécialisés en particulier dans la réhabilitation « islamique » des jeunes toxicomanes, ainsi que des unités de fabrication et de vente de produits alimentaires *halal*. Le groupe, sans atteindre au radicalisme d'*al takfir wa-l hijra* en Égypte, prônait la rupture, au quotidien, avec l'environnement « impie ». Il socialisait ses adeptes en un milieu clos présenté comme un prototype de l'État islamique véritable à construire. Enfin, dans le sillage de la révolution iranienne ou d'autres événements du Moyen-Orient, et sous l'impulsion de militants revenus de l'étranger, des militants plus radicaux devaient se manifester — prêchant le *jihad* et exaltant le martyre, tout en s'entraînant contre les temples hindous, symboles d'impiété. La figure la plus marquante en serait un jeune militant incontrôlé du Pas, marqué par un séjour d'études en Libye — d'où il revint avec le surnom « Ibrahim Libya » — qui finirait abattu par la police en 1985.

Pendant la décennie qui suit les émeutes de 1969, le pouvoir malaisien, incarné par une coalition des trois partis ethniques que domine celui des Malais de souche, l'Umno (United Malay National Organization), s'efforce de promouvoir l'islamisation — afin d'offrir rétribution symbolique et fierté religieuse aux musulmans — sans pour autant s'aliéner les autres communautés, qui comptent quelque 40 % de la population, parmi lesquels les hommes d'affaires chinois, poules aux œufs d'or du système. Il lui faut veiller que la *dakwah* ne les affecte point trop. Ainsi l'État réaffirme-t-il régulièrement son caractère séculier, des « lois islamiques » ne pouvant contraindre les citoyens non musulmans, protégés des initiatives intempestives de prédicateurs radicaux. L'encadrement de l'islamisation par cet État « séculier » est donc l'un des enjeux centraux — et paradoxaux — de la situation malaisienne.

Dans la seconde moitié des années 1970, le Pas est associé à la coalition gouvernementale : en échange de promesses d'islamisation plus soutenue dans la communauté des Malais de souche, il contribue à assurer l'ordre en son sein. Mais son implantation exclusivement rurale ne lui donne pas accès aux principaux abcès de fixation de la crise sociale, dans les périphéries urbaines et sur les campus. Il ne peut y jouer un rôle de médiateur au service du régime, et il est éliminé du gouvernement en 1978. Comme en Égypte, là encore, le régime s'efforce de trouver, dans la mouvance islamiste, un partenaire « modéré », à travers lequel promouvoir des mesures morales qui permettront d'éviter tout bouleversement des hiérarchies sociales.

Après que le Pas a déclaré forfait, le pouvoir trouve son joker islamiste en la personne du jeune dirigeant de l'Abim, Anwar Ibrahim, dont l'ascension météorique sera suivie d'une ignominieuse descente aux enfers. En 1975, il est libéré de prison. Sous sa direction, le mouvement islamiste acquiert une popularité extraordinaire parmi les nouveaux citadins, scolaires ou étudiants, et son charisme suscite les conversions en masse. En 1982, à la surprise générale, Anwar adhère au parti gouvernemental Umno à la demande du Premier ministre Mahathir Mohammed[4]. Ce dernier l'a coopté pour que l'Abim soutienne son régime — tandis qu'Anwar voit là l'occasion de placer ses hommes et d'infiltrer le système afin d'islamiser l'État de l'intérieur. Mahathir, déjà ministre dans les années 1970, avait joué un rôle central dans la politique étatique d'islamisation. Il veillait à éviter que des groupes de *dakwah* incontrôlés n'en aient le monopole. Pour cela, il avait présidé à l'édification de mosquées grandioses, à l'organisation de concours de récitation du Coran largement dotés, pris en mains le pèlerinage à La Mecque, créé de nombreuses facultés de sciences islamiques et *chari'a*, etc. Avec l'arrivée d'Anwar au gouvernement, la prise en charge par l'État de l'islamisation s'accélère. Tout élève ou étudiant musulman est obligé de suivre des cours d'islam — qui permettaient également de fournir des emplois aux diplômés des facultés de *chari'a* créées auparavant. En 1983 une Université Islamique Internationale est inaugurée à Kuala Lumpur. Présidée par Anwar, dirigée par un universitaire saoudien d'origine égyptienne[5], elle appartient à la mouvance « wahhabite-islamiste » précédemment décrite. Dispensant ses enseignements en anglais et en arabe, elle a vocation à former des élites islamistes internationales, imbues du concept de l'« islamisation du savoir » selon lequel l'objet de toute science, exacte ou humaine, est de glorifier la révélation divine, incarnée sous sa forme sublime par l'islam. Les diplômés de cette université, dotée de nombreuses bourses provenant du Golfe, sont formés pour reproduire l'establishment islamiste conservateur international. Ils doivent trouver à s'employer dans le système bancaire islamique, les administrations de l'Organisation de la Conférence Islamique des ONG islamiques, etc.

En Malaisie même, le système bancaire islamique[6] a été mis sur les rails en 1983, lorsque Anwar était ministre des Finances, avec la création de la Bank Islam — dont le Premier ministre Mahathir en personne ouvre le compte numéro 1. Le pouvoir malaisien veut y attirer l'épargne des salariés et des classes moyennes *bumiputra* nouvellement urbanisés, touchés par l'idéologie de la *dakwah*, et enrichis depuis que la « nouvelle politique économique », après les émeutes de 1969, a commencé à opérer d'importants transferts de richesse des Chinois vers certains Malais de souche. Ceux-ci devaient marquer leur adhésion au régime grâce à ce type de produits financiers *halal* — les fonds étant gérés par de jeunes « banquiers musulmans », fleuron de la bourgeoisie financière pieuse. Cela permettait aussi de fournir du travail aux diplômés d'études religieuses, dans les *chari'a boards* chargés de vérifier que transactions et placements ne sont pas régis par la pratique du taux d'intérêt — assimilé à l'usure, et proscrit comme tel par l'idéologie islamiste.

Anwar Ibrahim amène ainsi dans les allées du pouvoir, outre sa propre personne, l'élite des étudiants islamistes malais — obtenant pour eux positions de pouvoir et d'influence. Les bénéficiaires de cette politique sont par là dissuadés d'adhérer à une interprétation révolutionnaire de leur idéologie, qui les convaincrait de remettre en cause l'ordre établi. Pourtant, dans la mouvance islamiste malaisienne, outre les militants du Pas, hostiles au régime, mais limités à leurs bastions provinciaux, persistent des groupes qui n'ont pas cédé aux sirènes de la récupération par le gouvernement. La secte Darul Arqam est de ceux-là. Elle préoccupe d'autant plus les services de Mahathir Mohammed que des hauts fonctionnaires y ont adhéré : elle est soupçonnée de viser à terme l'infiltration et la conquête du pouvoir — même si elle recrute surtout la jeunesse urbaine peu favorisée. Au milieu de la décennie 1990, Darul Arqam aurait compté quelque dix mille adeptes et entre cent et deux cent mille sympathisants. Ses avoirs furent estimés à 120 millions de dollars, provenant de ses activités commerciales. Son dirigeant, qui vivait en exil depuis 1988, multipliait les attaques au nom de l'islam contre la corruption du régime.

Pour le pouvoir, engagé dans une politique de promotion de l'économie et des banques islamiques et autres mesures destinées à encadrer la jeunesse urbaine, à favoriser la bourgeoisie pieuse et s'assurer son soutien, les critiques de la secte sont inacceptables car elles visent sa légitimation religieuse même. Mais la destruction du mouvement représenta un processus de longue haleine en raison de la sensibilité de tout ce qui touchait à l'islam. Dès 1986, un ouvrage d'Ashaari Mohammed a été mis à l'index : l'auteur y prétendait avoir rencontré le Prophète, et préparait ses adeptes à l'arrivée du *Mahdi*, du messie, auquel certains l'avaient identifié. À l'été 1994, un avis du Conseil National des Fatwas de Malaisie déclare finalement la secte « déviante » et ses activités illégales. Extradé de Thaïlande où il s'était réfugié, le fondateur fait une contrition publique à la télévision, tandis que la police démantèle institutions éducatives, caritatives et commerciales du groupe et ferme ses communes. Comme en

Égypte, le gouvernement malaisien a laissé une large autonomie à des mouvements islamistes, tant qu'ils prêchaient la morale et encadraient des populations éventuellement turbulentes. Mais il ne leur était pas permis de se constituer en contre-pouvoirs, de menacer le régime en se réclamant de la même légitimité religieuse. Ce qui advint en 1994 à Darul Arqam ne sera que la répétition d'un autre affrontement, d'une ampleur incommensurable, quatre ans plus tard. La victime en sera Anwar Ibrahim.

L'ensemble de ce dispositif devait consolider et structurer la nouvelle classe moyenne pieuse éduquée en ville mais d'origine rurale. Son succès, jusqu'à la fin des années 1990, sera dû à l'insertion de la Malaisie dans le capitalisme asiatique en pleine expansion, par le biais des entrepreneurs d'ethnie chinoise principalement. Ces milieux ont accepté sans trop de réticence la politique de discrimination, qui les défavorise, car ils sont les principaux architectes et bénéficiaires de l'ouverture économique du pays à l'étranger. En regard, le financement de l'islamisation ne constitue pas une charge excessive. Quant aux jeunes Chinois privés d'accès aux universités malaisiennes, ils étudiaient en Australie ou en Occident, grâce à la solidarité de la communauté, acquérant des diplômes bien supérieurs à ceux de leurs compatriotes musulmans éduqués localement.

Porté par le « miracle asiatique » des années 1990, Mahathir présente son pays comme le fruit du mariage réussi entre islam rigoureux et capitalisme moderne. Il a pour emblème les tours jumelles en forme de minaret de la compagnie pétrolière nationale, le plus haut building du monde, inauguré à Kuala Lumpur en 1997 et fierté du régime. Il aspire à l'hégémonie sur l'espace de sens, face à des États arabes du Golfe dont la prospérité dépend de la seule rente pétrolière. Champion inlassable des causes musulmane et tiers-mondiste, le Premier ministre, selon qui « les valeurs occidentales sont des valeurs occidentales, les valeurs islamiques sont des valeurs universelles », fonde en 1992 un Institut pour la compréhension islamique (Ikim), pour diffuser à travers le monde le modèle malaisien d'islamisation. L'Ikim en souligne la « modernité » et la compatibilité avec le marché et les relations inter-ethniques, multipliant colloques et séminaires, notamment en Occident.

Mais à cause de son extrême dépendance envers les marchés extérieurs, qui finançaient islamisation et discrimination positive à l'intérieur du pays, la Malaisie subit de plein fouet la crise asiatique de 1998. La victime la plus remarquée de ce désastre est l'intellectuel islamiste dont Mahathir a fait son successeur et son dauphin, et la clef de l'adhésion au régime de la jeunesse réislamisée, Anwar Ibrahim. Soupçonné d'avoir voulu évincer le Premier ministre, Anwar est démis de ses fonctions, emprisonné, frappé durant sa détention et publiquement vilipendé comme sodomite[7] par une presse soumise au pouvoir. En l'attaquant sur une question de moralité privée, le régime touchait au cœur du dispositif idéologique de l'intelligentsia islamiste, qui traduit en normes morales les rapports sociaux. Anwar et ses nombreux défenseurs dans la jeunesse malaisienne n'ont d'abord d'autre recours que de plaider la calomnie, car leur doctrine criminalise tout comportement dit « déviant ». Dans ce registre elle se prend à son propre piège en s'interdisant tout recours à la défense de la vie privée de l'individu, car elle est tributaire d'une conception moralement totalitaire de la société. Mais, par-delà cet aspect, l'évic-

tion d'Anwar est le révélateur des rapports entre
intelligentsia islamiste et pouvoir. Le Premier
ministre se défait avec d'autant plus d'aisance de
l'ancien dirigeant de l'Abim qu'il estime que la jeunesse urbaine a été socialisée par l'islamisation et sa
morale : une partie s'est identifiée à un système
grâce auquel elle a connu une certaine ascension
sociale. L'impuissance politique d'Anwar et de ses
amis, malgré une vaste campagne de soutien,
démontre que la cooptation a privé l'intelligentsia
islamiste, dans un premier temps, de sa capacité de
mobilisation : elle a été prise à ses propres contradictions par un régime autoritaire qu'elle n'a en définitive fait que conforter. Et le régime poursuit, sans
Anwar, la politique d'islamisation, en accentuant le
caractère totalitaire des interdits moraux, dans un
contexte de récession économique. En janvier 1999,
le bureau du Premier ministre annonce que les
couples musulmans seront désormais dotés de
cartes à puce pour prouver leur statut matrimonial,
afin que la police islamique, équipée de lecteurs
électroniques, vérifie si deux personnes de sexes
opposés surprises ensemble sont mariées, ou
doivent être arrêtées pour crime de *khalwa*, ou
« proximité rapprochée[8] » illégale... Le caractère
dictatorial du régime — conforté par des élections
sous étroit contrôle en novembre 1999 — cherche un
renfort idéologique dans la diffusion d'une morale
islamique dont les contrôles tatillons ont causé plusieurs scandales retentissants[9]. Et, en réaction, une
évolution des esprits se fait jour, dans les rangs
mêmes des intellectuels islamistes, autrefois cajolés
par le pouvoir et prêts à justifier sa politique. Libéré
de prison et expulsé de Malaisie du fait de la pression internationale, l'ami d'Anwar, M. Anees, fait à
son arrivée aux États-Unis des déclarations au ton

nouveau. Intellectuel de souche pakistanaise, pourfendeur de l'Occident impie au long des colonnes du périodique qu'il avait fondé, il livre un bilan de son itinéraire et du cauchemar vécu dans les geôles de Mahathir Mohammed : « Toute ma vie d'adulte, comme tant d'autres dans le monde musulman, j'ai soupçonné qu'il y avait partout des complots de l'Occident, dont le seul but était de nous maintenir la tête sous l'eau. Pourtant, au terme de cette expérience révélatrice que j'ai vécue, mes amis d'Occident ont réussi à me sauver, tandis que Mahathir, un musulman, a tout fait pour me détruire. [...] Il a démontré que, bien qu'il se proclame musulman, son cœur est aveugle à toute compassion. La tyrannie est l'aboutissement et le constat de faillite de son concept de "valeurs asiatiques". Ma tragédie, et celle d'Anwar, devraient faire réfléchir très fort nos coreligionnaires musulmans quand ils évaluent l'Occident et son rôle dans le monde. Au moment où nous nous préparons à construire notre destinée collective au vingt et unième siècle, quelles valeurs nous seront-elles les plus profitables : celles de Mahathir ou celles de Jefferson ? Mahathir lui-même a choisi pour moi [10]. » Ce type d'évolution de certains intellectuels islamistes, qui s'efforcent de sortir du dilemme faustien dans lequel les a entraînés leur instrumentalisation par un régime autoritaire, et découvrent la démocratie, se retrouvera en beaucoup d'autres pays musulmans, à la toute fin du vingtième siècle (nous l'observerons dans la troisième partie de ce livre). Dans la Malaisie d'après 1970, elle s'inscrit au terme d'un long processus de captation du vocabulaire de l'islam militant par l'État, qui lui a permis d'encadrer et de neutraliser la jeunesse urbaine pauvre malaise, de l'intégrer idéologiquement dans un système auquel l'exacerbation du sentiment religieux lui donnait le sentiment de s'identifier. Ainsi, ni le mécontentement social ni la dissidence politique n'ont pu s'exprimer en termes islamiques. Pour avoir tenté de le faire, Darul Arqam a été brisée. La participation au pouvoir du champion de la jeunesse réislamisée, Anwar Ibrahim, ne lui a pas pour autant permis d'instaurer l'État islamiste et d'appliquer la *chari'a* de justice sociale à quoi aspiraient ses partisans. Anwar et les cadres islamistes qu'il avait infiltrés dans l'administration, les banques, la presse et le système éducatif ont étoffé les rangs de la bourgeoisie pieuse, sans menacer les hiérarchies sociales établies, tout au contraire. Et lorsque Anwar a cru son heure venue, fort de la sympathie qu'il inspirait à l'establishment financier international et à certains dirigeants occidentaux [11], le Premier ministre autocrate et menacé Mahathir Mohammed l'a éliminé sans états d'âme. Pour n'avoir pas su maintenir ses distances face au pouvoir, l'intelligentsia islamiste de Malaisie a perdu, à l'heure de l'épreuve, sa capacité à mobiliser derrière elle la jeunesse déshéritée. Reste à voir si elle sera capable de construire, à l'avenir, un nouveau discours sur les valeurs, et quelle sera la place de l'islam en son sein [12].

5

La légitimation islamiste de la dictature dans le Pakistan du général Zia

L'expérience malaisienne a montré comment un régime autoritaire, en attirant des intellectuels islamistes dans les cercles du pouvoir, a pu gérer des transitions sociales délicates, un équilibre ethnique fragile et insérer le capitalisme local dans le marché mondial sans menacer l'ordre social. Le Pakistan présente un cas de figure assez comparable, mais la politique d'islamisation menée par le général Zia ul-Haq s'est traduite par davantage de violences — qui ont duré bien au-delà des années qu'il a passées au pouvoir. Renversant par un coup d'État le Premier ministre Ali Bhutto en juillet 1977, Zia fit de l'application de la *chari'a* la priorité idéologique de ses onze ans de dictature. Alors que l'attention du monde se concentrait sur l'Iran, où se déroulait une révolution islamique à forte tonalité anti-occidentale, le Pakistan voisin mettait en œuvre, en 1979, l'année même du retour de Khomeini à Téhéran, un vaste train de mesures d'islamisation de l'État et de la société, qui, loin de toute velléité révolutionnaire, devait conforter l'ordre établi et bénéficier du soutien des États-Unis et des États du Golfe. Cela d'autant plus que, face à l'Iran puis à l'invasion de l'Afghanistan par l'Armée rouge à la fin de cette même année, le Pakistan du général Zia, conseillé

par Mawdoudi et ses disciples, deviendrait le principal point d'appui de la politique américaine dans
cette région du monde — et le relais par où transite-
rait l'aide décisive de Washington au *jihad* contre les
Soviétiques en Afghanistan.

En se réclamant du même terme, Khomeini et Zia
donnaient pourtant à l'islamisation qu'ils impo-
sèrent à leur pays respectif deux significations divergentes[1]. Le second opposait volontiers l'*évolution*
pakistanaise vers l'État islamique à la *révolution* qui
avait accouché de la République islamique iranienne. La dimension sociale des deux phénomènes
était différente. En Iran, l'élimination par la violence
des élites dirigeantes du temps du chah et leur rem-
placement par la bourgeoisie pieuse s'appuyait
(comme nous le verrons plus loin) sur la mobilisation de la jeunesse urbaine pauvre. Cela contraignit
les intellectuels islamistes iraniens à se réclamer des
« déshérités ». Au Pakistan au contraire, l'islamisation servit à associer bourgeoisie pieuse et intellectuels islamistes à un système où les élites
dirigeantes, représentées par la hiérarchie militaire,
restaient en place, et à dissuader les masses populaires de toute révolte au nom d'Allah[2].

Situé au centre géographique et démographique
du monde musulman, le Pakistan n'y occupait pourtant qu'une position marginale jusqu'aux années
1970. Son conflit persistant avec l'Inde l'avait
confiné dans l'environnement politique particulier
du sous-continent. Plusieurs facteurs vont lui donner, à partir de cette décennie, un rôle de premier
plan sur la scène islamique mondiale. La sécession
du Bangla-Desh en 1971 tourne désormais davantage ce qui reste du pays — sa partie ouest — vers le
Moyen-Orient, et notamment vers le Golfe, d'où

viendront des transferts financiers considérables, à l'occasion de l'émigration de millions de Pakistanais vers les pays pétroliers après 1973[3]. La croissance très élevée de sa population, qui le voit passer de soixante-cinq à cent vingt et un millions d'habitants entre 1970 et 1990, en fait un poids lourd démographique, le deuxième du monde musulman — derrière l'Indonésie (cent quatre-vingt-trois millions en 1990) et loin devant le premier pays arabe, l'Égypte (cinquante-six millions à cette date) ou son voisin l'Iran (cinquante-neuf millions). Et la politique d'islamisation menée par l'État sous le général Zia accroîtra encore l'insertion du pays dans la commnauté de sens islamique internationale. L'un des symboles les plus forts sera la création à Islamabad, en 1980, à l'initiative du général, de l'Université Islamique Internationale (identique à celle de Kuala Lumpur), où se retrouve tout le gotha islamiste mondial de sensibilité wahhabite et Frères musulmans[4].

Comme dans les pays arabes ou en Malaisie le nationalisme pakistanais connaît une crise aiguë au tournant des années 1970 : c'est la sécession du Bangla-Desh, qui casse en deux l'État construit en 1947. Accompagnée par une offensive militaire indienne qui neutralise l'armée pakistanaise, la scission du pays est un désastre d'ampleur comparable à la défaite arabe de 1967 face à Israël. Comme au Moyen-Orient, la mise en cause des élites nationalistes responsables de l'échec se traduit d'abord par une montée en puissance des idées socialistes, suivie par une réaction islamiste qui conquerra le devant de la scène. Au Pakistan, cette phase socialiste est marquée par le passage au pouvoir d'Ali Bhutto — entre 1970 et 1977[5]. Bien qu'issu lui-même d'une grande famille de propriétaires terriens, il dirige le

Parti du Peuple Pakistanais (PPP) qui a pour devise « Socialisme, islam et démocratie » et a trouvé l'essentiel de son soutien parmi le petit peuple urbain et rural. Les années Bhutto sont inaugurées par des nationalisations et la réforme agraire ; mais leurs mauvais résultats, la corruption et l'arbitraire favorisent la montée en puissance d'adversaires groupés dans une Alliance Nationale Pakistanaise (PNA) dont le parti islamiste fondé par Mawdoudi, la *jama'at-i islami* (JI), constitue le fer de lance. À son instigation et à celle d'un parti d'oulémas, le JUP, l'Alliance adopte pour slogan le *Nizam-e Mustafa* (« ordre [social] du Prophète »), c'est-à-dire l'instauration de l'État islamique et l'application de la *chari'a*. Pour conjurer le danger, Bhutto modifie son propre programme dans le sens de l'islamisation — substituant au socialisme la *Musawat-i Mohammadi* (« égalitarisme du Prophète »), faisant du vendredi le jour chômé à la place du dimanche — et manipule les élections de mars 1977, qu'il remporte sans convaincre. Tandis que des violences récurrentes opposent les partisans du PPP et de la PNA, Bhutto prend d'ultimes mesures pour interdire l'alcool, les courses de chevaux, les night-clubs et annonce en avril l'application de la *chari'a* dans les six mois[6]. Elle sera mise en œuvre par l'homme qui le renversera en juillet 1977, puis le fera pendre en avril 1979, le général Zia ul-Haq, son propre chef d'état-major.

Pour asseoir la plus longue des trois dictatures militaires que connaît le Pakistan depuis son indépendance, le général, admirateur de longue date de Mawdoudi, promeut l'islamisation en idéologie d'État. Reprenant le slogan de la PNA, il fait du *Nizam-e Mustafa* la légitimation islamique et la caution religieuse d'un État fondé sur la loi martiale.

Afin d'y réussir, il lui faut s'assurer de l'intelligentsia islamiste. La *jama'at-e islami* se prête avec zèle à ce rôle d'idéologue du régime : elle en est rétribuée par des maroquins ministériels, de nombreuses possibilités d'infiltrer l'État, la haute administration, et enfin d'émarger au budget considérable de l'aide américano-saoudienne aux *moujahidines* afghans, qui transite pour partie par son intermédiaire[7].

Pour le général Zia, la promotion de Mawdoudi (jusqu'à son décès en septembre 1979) et de ses disciples permettait de faire l'impasse sur la restauration de la démocratie, et de justifier la loi martiale en la présentant comme un moyen d'instaurer l'État islamique. Et les années de dictature s'avérèrent profitables aux classes moyennes pieuses qui se reconnaissaient dans le parti islamiste. Grâce à la prospérité qu'amena l'argent des émigrés dans le Golfe (eux-mêmes revenant au Pakistan aussi riches que pieux), l'aide américano-saoudienne au *jihad* afghan et les trafics très rémunérateurs entre Pakistan et Afghanistan, ces groupes sociaux virent s'ouvrir à eux des filons lucratifs[8]. Quant aux cadres et salariés de sensibilité islamiste, la présence de ministres de la JI au gouvernement leur permit des carrières rapides dans la haute fonction publique. Ainsi, la bourgeoisie pieuse ne fut pas tentée de s'allier avec les jeunes pauvres pour renverser les élites régnantes. Celles-ci lui avaient fait une place. Le général Zia était parvenu à briser le PPP — écartant ainsi tout danger de « socialisme » —, à ménager les classes moyennes et à cajoler l'intelligentsia islamiste qui se reconnaissaient en Mawdoudi : ils acceptèrent leur subordination aux groupes dirigeants d'où était issue la hiérarchie militaire.

Cette politique se traduisit par les mesures d'islamisation prises en 1979[9] : examen des lois existantes pour vérifier leur conformité à la *chari'a*, introduction d'un code pénal islamique et des châtiments corporels ou *hudud* (ablation des membres du voleur, lapidation de la femme adultère, flagellation du buveur d'alcool, etc.), islamisation de l'enseignement et de l'économie. Mais dans chacun de ces domaines, le pouvoir prit toutes précautions pour éviter que les décisions de justice « islamiques » n'échappent au contrôle de la hiérarchie militaire ou ne contreviennent aux hiérarchies sociales établies. Ainsi, les multiples demandes de vérification de la conformité islamique des lois furent soumises, dès 1980, à une Cour fédérale de *chari'a* qui les filtrait pour prévenir tout débordement en ce sens. Quant au code pénal islamique, au Pakistan comme ailleurs, il servait à appliquer quelques peines exemplaires qui procuraient au pouvoir une caution de moralité, au détriment de la liberté individuelle, particulièrement celles des femmes.

L'islamisation de l'éducation et la levée d'impôts islamiques devaient avoir en revanche un effet à long terme plus important, par-delà les calculs du pouvoir qui voyait là l'occasion de contrôler de plus près le champ religieux et de manifester sa sollicitude pour les pauvres à travers la *zakat*. Cette « aumône légale » destinée aux nécessiteux, l'un des cinq « piliers de l'islam », est restée une initiative privée dans la plupart des États musulmans contemporains. L'État de Zia la préleva sur les comptes bancaires, chaque année au moment du mois de Ramadan, sur la base de 2,5 % des dépôts. C'était un impôt plus « doctrinal » qu'efficient : il avait une fonction d'affichage de la piété du régime militaire, et une image de justice sociale, parce qu'il ne taxait (modérément) que les classes moyennes et supérieures urbaines (les seules à posséder un compte en banque) au profit des démunis. Pourtant les dizaines de millions de Pakistanais pauvres n'en ressentirent guère l'effet sur leurs conditions de vie[10]. En revanche, l'imposition de la *zakat* eut pour consé-quence la transformation du champ religieux du pays. Cela devait contribuer, au-delà des années Zia et jusqu'à aujourd'hui, à sa fragmentation et à la montée de la violence en son sein : d'abord, la mino-rité chi'ite, qui compte de 15 à 20 % de la popula-tion, argua qu'elle versait déjà la *zakat*, sur une base volontaire, à ses ayatollahs, et elle refusa que l'État interfère dans sa gestion de la religion. Le pouvoir dut reculer, et exempta les chi'ites, au grand dam des oulémas sunnites les plus conservateurs, très hostiles au chi'isme, qui craignaient que nombre de Pakistanais ne se déclarent tels pour détourner le fisc. Cela fut l'un des contentieux qui devaient oppo-ser les militants des deux communautés en des affrontements sanglants tout au long de la décennie suivante, comme nous le verrons dans la dernière partie de ce livre.

Par ailleurs, l'argent de la *zakat* servit à financer les écoles religieuses traditionnelles, les *dini medres-sas*[11], contrôlées par les oulémas, et dont la majorité était liée au mouvement déobandi. Le contrôle de ce réseau éducatif représentait un enjeu considérable il assure l'éducation, le gîte et le couvert à la masse des jeunes d'origine pauvre, grâce à des dons. Dans des conditions de promiscuité et de discipline souvent dénoncées par les organisations de défense des droits de l'homme[12], les *medressas* pakistanaises forment leurs élèves à l'acquisition des savoirs reli-gieux dans une perspective traditionnelle et très rigoriste, et leur donnent une vision du monde à l'avenant. Pour l'État islamique de Zia, financer les *medressas* par l'affectation de la *zakat* à leurs élèves nécessiteux permettait un début de contrôle sur une classe d'âge et une couche sociale potentiellement dangereuses. Simultanément, des passerelles furent établies entre éducation religieuse et éducation étatique : les cours d'islam, rendus obligatoires pour tous les élèves et étudiants, fournirent beaucoup d'emplois d'enseignants aux lauréats des *medressas*. On leur accorda aussi des équivalences avec les diplômes nationaux sous réserve d'une modernisation de leurs programmes. En ouvrant ainsi des carrières de fonctionnaires aux ouailles des oulémas, ces mesures accrurent l'attrait et le prestige de leurs écoles. Combinées à l'argent de la *zakat*, et à l'explosion démographique de cette époque, elles eurent pour effet une croissance gigantesque du nombre de *medressas* pendant les années 1980[13]. Cela donna aux oulémas — notamment aux plus rigoristes, les déobandis — un pouvoir accru sur la jeunesse pauvre pakistanaise mais aussi afghane, car ils prirent en charge de très nombreux enfants de réfugiés. C'est là que se formèrent les Talibans, dont le nom même signifie « élèves de *medressa* ».

Face à la tentative d'immixtion de l'État en contrepartie de subventions provenant de la *zakat*, un certain nombre de directeurs de *medressas* parmi les plus importantes préférèrent compter sur leurs propres ressources. Celles-ci étaient suffisantes pour qu'elles n'aient rien à devoir à Zia et pour que leur indépendance ne soit pas aliénée au profit d'un général, quel que fût le zèle qu'il affichait pour l'islamisation. En procédant ainsi, les oulémas déobandis conservaient intact leur pouvoir politique : ils pouvaient se permettre de ne pas faire allégeance car ils détenaient la clé de la paix sociale, mobilisant à leur gré la jeunesse pauvre, urbaine comme rurale, embrigadée dans leurs écoles. Et, comme ils le montreraient en Afghanistan, ils étaient parfaitement capables de transformer leurs élèves en militants du *jihad*, prêts à tuer et à mourir pour la cause qu'on leur désignerait. Zia avait davantage besoin d'eux qu'eux de lui, car ils contrôlaient les groupes sociaux les plus instables, sur lequel le régime militaire n'avait pas prise.

Par contraste avec les oulémas, les disciples de Mawdoudi eurent beaucoup plus de mal à échapper à la sollicitude compromettante du dictateur. Une bonne partie des classes moyennes pieuses qui composaient leur audience avaient fini par s'identifier au régime, sous lequel elles prospéraient. La *jama'at-e islami* ne leur servit dès lors plus de rien pour représenter leurs intérêts. À partir du milieu des années 1980, des tensions se firent jour dans le mouvement. Elles opposaient ceux qui s'inquiétaient de la perte d'emprise du parti aux partisans d'une collaboration continuelle avec Zia [14]. La JI subissait la concurrence des partis liés aux oulémas, qui profitaient de leur implantation parmi les jeunes issus des *medressas* en pleine expansion. Prise dans ce dilemme, la fraction la plus turbulente de l'intelligentsia islamiste, les étudiants mawdoudistes rassemblés dans la *Islami jami'at-i tulaba* (Association des Étudiants Islamiques, IJT), connut une radicalisation croissante. Après deux années de lune de miel avec Zia pendant lesquelles ils éliminèrent *manu militari* la gauche des campus (comme leurs amis égyptiens l'avaient fait pour le compte de Sadate), ils plaidèrent pour que le mouvement se distancie du régime. Mais lorsque celui-ci s'y décida, en prenant la mesure de l'érosion de son électorat, à partir de 1985, il était trop tard pour constituer une base d'opposition crédible à un pouvoir dont la JI avait joué l'idéologue complaisant. Aux élections qui sui-

virent la mort de Zia, en août 1988, le parti fut durement sanctionné, tandis que triomphait le Mouvement pour la Restauration de la Démocratie de
Benazir Bhutto, dont le père avait été pendu en avril
1979 avec les encouragements de Mawdoudi et de
ses disciples.

Durant les années Zia la collaboration de la
jama'at-e islami assura au dictateur la légitimation
religieuse de son coup de force et de son pouvoir.
Elle lui permit en outre d'élargir sa base sociale à la
classe moyenne et à la bourgeoisie pieuses qui se
reconnaissaient dans le mouvement. Celles-ci se ral-
lièrent au régime, en tirant des avantages économiques et procurant à Zia une longévité remarquable. Le général eut moins de succès avec la
branche étudiante, mais, malgré sa violence elle ne
représentait pas un grand danger politique. La
masse de la jeunesse pauvre, dont une part significative était encadrée par les oulémas dans les *medressas*, bénéficia de la redistribution de la *zakat*, et de
nouvelles possibilités d'emploi. Sans parvenir à
enrôler les oulémas comme il l'avait fait avec Mawdoudi et ses disciples, Zia s'assura leur neutralité. Il
tira profit de l'hostilité entre clercs traditionnels et
islamistes modernes pour les jouer les uns contre les
autres, favorisant la fragmentation du champ religieux pour mieux régner sur lui.

La politique d'islamisation représenta donc glo-
balement un succès pour la dictature, qui s'en servit
pour fédérer les soutiens de divers groupes sociaux.
Les classes moyennes séculières urbaines, le petit
peuple qui avaient voté pour le PPP de Bhutto restèrent trop faibles, après la pendaison de leur dirigeant charismatique, face à Zia, qui considérait
toute remise en cause de son pouvoir comme une
attaque contre l'islam et la réprimait sans pitié. Les

excès de la dictature favorisèrent néanmoins un courant oppositionnel dont Benazir Bhutto prit la tête, et, surtout, se traduisirent par l'attentat, à ce jour non élucidé, qui emporta Zia en août 1988[15]. La mort du dictateur permit un changement de régime, mais les effets de sa politique d'islamisation devaient perdurer et jouer un rôle déterminant pour expliquer la violence et la surenchère qui firent exploser le champ religieux pakistanais dans la décennie suivante, dans la foulée du *jihad* afghan.

6

Leçons et paradoxes de la révolution iranienne

L'année 1979, au cours de laquelle le général Zia décréta l'islamisation au Pakistan, restera dans l'histoire surtout pour la victoire de la révolution en Iran et la proclamation de la République islamique. De tous les événements du monde musulman contemporain, elle a fait l'objet du plus grand nombre d'analyses[1], qui s'efforcent rétrospectivement d'exhumer les causes d'un phénomène que personne n'avait prévu — y compris les acteurs eux-mêmes. L'Iran du chah avait connu, en effet, une phase de grande prospérité pendant les années précédant la révolution, grâce à l'augmentation des prix du pétrole, dont il était le deuxième exportateur mondial après l'Arabie Saoudite. Le monarque, qui se targuait de posséder l'une des plus puissantes armées du monde, bénéficiait d'équipements militaires américains extrêmement sophistiqués : l'Iran, « gendarme » du Golfe, bloquait l'expansion soviétique vers les mers chaudes. L'entretien et la gestion de ces matériels nécessitaient la présence sur place de très nombreux coopérants militaires américains. Leur statut d'extraterritorialité avait déclenché l'anathème de Khomeini en 1964, qui accusa le chah d'avoir abdiqué la souveraineté nationale. Cela lui avait valu un exil de presque quinze années, pendant lesquelles il élaborerait la théologie politique de la République islamique future, et d'où il reviendrait vainqueur en février 1979, porté par le triomphe de la révolution.

Mais la modernisation de l'Iran présentait des failles sous la surface brillante que vantaient les thuriféraires du chah. Le caractère dictatorial de la monarchie, l'omnipotence de la police politique, la Savak, avaient interdit tout débat sur les orientations du régime. Paradoxalement, le système impérial avait favorisé l'essor d'une classe moyenne urbaine[2], grâce à un système éducatif de meilleure qualité que dans les pays voisins, mais l'avait tenue à l'écart de toute représentation politique. Ses membres pouvaient, au mieux, devenir fonctionnaires et gestionnaires de l'ordre impérial, et l'argent du pétrole permit de les faire entrer à titre individuel au service du monarque. L'absence complète de liberté d'expression inhiba le développement d'une culture démocratique dans cette classe moyenne ; des intellectuels libéraux ou socialisants perpétuaient le souvenir du Front National, le mouvement de Mossadegh, le Premier ministre nationaliste démis en 1953 par un coup d'État fomenté par la CIA, qui avait ouvert la voie au pouvoir absolu du chah. Ils formaient un club sans grande influence, en dépit de l'aura de ses dirigeants.

Ce vide démocratique favorisa l'éclosion de doctrines politiques radicales, surtout chez les étudiants — près de cent soixante-quinze mille en 1977, dont soixante-sept mille à l'étranger, la plupart aux États-Unis. Elles puisaient à deux sources principales : le marxisme sous ses différentes formes et le « chi'isme socialiste ». Les marxistes iraniens, parmi lesquels on retrouvait toutes les nuances du mouvement communiste international, du maoïsme au trotskysme jusqu'à l'orthodoxie pro-soviétique du parti Toudeh (« les masses »), étaient beaucoup plus en phase avec la culture livresque de l'internationalisme prolétarien qu'avec la nature de la société persane ; durement réprimés par la Savak à l'intérieur, ils étaient davantage représentés dans l'émigration. Le déclenchement d'un mouvement insurrectionnel par le groupe marxiste-léniniste des Fedayines du Peuple [3], qui plaquèrent sur l'Iran les modèles guévariste ou maoïste, dans la première moitié des années 1970, témoigna de leur héroïsme mais se solda par un échec politique sanglant. Comme ailleurs dans le monde musulman, le début de cette décennie en Iran vit des groupes marxistes fleurir dans la jeunesse estudiantine qui avait accès à la culture européenne, sans qu'ils pénètrent la masse, étrangère à pareilles catégories de pensée.

Conscients de cette difficulté, certains de ces jeunes intellectuels reportèrent sur un chi'isme relu dans une perspective révolutionnaire les attentes messianiques du communisme ou du tiers-mondisme. Ali Shari'ati, dont nous avons examiné l'apport, en est l'exemple le plus représentatif, sans véritable équivalent, par la renommée ou l'influence, dans le monde musulman sunnite. Ce « chi'isme socialiste », interprété à travers la lutte des classes, faisait de l'imam Hussein « opprimé » *(mazloum)* et mis à mort par le calife omeyyade sunnite la figure du peuple oppressé par le chah. Il trouva son expression la plus militante dans le mouvement de guérilla des Mojahedines du Peuple [4], qui mena des actions violentes comparables à celles des Fedayines au début des années 1970. Là encore, leur héroïsme leur valait la sympathie des opposants au régime, mais ils ne représentaient pas de danger pour le pouvoir impérial qui les réprima brutalement, et ils ne surent pas recruter au-delà de cercles restreints de lycéens et d'étudiants. Les classes moyennes modernes ne se reconnaissaient pas dans un combat si violent et si radical. Pourtant, contrairement aux Fedayines, étrangers au discours religieux, les Moja-hedines sauraient se couler dans le langage chi'ite de la révolution, dix ans plus tard, pour restructurer leur organisation dans les premiers temps de la République islamique dont ils deviendraient l'un des ennemis les plus dangereux, avant d'être impi-toyablement exterminés.

La modernisation rapide du pays, grâce à l'injec-tion dans l'économie des pétrodollars après l'explo-sion des prix qui suivit la guerre d'octobre 1973, déstabilisa deux groupes sociaux qui se retrouvèrent culturellement en porte à faux : les classes moyennes traditionnelles, symbolisées par le bazar, et la masse des jeunes immigrants venus de la campagne, attirés vers l'eldorado urbain mais entassés dans les quar-tiers spontanés et les bidonvilles du bas-Téhéran [5]. Ces deux groupes ne bénéficiaient que partiellement de l'expansion économique. Le bazar profita de l'augmentation de la circulation des biens et des marchandises, car il les commercialisait et les distri-buait. Mais sa part de marché diminuait par rapport à la nouvelle élite commerçante moderne, liée à la cour, qui seule avait accès aux affaires les plus rémunératrices, à l'argent des armes et du pétrole. Quant aux « paysans dépaysannés [6] » et à la masse des couches populaires urbaines, ils gagnaient mieux leur vie qu'à la campagne, mais pour la majo-rité d'entre eux les lumières de la ville restaient assombries par la précarité et des conditions d'exis-tence pénibles.

Culturellement, ces deux groupes étaient étran-gers à l'idéologie moderne et séculière diffusée par le pouvoir. Ils percevaient le monde et leur place en son sein à travers les catégories mentales du chi'isme, telles que les établissait le clergé. Dans les bazars, l'organisation spatiale traditionnelle était structurée autour des mosquées et des *imamzadehs*, des tombeaux de saints dont la dévotion chi'ite fait un usage abondant. Dans les périphéries urbaines construites de bric et de broc, les pôles qui instaurèrent quelque ordre dans cet espace apparemment anarchique furent les lieux de culte chi'ites, où les enfants allaient apprendre le Coran et les hauts faits des imams sous la houlette des clercs enturbannés[7]. La religion y jouait non seulement un rôle doctrinal, mais aussi une fonction centrale d'encadrement et de stabilisation sociale, bénissant les profits des bazaris et redistribuant leur aumône, éduquant les enfants dont le père et les aînés parcouraient la ville à la recherche d'un gagne-pain. Or, les rapports du pouvoir impérial avec ces réseaux religieux étaient mauvais : vilipendés comme réaction « noire » (couleur de leur habit), les mollahs virent l'État réduire le nombre de leurs *medressas*, leurs écoles de théologie autonomes, et tenter de créer des instituts de formation modernes sous son contrôle (ce qui déclencha les foudres de Khomeini depuis son exil). Dans le chi'isme, le clergé est hiérarchisé et organisé sous l'autorité d'ayatollahs dont les plus estimés sont « sources d'imitation » *(marja'-e taqlid)*. Destinataires de la *zakat*, ils jouissent d'une très large indépendance (notamment financière) par rapport à l'autorité politique, à laquelle ils ne font qu'une allégeance de façade *(ketman)*. Cela diffère de l'islam sunnite, où le pouvoir parvient d'ordinaire à tisser des relations étroites avec les oulémas les plus en vue, les nomme à diverses fonctions, les salarie, et reçoit en retour leur bénédiction. Sous le règne de

Mohammed Reza Pahlavi, le clergé iranien ajoutait donc à la tradition chi'ite de distance envers le pouvoir une hostilité spécifique, née du mépris ostensible dans lequel le chah tenait les mollahs. Au milieu des années 1970, l'Iran comportait ainsi, dans le bazar et les bas quartiers, une bourgeoisie pieuse et une jeunesse urbaine pauvre bien identifiables, culturellement étrangères à l'idéologie d'un État qui les ignorait. Elles étaient fortement structurées par le clergé chi'ite, indifférent ou opposé à un régime qui ne disposait pas de relais fiable dans sa hiérarchie — contrairement à la situation de la plupart des pays sunnites.

Le clergé n'était pas pour autant rangé dans sa majorité derrière les conceptions révolutionnaires de Khomeini, qui voulait substituer à l'empire Pahlavi une théocratie *(velayat-e faqih)* où le pouvoir suprême serait détenu par un *faqih* — ce religieux spécialisé dans la loi islamique derrière lequel transparaissait Khomeini lui-même. La plupart des clercs, derrière le grand ayatollah Shari'at-Madari, s'y opposaient. Ils se contentaient de réclamer la plus grande autonomie possible, la maîtrise de leurs écoles, de leurs œuvres sociales et de leurs ressources financières face aux empiétements de l'État, mais n'avaient aucune ambition de contrôler un pouvoir tenu théologiquement pour impur — jusqu'au retour de l'imam caché, du messie qui emplirait les ténèbres et l'iniquité du monde de lumière et de justice.

Malgré les mécontentements et les frustrations politiques, le système impérial fonctionnait sans menaces majeures jusqu'à ce que la baisse (temporaire) des revenus du pétrole, en 1975 (– 12,2 %), puis celle de la croissance se traduisent par des tensions économiques et sociales auxquelles le régime

réagit en lançant une « campagne antispéculation »
à grande échelle, qui toucha durement le bazar. Les
marchands les plus connus furent jetés en prison et
publiquement humiliés. Dès lors, ceux-ci basculèrent dans l'opposition active au chah ; leurs
guildes *(asnaf)* deviendraient un canal redoutable de
mobilisation d'hommes et de moyens pour abattre le
monarque. Dans le même temps, celui-ci inquiétait
la bourgeoisie moderne en contraignant les entreprises à vendre une partie de leur capital à leurs
salariés — sans pour autant gagner le cœur des travailleurs. Et au moment où croissait son isolement,
par rapport à ces groupes sociaux intermédiaires, le
chah vit vaciller le principal pilier extérieur de son
pouvoir avec l'élection de Jimmy Carter à la Maison-
Blanche en novembre 1976. Les exactions de la
Savak devinrent l'une des cibles de la politique des
droits de l'homme du nouveau président américain :
elle se traduisit en pressions pour la libéralisation
politique. Cela fut perçu par la classe moyenne
comme la fin de l'appui inconditionnel des États-
Unis au chah. L'année 1977 fut marquée par des réunions, des manifestations de l'opposition libérale
qui, pour la première fois depuis bien longtemps,
n'étaient pas réprimées : ce fut le « printemps de
Téhéran » — le clergé se manifesta très peu[8].

Sorties les premières de l'apathie politique, les
classes moyennes laïques s'avérèrent pourtant incapables de prendre la tête de la résistance au
monarque : elles manquaient d'un parti capable de
mobiliser les foules grâce à des slogans compréhensibles par les masses populaires, les *nouveaux
urbains* ou les *bazaris*. Les dirigeants du Front
National manquaient du charisme qui leur aurait
permis de fédérer autour d'eux d'autres classes
sociales. Et les mouvements marxistes étaient trop

faibles, décimés par la répression ou éloignés par l'exil. Ces insuffisances laissèrent le champ libre à la fraction du clergé emmenée par Khomeini.

L'enchaînement qui devait conduire au départ du chah et à la proclamation de la République islamique fut le résultat d'une alliance sans faille entre intellectuels islamistes, bourgeoisie pieuse et jeunesse urbaine pauvre, tant que dura le processus révolutionnaire. Contrairement à ce qui s'était passé en Égypte durant ces mêmes années, le champ intellectuel islamiste fut très rapidement dominé en 1978 par Khomeini, qui sut minimiser ou réduire les divisions en son sein. Les jeunes ingénieurs ou médecins barbus, dont les pareils, en Égypte, s'étaient heurtés aux oulémas d'Al Azhar à la fin de l'époque de Sadate, se rangèrent sous la houlette de l'ayatollah, qui réussit à « récupérer » la rhétorique chi'ite socialiste de Shari'ati en se réclamant des « déshérités » *(moustad'afines)*, un terme assez vague chez Khomeini pour que chacun puisse s'y reconnaître à l'exception du chah et de la cour impériale.

La fusion entre jeunes intellectuels islamistes et clercs révolutionnaires (sous la direction de ces derniers) fit naître une idéologie de mobilisation : ses mots d'ordre rassemblèrent *bazaris* et couches populaires dans l'attente commune de la République islamique et de l'application de la *chari'a* — sans que s'expriment les représentations très différentes qu'y projetaient leurs intérêts de classe respectifs. Et la dynamique de cette alliance entre bourgeoisie pieuse et jeunesse urbaine pauvre sous l'égide de Khomeini entraîna dans son sillage les classes moyennes urbaines laïques, qui, incapables d'affirmer leur identité culturelle, durent en passer par le discours islamiste dominant pour prendre place dans le vaisseau de la révolution.

Le caractère unique de la révolution iranienne réside dans sa capacité à assembler des classes sociales différentes, voire antagoniques, jusqu'à la conquête du pouvoir, et à faire du discours politique islamiste l'instrument par excellence de cette mobilisation, au détriment de toute autre idéologie concurrente. Ce n'est qu'au lendemain du renversement de l'ancien régime que les clivages sociaux apparaîtront, et que les alliés de la veille seront les uns après les autres défaits par le groupe qui sortira vainqueur : la bourgeoisie pieuse.

Le moment d'enthousiasme qui transforma l'agitation contre le chah en mouvement révolutionnaire et fit simultanément basculer celui-ci sous direction islamiste se déclencha à l'occasion d'un événement fortuit, la publication en janvier 1978 dans un quotidien de Téhéran d'un article injurieux sur Khomeini, alors encore exilé à Nadjaf, en Irak. Toute l'opposition, y compris les classes moyennes laïques et les religieux hostiles à la doctrine du *velayat-e faqih*, prit fait et cause pour l'ayatollah. Celui-ci lança ses forces dans la bataille : le bazar ferma et des manifestations dans la ville sainte de Qom firent de nombreux morts. Puis la célébration du quarantième[9] jour de leur décès donna lieu à de nouvelles manifestations à Tabriz, la métropole de l'Azerbaïdjan iranien, qui se soldèrent par d'autres victimes — enclenchant une spirale de provocations, répression et solidarité qui devait s'amplifier jusqu'au départ du chah. Par ces manifestations incessantes, Khomeini et ses fidèles parvinrent à se rendre maîtres du mouvement révolutionnaire. En utilisant le discours religieux, ils réussirent à faire descendre dans la rue côte à côte étudiants de *medressas* et jeunes urbains pauvres qui seraient fauchés en martyrs par les balles de la police, tandis que les guildes du bazar versaient des fonds aux victimes et à leurs familles. La radicalisation du mouvement permit à ce courant de mobiliser l'ensemble du tissu des mosquées, *tekiyehs* et *hey'at* [10], où la plupart des mollahs, jusqu'alors réservés envers la doctrine de Khomeini, se rangèrent derrière lui.

Ce réseau, fort de plus de vingt mille locaux et bâtiments à travers le pays, où l'on se réunissait, où circulaient les mots d'ordre, restait sans équivalent dans l'opposition laïque ou parmi les « chi'ites socialistes » qui avaient cherché à s'émanciper du clergé. Il leur fallut en passer par là, et se soumettre à l'emprise des ayatollahs qui disposaient des principales ressources matérielles. Le vocabulaire de la révolution devenait ainsi de plus en plus « islamique » dans son symbolisme : la jeunesse pauvre alla saccager cinémas et magasins qui vendaient de l'alcool, prenant pour cible ce que le clergé désignait comme « impur ».

Khomeini sut aussi adapter son discours politique pendant l'année 1978 pour rassembler bien au-delà de ses disciples. Il ne mentionna pas la doctrine du *velayat-e faqih*, trop controversée parmi les clercs et qui aurait épouvanté les classes moyennes laïques si elles en avaient pris connaissance et mesuré les conséquences. En revanche, il se référa en abondance aux « déshérités » (*moustad'afines*), un terme qui ne faisait pas partie de son vocabulaire avant les années 1970 [11], mais qui, emprunté à Shari'ati (mort en exil en juin 1977), était devenu l'un des cris de ralliement de la jeunesse étudiante « chi'ite socialiste » — plutôt méfiante envers le clergé. En usant du vocabulaire de Shari'ati, Khomeini, qui avait toujours refusé de jeter l'opprobre sur lui de son vivant malgré les demandes de plusieurs clercs [12], leva les réticences d'une bonne part des intellectuels islamistes de formation moderne, des jeunes médecins, ingénieurs, techniciens et juristes barbus. Et cela d'autant que, lorsqu'il eut quitté l'Irak pour son dernier exil à Neauphle-le-Château, dans la banlieue parisienne, en octobre 1978, il sut attirer à lui plusieurs figures de cette mouvance, dont le futur — et éphémère — président de la République islamique, Bani Sadr.

Cela permit au discours islamiste de rester unitaire jusqu'au renversement de l'ancien régime, de cumuler les bases de soutien. En novembre 1978, Karim Sanjabi, l'un des dirigeants du Front National, le parti des libéraux, fit le voyage à Neauphle, se rangeant sous la bannière de l'ayatollah, que le chef du parti communiste Toudeh reconnaissait au même moment comme guide. Khomeini annonça alors que le but de la révolution était d'établir une « République islamique qui protégerait l'indépendance et la *démocratie* [nous soulignons] de l'Iran » — il utilisait là un terme qu'il révoquerait comme étranger à l'islam quelques mois plus tard lors des débats sur le nom de la République. La soumission générale à l'hégémonie culturelle islamiste culmine dans les plus spectaculaires manifestations contre l'ancien régime, les 10 et 11 décembre 1978, correspondant aux neuvième et dixième jours *(tasou'a* et *'achoura)* du mois de *moharram* où les chi'ites commémorent le martyre de l'imam Hussein. Soumis au couvre-feu, des centaines de milliers d'Iraniens, sur instruction de Khomeini, montent ces deux jours sur les terrasses des immeubles de Téhéran, faisant résonner la nuit le cri « *Allah Akbar* » (« Allah est le plus grand »), témoignage du triomphe culturel islamiste sur la marche de la révolution qui, un mois et cinq jours plus tard, chassera le chah.

Cette victoire du discours islamiste a été rendue possible par la remarquable capacité de Khomeini à unifier les diverses composantes, religieuses et même laïques, d'un mouvement porté au départ par la haine du chah et de son régime, permettant à chacune d'y investir ses fantasmes politiques particuliers, sans qu'ils soient jamais détrompés — jusqu'à la succession d'épurations qui suivit la prise du pouvoir. On observera au contraire (dans la dernière partie de ce livre), lors des événements d'Algérie, dix ans plus tard, et en dépit d'une mobilisation d'ampleur comparable contre l'État-FLN, l'incapacité des islamistes algériens à produire un discours unitaire durable. Cela éloignera rapidement les classes moyennes laïques du mouvement, puis brisera l'alliance entre bourgeoisie pieuse et jeunesse urbaine pauvre, ce qui précipitera l'échec du FIS. En Iran en revanche, Khomeini a très tôt prêté attention aux secteurs les plus modernes et les plus performants de la société — qui ne lui étaient pas acquis d'avance : leur basculement joue un rôle décisif dans le renversement du chah. Ainsi de la grève des ouvriers du pétrole, un milieu pourtant peu réceptif à l'islamisme, en octobre 1978 qui coupe les vivres au régime impérial et en accélère la chute. Mais le bazar, très proche de Khomeini, en assure le soutien financier dès que les ouvriers sont privés de leur salaire. Dans l'Algérie d'après 1988, au contraire, le secteur pétrolier restera à l'écart de toutes les turbulences. Et les classes moyennes laïques, vilipendées comme « enfants de la France », appréhenderont vite, même si elles ne portent pas le FLN dans leur cœur, de connaître le même sort que leurs pareilles iraniennes, victimes expiatoires de la République islamique, si le FIS s'empare du pouvoir.

Après son retour à Téhéran, le 1ᵉʳ février 1979, Khomeini devait tenir compte des aspirations contradictoires de l'immense foule qui lui avait fait un accueil triomphal — il lui faudrait d'abord éliminer tous ses alliés jusqu'à l'établissement de la théocratie. Il avait nommé un gouvernement provisoire confié à Mehdi Bazargan, un ingénieur pieux de formation française, où les représentants des classes moyennes issus du Front National, seuls capables alors de faire fonctionner l'État, voisinaient avec les clercs. Mais la réalité du pouvoir appartenait au Conseil (secret) de la Révolution Islamique, qui comprenait une majorité d'oulémas acquis à Khomeini et d'où le Front National était exclu. Prolongé par le Parti de la Révolution Islamique, créé en février 1979, c'était l'incarnation des intellectuels islamistes, sous direction cléricale, qui produirait la nouvelle idéologie officielle.

Les couches populaires avaient joué un rôle important [13] dans la révolution, car elles constituaient la masse des manifestants de 1978 — même si elles ne disposaient d'aucune autonomie d'expression [14]. Elles avaient physiquement pris possession des lieux d'où elles étaient autrefois exclues par la répression sociale comme les grandes avenues du centre-ville, l'université, etc. Pour elles, le renversement du chah devait se traduire par la satisfaction d'aspirations immédiates : amélioration de leur niveau de vie, augmentation des salaires, occupation des logements et des terrains des « corrompus », viabilisation des quartiers informels, reconnaissance des implantations « illégales », gratuité des services publics, etc. Le clergé khomeiniste qui les encadrait, à travers les *komitehs*, ces comités de salut public de l'Iran, dont la plupart avaient pour siège les mosquées et les « *tekiyehs* », veillait à ce que ces exigences s'expriment dans le langage de l'islamisme. Très vite, les *komitehs* devinrent la colonne vertébrale d'un second pouvoir, avec la milice du PRI, l'armée des *pasdarans* (créés en mai 1979), les tribunaux révolutionnaires et les fondations islamiques (Fondation des déshérités, *Jihad* pour la reconstruction). Celles-ci héritèrent de l'empire financier de la Fondation Pahlavi et des biens des *taghouts* (« démons ») et autres « corrompus sur la terre » en fuite, pendus ou fusillés. Le gouvernement provisoire de Bazargan n'avait aucun contrôle sur les *komitehs* et, comme il s'était fixé pour tâche de rétablir l'ordre, c'est-à-dire un ordre social jugé inique par la jeunesse urbaine pauvre, il devint la cible de ses attaques. Les mouvements de gauche, qui voyaient dans ces instances des soviets, s'y joignirent.

La défaite des classes moyennes laïques et des libéraux, qui furent incapables de mobiliser un soutien populaire, se traduisit sur les plans juridique et politique en quelques mois. Après le référendum qui plébiscita la République islamique en mars (l'emprise islamiste signa le nouveau nom de l'État), une Assemblée des Experts fut élue en août. Dominée par les oulémas et le PRI, elle rédigea la Constitution, qui culminait dans les articles instituant le *velayat-e faqih*, donnant les pouvoirs ultimes au guide, en la personne de Khomeini. Les libéraux une partie de la gauche, la minorité kurde (sunnite) et certains clercs se dressèrent contre ce qu'ils percevaient comme une restauration de la dictature sous le turban de l'ayatollah. Face à la coalition de ces oppositions, et au prétexte de l'admission du chah sur le territoire américain où devait être soigné le cancer qui l'emporterait, cinq cents « étudiants dans la ligne de l'imam [Khomeini] » dirigés par un res-

ponsable du PRI prirent d'assaut l'ambassade des
États-Unis le 4 novembre 1979, et retinrent ses
diplomates en otages jusqu'en janvier 1981. Sans
plus d'autorité, Bazargan démissionna, sanctionnant politiquement la défaite que les classes
moyennes laïques avaient déjà subie dans la rue. Par
la suite, l'ayatollah Shariat-Madari, chef de file des
oulémas opposés au *velayat-e faqih*, fut mis aux
arrêts à son domicile, jusqu'à sa mort en 1986.

Ainsi, à la fin de 1979, seuls restaient présents sur
la scène politique iranienne les intellectuels islamistes, la jeunesse urbaine pauvre et la bourgeoisie
pieuse. L'accélération du processus révolutionnaire,
consécutif à l'affaire des otages, se traduisit par
l'émergence d'instances de pouvoir où les jeunes de
milieu populaire s'activaient sous la conduite des
clercs « enragés » et des militants de la gauche islamique que réjouissait l'investissement du « nid
d'espions » américain. Et la publication des dossiers
secrets de l'ambassade, en mettant au jour les
contacts entre celle-ci et de nombreux bourgeois
libéraux, fut l'occasion de nouveaux procès sommaires, d'exécutions et de saisies de biens qui
allaient dans le sens du bouleversement des hiérarchies sociales, par-delà le changement de régime. Si
ce processus allait trop loin, et si la jeunesse urbaine
pauvre conquérait son autonomie, voire s'émanci-
pait de l'idéologie islamiste comme l'y encoura-
geaient les groupes marxistes et les Mojahedines du
Peuple infiltrés dans les *komitehs*, des pressions
insupportables risquaient de s'exercer sur le pouvoir
clérical et de menacer les intérêts de la bourgeoisie
pieuse. Or le bazar regagnait les positions économiques qu'il avait perdues à la fin du règne du chah
en récupérant les parts de marché des capitalistes
taghouts émigrés, emprisonnés ou pendus.

La gauche islamiste et les « chi'ites socialistes » représentaient le principal groupe intellectuel qui, en s'appuyant sur la jeunesse urbaine pauvre, pouvait rompre l'unité du discours intellectuel islamiste, contrôlé par Khomeini dès le début de 1978, depuis qu'il avait récupéré l'héritage doctrinal de Shari'ati en se réclamant des *moustad'afines*, les « déshérités ». Pour les éliminer, la stratégie adoptée fut la même que celle qui avait été employée pour évincer Bazargan et les libéraux : les exposer au pouvoir, puis faire saper celui-ci par les *komitehs*, *pasdarans* et autres instances contrôlées par les réseaux khomeinistes. Ainsi, Bani Sadr, représentant la gauche islamiste, est-il élu président de la République avec le soutien de Khomeini en janvier 1980. Mais dès avril, les groupes de gauche et les Mojahedines, qui ont investi les campus, en sont chassés par les *pasdarans*. L'Université sera fermée, au nom de la révolution culturelle islamiste, jusqu'à ce qu'elle soit purgée. En mai, le nouveau Parlement, où le Parti de la République Islamique obtient la majorité, devient le véritable centre du pouvoir, et impose un Premier ministre issu de ses rangs. Une guerre d'usure vient à bout du président, qui quitte l'Iran avec l'aide des Mojahedines, en juin 1981. Le régime aura raison de l'insurrection alors lancée par ces derniers, en dépit de leurs attentats spectaculaires, où sont tués le successeur de Bani Sadr et les dirigeants du PRI, au terme de l'année 1982, la plus sanglante de la révolution. Début 1983, les dirigeants du parti communiste Toudeh, derniers arrêtés dans la campagne d'annihilation de la gauche, avouent à la télévision, dans une mise en scène qui rappelle les procès de Moscou, être des espions soviétiques, et reconnaissent la supériorité de l'islam sur le marxisme...

L'anéantissement de la gauche islamique interdisait l'expression de toute vue dissidente à l'intérieur du discours unique des intellectuels islamistes — mot d'ordre que Khomeini avait théorisé sous le nom de *vahdet-e kalimeh* (l'unicité du discours). Elle privait la jeunesse urbaine pauvre de tout porte-parole qui aurait exprimé ses intérêts en termes plus sociaux que religieux — et, l'opposant à la bourgeoisie pieuse, aurait brisé l'unité de la mouvance islamiste, la condamnant à l'échec politique, comme en Égypte ou plus tard en Algérie. Mais même privées d'expression intellectuelle, les classes populaires iraniennes restaient mobilisées dans l'attente que soient satisfaites leurs revendications quotidiennes. Elles avaient manifesté pour renverser le chah, prêté la main pour éliminer les libéraux et les laïques, et toujours soutenu Khomeini. En envahissant l'Iran le 22 septembre 1980, l'armée de Saddam Hussein devait fournir au régime l'occasion de les mobiliser une dernière fois jusqu'à les épuiser politiquement, et consumer leur énergie dans le martyre. En mourant sur le front, dans les corps de volontaires mal entraînés *(bassidjis)* qui étaient une proie aisée pour les militaires irakiens, des centaines de milliers de jeunes « sans culottes » parmi les plus actifs et les plus motivés donnèrent leur vie pour la patrie et la révolution, tandis que des millions de leurs camarades croupissaient dans les tranchées. Ces soldats de l'an II de la République islamique disparurent ainsi de la scène politique intérieure, enlevant toute capacité d'action spécifique à la jeunesse urbaine pauvre.

La mort physique d'un très grand nombre de ces jeunes fut aussi la mort symbolique de leur groupe social comme acteur politique collectif. Cela se manifesta sur deux plans. Pour eux-mêmes, tout d'abord, l'usage politique du chi'isme changea de

signification. Sous l'influence de Shari'ati puis pendant la révolution, la commémoration du martyre
de l'Imam Hussein à Karbala était devenue l'occasion de lutter contre l'incarnation contemporaine du
calife oppresseur d'antan : le chah d'aujourd'hui.
L'énergie religieuse se projetait vers l'extérieur, pour
changer le monde — alors que la tradition chi'ite
dominante avait été orientée vers le deuil et la
lamentation, culminant dans les séances d'auto-
flagellation collectives des célébrations de *'achoura*.
L'immense boucherie de la guerre contre l'Irak, qui
paraissait sans fin (elle dura huit ans), fut l'occasion
pour les jeunes pauvres de revenir en masse à la tradition antérieure du martyre et de pousser la flagellation jusqu'au sacrifice de soi. Ce n'était plus la
transformation du monde qui était en jeu — la révolution avait eu lieu, et elle n'avait pas comblé les
attentes des jeunes —, c'était l'aspiration à la mort, à
la suppression de soi qui sanctionnait l'échec de
l'utopie révolutionnaire. Ce « chi'isme mortifère »
prend une dimension de masse avec le sacrifice des
bassidjis sur le front. Les lettres et les testaments de
ces volontaires écrivant à leurs familles qu'ils
veulent quitter ce monde, en utilisant le vocabulaire
le plus cru et le plus détaillé de la martyrologie
chi'ite, en sont une expression éloquente. Il s'y traduit en catégories religieuses le suicide politique de
la jeunesse urbaine pauvre de l'Iran des années
1980.
   Le régime, pour sa part, célébra le martyre des
jeunes sur plusieurs registres. Il en fit la ressource
principale de sa légitimité — comme le montrent
encore, à la fin des années 1990, les fresques
murales obsédantes au style « hyperréaliste » qui
décorent les murs des grandes villes iraniennes de
portraits de martyrs dont les noms dégoulinent de

rouge, à l'instar de la « fontaine de sang » qui ornait leur principal cimetière à Téhéran. C'est au nom des déshérités morts pour la patrie et dignes émules de l'Imam Hussein que la République islamique gouverne. Mais ces jeunes déshérités ne sont plus présents comme force politique organisée, ce qui permet de parler en leur nom et à leur place. Toutefois, la masse de la jeunesse urbaine pauvre n'a pas physiquement disparu, elle connaît même l'une des plus fortes croissances démographiques du monde. Le régime est donc contraint de prendre des initiatives qui confortent l'adhésion de ces dizaines de millions de jeunes individus. Ces mesures ont combiné les registres moral et économique.

En premier lieu, le port du voile et de la « tenue islamique complète » a été rendu obligatoire par la loi en avril 1983 — juste après la fin de l'écrasement des derniers mouvements de gauche. Les membres des *komitehs* qui n'avaient plus de « gauchistes athées » à pourchasser pouvaient désormais reconvertir leur activisme dans la police des mœurs, en débusquant et traînant devant les tribunaux révolutionnaires les femmes « mal voilées » *(bad hejabi)* selon les critères qui sont toujours de rigueur à ce jour, et affichés dans les lieux publics iraniens, fixant la longueur, la forme et la teinte des vêtements féminins. Or les « mal voilées » potentielles appartiennent surtout aux classes moyennes laïcisées et plutôt intellectuelles, et les *komitehs* recrutent dans les couches populaires : celles-ci se voyaient donc confier un rôle de dépositaire et gardien des valeurs de la République islamique, et réprimaient à ce titre les classes moyennes, victimes expiatoires qui avaient préservé vaille que vaille leur statut social et leur capital culturel. La rétribution morale des démunis, à qui était confiée la répression culturelle de la société au nom de la religion, servit à compenser leur exclusion politique.

En second lieu, la République islamique mit en œuvre des mécanismes d'allocation de ressources matérielles et symboliques pour transformer en clientèle cette jeunesse urbaine pauvre qui avait fait la révolution et donné sa vie sur le front irakien. Les familles de martyrs purent envoyer leurs enfants à l'Université sans examen, bénéficièrent de nombreuses bourses, de logements, d'aliments subventionnés, etc., par le biais des grandes fondations gérées par le clergé. Les bénéficiaires avaient donc tout intérêt à la perpétuation du régime, et se battaient pour défendre le caractère immuable d'un pouvoir aux mains du clergé khomeiniste et des intellectuels islamistes de sa mouvance : il représentait les intérêts de la bourgeoisie pieuse issue du bazar qui accaparait désormais tout le champ de l'économie, et achetait la paix sociale en combinant subsides et puritanisme. Mais, comme nous le verrons dans la dernière partie, la gestion de l'économie par ce groupe social conduisit le régime à la faillite, et suscita de vives tensions qui devaient aboutir à la crise de la République islamique et à la naissance de la société « post-islamiste ».

La victoire de la révolution islamique en Iran a été le symbole le plus frappant du basculement de la décennie 1970. Par rapport à la fin des années 1960, où la mouvance islamiste était marginale et se limitait à quelques intellectuels peu connus, la transformation est considérable. L'islamisme est devenu une force majeure dans les sociétés musulmanes, et il y a bouleversé les scénarios politiques. Pourtant, loin des représentations qui sont alors les plus répandues dans les médias du monde, et qui assimilent ce mouvement au fanatisme qu'illustrent les images de mollahs défilant enturbannés mitraillette au poing, il recouvre des réalités très différenciées. Sous l'unité apparente de la référence religieuse, des groupes sociaux opposés ont contracté des alliances temporaires et fragiles. Et surtout, l'espace de sens islamique international qui émerge alors ne constitue pas un bloc uni, comme l'était encore le bloc soviétique, mais un champ conflictuel où la lutte pour l'hégémonie va opposer les prétendants. Tout au long des années 1980, l'expansion du mouvement — qui s'implante dans des sociétés nouvelles et dont la progression paraît inexorable — ira de pair avec l'accroissement de ses contradictions.

EXPANSION ET CONTRADICTIONS

1

L'effet de souffle
de la révolution iranienne

La victoire de Khomeini à Téhéran en 1979 bouleverse le monde islamique moderne, sous hégémonie
saoudienne depuis la création de l'Organisation de
la Conférence Islamique en 1969 et la victoire du
« pétro-islam » dans la guerre d'octobre 1973. Les
nouveaux maîtres de l'Iran estiment qu'ils incarnent
l'islam par excellence, par-delà leur spécificité
chi'ite. Pour eux, les dirigeants de Riyad sont des
usurpateurs, qui dissimulent mal derrière leur rigorisme religieux ostensible leur fonction de pourvoyeurs de pétrole à l'Occident, lequel offre en
échange sa protection militaire à une monarchie
rétrograde et socialement conservatrice. Depuis
l'exil parisien de l'hiver 1978-79, un collaborateur de
Khomeini avait prédit à un journaliste arabe :
« Soyez patient... On verra ce qui arrivera aux Saoudiens six mois après notre retour en Iran[1]. » De fait,
neuf mois après cet événement, à l'aube du 20
novembre 1979, qui marquait le premier jour du
quinzième siècle du calendrier hégirien, la Grande
Mosquée de La Mecque était prise d'assaut par plusieurs centaines d'opposants saoudiens, qui ne
furent réduits qu'après un siège de deux semaines[2].
Rien n'indique que les attaquants, qui se réclamaient d'une version ultra du wahhabisme, aient été

en contact avec Téhéran, dont l'influence se manifesta en revanche lors des incidents moins graves
qui éclatèrent, alors que la Grande Mosquée était
toujours assiégée, parmi la minorité chi'ite du Hasa,
la principale zone pétrolière, située dans l'est du
pays[3]. Pour les dirigeants saoudiens, tout l'équilibre
qu'ils avaient bâti au cours des dix années écoulées
était menacé : leur légitimité islamique était mise en
question de manière spectaculaire sur leur territoire
même, leur capacité à assurer l'ordre dans les lieux
les plus saints de l'islam s'était révélée défaillante.
La propagande de la révolution iranienne s'adressait
directement à l'islam du peuple, l'incitant à s'en
prendre à l'impiété des dirigeants, même s'ils se
réclamaient du Coran et de la *chari'a*. Or la politique
saoudienne avait consisté à financer l'expansion de
l'islamisme à travers le monde pour mieux le contrôler — à travers la Ligue Islamique Mondiale par
exemple — et à éviter que des groupes qui voulaient
bouleverser les hiérarchies sociales ne se l'appro-
prient. L'alliance de mots « révolution islamique »
représentait l'incarnation de tous les dangers. Cette
révolution était pourtant advenue dans une portion
de l'Oumma où le prosélytisme wahhabite ne s'était
pas risqué et où il ne disposait d'aucun relais : le
domaine chi'ite, tenu pour hérétique dans la plupart
des cercles religieux saoudiens.

Dès 1979, se mettent en place deux stratégies
opposées de domination sur ce monde islamique
qu'a dynamisé la révolution iranienne. L'une, venue
de Téhéran, cherche à substituer le magistère de
Khomeini à la suprématie saoudienne. Elle s'efforcera de gommer sa spécificité chi'ite pour être mieux
reçue dans un monde musulman sunnite à plus de
80 %, et elle touchera en priorité les jeunes intellectuels islamistes appartenant aux franges les plus

radicales. L'autre, à partir du centre saoudien, va mobiliser l'ensemble du système de propagation de l'islam construit autour de la Ligue Islamique Mondiale et de l'Organisation de la Conférence Islamique au long de la décennie écoulée afin de contenir la poussée khomeiniste. L'opération sera d'autant plus délicate que les événements d'Iran bénéficient dans les premiers temps d'une image favorable dans les milieux mêmes où le prosélytisme wahhabite se déploie : la presse islamiste égyptienne, par exemple, exprime sa sympathie pour la révolution qui a instauré l'État islamique et renversé un tyran pro-américain[4]. Le *containment* anti-iranien jouera très tôt sur deux registres : souligner la spécificité chi'ite du phénomène pour rendre l'identification plus malaisée en milieu sunnite, et, ultérieurement, le réduire à un avatar du nationalisme persan. Cette dernière stratégie sera massivement utilisée par l'Irak, lorsqu'il déclenchera la guerre contre la République islamique en septembre 1980. Celle-ci fédère plusieurs motifs : Saddam Hussein veut profiter du désordre révolutionnaire pour remporter une victoire aisée qui lui permette d'élargir l'étroite fenêtre maritime de l'Irak en reprenant le contrôle des eaux du Chatt el Arab, l'estuaire que se sont partagés les deux pays depuis l'accord d'Alger de 1975. Cette offensive lui permet aussi, en militarisant la société, de consolider son récent pouvoir[5] et d'empêcher que les chi'ites irakiens, qui représentent une petite majorité de la population, ne se mobilisent contre le régime dans la foulée de l'exemple iranien. Enfin et surtout, à l'échelle régionale et internationale, elle bénéficie des encouragements de tous ceux qu'inquiètent les événements d'Iran et qui craignent leur débordement. Premières menacées, les riches monarchies arabes de la péninsule appuient (et

financeront largement) une guerre qui mobilisera le
nationalisme arabe moderne contre l'Iran non
arabe, allant chercher ses références dans l'islam
arabe des origines, vainqueur de la Perse sassanide à
la bataille de Qadissiya en 636 — dont les offensives
militaires irakiennes porteront le nom[6]. Téhéran ne
demeurera pas en reste, incriminant l'« impiété » de
Saddam Hussein, dirigeant du parti Ba'ath laïque et
donc « apostat » de l'islam, lui déniant ainsi toute
légitimité à s'en réclamer. Les offensives iraniennes
porteront en conséquence le nom des batailles que le
premier calife, Abou Bakr, avait menées contre les
tribus arabes qui avaient apostasié l'islam *(houroub
al-Ridda)*[7].

Chacun se réclamait de l'islam authentique pour
mieux révoquer l'usage qu'en faisait son adversaire :
le contrôle de la rhétorique de l'islam, l'accaparement de son vocabulaire, étaient devenus un enjeu
central de pouvoir et de légitimité — signe que
l'espace de sens islamique était désormais le lieu
symbolique par excellence de la puissance. Une
guerre des références et des anachronismes prolongeait, dans le domaine idéologique et doctrinal, la
guerre réelle. Face à Téhéran, les États arabes firent
bloc derrière Bagdad (à l'exception de la Syrie, rival
traditionnel de l'Irak). Et Saddam Hussein, qui
ferait figure dans la décennie suivante de principal
ennemi des États-Unis et des régimes arabes du
Golfe, bénéficia alors aussi du soutien diplomatique
de l'Occident, inquiet face à la révolution iranienne,
et de l'appui militaire de la France qui mit à sa disposition des chasseurs-bombardiers Super Étendard. Cela se traduisit en retour par l'implication
iranienne dans une vague d'actions terroristes anti-
occidentales perpétrées notamment au Liban,
dévasté depuis 1975 par la guerre civile et partielle-

ment occupé par la Syrie et Israël, où Téhéran créa en 1982 le parti-milice du Hizballah dans les rangs d'une communauté chi'ite représentant près du tiers de la population.

En fait, en dépit des espoirs iraniens d'expansion de la révolution à l'ensemble du monde musulman, elle ne fit véritablement de zélotes en nombre que parmi certains chi'ites, dans le monde arabe et le sous-continent indien. Et elle ne parvint à entraîner dans son sillage de mouvements activistes importants qu'au Liban, où l'État périclitait. En Irak Saddam Hussein fit tuer dès avril 1980 la principale figure chi'ite, l'ayatollah Baqir as-Sadr[8], qui se réclamait de l'exemple de Khomeini, et une répression brutale s'abattit sur tout militant potentiel quand, cinq mois plus tard, Bagdad déclencha la guerre contre l'Iran.

Mais par-delà les émules au sens strict, la révolution islamique bénéficia, dans les premiers temps, d'un large capital de sympathie parmi les opposants aux régimes autoritaires de l'ensemble du monde musulman. Avant que les purges, exécutions et atrocités commises en son nom ne ternissent son image, elle avait démontré qu'un mouvement issu de larges couches de la société pouvait abattre un gouvernement puissant et proche des États-Unis. C'en était assez pour que, jusque dans des cercles peu avertis de l'islam ou indifférents à son endroit, on prît au sérieux le potentiel révolutionnaire de cette religion. Par-delà Khomeini, l'exemple iranien donnait le sentiment à beaucoup d'observateurs et de dirigeants que l'islam était devenu le principal facteur de l'identité politique, sociale, culturelle, de populations autrefois définies à travers leur nationalité, leur appartenance sociale, etc. Le basculement de la décennie 1970 n'avait touché que des milieux circonscrits : après 1979, il n'était plus personne, dans le monde musulman et au-delà, qui ignorât l'expansion du phénomène islamiste. Il devint l'objet d'innombrables colloques, ouvrages, projets de recherches financés par les grandes fondations internationales, et bénéficia (ou pâtit) d'une couverture de presse exceptionnelle qui en soulignait volontiers les dimensions les plus spectaculaires, les plus violentes ou les plus paradoxales. Les pouvoirs établis cherchèrent à se prémunir contre des revendications sociales qui, en annexant le vocabulaire de l'islam, risquaient de fédérer les mécontentements, et de les renverser : l'exemple du chah fut médité, et incita la plupart des régimes en place dans le monde musulman à faire preuve d'une ostentation religieuse de bon aloi, pour éviter le destin d'un monarque qui ne dissimulait guère son mépris des « hommes en noir ». Les oulémas, victimes de multiples vexations durant l'ère des nationalismes, furent courtisés afin de fournir aux princes la légitimation islamique de leur pouvoir. Ils demandèrent en retour à exercer un contrôle accru sur les mœurs et la culture, prenant leur revanche sur leurs rivaux les intellectuels laïques, dont ils parvinrent à réduire considérablement l'influence, par l'intimidation ou la censure que l'État exerçait à leur demande. À travers les oulémas, les pouvoirs cherchèrent des accommodements avec les classes moyennes pieuses, s'efforçant de bénéficier de leur caution ou, à tout le moins, de leur neutralité, lorsqu'ils réprimaient les intellectuels islamistes les plus radicaux qui agitaient la jeunesse urbaine pauvre. Ce fut une entreprise malaisée, dans laquelle chacun des deux partenaires poussait son avantage et cherchait à imposer à l'autre ses conditions. Dans l'ensemble, les oulémas, comme nous le verrons, en sortirent renforcés, à la fois dans la société en général, comme pourvoyeurs de normes et de valeurs, et dans la mouvance islamiste elle-même, où ils reprirent la main par rapport aux ingénieurs, informaticiens et carabins barbus qui dirigeaient les groupes sunnites radicaux des années 1970 et tenaient les cheikhs en piètre estime.

À partir de 1979, des jeunes militants venant d'un peu partout dans le monde musulman, du Sud-Est asiatique à l'Afrique noire, ainsi que des populations d'origine musulmane de certains pays socialistes et de l'immigration en Europe occidentale, firent le voyage de Téhéran[9]. Un très petit nombre, semble-t-il, se convertit au chi'isme et épousa la cause khomeiniste dans son ensemble. La plupart, sans dévier de leurs convictions doctrinales sunnites originelles, en retirèrent le sentiment que le moment était propice à l'action, et que le paradigme iranien ne demandait qu'à être décliné selon les circonstances propres à chaque pays. Comme les révolutions française ou bolchevique en leur temps, la révolution iranienne incarna un immense espoir pour les étrangers qui sympathisaient avec ses objectifs. De petits réseaux militants virent le jour, rassemblés autour de cercles d'étude, de groupes de prosélytisme, qui inquiétaient considérablement tant l'establishment conservateur philo-saoudien que le monde de l'islam traditionnel et les régimes occidentaux — notamment lorsque leurs activités se déployaient sur leur territoire, à travers les populations musulmanes émigrées en Europe particulièrement.

Mais l'impact direct de ces avant-gardes resta faible. Ainsi, en France, les « étudiants dans la ligne de l'imam », pour l'essentiel des Iraniens, s'efforcèrent vainement de mobiliser les travailleurs immigrés maghrébins, de convertir les conflits sociaux du début de la décennie 1980, notamment dans l'industrie automobile, en un *jihad* aux côtés de l'ayatollah Khomeini contre les Satans occidentaux. Faute d'une culture commune et d'une implantation en milieu ouvrier, la tentative tourna court après quelques distributions de tracts à la porte des usines en grève, et les principaux activistes furent expulsés en décembre 1983 — dans une ambiance de violence interne à la communauté iranienne en exil, dont les diverses factions se combattaient dans la rue et sur les quais du métro parisien. L'effet second de ce prosélytisme fut beaucoup plus important : il assimila, dans l'opinion et chez certains responsables, l'expression de l'islam en général aux turbulences de la révolution iranienne. C'est ainsi que le gouvernement français, désemparé par un phénomène qu'il analysait mal, délégua à l'automne 1982 la gestion et la surveillance de l'islam qui se développait en France parmi les deux millions de Maghrébins présents dans le pays aux autorités algériennes, qui prirent le contrôle de la Grande Mosquée de Paris[10].

Au Royaume-Uni, dans les rangs de la diaspora pakistanaise, un groupe d'intellectuels pro-iraniens radicaux se rassembla autour d'un journaliste, Kalim Siddiqui, fondateur du Muslim Institute, qui prit des initiatives radicales propres à attirer l'attention de la presse ; il créerait notamment, dans la foulée de l'affaire Rushdie en 1989, un « Parlement musulman » britannique, destiné à faire pièce à celui de Westminster. Mais, là encore, la faiblesse de l'implantation d'un mouvement limité à quelques intellectuels radicalisés tenus en suspicion par les instances majoritaires de l'islam britanniques, issues du monde des *medressas* pakistanaises, ne permit pas à la révolution islamique iranienne de faire des adeptes de manière significative, passé l'effet de mode et de nouveauté[11].

En Afrique noire, de jeunes intellectuels, généralement de formation moderne, virent dans l'exemple de Téhéran l'occasion de secouer l'islam traditionnel des confréries dont ils jugeaient la dévotion étouffante tout en prenant leurs distances vis-à-vis d'une modernité européenne associée au colonialisme et à l'impérialisme. Ainsi le Sénégal du début des années 1980 connut-il une effervescence islamiste directement liée au retour d'Iran de jeunes intellectuels, dont les plus en vue appartenaient à la branche cadette d'une famille de marabouts issus de la confrérie Tidjane, les Niassènes. L'un d'eux créa en janvier 1984 une revue militante (en français), dont le titre en wolof, *Wal Fadjri* (« par l'aurore », de l'arabe *fajr)*, « est un mot d'ordre qui affirme avec force l'avènement d'une aurore radieuse après cette longue nuit de ténèbres qui règne dans le monde depuis la disparition du prophète Mohammed [...]. Depuis quatre (4) ans, la situation a radicalement changé ! Gloire à Dieu ! La face du monde s'est transformée, les fondements mêmes de l'humanité ont été ébranlés, depuis que le projet de société islamique est apparu non seulement réalisable, mais surtout comme une alternative face aux autres projets de société[12] ». On pouvait y lire de longs extraits des ouvrages de Khomeini, une défense de la position iranienne face à l'Irak dans la guerre, des déclarations sur l'unité du chi'isme et du sunnisme et des attaques acerbes contre l'Arabie Saoudite et l'Organisation de la Conférence Islamique (comme ce titre : « La conférence de l'OCI accepte l'Égypte en son sein : la poubelle reçoit l'ordure »[13]). Le frère du fondateur, implanté dans la ville de Kaolak, au sud-est de Dakar, gagna le surnom d'« ayatollah de Kaolak » en raison de ses prônes enflammés où la dénonciation de l'impérialisme français — dont il brûla en public le drapeau tricolore — se mêlait à celle de l'islam traditionnel identifié comme son complice [14]. Mais ces initiatives, qui suscitèrent rapidement l'antagonisme des autorités de l'État [15] comme des réseaux pro-saoudiens, se heurtèrent de front aux marabouts dont elles menaçaient les intérêts. Elles ne parvinrent pas à offrir une alternative concrète aux formes d'intégration sociale, d'accès à des ressources et des biens que procuraient les confréries à leurs disciples, ou talibés, en échange de leur soumission. Ces mouvements radicaux, en dépit de l'aide pécuniaire que l'Iran apportait à certains d'entre eux, ne furent pas capables de conserver l'allégeance des jeunes dont ils avaient su capter l'enthousiasme initial. Certains dirigeants et intellectuels furent absorbés par les confréries et intégrèrent l'establishment islamique local qu'ils avaient décrié ; d'autres transformèrent avec succès leur entreprise politique militante en entreprise commerciale performante. *Wal Fadjri*, l'ancienne revue islamiste radicale, est depuis 1994 un quotidien de bonne facture de tendance libérale, adossé à une station de radio, des services en ligne, et à un projet de chaîne de télévision privée [16].

Ce type d'impact de la révolution iranienne se retrouve dans la plupart des pays musulmans au début de la décennie 1980 : en Malaisie ou en Indonésie, où il n'existe pas de tradition chi'ite, de jeunes intellectuels islamistes revinrent enthousiasmés de Téhéran en 1979. Mais la plupart choisirent de militer dans les groupes islamistes sunnites déjà constitués, comme l'Abim en Malaisie, dont le dirigeant, Anwar Ibrahim, était allé rencontrer Khomeini [17]. Face à des gouvernements très soucieux d'éviter le développement d'une propagation islamiste incontrôlée, l'inspiration que pouvait procurer la révolution iranienne fut diluée dans une mouvance islamiste globale, au sein de laquelle les influences saoudiennes et plus largement celle des Frères musulmans s'exerçaient également [18].

Au Moyen-Orient arabe, cet enthousiasme révolutionnaire se traduisit principalement par l'islamisation graduelle de deux conflits qui avaient jusqu'alors incarné, chacun à sa manière, la cause nationaliste arabe et n'étaient que faiblement affectés par l'idéologie religieuse : celui de la Palestine et celui du Liban. L'islamisation de la question palestinienne compta parmi ses causes indirectes l'admiration que portait à Khomeini le mouvement radical et minoritaire du Jihad Islamique. Il devait être le détonateur des événements qui conduiraient à la « révolte des pierres », ou *Intifada*, à partir de décembre 1987. Au Liban en revanche, Téhéran mena une politique d'intervention directe à travers la minorité chi'ite, au sein de laquelle il créa le parti Hizballah.

En Palestine, l'OLP tenait traditionnellement un discours nationaliste dans lequel pouvaient se reconnaître aussi bien musulmans que chrétiens [19] — et qui incarnait la « cause arabe » par excellence. Mais le tournant de la décennie 1980 représenta une période difficile pour l'organisation : coupée de l'Égypte depuis le voyage de Sadate à Jérusalem en 1977 et la signature de la paix israélo-égyptienne en 1979, inactive en Jordanie depuis l'écrasement du Septembre noir de 1970, réprimée sans merci dans les territoires sous occupation israélienne, elle avait concentré ses forces au Liban. Elle s'était engagée depuis 1975 dans la guerre civile qui opposait la droite chrétienne, principalement maronite, aux

« islamo-progressistes » auxquels elle s'identifiait. Cette dernière expression ne se référait pas à l'idéologie islamiste, faiblement représentée alors sur la scène politique libanaise[20], mais à l'appartenance confessionnelle de la plupart de ceux qui s'opposaient à la domination politique des élites maronites[21], héritée de la période du mandat français (1920-1946), et se reconnaissaient dans l'arabisme et ses diverses causes, dont la Palestine.

Tant que l'OLP était prise dans le conflit libanais où cruauté, banditisme et retournements d'alliance brouillèrent vite la clarté des principes et des engagements, elle n'était guère active sur le front anti-israélien qui donnait pourtant sens à son existence même. Sa situation devait encore s'aggraver avec le *Blitzkrieg* de l'État hébreu dans le sud du Liban en 1982, qui y détruisit les infrastructures palestiniennes et contraignit l'OLP à transférer son siège de Beyrouth à Tunis, puis avec l'offensive syrienne qui chassa Yasser Arafat et ses partisans de Tripoli en décembre 1983[22]. Réfugiée loin de son champ d'opérations, la direction de l'organisation palestinienne incarnait désormais une cause affaiblie et bien moins mobilisatrice que par le passé. D'autant plus que le *jihad* en Afghanistan était en passe de substituer auprès de la jeune génération arabe des années 1980 l'idéal islamique à la cause nationaliste des aînés.

Il existait par ailleurs en Palestine, sur le terrain, un mouvement islamiste ancien, incarné principalement par les Frères musulmans. Il s'était surtout investi dans un travail caritatif et piétiste, qui bénéficiait de la mansuétude d'Israël. L'État hébreu y voyait un exutoire apolitique aux frustrations de la population palestinienne sous occupation, et un succédané inoffensif au nationalisme militant de l'OLP.

Les Frères, bien représentés à Gaza, se préoccupaient avant tout de la réislamisation de la population, face au nationalisme séculier de l'OLP Il leur fallait d'abord renverser le rapport de forces en leur faveur dans la société palestinienne, avant de s'engager dans la lutte frontale antisioniste qui leur paraissait en tout état de cause prématurée, eu égard à la suprématie de l'État hébreu[23].

C'est dans ce contexte d'asthénie politique que la révolution iranienne devait insuffler les germes de l'esprit *nouveau* qui conduirait au déclenchement de l'*Intifada* en 1987. Il ferait des islamistes un acteur politique de premier plan menaçant l'hégémonie de l'OLP dans la jeunesse de Gaza et de Cisjordanie. En effet, parmi des étudiants palestiniens de l'université de Zagazig, en basse Égypte, un groupe de militants insatisfaits du quiétisme des Frères comme de l'« impiété » de l'OLP s'enthousiasma pour les événements d'Iran. Leur figure de proue, le médecin Fathi Shqaqi, rédigea un petit livre intitulé *Khomeini : l'alternative islamique (Al Khumaini : al hall al islami wa-l badil)* que l'on trouvait partout, dès 1979, dans les librairies-trottoirs du Caire. Dédié aux « deux hommes de ce siècle », « l'imam martyr Hassan el Banna », fondateur des Frères musulmans, et « l'imam révolutionnaire Rouhollah Khomeini », l'ouvrage représentait l'apologie la plus explicite du guide de la révolution islamique venant de la mouvance des Frères[24]. Shqaqi et ses amis se référaient à l'Iran pour critiquer à la fois le nationalisme de l'OLP, qui n'avait abouti à rien de concret pour les Palestiniens sur le terrain, et la discrétion des Frères musulmans de Palestine, qui avaient sacrifié le combat politique contre Israël au confort de la prédication et de l'action sociale : la victoire de la révolution islamique administrait la preuve que même face à un ennemi aussi puissant que le chah, le *jihad* de militants déterminés pouvait surmonter tous les obstacles. Telle devait être la voie pour la libération de la Palestine : mener de front la lutte armée et le combat pour l'islamisation, en les fondant dans un même *jihad*. Cette stratégie se traduisit par la création du mouvement du Jihad Islamique[25], qui se concevait comme une avant-garde activiste et militante capable de porter des coups à Israël et d'ouvrir la voie à l'instauration de l'État islamique en Palestine. Elle permettrait de sortir de la double impasse à quoi menaient le seul travail social des Frères et les initiatives diplomatiques d'une OLP affaiblie par sa relégation dans la lointaine Tunis. Autour d'une même référence au *jihad*, se structura une mouvance qui comportait des groupes autonomes[26] : dès 1983, des coups de force spectaculaires montrèrent la détermination de certains d'entre eux, qui se livrèrent à quelques actions violentes très médiatisées (comme l'attaque à la grenade des conscrits d'une brigade d'élite israélienne qui allaient prêter serment au Mur des Lamentations à Jérusalem en octobre 1986), afin de briser le sentiment d'invincibilité de l'État hébreu et de faire changer la peur de camp. En ce sens, il joua un rôle de détonateur pour l'explosion de l'*Intifada*, le soulèvement palestinien qui débuta à la fin de 1987. Pourtant, comme nous le verrons, il ne parvint pas à diriger le mouvement. La répression israélienne le « cibla » avec efficacité, et l'insurrection fut investie très tôt par les organisations bien plus puissantes de l'OLP et des Frères musulmans. Mais, dans la période de repli qui marqua la première moitié de la décennie 1980, le Jihad Islamique, à partir de l'inspiration que trouvèrent ses dirigeants dans l'exemple iranien, joua un rôle fondamental pour relancer et islamiser le mouve-

ment palestinien. Il contribua à en faire évoluer la
signification, à insuffler une forte dimension islamiste dans la cause nationaliste arabe qu'il figurait
jusqu'alors.

L'impact le plus profond de la révolution islamique au Moyen-Orient se fit sentir non en Palestine, où elle ne fut que source d'inspiration pour le
Jihad, mais au Liban voisin. Le pays présentait une
situation particulièrement propice en apparence à
l'exportation de la révolution : un lustre de guerre
civile, depuis juin 1975, y avait anéanti l'autorité de
l'État, incapable de jouer son rôle constitutionnel de
garant et d'arbitre de l'équilibre entre chrétiens et
musulmans. L'occupation d'une partie du territoire
par la Syrie à partir de juin 1976, au prétexte de
rétablir la paix, devait graduellement faire passer
l'État libanais sous protectorat syrien de fait. Et
l'invasion israélienne de 1982, qui prit fin en 1983 en
laissant subsister sur la frontière entre les deux pays
une « zone de sécurité » où patrouillait l'Armée du
Liban Sud, une milice payée par l'État hébreu,
acheva de déséquilibrer les rapports de forces en éliminant la présence militaire palestinienne du sud du
pays. C'est ce vide qu'occuperait le mouvement
chi'ite pro-khomeiniste du Hizballah.

Avant 1982, la communauté chi'ite représentait le
parent pauvre de la famille confessionnelle libanaise. Concentrée traditionnellement dans les zones
ingrates du Djebel Amil, dans le sud du pays, et de la
vallée de la Bekaa enclavée autour de Baalbek entre
les chaînes du Liban et de l'Antiliban, elle n'avait
obtenu que la portion congrue des postes politiques
lors du « pacte national » de 1943 qui avait attribué
aux chrétiens maronites la présidence de la République et aux musulmans sunnites la présidence du
conseil des ministres. Il lui avait fallu se contenter

de la présidence de la chambre des députés, fonction sans grand pouvoir, occupée par quelques familles de notables culturellement coupés de la vie de la masse de leurs coreligionnaires. Principalement rurale, elle était restée dans son ensemble extérieure à la vague de modernisation et d'éducation qui caractérisait les élites des autres communautés et avait fait de Beyrouth la capitale intellectuelle du monde arabe. Dans l'univers chi'ite, les dignitaires religieux conservaient une influence sociale importante. L'emprise considérable des traditions villageoises, la pauvreté, se traduisirent par un taux de natalité supérieur à celui d'autres confessions, ce qui, dans les années 1970, bouleversa en faveur de la communauté les équilibres démographiques sur lesquels était établie la représentation politique — sans que celle-ci fût modifiée. De plus, une partie de la nouvelle génération chi'ite démunie, que la terre ne pouvait plus nourrir, migra vers la banlieue sud de la capitale, où elle constitua une jeunesse urbaine pauvre, nombreuse, mécontente de son sort, et qui s'identifiait faiblement à l'État libanais[27]. Ce phénomène était notablement plus accentué que parmi les autres confessions. On y retrouvait, exacerbés et singularisés, les principaux traits caractéristiques du bouleversement social qui permit l'émergence des mouvements islamistes à partir des années 1970, tels que nous les avons observés au chapitre précédent : explosion démographique, exode rural, projection vers les marges du monde de la ville et de l'écrit. C'est dans ce milieu qu'un clerc arrivé d'Iran en 1959, l'imam Moussa Sadr[28], créa en 1974 le Mouvement des Déshérités *(Harakat al Mahroumin)*, plus connu sous le nom de sa milice, Amal (« espoir »). Il avait pour objectif la promotion sociale des jeunes défavorisés de la communauté. Sans emprunter les voies de

la radicalisation religieuse qui caractériserait la version khomeiniste du chi'isme, il fut néanmoins à
l'origine d'une transformation des mentalités comparable à celle qu'avait fait naître Shari'ati en Iran : à la
passivité, au dolorisme et aux lamentations à propos
du martyre de Hussein tué à Karbala sur ordre du
mauvais calife sunnite Yazid en 680, succéda un
mouvement revendicatif, qui changeait le sens du
symbolisme religieux. Il en fit la base doctrinale
d'une mobilisation contre l'injustice sociale qui pour
la première fois éleva les chi'ites libanais méprisés au
rang d'acteur politique à part entière en leur donnant
le sentiment de leur dignité. Quand débuta la guerre
civile, l'année suivante, le mouvement se rangea dans
le camp « islamo-progressiste », même si Sadr ne faisait pas mystère de son hostilité au communisme et
au socialisme[29]. Beaucoup de jeunes chi'ites trouvèrent la mort dans les combats, où ils se portaient en
première ligne. En août 1978, lors d'un séjour en
Libye, l'imam Sadr disparut mystérieusement. Beaucoup pensent qu'il fut tué sur ordre du colonel
Kadhafi — pour des raisons qui ne sont pas élucidées — tandis que ses partisans les plus fervents
furent convaincus que, tel l'imam occulté de la tradition chi'ite, le Mahdi (messie), il avait disparu pour
revenir à la fin des temps[30]. Il fut remplacé à la tête
d'Amal par un politicien séculier qui n'avait pas son
charisme, Nabih Berri. En mars de la même année,
l'opération Litani, une incursion militaire israélienne
prolongée dans le sud du Liban, destinée à y affaiblir
les bases de l'OLP, précipita dans l'exode vers les banlieues de Beyrouth de nombreux chi'ites qui vinrent
grossir les rangs de la jeunesse urbaine pauvre. Pendant ce temps, en Iran, le clergé khomeiniste conquérait l'hégémonie sur le mouvement révolutionnaire
qui allait renverser le chah.

En dépit du mécontentement social de la jeunesse chi'ite pauvre libanaise, et de l'enthousiasme avec lequel elle salua la victoire de février 1979, tant Amal que les dignitaires de la communauté revendiquaient leur indépendance par rapport aux événements d'Iran. Le clergé n'avait plus de figure emblématique depuis la disparition de l'imam Sadr, et les partisans les plus résolus de Khomeini se recrutaient chez de jeunes religieux peu connus, de retour de leurs années d'études dans les séminaires de Nadjaf, en Irak. Ils s'y étaient familiarisés avec l'idéologie du *velayat-e faqih*, voyaient leurs anciens camarades de classe devenus les maîtres de Téhéran et rêvaient d'une république islamique. Mais cela paraissait une utopie sans ancrage possible dans le Liban multiconfessionnel, et la communauté chi'ite elle-même, encadrée par les réseaux d'Amal, semblait davantage préoccupée par les enjeux concrets de la situation sociale libanaise que par des expérimentations idéologiques démarquées de l'exemple iranien. L'influence de ces jeunes clercs resta minime jusqu'en 1982. En juillet de cette année-là, Israël déclencha l'opération « Paix en Galilée » pour éliminer du sud du Liban les concentrations militaires palestiniennes, dont les tirs de roquette touchaient les agglomérations juives du nord de la Galilée. L'armée de l'État hébreu pénétra jusqu'aux banlieues de Beyrouth, en chassant l'OLP. Dans un premier temps, elle jouit de la sympathie de la base chi'ite, qui avait eu à pâtir de la présence de fedayines se comportant comme les maîtres du Sud, et paraissait soulagée par leur expulsion. Mais l'occupation israélienne, en durant, bouleversait les rapports de forces régionaux. Elle favorisait l'établissement d'un régime pro-occidental à Beyrouth ; débarrassés de l'OLP, appuyés par Israël face à la

Syrie, les dirigeants maronites signèrent un traité de paix avec l'État hébreu.

Damas, qui n'avait pas les moyens d'une guerre conventionnelle contre l'armée israélienne au Liban, favorisa alors l'émergence des secteurs les plus virulents de la communauté chi'ite afin qu'ils deviennent le fer de lance de l'offensive contre le cours que prenait la politique libanaise. La Syrie autorisa le déploiement de plusieurs centaines de gardiens de la révolution, ou *pasdarans*, iraniens dans la plaine de la Bekaa, qui était sous son contrôle, permettant à la République islamique de devenir un acteur direct de la scène politique libanaise, et lui fournissant ce qui serait la seule opportunité concrète d'exporter avec succès sa révolution. À la même période, une scission s'était produite dans les rangs d'Amal : le porte-parole de l'organisation, Hassan el Moussaoui, créa Amal Islamique, qui se réclamait de la ligne de Khomeini. Dans la seconde moitié de 1982, l'ayatollah Mohtashemi, ambassadeur de la République islamique à Damas, fédéra les divers groupes et clercs chi'ites qui partageaient cette même sensibilité, dans la Bekaa, dans le Sud et dans la banlieue de Beyrouth, en une organisation qui fut nommée, à l'instar du parti khomeiniste iranien, le Hizballah (« parti d'Allah »)[31]. En décembre, à Baalbek, la République islamique du Liban fut proclamée. Cette initiative avait un caractère symbolique plus que réel, même si cette « République islamique » émit des timbres-poste : elle correspondait au contrôle d'une portion du territoire libanais par une milice confessionnelle comme les milices maronite ou druze contrôlaient leurs montagnes respectives, ou les armées syrienne et israélienne l'est et le sud du pays. Mais elle exprimait la volonté d'étendre la révolution en dehors des frontières de l'Iran, et constituait un signal de danger pour ses adversaires régionaux.

Durant tout le reste de la décennie 1980, le Hizballah libanais remplit une double fonction : agent de la radicalisation croissante de la communauté chi'ite d'une part, instrument de la politique iranienne de l'autre. Dans la communauté, un travail caritatif considérable, qui bénéficiait d'un important soutien logistique et financier iranien[32], permit de distribuer des ressources à la jeunesse pauvre, à travers le réseau des clercs religieux affiliés au parti. Le Hizballah fédéra ainsi avec succès deux des composantes constitutives des mouvements islamistes contemporains : les jeunes déshérités, dont il disputa l'allégeance au mouvement Amal, qui les avait mobilisés dans une perspective plus sociale et communautaire qu'idéologique, et les intellectuels extrémistes, groupés autour d'un noyau de jeunes religieux, qui produisirent le discours et l'idéologie militante propres à galvaniser la masse des adeptes et à les projeter dans l'utopie d'un État islamique idéal largement déconnecté des réalités du pays. Mais il échoua à attirer une classe moyenne chi'ite pieuse, les notables de la communauté restant plus attentifs aux équilibres réels de la société libanaise que prenait en compte le mouvement Amal dirigé par Nabih Berri. De même, les dignitaires chi'ites traditionnels gardaient leurs distances envers Téhéran. Durant les premières années du Hizballah, il n'existait pas en son sein de bourgeoisie dévote qui commanditait le mouvement pour qu'il adopte des vues socialement modérées. Le financement étant exogène puisqu'il provenait pour l'essentiel de l'Iran, le Hizballah ne connaissait aucune contrainte interne qui le tirât vers le réalisme politique, et il s'adonna à un radicalisme sans frein. Il mêlait la violence sociale des déshérités, l'aspiration au martyre que propageaient les sermons des prédicateurs khomeinistes et les intérêts de la Syrie et de l'Iran, qui utilisèrent le terrorisme perpétré par les activistes du parti au service de leurs propres objectifs. Pour la Syrie, il fallait annihiler l'influence israélienne et occidentale au Liban ; pour l'Iran, faire pression sur l'Occident, grâce à la prise en otage de ses ressortissants. Cela permettait de contrecarrer l'appui qu'Europe et États-Unis apportèrent à l'Irak pendant les huit années de la guerre déclenchée par Saddam Hussein en septembre 1980. Les méthodes de mobilisation populaire qu'avait déjà inaugurées Amal furent reproduites et détournées dans un sens plus « khomeiniste » : la transformation des célébrations du martyre de l'imam Hussein en prise de conscience de la communauté devint, sous la houlette du Hizballah, l'occasion de manifestations virulentes contre les « ennemis de l'islam ». Terrains et édifices furent occupés et redistribués dans les zones que contrôlait le parti et où l'autorité de l'État ne s'exerçait plus pour protéger les propriétaires. Cela permit au Hizballah de jouir d'une grande popularité auprès des jeunes démunis, parmi lesquels se recrutèrent des militants prêts au martyre — à l'instar des *bassidjis* d'Iran qui recherchaient la mort sur le front irakien —, ce qui donna au mouvement une capacité de frappe exceptionnelle par rapport à d'autres milices dont les activités militaires n'étaient pas soutenues par pareil zèle religieux.

En 1983, le Hizballah effectua deux coups d'éclat qui en firent un acteur géopolitique de premier plan. À la suite de l'invasion israélienne, des miliciens chrétiens avaient massacré les réfugiés palestiniens des camps de Sabra et Chatila, aux environs de la capitale, les 15 et 16 septembre 1982, au vu et su de l'armée de l'État hébreu, ce qui avait suscité un scandale international. Une Force Multinationale composée de troupes américaines, françaises et italiennes fut envoyée au Liban pour éviter le renouvellement de semblables atrocités. Mais elle fut perçue par Damas, Téhéran et leurs alliés locaux comme le renforcement de la présence occidentale dans le pays. Le 23 octobre 1983, le Hizballah lança des attaques-suicides spectaculaires et très meurtrières contre les contingents français et américains de la Force Multinationale[33] et le 4 novembre contre le quartier général de l'armée israélienne d'occupation à Tyr. L'ampleur des pertes conduisit les trois pays à retirer leurs troupes, ce qui mit fin au réalignement pro-occidental de l'État libanais, et rendit à la Syrie une hégémonie qu'elle ne devait plus perdre. Le Hizballah, mouvement populaire soutenu par l'Iran (et encouragé par Damas), s'avérait donc capable d'infliger à des États occidentaux puissants et à Israël des revers militaires considérables suivis par une défaite politique. Il en retira une aura exceptionnelle, par-delà même les rangs chi'ites, chez les adversaires de la présence d'Israël et de l'Occident au Liban.

Comme instrument des intérêts propres de la République islamique, le Hizballah s'engagea, à travers des groupuscules écrans, dans la prise d'otages à grande échelle, à partir de l'été 1982, mais surtout entre 1984 et 1988, de ressortissants de pays sur lesquels Téhéran voulait faire pression. Quelques enlèvements eurent un caractère crapuleux ou furent liés à des enjeux locaux, mais la plupart obéissaient à une logique dans laquelle le parti n'était que le sous-traitant des initiatives iraniennes — ce qui explique qu'il n'ait jamais « officiellement » assumé les actes perpétrés par les groupes aux noms variés qui signaient les communiqués demandant des rançons, exerçant le chantage à l'exécution des otages, ou annonçant les « exécutions[34] ». Il se présentait comme un intermédiaire qui facilitait la recherche de solutions, voire recevait les fonds des rançons destinées « aux orphelins et aux déshérités » que ses œuvres sociales prenaient en charge.

Ces prises d'otages constituèrent la forme exacerbée, fût-ce sous un aspect biaisé, de l'affrontement entre la République islamique et ses ennemis au milieu des années 1980. Elle permit à Téhéran de desserrer l'étau de la guerre irakienne et de l'hostilité des États arabes et occidentaux. Ils étaient avertis que toute initiative qu'ils prendraient contre l'Iran risquait de se solder par des actes de terrorisme. De nombreux rapts eurent pour objet la libération ou la grâce de militants islamistes chi'ites incarcérés pour des plasticages ou des assassinats dans divers pays. Ainsi, au Koweït, des activistes pro-khomeinistes, dont certains Libanais, furent arrêtés et condamnés à mort pour avoir, entre autres, attaqué les ambassades américaine et française en décembre 1983[35]. En France, un intellectuel chi'ite révolutionnaire libanais, Anis Naccache, très lié à l'establishment iranien, était incarcéré à la suite d'une tentative d'assassinat du dernier Premier ministre du chah et opposant à la République islamique, Chahpour Bakhtiar, réfugié à Paris. En Allemagne, en Suisse, des militants étaient arrêtés pour des affaires de terrorisme. En outre, la campagne d'enlèvements s'inscrivait dans l'effort de guerre de l'Iran contre l'Irak. La France avait mis à la disposition de ce pays le *nec plus ultra* de ses chasseurs-bombardiers, et refusait de rembourser un prêt contracté du temps du chah et lié au programme nucléaire européen Eurodif[36]. Les États-Unis, qui avaient gelé tous les avoirs iraniens en rétorsion après la prise de leur ambassade à Téhéran le 4 novembre 1979, détenaient la clef des fournitures de pièces détachées à l'armée de la République islamique, dont le matériel était américain. Or les prises d'otages, en jouant sur l'opinion publique des pays concernés, affectaient leur politique intérieure. Dans le cas de la France, les échéances électorales majeures de 1986 et 1988 furent mises à profit par les terroristes et leurs commanditaires. Aux États-Unis, chacun avait en tête le précédent de Jimmy Carter, battu par Ronald Reagan pour n'avoir pas su résoudre la première et la plus spectaculaire des prises d'otages, celle des diplomates en poste à Téhéran, qui avait duré quatre cent quarante et un jours. Des tractations secrètes s'engagèrent de la sorte en 1985, afin de fournir à l'Iran les armes et les pièces de rechange dont son armée avait besoin en contrepartie de la libération des otages américains du Liban. Elles tournèrent court à la suite de leur révélation en 1986 par une faction iranienne [37] qui y était hostile, et provoquèrent le scandale dit de « l'Irangate », qui affecta durablement la présidence de Ronald Reagan.

À travers le développement du Hizballah dans la communauté chi'ite libanaise, la révolution islamique connut sa seule véritable réussite à l'exportation. Elle parvint à fonder un mouvement islamiste où de petits clercs mobilisaient la jeunesse pauvre chi'ite sur des thèmes, des slogans et des actions comparables à ceux de l'Iran, et elle sut l'utiliser pour faire chanter, par le biais du terrorisme, des États hostiles. Ces gains furent pourtant limités, dans l'espace comme dans le temps. En effet, nulle part ailleurs dans le monde musulman ne se développa un mouvement comparable au Hizballah libanais, qui s'inspirait directement de la ligne de

Khomeini. L'effondrement de l'État, le fractionne-
ment du pays en territoires contrôlés par des milices
rivales, les présences étrangères, furent autant de
circonstances propices. Dans le monde sunnite, la
culture politique islamiste militante s'avéra rétive au
vocabulaire trop marqué par le symbolisme chi'ite
pour être aisément acclimaté, malgré les efforts de
petits groupes de militants qui tentaient de dépasser
les clivages doctrinaux. Dans les communautés
chi'ites pakistanaise, indienne ou arabes du Golfe,
manquait cette spécificité démographique et sociale
du chi'isme libanais, où la jeunesse pauvre récemment urbanisée et éduquée dans les années 1980
était significativement plus nombreuse et plus déshéritée que parmi les autres confessions.

Mais au début de cette décennie, les observateurs
et les acteurs politiques du monde entier, stupéfiés
par le succès de la révolution islamique en Iran, ne
disposaient pas du recul nécessaire à l'évaluation de
ses forces et de ses faiblesses, surévaluant fréquemment les premières et minimisant les secondes. Les
dirigeants de Téhéran, quant à eux, semblent en
avoir rapidement pris conscience. Les conférences
et congrès internationaux de sympathisants qu'ils
organisèrent ne parvenaient en effet à attirer que des
intellectuels islamistes marginaux et quelques
jeunes oulémas dont très peu détenaient une position d'influence dans le champ religieux de leur
pays[38]. L'appareil de propagande, les revues en
diverses langues n'étaient pas à la hauteur des aspirations révolutionnaires — et ne pouvaient contre-
battre l'artillerie lourde du prosélytisme saoudien.
C'est pourquoi l'Iran, dans la lignée de son populisme islamique, concentra son énergie dans un travail de sape vers le point faible de son adversaire et
le pinacle de sa légitimité religieuse, l'organisation

du pèlerinage annuel à La Mecque. Les dirigeants de Téhéran se sentaient armés pour galvaniser des foules de manifestants au cours d'un rassemblement de deux millions de personnes, ayant mené à bien les défilés de masse qui avaient conduit au triomphe de la révolution islamique.

Dans la tradition chi'ite le *hajj* à La Mecque bénéficie d'un immense prestige, même si les fidèles se rendent aussi en grand nombre en pèlerinage vers leurs lieux saints spécifiques, les tombeaux des imams et des membres de la famille du Prophète, à Nadjaf et Karbala (en Irak), Machad et Qom (en Iran), voire au mausolée damascène de Sayyeda Zeinab (en Syrie). Mais l'importance politique particulière du plus grand regroupement de musulmans de la planète avait été mise en lumière par les penseurs chi'ites révolutionnaires, et Ali Shari'ati y avait consacré un ouvrage pour souligner l'usage que pouvaient en faire les « déshérités » en mesurant leur nombre et leur force afin de lutter contre les ennemis de l'islam. Le premier *hajj* après la révolution, en septembre 1979, fut simplement l'occasion pour les pèlerins iraniens de faire connaître leurs vues, sans engager encore le combat contre les dirigeants saoudiens, envers lesquels ils avaient deux griefs majeurs. Tout d'abord, la conception wahhabite du pèlerinage était perçue comme hostile à la dévotion chi'ite — car les maîtres de La Mecque avaient rasé (comme nous l'avons vu dans le chapitre précédent) les tombeaux des imams à Médine, et il n'en restait plus que des ruines informes dans un cimetière ceint de hauts murs[39]. D'autre part, le souci de la monarchie saoudienne d'éviter tout débordement allait directement à l'encontre de l'esprit révolutionnaire dans lequel les dirigeants iraniens considéraient cet événement.

Les premiers incidents sérieux eurent lieu lors du *hajj* de 1981. En dépit des mises en garde des autorités de La Mecque et de négociations préalables avec Téhéran, une partie des soixante-quinze mille pèlerins iraniens, brandissant des portraits de Khomeini, et scandant des slogans hostiles à l'Amérique et à Israël, défièrent la monarchie saoudienne au cœur même du dispositif qui assurait son prestige et sa prééminence sur l'espace islamique mondial. Pour l'Iran, dont le territoire avait été envahi une année auparavant par l'armée irakienne avec le soutien au moins implicite des États arabes, le pèlerinage était devenu l'occasion d'un affrontement dans lequel il n'avait pas de motif à exercer de retenue. L'année suivante, les autorités saoudiennes, craignant de nouveaux incidents qui entacheraient plus gravement leur ascendant, durent négocier au préalable avec le représentant de Khomeini pour le pèlerinage, le *hojjat-ul-islam* Khoïniha, un clerc particulièrement virulent, inspirateur des étudiants qui avaient pris l'ambassade américaine à Téhéran. Malgré cela, les manifestations, suivies de heurts avec la police, firent des dizaines de blessés et des centaines d'arrestations, dont celle de Khoïniha lui-même.

De 1983 à 1986, les deux adversaires parvinrent à un compromis qui traduisait la position de faiblesse des Saoudiens, soucieux d'éviter des conflits désastreux pour leur image. En contrepartie d'un engagement de l'Iran à la « modération », ils durent accepter une augmentation considérable de son contingent de pèlerins, qui passa à cent cinquante mille [40] personnes, et permettre à ceux-ci de tenir des attroupements consacrés à exalter la révolution et à vilipender ses ennemis, hors du monde de l'islam comme en son sein. La monarchie de Riyad sauvait ainsi les apparences, grâce à des concessions dans un domaine qu'elle considérait jusqu'alors relever de sa souveraineté[41]. Pendant ces années, la guerre irako-iranienne avait tourné à l'avantage de Téhéran, et la prudence saoudienne s'inscrivit dans ce contexte.

Le pèlerinage de 1987 prit en revanche un tour dramatique : soupçonnés de vouloir investir la Grande Mosquée au terme d'une manifestation pourtant autorisée, le 31 juillet, les Iraniens furent bloqués par la police et les affrontements se soldèrent par la mort de plus de quatre cents personnes, ce qui suscita la consternation dans le monde musulman. Les circonstances exactes en restant mal élucidées, chaque partie en rejeta la responsabilité sur l'autre, mettant fin à quatre années d'accommodement relatif. L'Iran convoqua en novembre une conférence destinée à libérer La Mecque des « griffes des Saoud », mais la participation internationale se limita aux compagnons de route habituels de la révolution islamique. Aucun autre acteur politique important du monde musulman n'avait repris la thèse de Téhéran. Le mois précédent, un congrès extraordinaire de la Ligue Islamique Mondiale avait fait le plein des partisans de la version saoudienne : le bilan politique de l'affrontement tournait en faveur du royaume, qui réunit un consensus afin de rétablir l'ordre et parvint ainsi à reprendre le contrôle du *hajj*. L'année suivante, l'Arabie Saoudite, lors d'une session de l'Organisation de la Conférence Islamique, fit entériner son projet d'attribuer à chaque pays musulman le quota de un pèlerin pour mille habitants. L'Iran, dont le contingent se serait vu diminué des deux tiers, et à qui fut signifiée l'interdiction de toute manifestation, n'eut d'autre option que le boycott du pèlerinage — qu'avait précédé la rupture des relations diplomatiques entre les deux pays[42]. Dans le même temps, sur le front militaire, l'Irak avait repris l'offensive et, le 18 juillet 1988, l'Iran acceptait le cessez-le-feu, ce qui mettait fin à huit années de guerre. L'ayatollah Khomeini avait dû « boire le calice empoisonné » pour sauvegarder la révolution, renonçant à « punir l'agresseur » et à chasser Saddam Hussein. Le régime saoudien mit à profit l'affaiblissement de Téhéran pour pousser son avantage et reprendre entièrement le contrôle du pèlerinage à La Mecque. En 1989 également, l'Iran boycotta le *hajj*, manifestant qu'il avait perdu l'initiative sur ce front. Mais il l'avait reprise ailleurs, avec la *fatwa* condamnant à mort Salman Rushdie, émise par Khomeini le 14 février. Elle s'efforçait, par une nouvelle initiative spectaculaire, de résister à l'endiguement qu'avaient réussi à construire les adversaires de la révolution islamique, à l'intérieur comme à l'extérieur du monde musulman.

2

L'endiguement
de la révolution islamique :
le « jihad » en Afghanistan

Chez les dirigeants américains et leurs alliés arabes conservateurs, au premier rang desquels l'Arabie Saoudite, la révolution islamique avait fait naître des frayeurs croissantes : dans les premiers mois, la virulence des slogans antioccidentaux et révolutionnaires avait inquiété, mais les États-Unis maintenaient le contact avec le gouvernement de Mehdi Bazargan. En revanche, les événements de la fin de 1979 représentèrent à la fois une rupture et un changement de registre dans les perceptions de la révolution : l'investissement de l'ambassade américaine à Téhéran et la prise en otage des diplomates, le 4 novembre, furent suivis par l'entrée de l'Armée rouge en Afghanistan à la fin du mois de décembre. Dans un monde encore bipolaire, où tout ce qui affaiblissait Washington était bénéfique pour Moscou, la succession rapide de ces deux coups de théâtre inscrivit les turbulences de la région au cœur des enjeux géopolitiques centraux de la planète après les accords de Yalta. La révolution islamique avait préoccupé l'Occident et les régimes alliés du monde musulman à cause de son caractère imprévisible et du langage religieux déconcertant qu'elle utilisait, et, le 20 novembre, la prise de la Grande Mosquée de La Mecque avait ajouté à la confusion. Mais aussi, en déstabilisant l'un des principaux alliés militaires des États-Unis dans la première région pétrolifère du globe, la révolution en rendait l'accès plus aisé à l'Union soviétique, qui s'en rapprochait dangereusement en volant au secours du régime communiste afghan en difficulté. De ce fait, la question islamiste se mêla au grand jeu américano-soviétique, dont elle contribua paradoxalement à hâter la fin. En décembre 1979, l'Union soviétique semblait avoir le vent en poupe : l'Armée rouge entrait à Kaboul et les Américains humiliés comme jamais à Téhéran. Dix ans plus tard, le système communiste s'effondrait, et la débâcle en Afghanistan compta pour l'un des facteurs clefs qui précipitèrent la chute.

La stratégie de *containment* que mit en œuvre le gouvernement américain pour « piéger l'ours [1] » reposa sur une aide massive à la résistance afghane, dont une part importante s'inscrivait spécifiquement dans la mouvance islamiste — tous les *moujahidines* se réclamant au départ d'une identité musulmane aux contours plus larges. L'Arabie Saoudite et les riches monarchies conservatrices du Golfe contribuèrent très généreusement au financement du *jihad* afghan. Ces États participèrent, derrière les États-Unis, à une entreprise qui éloignerait l'Union soviétique de leur rivage, et fournirent un exutoire aussi radical que la révolution iranienne, mais distinct de celle-ci, à tous les militants conquis par l'islamisme sunnite et qui, galvanisés par l'exemple khomeiniste, rêvaient d'en découdre avec les impies. En faisant du *jihad* en Afghanistan la cause militante par excellence des années 1980, le pouvoir saoudien prémunissait le grand allié américain, lui-même soutien de ce combat, de la vindicte des activistes sunnites, et lui substituait l'Union soviétique comme bouc émissaire.

L'Arabie Saoudite et les monarchies du golfe Persique escomptaient rehausser leur prestige et leur légitimité religieuse face aux philippiques de Téhéran. Mais il leur fallut traiter avec des alliés imprévisibles : les *moujahidines* afghans d'abord, dont quelques factions seulement se situaient dans la filiation wahhabite, et ensuite la faction la plus extrémiste de la mouvance islamiste mondiale, les partisans du *jihad* armé. Dans les camps et les bases d'entraînement disséminés autour de Peshawar, la capitale de la province frontalière du Nord-Ouest pakistanais, où étaient rassemblés le gros des trois millions de réfugiés[2], se constitua un bouillon de culture de l'islamisme international, où se mêlaient aux Afghans des Arabes et autres musulmans venant d'un peu partout dans le monde, et où étaient mis en relation, au même endroit, des individus porteurs de conceptions et de traditions différentes. Ce petit monde était propice à toutes les influences. Au croisement des financements arabes, des flux d'armement américain, des trafics d'héroïne, il fut pénétré par les services de renseignement, l'ISI[3] pakistanaise et la CIA surtout, et se trouva au contact des grandes organisations de l'islamisme pakistanais, principalement la *jami'at-e islami* fondée par Mawdoudi et le réseau des *medressas* déobandies. Elles dépassèrent à cette occasion leur ancrage local pour se projeter dans l'islam mondial. Des fécondations, greffes et hybridations inattendues s'y produisirent. Ce milieu répondit aux attentes des États qui l'avaient parrainé (les États-Unis, l'Arabie Saoudite et ses voisins du Golfe, et le Pakistan) en jouant un rôle clef dans la déconfiture soviétique et en créant un abcès de fixation pour les « jihadistes[4] » du monde entier et une alternative à la révolution iranienne. En même temps, il développa ses logiques propres, qui devaient se retourner, à partir du début de la décennie 1990, contre ces mêmes parrains.

En intervenant en Afghanistan en décembre 1979, l'Armée rouge s'était d'abord portée au secours d'un régime allié en difficulté, comme l'intervention soviétique en Tchécoslovaquie en août 1968 qui mit fin au « printemps de Prague ». Les communistes afghans avaient pris le pouvoir le 27 avril 1978, par un coup d'État perpétré grâce à des officiers qui étaient acquis à leurs vues[5]. Divisés en deux factions, dites du « peuple » *(khalq)* et du « drapeau » *(parcham)*, ils étaient surtout issus, comme leurs ennemis intimes les militants islamistes, de la première génération instruite en ville dans des institutions modernes de type occidental[6]. Bénéficiant de l'assentiment de la direction soviétique, préoccupée par le rapprochement entre le régime afghan, où Moscou avait ses accès, et les deux alliés des États-Unis qu'étaient l'Iran du chah et le Pakistan de Zia ul-Haq, les putschistes signèrent dès décembre 1978 un traité d'amitié qui liait l'Afghanistan à l'Union soviétique. Ils mirent en œuvre une politique maximaliste de réforme agraire, d'alphabétisation et de construction du socialisme — accompagnée de milliers d'arrestations et d'exécutions — qui leur aliéna la masse de la population. La faction Khalq, la plus extrémiste, élimina le Parcham, dont les dirigeants se réfugièrent à Moscou, dans un processus d'épuration qui toucha jusqu'aux chefs du Khalq mêmes[7]. À partir d'avril 1979, des soulèvements éclatèrent partout, et en décembre le parti ne contrôlait plus que les villes, face à une résistance en pleine expansion, accompagnée par l'émigration des cadres qui fuyaient la terreur et les purges. L'intervention soviétique du 27 décembre voulait d'abord mettre un terme à cette fuite en avant suicidaire du régime, qui menaçait les fondements mêmes de « l'édification du socia-lisme [8] » : le chef du Khalq fut liquidé, et celui du Par-cham, Babrak Karmal, arrivé dans les fourgons de l'Armée rouge, lui fut substitué. Mais la lecture de l'événement sur la scène internationale fut d'une tout autre ampleur : en termes de géopolitique, l'entrée des Russes à Kaboul fut perçue comme une conti-nuation du « grand jeu » russo-britannique du dix-neuvième siècle par lequel le tsar avait cherché un accès aux mers chaudes. Cela se traduisait, dans le contexte d'après 1945, par une violation explicite de l'équilibre mondial issu des accords de Yalta, et une menace pour la sécurité occidentale rendue d'autant plus grave par la proximité des champs de pétrole du golfe Persique, et par le chaos en Iran. Les dirigeants du monde musulman, quant à eux, étaient divisés sur l'interprétation du phénomène et la façon de réa-gir. En 1979, l'URSS comptait encore nombre de clients dans le monde arabe (la Syrie, le Yémen du Sud, l'OLP, l'Algérie, dépendants de l'appui sovié-tique), qui ne souhaitaient pas embarrasser Moscou. Ainsi, le sommet de l'Organisation de la Conférence Islamique réuni à Taef, en Arabie Saoudite, en jan-vier 1981, qui préconisa un *jihad* pour la libération de Jérusalem et de la Palestine, une formule sur laquelle pouvait émerger un consensus [9], se refusa à faire de même pour l'Afghanistan. Il se borna à appe-ler les États islamiques à coopérer avec le secrétaire général des Nations unies pour mettre un terme à une situation préjudiciable au peuple afghan [10].

L'appel au *jihad* en Afghanistan et sa mise en œuvre concrète ne furent pas une initiative des États musulmans comme tels, mais des réseaux religieux islamiques transnationaux. Ils étaient assemblés autour d'un certain nombre d'oulémas et relayés par des organisations déjà constituées, comme la Ligue

Islamique Mondiale, ou créées *ad hoc*, et situées dans la mouvance « salafiste » conservatrice au sens large, entre le wahhabisme saoudien et les Frères musulmans. Ce *jihad* se voulait l'émanation des sociétés, suscitant un élan populaire, comme le message concurrent de Khomeini, qui exaltait l'islam du peuple. Dans un premier temps, il fallut que des oulémas qui disposaient d'un magistère reconnu promulguent des *fatwas* pour interpréter l'intervention soviétique comme invasion du territoire de l'islam *(dar el islam)* par des impies, ce qui, dans la doctrine juridique traditionnelle, permet de proclamer le *jihad* à l'échelle de la Communauté des Croyants, de l'Oumma tout entière. En l'occurrence il s'agissait d'un *jihad* défensif[11] qui est, selon les règles de la *chari'a*, obligation individuelle *(fard 'ayn)* pour tout musulman. L'opération s'avéra extrêmement délicate, car des *fatwas* transnationales de ce type, en suscitant l'allégeance des croyants à une cause comme le *jihad* afghan à laquelle pouvait être opposé leur État (parce qu'il était lié à l'Union soviétique[12]), recelaient une menace déstabilisatrice pour l'ordre social. De plus, la fluidité qui caractérise le champ religieux islamique, l'absence de hiérarchie d'autorité en son sein (à l'opposé du catholicisme par exemple), risquaient de créer des précédents. Des oulémas plus intransigeants pouvaient en tirer argument pour produire des *fatwas* proclamant le *jihad* ailleurs, créant ainsi une spirale incontrôlable (ce qui se produirait effectivement à la fin de la décennie 1980, comme on le verra plus loin). Il importait donc que cet appel au *jihad* en Afghanistan de tous les musulmans du monde fût à la fois suffisamment diffusé — pour faire pièce à la concurrence iranienne — et méticuleusement encadré, afin d'éviter qu'il ne se retournât un jour contre ses instigateurs. Pour les promoteurs saoudiens de l'opération, c'était une voie particulièrement étroite.

Dans un premier temps, jusqu'au milieu de la décennie 1980, la solidarité islamique internationale s'exprima, à travers un cadre principalement financier, en complément du soutien militaire américain aux *moujahidines* afghans, et en collaboration avec les instances pakistanaises qui redistribuaient l'aide aux destinataires. À partir de 1984-85, elle prit la forme d'une présence croissante de « jihadistes » étrangers, principalement arabes, sur place, autour de Peshawar d'abord, puis sur le terrain afghan lui-même.

Les *moujahidines* afghans appartenaient à un ensemble de mouvements hétérogènes dont la référence commune à l'islam, qui exprimait d'abord le refus du communisme imposé « par en haut » à partir du coup d'État d'avril 1978, couvrait un large spectre. Celui-ci allait des confréries mystiques, ou soufies, traditionnelles, aux groupes alignés sur le wahhabisme saoudien, en passant par les Frères musulmans. En termes sociaux, ethniques, politiques et militaires, les divers mouvements de *moujahidines* combinaient plusieurs composantes. Une première ligne de clivage opposait les associations islamistes, à encadrement majoritairement urbain et estudiantin, aux groupes religieux traditionnels, mieux implantés en zone rurale et parmi les tribus. Les premiers avaient suivi un parcours inspiré des Frères musulmans d'Égypte — auprès desquels la génération fondatrice des islamistes afghans s'était formée au Caire, en fréquentant l'université Al Azhar. Apparu en 1958 à la faculté de théologie de Kaboul, le mouvement, pendant les années 1960, connaît une lente gestation durant laquelle sont traduites les œuvres de Sayyid Qotb et de Mawdoudi.

En 1968 est créée l'Organisation de la Jeunesse Musulmane, qui remporte les élections étudiantes de 1970[13]. Comme ailleurs, les facultés de sciences appliquées (Polytechnique, ingénierie, etc.) fournissent une base de recrutement significative. Toutefois, à la différence des intellectuels islamistes d'Égypte ou d'Iran qui chercheront à cette même époque à mobiliser la jeunesse urbaine pauvre, leurs frères afghans vivent dans un pays où la population est encore rurale à plus de 85 % au milieu des années 1970. Il n'y a pas eu d'exode massif vers les villes, c'est à la campagne que se trouve la masse des jeunes, encadrés par les réseaux des confréries et, pour une large part, par les structures tribales. Comme les communistes, issus des mêmes milieux estudiantins et urbains, qui infiltrent méthodiquement l'armée jusqu'au putsch d'avril 1978, les militants islamistes s'efforcent de pallier leur médiocre implantation populaire en prenant le pouvoir par un coup de force. Une insurrection déclenchée à l'été 1975 est rapidement écrasée et les activistes survivants se réfugient à Peshawar, où la mouvance connaît sa première scission importante[14].

Celle-ci combine dimension ethnique et dimension politique : le Jami'at-e Islami (« Association islamique ») dirigé par B. Rabbani, diplômé d'Al Azhar, et qui recrute surtout des persanophones[15], est soucieux de trouver un terrain d'entente avec le monde tribal et l'intelligentsia anticommuniste non islamiste. Il évoluera dans la direction d'un islamisme modéré qui le rendra populaire auprès des amis occidentaux de la résistance afghane mais réduira ses accès au système saoudien. À l'inverse, le Hezb-e Islami (« Parti islamique »), dirigé par G. Hekmatyar, ancien activiste à la faculté d'ingénieurs de Kaboul, et qui enrôle surtout des Pachtounes, est hostile au compromis politique et se réclame d'une stricte orthodoxie islamiste qui en fera un interlocuteur privilégié de la mouvance des Frères musulmans, de la Jama'at-e Islami pakistanaise fondée par Mawdoudi et des réseaux saoudiens.

Au moment du coup d'État communiste d'avril 1978, les intellectuels islamistes afghans sont donc isolés : ils n'ont pas su s'enraciner dans la société, et ont pris le chemin de l'exil. Mais la politique suivie par le nouveau pouvoir de Kaboul, en voulant mener la société à marches forcées vers le socialisme, suscite un soulèvement massif qui se réclame de la religion[16], perçue d'abord comme une réaction de sauvegarde de l'identité face à la déculturation entreprise par les communistes. Cela permettra aux islamistes de trouver, lorsqu'ils parviendront à se porter à la tête des rébellions, l'ancrage social qui leur avait manqué. Mais, dans l'année qui précède l'intervention soviétique, la majorité des révoltes sont encore organisées par les tribus ou par les partis religieux traditionnels et, parmi les islamistes, c'est le Jami'at de B. Rabbani qui s'impose, notamment grâce aux faits d'armes du commandant Massoud[17].

L'invasion par l'Armée rouge transforme la situation de manière radicale. Elle précipite dans la résistance la masse des Afghans, soit parce qu'ils s'y engagent spontanément, soit parce que les bombardements soviétiques, la destruction des villages, des récoltes et des troupeaux les contraignent à l'exil et feront d'eux des *moujahidines* opérant à partir des bases situées près de la frontière. D'autre part, l'aide financière étrangère massive dont bénéficient désormais ceux que l'on voit en Occident comme les « *Freedom Fighters* » du monde libre, et à Riyad comme l'avant-garde de l'Oumma et du *jihad*, donne à la cause des moyens démesurés. Elle changera également en partie sa nature.

À Peshawar, la résistance est composée d'une coalition de sept partis « reconnus » par les autorités pakistanaises, auxquels elles fournissent armes, munitions et divers subsides selon une clef de répartition qui favorise les groupes les plus proches de la mouvance wahhabite et des Frères musulmans [18]. Cette politique est l'œuvre du gouvernement du général Zia ul-Haq, qui a instauré la *chari'a* au Pakistan en 1979 et s'appuie sur la *Jama'at-e Islami* fondée par Mawdoudi. Ce parti est par ailleurs le redistributeur privilégié de l'aide financière arabe à la résistance, et favorise également le groupe le plus proche de lui, le Hezb dirigé par G. Hekmatyar [19]. L'accès à la manne saoudienne sera la cause majeure de la création, en 1980, d'un parti islamiste à peu près dénué de représentation sur le terrain, mais dont le chef, Abd al Rabb [20] Sayyaf, très éloquent en arabe et professant un wahhabisme sans tache, disposera de subsides à l'avenant. Ainsi, les sept partis, trois « traditionnels » et quatre « islamistes » [21], verront-ils leurs moyens de fonctionnement alloués en fonction de critères idéologiques qui avantagent Hekmatyar et Sayyaf, tandis que le *Jami'at* du professeur Rabbani, moins bien en cour, doit les siens aux succès militaires du commandant Massoud contre les Soviétiques, qui permettent de faire état des victoires du *jihad*.

La transplantation des partis en territoire pakistanais, au milieu de trois millions de réfugiés, favorise également la pénétration des idées islamistes par opposition à l'islam traditionnel, plus lié aux lieux symboliques, aux rites de la terre et aux hiérarchies sociales du monde rural et tribal. C'est dans cet univers des réfugiés de Peshawar qu'émerge la première génération afghane urbanisée et alphabétisée en masse. La scolarisation s'y effectue notamment à travers des réseaux contrôlés par le Hezb de Hekmatyar. Il utilise les moyens financiers considérables que lui procure l'aide arabe pour construire une base de recrutement dans la jeune génération[22], désormais « détribalisée » et transformée par l'exode en une « jeunesse urbaine pauvre » réceptive à l'idéologie islamiste. Mais cette scolarisation s'effectue aussi, et de façon massive, à travers les *medressas* déobandies disséminées sur tout le territoire pakistanais. Les enfants des réfugiés afghans, qui y sont pensionnaires, coupés de leur famille et de leur environnement traditionnel, ou *qawm*[23], s'y mêlent à de jeunes Pakistanais de toutes les ethnies (Pachtounes comme eux, mais également Penjabis, Sindhis ou Baloutches); l'enseignement se fait en arabe et en ourdou, et contribue à constituer une « personnalité islamique universelle » structurée autour de l'idéologie déobandie. Celle-ci est bien adaptée à une population de jeunes réfugiés, qui ne disposent plus d'un État auquel ils peuvent se fier pour appliquer la *chari'a* (les lois islamiques). Ils sont éduqués à mettre celle-ci en œuvre à travers l'obéissance aux *fatwas*, ou décisions légales, produites dans les *medressas* déobandies dans un esprit rigoriste et conservateur. Cette présence de jeunes Afghans, nourris de l'esprit du *jihad* dans ces écoles qui ne s'en préoccupaient guère jusqu'alors, fait naître un mouvement hybride. Il donnera naissance dans la décennie suivante — lorsque ces jeunes arriveront à l'âge adulte — à la fois aux Talibans en Afghanistan et aux militants sunnites pakistanais extrémistes du Sipah-e Sahaba (« Armée des Compagnons [du Prophète] ») qui massacreront les chi'ites puis porteront le *jihad* au Cachemire. Par contraste avec les islamistes du Hezb de Hekmatyar qui veulent « islamiser la modernité », c'est-à-dire domestiquer les techniques et les savoirs occidentaux pour les mettre au service de l'État isla- mique, les « fondamentalistes » issus de la filière déobandie rejettent ceux-ci. Mais, depuis la création du Pakistan, en 1947, et jusqu'à leur contamination par l'esprit du *jihad* dans les années 1980, leur projet de société était étranger à toute la violence poli- tique[24]. L'adoption de celle-ci sera l'un des effets inattendus du bouillon de culture islamiste qui fer- mente en Asie du Sud-Ouest pendant cette décennie.

Dans le Pakistan du général Zia ul-Haq, mal perçu en Occident après qu'il a fait pendre Ali Bhutto en mars 1979, l'abcès de fixation afghan vient à point pour renforcer le régime. Dans une région troublée par le chaos iranien, le « pays des purs » devient la base d'appui stratégique par excellence des États- Unis[25], et le quatrième bénéficiaire de l'aide étran- gère votée par le Congrès. De plus, il est l'inter- médiaire obligé de celle qui va à la résistance afghane. En 1982, elle est estimée à six cents millions de dollars par an en provenance des États-Unis, et autant émanant des pays arabes du Golfe[26]. Ces flux financiers considérables dynamisent l'activité écono- mique, et assurent au régime de Zia une forte assise. En conséquence explose une criminalité qui parasite l'aide, sur laquelle chacun ferme les yeux tant que les Russes sont en Afghanistan, mais dont les consé- quences dévastatrices ouvriront la voie à toutes les dérives à partir de la fin de la décennie. Ainsi, des cargaisons d'armes légères en quantités énormes, livrées par la CIA et débarquées au port de Karachi, alimentent le marché local (et feront de cette ville l'une des plus violentes du monde) avant d'être ache- minées par la route vers leurs destinataires officiels. Au retour, les camions seront chargés d'héroïne extraite de l'opium cultivé en Afghanistan ou dans les

« zones tribales[27] » de la frontière pakistanaise, et exporté par Karachi. Les convoitises et les profits gigantesques suscités par les à-côtés criminels de l'aide américaine et arabe à la résistance deviendront une préoccupation majeure des États-Unis, puis des États arabes après le retrait soviétique, lorsque des groupes échappant à leur contrôle, surarmés et financés par les trafics locaux, propageront le *jihad* où il leur semblera bon sur la planète.

L'assistance arabe, qui n'était pas soumise aux mêmes contraintes étatiques et juridiques que celle des États-Unis, provenait d'un grand nombre de sources, publiques comme privées. Par-delà son effet d'affiche destiné à contrer la montée en puissance de l'Iran khomeiniste dans l'espace islamique mondial, elle posait de délicats problèmes de coordination et d'affectation. Trois instances saoudiennes, les services de renseignement dirigés par le prince Turki al-Faisal, le comité de soutien *ad hoc* animé par le prince Salman, gouverneur de Riyad, et la Ligue Islamique Mondiale, en furent les principaux canaux de transmission[28]. Mais pour atteindre les destinataires au mieux des intérêts des donateurs, dans une région ouverte à tous les détournements et trafics, et eu égard aux sommes en jeu, il était nécessaire de disposer d'hommes de confiance sur le terrain. C'est dans ce contexte que les premiers volontaires arabes firent le voyage vers l'univers pakistano-afghan qui leur était jusqu'alors largement inconnu. Ils y servaient d'abord comme correspondants du Croissant Rouge saoudien et d'organisations humanitaires islamiques qui virent alors le jour en démarquant les ONG humanitaires occidentales. Puis, de manière croissante à partir du milieu de la décennie, ils vinrent comme combattants du *jihad*, au moins pour s'entraîner au maniement d'armes, sinon pour faire le coup de feu contre les soldats soviétiques.

Pendant la décennie 1980, le personnage charnière du milieu que l'on appellera ultérieurement les « Arabes afghans » est un universitaire palestinien, Abdallah Azzam. Frère musulman, il assura l'interface entre cette mouvance et les intérêts saoudiens et wahhabites, et le va-et-vient doctrinal entre les causes afghane et palestinienne. Il contribua intellectuellement à inscrire cette dernière dans une perspective islamique, tandis que se déclenchait, en décembre 1987, le soulèvement des territoires occupés, l'*Intifada*. Il fut enfin le principal héraut contemporain du *jihad*, popularisant le concept de lutte islamique armée que développeront dans les années 1990 les activistes les plus radicaux, dont le GIA algérien représentera l'exacerbation.

Né en 1941 dans le nord de la Palestine, près de Jénine, Abdallah Azzam[29] fit des études de *chari'a* à Damas, entre 1959 et 1966. Il y rejoignit les Frères musulmans alors qu'il avait dix-huit ans, et, en 1960, fut leur représentant à l'Université syrienne. Après avoir participé à la guerre israélo-arabe de 1967, il fut l'un des rares islamistes à s'impliquer dans la lutte armée contre l'État hébreu, alors que les Frères palestiniens privilégiaient le travail caritatif et social au détriment de l'activisme. En 1970, l'année du « septembre noir » de l'OLP en Jordanie, il rompt avec la centrale palestinienne[30] à laquelle il reproche d'avoir investi ses forces contre le roi Hussein plutôt que contre Israël. Poursuivant ses études à Al Azhar, où il obtient son doctorat en 1973, il devient professeur de *chari'a* à l'Université de Jordanie, tout en s'occupant du secteur de la jeunesse pour les Frères musulmans. Chassé[31] de l'Université quelques années plus tard, il part pour l'Arabie Saoudite où il

enseigne, à Djedda, à l'université du roi Abd al-Aziz.
Il y aura pour élève le jeune Oussama ben Laden —
promis à un grand destin. En même temps il rejoint
la Ligue Islamique Mondiale, où il est responsable
du secteur de l'éducation. Selon son hagiographie,
rédigée après son assassinat, il aurait rencontré des
pèlerins afghans à La Mecque en 1980, et, ému par
leurs récits, « il sentit que la cause qu'il avait cher-
chée depuis si longtemps était celle du peuple afghan » — formule d'autant plus remarquable que,
comme Palestinien, Abdallah Azzam était porteur de
ce qui était tenu pour la cause arabe par excellence.
Celle-ci, au tournant de la décennie 1980, avait perdu
son attrait, surtout aux yeux d'un militant islamiste :
c'est le détour par l'engagement aux côtés des Afghans, dans un pieux *jihad*, qui lui permettrait de
repenser la lutte palestinienne dans cette perspective. Selon d'autres sources, c'est la Ligue Islamique
Mondiale qui l'envoie à Islamabad, enseigner à l'Université Islamique Internationale[32], ouverte en 1980,
qu'elle finance en partie, et dont l'encadrement
repose sur des Frères musulmans. En 1984, il s'installe à Peshawar. Il participera à la création, en 1985,
du Conseil de Coordination Islamique, qui rassemble
une vingtaine d'organisations arabes « humanitaires
islamiques[33] » en soutien à la résistance afghane,
sous l'égide des Croissants Rouges saoudien et
koweitien, qui sont les pourvoyeurs les plus importants des six cents millions de dollars annuels d'aide
arabe à la résistance. Il est un interlocuteur fiable
pour l'establishment saoudien et, par son magistère,
exerce une forte influence sur les « jihadistes » plus
ou moins imprévisibles qui commencent à affluer du
Moyen-Orient au mitan de la décennie. Pour accueillir, encadrer et organiser ce milieu, il a en effet fondé
en 1984 le Bureau des services aux *moujahidines*[34].

En décembre de cette année, paraît la première livraison de la revue qu'il dirige, *Al Jihad*. Rédigée en arabe, elle est réglable en dollars et en rials saoudiens et galvanise les soutiens à la cause dans le monde arabe. À côté de nouvelles du front, elle contient des textes doctrinaux et des éditoriaux d'Abdallah Azzam. Ceux-ci seront repris ensuite dans des fascicules diffusés dans l'ensemble du monde arabophone, puis traduits pour partie, dans les langues locales et en anglais, et fourniront la matière d'un site internet [35] qui popularisera les idées de leur auteur dans la mouvance islamiste internationale.

Pour Abdallah Azzam, il importe d'abord de démontrer que le *jihad* en Afghanistan est une obligation *(fard 'ayn)* pour chaque musulman. C'est le thème de sa brochure la plus connue, intitulée *Défendre la terre des musulmans est le plus important devoir de chacun* [36]. Pour cela, il invoque l'autorité de huit oulémas qui ont promulgué des *fatwas* en ce sens, en commençant par le cheikh Ben Baz, futur mufti d'Arabie Saoudite, ainsi que d'autres wahhabites, et des Frères musulmans, comme le Syrien Sa'id Hawwa ou l'Égyptien Salah Abou Isma'il. Chaque musulman a l'obligation d'y participer moralement *(bi-l-nafs)* et financièrement *(bi-l-mal)* [37]. En effet, « si l'ennemi a pénétré sur la terre des musulmans, le *jihad* devient une obligation individuelle, selon l'ensemble des docteurs de la loi, des commentateurs [des Textes sacrés] et des traditionnistes [ceux qui ont recueilli les dires et faits du Prophète] [38] ». En cela, Abdallah Azzam s'oppose à qui n'en ferait qu'une « obligation de la collectivité » *(fard kifaya)*, s'en décharge sur les responsables politiques, déconseille aux musulmans de se rendre en Afghanistan et considère que « aujourd'hui, s'instruire vaut mieux que faire le *jihad* [39] ».

Tous les fidèles ont donc l'obligation de participer moralement ou financièrement au *jihad* afghan, sous peine de péché capital[40], et chaque musulman qui s'en sent capable a le droit d'y participer par les armes sans requérir l'autorisation de personne, « pas même du Commandeur des Croyants, si tant est qu'il en existe un[41] ». *A fortiori*, les dirigeants « impies » de certains pays musulmans n'ont aucun droit de s'y opposer. Et l'Afghanistan n'est que le premier exemple d'une terre islamique usurpée par les infidèles dont la reconquête par le *jihad* est une cause de rigueur : « Ce devoir ne cessera pas avec la victoire en Afghanistan, et le *jihad* restera obligation individuelle jusqu'à ce que nous revienne toute autre terre qui était musulmane afin que l'islam y règne de nouveau : devant nous, il y a la Palestine, Boukhara, le Liban, le Tchad, l'Érythrée, la Somalie, les Philippines, la Birmanie, le Yémen du Sud et autres, Tachkent, l'Andalousie...[42] » « Notre présence en Afghanistan maintenant, qui est l'accomplissement de l'impératif du *jihad* et notre dévotion au combat, ne signifie pas que nous avons oublié la Palestine. La Palestine est notre cœur palpitant, elle précède l'Afghanistan dans notre esprit, notre cœur, nos sentiments, notre croyance[43]. »

Ces propos d'Abdallah Azzam s'inscrivent dans la tradition de la doctrine du *jihad* en l'islam, telle qu'elle a été fixée depuis l'époque médiévale, en particulier par les auteurs de l'école hanbalite — et surtout Ibn Taïmiyya, cité très fréquemment. Ils n'innovent donc pas par leur contenu, mais par leur mise en contexte. D'autres auteurs islamistes contemporains en avaient également appelé au *jihad* avant lui, mais cela n'avait qu'un effet de rhétorique, car il n'existait pas de masse organisée de fidèles pour le mettre en œuvre. Le *jihad* pour la libération de Jérusalem, par exemple, n'était guère que l'habillage religieux de l'état de guerre avec Israël, dont les États arabes du champ de bataille (et l'OLP dans une moindre mesure) conservaient la maîtrise, en fonction d'impératifs politiques ou nationaux, sans que cela corresponde, jusqu'à l'*Intifada* de décembre 1987, à un quelconque soulèvement populaire. Or la prédication d'Abdallah Azzam se produit dans un tout autre contexte, car ce qu'il prêche est suivi d'effet. Il s'adresse à des activistes provenant de l'ensemble du monde musulman, principalement arabes (entre huit mille et vingt-cinq mille personnes selon les estimations [44]), venus de leur propre chef, sans être encadrés par un État, et qui ont accès à des armes, des camps d'entraînement. Il est très entouré, et on le voit fréquemment en compagnie du cheikh Omar Abdel Rahman, en tournée régulière à Peshawar à partir de 1985, exciter les combattants arabes et prêcher le *jihad* à ses côtés, avec les encouragements de la CIA et des diplomates saoudiens [45].

Dans les faits, les Arabes semblent avoir peu participé aux combats contre l'Armée rouge [46]. Leurs actes de guerre se seraient surtout produits après le retrait des troupes soviétiques en février 1989, et ils furent controversés. Le mois suivant, durant le siège de la ville de Jalalabad, un contingent arabe se rendit célèbre pour avoir coupé en morceaux et mis en caisses des prisonniers afghans « athées », ce qui sema la consternation dans les rangs des *moujahidines* afghans [47]. Pour ces « jihadistes » internationaux, le voyage à Peshawar était d'abord l'occasion d'une initiation, d'une socialisation dans des réseaux islamistes, puis, pour certains, d'une radicalisation auprès de militants plus « extrémistes » que les parrains saoudiens. Au milieu des années 1980, des « *jihad tours* » amenaient de jeunes Saoudiens riches passer un *summer camp* de quelques semaines, avec incursion au-delà de la frontière et photos en situation. Ils y croisaient parfois les délégués des organisations humanitaires européennes, auxquels ils vouaient une forte antipathie. Puis de jeunes militants islamistes de milieu populaire, orientaux, maghrébins voire des « Beurs » des banlieues françaises[48], furent envoyés passer quelques semaines de *jihad* qui avaient principalement pour fonction de renforcer leur adhésion à la cause, de les aguerrir avant qu'ils repartent dans leur pays, auréolés de leur expérience, et prêts à mener le combat contre leurs dirigeants impies[49]. Enfin, des activistes aguerris, dont certains avaient déjà été emprisonnés dans leur pays (comme bon nombre d'islamistes égyptiens condamnés après l'assassinat de Sadate en octobre 1981 puis relâchés après avoir purgé leur peine, à partir de 1984), commencèrent à se rassembler autour de Peshawar. Leur présence était facilitée par la sympathie qu'éprouvaient pour eux quelques bienfaiteurs arabes privés, tandis que les États où ils avaient été jugés les voyaient sans déplaisir s'éloigner dans les montagnes afghanes. Instruits, maîtrisant parfois l'anglais et sachant utiliser un ordinateur, plusieurs d'entre eux furent des interlocuteurs prisés des services de renseignement pakistanais et américains. Le jeune Oussama ben Laden, rejeton d'une famille de magnats du BTP en Arabie Saoudite et dans le Golfe, était une figure emblématique de « jihadiste » issu du sérail saoudien et dont le zèle religieux ne pouvait inquiéter ni une monarchie avec laquelle il était en relation d'affaires ni les bureaux américains, pour lesquels ce jeune homme bien né était un allié dans la lutte contre le communisme.

Avec le retrait soviétique d'Afghanistan, en février 1989, les États-Unis réduisirent leur aide à la résistance qui se révéla incapable de renverser le régime de Kaboul, dirigé depuis novembre 1987 par Moha-med Najibullah, ancien chef du KGB afghan, le KhAD. La débâcle communiste, dont l'empire s'effondrait la même année dans les démocraties populaires d'Europe de l'Est, et que devait sanction-ner la disparition de l'URSS comme telle en décembre 1991, retira la question afghane de l'agenda stratégique américain. Pour l'Arabie Saou-dite, la rivalité iranienne dans l'espace islamique mondial ne présentait plus le même danger qu'au début de la décennie : en juillet 1988, l'ayatollah Khomeini avait dû se résoudre à la fin de la guerre avec l'Irak, son pays était affaibli, et ses pèlerins n'avaient pu accomplir le *hajj* à La Mecque, faute de se soumettre au quota qui leur était imposé. Il n'y avait plus à Peshawar de « *Freedom Fighters* » qui vaillent, vus de Washington. Des membres du Congrès américain firent entendre leurs préoccupa-tions à propos des proportions que prenait le trafic d'héroïne, de l'implication de responsables de *mouja-hidines* dans celui-ci. Hekmatyar et Sayyaf furent identifiés comme des « extrémistes » au même titre que Najibullah, et privés de tout armement améri-cain. Du côté des États arabes commençaient à s'éle-ver des voix qui s'inquiétaient d'une conquête de Kaboul par des groupes islamistes incontrôlés, alliés à des militants que l'exil au pays du *jihad* avait ren-forcés. C'est dans ce contexte d'exacerbation des dif-ficultés pour la résistance, taraudée par les rivalités internes, qu'un attentat — non élucidé — coûta la vie à Abdallah Azzam, le 24 novembre. Le héraut du *jihad* disparaissait au moment où certains de ceux qui l'avaient soutenu dans le monde musulman fai-saient savoir que, une fois les Russes partis, le combat serait terminé.

L'Arabie Saoudite et les services pakistanais accentuèrent pourtant leur aide à Hekmatyar, sans que le gouvernement de Mme Bhutto, parvenue au pouvoir après la mort du général Zia, en août 1988, et qui était hostile à cet allié afghan de son ennemi la *Jama'at-i islami* fondée par Mawdoudi, parvînt à s'y opposer. Mais la désunion des *moujahidines*, les solides positions conquises dans le Nord-Est afghan par le commandant Massoud, qui devint le principal rival d'Hekmatyar, et la résistance du régime de Najibullah ne permirent pas au chef du Hezb de s'emparer de Kaboul, et d'y établir l'État islamique espéré, philo-saoudien et client du Pakistan. Le territoire afghan était fractionné en de multiples zones, dirigées par des commandants plus ou moins affiliés à un parti mais très attachés à leur base ethnique ou tribale, et dont beaucoup vivaient de la culture du pavot, du trafic d'opium et d'armes. Le *jihad*, en 1990, cédait chaque jour la place à la *fitna*, la dissension dans la Communauté des Croyants. C'est dans ce contexte de désordre que Saddam Hussein, le 2 août, envahit le Koweït — ouvrant le processus qui mènerait à la seconde guerre du Golfe, et, pour l'Arabie Saoudite, à des dangers plus graves encore pour sa suprématie sur l'islam mondial que le défi iranien. Hekmatyar et ses troupes, ainsi qu'une large part des « jihadistes » arabes, prirent fait et cause contre Riyad — se retournant contre le plus éminent de leurs parrains —, ce qui devait à terme sonner le glas des islamistes « modernes » en Afghanistan et frayer la voie aux Talibans d'une part, et à la prolifération des « jihadistes » arabes dans le monde d'autre part.

3

« *Islamic business* »
et hégémonie saoudienne

En se faisant le sponsor officiel du *jihad* en Afghanistan, l'Arabie Saoudite cherchait à neutraliser
les groupes les plus radicaux de la mouvance islamiste, étudiants et intellectuels ou jeunes urbains
pauvres rêvant de quelque forme de révolution. Pour
consolider sa prépondérance sur l'islam mondial, il
lui fallait aussi conserver un lien privilégié avec la
bourgeoisie et les classes moyennes pieuses. Régime
dynastique et tribal où le lignage et la naissance
conditionnent l'accès au pouvoir et à la richesse
fabuleuse que procure, après 1973, la rente pétrolière, le système saoudien prête en effet le flanc à la
critique que lui adressent ces groupes sociaux qui ne
sont pas « bien nés ». Dans les milieux islamistes en
froid avec les dirigeants de Riyad, les princes saoudiens sont dépeints comme des paresseux et des
incompétents, vautrés dans le luxe, la débauche et
toutes sortes d'activités immorales (beuveries, por-
nographie, etc.) que condamne la religion, faisant de
celle-ci une tartufferie. On retrouve là les thèmes
classiques de la critique bourgeoise contre le grand
seigneur méchant homme répandue dans toutes les
civilisations, mais la référence morale qu'elle
invoque en dernier recours dans ce contexte est la
norme sacrée du Coran.

Le système bancaire et financier islamique a constitué le lien privilégié entre l'aristocratie tribale de la péninsule Arabique, détentrice de la rente pétrolière « octroyée par Dieu », et les classes moyennes pieuses du monde musulman. Il a permis de les associer dans un partenariat économique, tout en offrant des rétributions à la piété. Cela confortait à la fois le leadership saoudien sur la Communauté des Croyants et la position politique de la bourgeoisie pieuse dans chaque pays musulman, tout en la liant à la monarchie wahhabite. En affichant une dimension sociale et caritative, par la redistribution de la *zakat*[1], l'aumône légale, et par le financement de petits entrepreneurs, agriculteurs et commerçants qui n'avaient pas accès au système bancaire conventionnel, la finance islamique s'est voulue par ailleurs un facteur de cohésion et d'intégration sociale, participant ainsi à la diffusion d'une représentation idéalisée de la société dans laquelle la bourgeoisie pieuse était parée d'une légitimité morale. Enfin, l'émergence de ce type de finance est indissociable de celle des organisations humanitaires islamiques qui apparaissent au même moment : destinataires principales, au titre de la charité, des revenus « non *halal* » des banques islamiques[2], elles leur permettent de fonctionner « en conformité avec la *chari'a* » et donc de **se** justifier aux yeux des déposants pieux.

Ce système financier comporte deux sphères distinctes, même si elles participent du même esprit. La première est un mécanisme de redistribution partielle de la rente pétrolière entre États membres de l'Organisation de la Conférence Islamique (OCI), à travers la Banque Islamique de Développement, opérationnelle en 1975. Nous avons vu au chapitre précédent comment celle-ci renforçait la cohésion islamique (et la dépendance) entre les États membres pauvres d'Afrique ou d'Asie et les riches exportateurs d'hydrocarbures[3]. La seconde est le domaine des investisseurs et déposants privés. Elle a abouti, après quelques expériences en Égypte, à la création de banques commerciales islamiques qui ont commencé à voir le jour à Dubaï cette même année 1975. Une étape supplémentaire a été franchie avec la création de holdings transnationales : DMI (*Dar al Mal al Islami* : « Maison de finance islamique »), dont la fondation fut annoncée en juin 1981 par le prince Muhammad al Faysal Âl-Saoud, fils de feu le roi Faysal d'Arabie (assassiné en 1975), et groupe *Al Baraka* (« la baraka »), fondé en 1982 par un milliardaire saoudien, le cheikh Salih Abdallah Kamil. Outre leurs activités bancaires, ce sont des sociétés d'investissement de fonds — et la décennie 1980, qui a marqué la véritable expansion du système financier islamique, a aussi été celle de la diversification de ses placements. Dans trois pays, le Pakistan, l'Iran et le Soudan, les banques ont été islamisées autoritairement par l'État — elles sont restées nationalisées en Iran. Ailleurs, il s'agit d'initiatives principalement privées. En 1995, on identifiait cent quarante-quatre institutions financières islamiques à travers le monde[4], dont trente-trois banques gouvernementales, quarante banques privées, et soixante et onze sociétés d'investissement.

En doctrine, la finance islamique se réclame d'un principe de base, la prohibition du taux d'intérêt fixe, assimilé à de l'usure *(riba')*, proscrite par le Coran[5]. Pourtant, si tous les oulémas s'accordent sur l'interdiction de l'usure — considérée comme un péché plus grave que la fornication avec sa propre mère[6], il n'existe pas de consensus absolu sur l'assimilation entre celle-ci et le taux d'intérêt fixe : plusieurs *fatwas* de dignitaires religieux éminents — la dernière en date étant celle du cheikh d'Al Azhar[7] — distinguent entre les deux termes, rendant licites pour les bons croyants les opérations bancaires conventionnelles sous certaines conditions. La prohibition du taux d'intérêt, si elle se réclame de l'interdit de l'usure par facilité doctrinale, a pour fondement philosophique d'autres considérations : en fixant un taux déterminé par avance, on prend précaution contre les aléas du futur, et on se soustrait ainsi à la suprématie de la volonté divine, qu'exprime la formule arabe *in sha'a Allah*, « Si Allah le veut ». Une prohibition identique touche la pratique de l'assurance — qui prémunit des risques liés à des accidents ou calamités que Dieu déclenche comme il le choisit[8].

L'économie moderne fonctionnant sur les bases du taux d'intérêt et de l'assurance, conditions de l'investissement productif, de nombreux juristes islamiques se sont mis en frais pour trouver des « astuces » *(hiyal)* permettant d'y recourir sans donner l'apparence de tourner les injonctions du dogme[9]. L'argumentaire prit de plus en plus d'importance à mesure que les États du monde musulman s'inséraient dans l'économie mondiale. Ils demandaient aux oulémas des *fatwas* pour attirer l'épargne des croyants redoutant que les revenus provenant de placements à taux d'intérêt fixe les mènent tout droit en enfer.

À cette approche qui recherchait les accommodements avec le siècle et qui prévalait jusqu'aux années 1970 a commencé alors à s'en substituer une autre, qui réactivait l'interdit absolu du taux d'intérêt, et s'efforçait de plier l'économie moderne aux normes de la *chari'a*, suite à la réislamisation qui survient à partir de cette époque dans les domaines politique et culturel. D'un point de vue technique, ce système financier islamique « strict » repose sur un principe de base : tout taux d'intérêt fixe est prohibé, et le profit (ou la perte) d'un placement est fonction des risques encourus[10]. Le respect de cet interdit est assuré, à l'âge de la mondialisation du système bancaire, par un conseil de surveillance formé d'oulémas[11], ou « *chari'a board* », qui vérifie le caractère licite des opérations, sort du bilan celles qui seraient entachées d'un taux d'intérêt, et les affecte à des œuvres pies comme celles des organisations humanitaires.

La phase de gestation de la finance islamique a connu dans les années 1960 deux développements parallèles, qui ont par la suite été fondus dans une dynamique nouvelle. Sur le plan théorique l'ayatollah chi'ite irakien Baqir as-Sadr (qui devait être assassiné par le régime de Saddam Hussein en avril 1980) publia en 1961 un ouvrage intitulé *Notre économie (Iqtissadouna)* dans lequel il plaidait pour un système économique moderne fondé sur les seuls principes de l'islam, à une époque où les pays musulmans étaient intégrés dans le capitalisme mondial ou participaient, pour certains d'entre eux, au système socialiste sous l'égide soviétique, sans affirmer quelque spécificité économique. Selon as-Sadr, l'économie islamique était partie prenante du projet d'État islamique pour lequel il militait, relayant dans ce domaine les conceptions politiques de Sayyid Qotb ou de Khomeini. Pensée comme une rupture avec celle du monde non musulman, elle avait ainsi son idéologue[12]. Mais, comme en politique, la mise en œuvre en fut différée jusqu'à ce que les conditions objectives le permissent — en l'occurrence l'afflux des pétrodollars après 1973. Par ailleurs, un économiste égyptien, Ahmad al Naggar, se livra à une expérimentation qui n'avait pas de caractère idéologique, mais qui cherchait un moyen de mobiliser dans le circuit économique l'épargne que conservaient chez eux la masse de ceux qui n'avaient pas confiance dans les banques d'État. Il créa en 1963 une caisse d'épargne rurale à Mit Ghamr, dans le delta du Nil, qui appliquait des principes économiques islamiques sans s'en réclamer ostensiblement, pour ne pas encourir les foudres de Nasser. Al Naggar mettait en avant le caractère social de son entreprise : en ne pratiquant pas le taux d'intérêt, il touchait toute une clientèle de petites gens qui étaient restés extérieurs au réseau bancaire officiel nationalisé. Il parvint à attirer leur épargne comme à financer des projets qui permettaient l'ascension sociale de certains d'entre eux. Les plus démunis bénéficiaient de prêts sans intérêt *(qard hassan)* à partir de leurs dépôts sur comptes courants non rémunérés. Quant aux déposants plus importants qui cherchaient à investir, ils participaient aux risques (profits comme pertes) encourus par les entreprises que la caisse finançait [13]. Enfin, celle-ci avait établi un fonds de *zakat* fixé à 2,5 % du capital, affecté aux secours pour les nécessiteux [14].

L'expérience fut arrêtée par l'État en 1968, en dépit des fonds importants collectés, du fait de problèmes de gestion. Elle reste évoquée encore à ce jour par les banquiers islamiques les plus soucieux d'exposer leur caractère social et populaire. En 1972, Sadate, qui, après avoir libéré de prison les dirigeants des Frères musulmans, créa la Banque Sociale Nasser qui pratiquait le prêt sans intérêt, collectait et redistribuait la *zakat* aux nécessiteux. Banque islamique qui ne s'affichait pas comme telle (et se réclamait même de Nasser), elle servait à l'État qui la gérait de moyen d'interventions dans le domaine caritatif et religieux. Elle contribuait à soustraire le contrôle de celui-ci à la mouvance islamiste, qui en avait fait l'un de ses champs d'activité prioritaires où recruter sympathisants et militants [15].

Pourtant, le véritable essor de la finance islamique contemporaine — même si celle-ci se réclame d'idéaux sociaux et religieux — est lié à un tout autre phénomène : le recyclage dans le système bancaire de la manne des pétrodollars, ces fonds gigantesques dont disposent les pays exportateurs de pétrole après l'explosion des prix consécutive à la guerre d'octobre 1973 [16]. Dans les années qui suivent, les expatriés qui viennent travailler dans ces pays se trouvent détenteurs d'une masse de liquidités. Il s'agit d'un flux financier inédit, qui permet l'émergence d'une classe moyenne musulmane transnationale nouvelle, dont beaucoup de membres ont été gagnés par la piété durant leur séjour et leur enrichissement dans les pétromonarchies. Ils sont à la recherche d'un type d'investissement pour leur épargne qui la mette à l'abri des confiscations, nationalisations et autres saisies qu'ils soupçonnent les banques officielles de leurs pays d'origine, surtout lorsqu'elles sont contrôlées par l'État, de fomenter. Beaucoup sont également désireux de faire des placements très rémunérateurs, fussent-ils risqués, après satisfaction des besoins de consommation. Enfin, ils sont prêts à soutenir un système bancaire privé, sans frontières, qui corresponde à leur propre identité sociale dilatée entre pays d'origine et pays d'enrichissement. Les banques islamiques sauront répondre adéquatement à cette demande financière sans précédent ; simultanément, elles consolideront ce groupe social nouveau constitué par leurs déposants, feront une classe moyenne pieuse fidèle aux intérêts saoudiens et dépendante de ceux-ci.

La banque Faysal Islamique d'Égypte, créée en 1977, correspond bien à ce profil. Dirigée par un prince saoudien, fils du roi Faysal, qui lui a donné ce nom propre à rassurer déposants et investisseurs pieux, elle fixe un minimum de dépôts de deux cents dollars, somme qui représente à cette époque plusieurs fois le salaire mensuel d'un professeur d'Université égyptien et signifie qu'elle vise d'abord la clientèle des détenteurs de devises soucieux de voir leur épargne fructifier « selon la *chari'a* », c'est-à-dire les expatriés. Le capital est détenu à 49 % par de grandes familles saoudiennes, dont les Ben Laden, et la banque bénéficie du concours de l'establishment religieux égyptien, notamment du cheikh Cha'rawi, le prédicateur le plus présent à la télévision, de dirigeants en vue du courant islamiste bourgeois, ainsi que d'hommes d'affaires et d'entrepreneurs de premier plan liés au pouvoir. Grâce à ces multiples soutiens, elle offre un visage parfaitement pieux, qui lui vaudra la confiance de toute une classe de déposants potentiels, attirés de surcroît par l'appât du gain. Elle sert des rémunérations supérieures au taux d'intérêt des banques conventionnelles, en privilégiant les opérations à court terme dans des secteurs à rentabilité rapide qui financent la consommation à un moment où celle-ci se développe grâce à l'ouverture économique et aux retombées du pétrole, voire en spéculant sur les métaux précieux. Dans la première moitié des années 1980, cet engouement pour les placements islamiques connaît un grand essor, et se traduit par la création d'une centaine de Sociétés islamiques de placements de fonds qui servent des bénéfices annuels de l'ordre de 25 %. Nées pour beaucoup d'entre elles dans le milieu des changeurs « au noir », elles savent contourner les blocages bureaucratiques pour réaliser des opérations très profitables. Elles collectent des dépôts considérables, mêlant l'attrait de profits élevés à la garantie religieuse des oulémas qu'elles recrutent pour émettre des *fatwas*, dénonçant les banques conventionnelles et louant les sociétés d'investissement islamiques.

Dans le cas égyptien, ces sociétés ont d'abord bénéficié des encouragements d'une partie du pouvoir, qui voyait là l'occasion d'intégrer les classes moyennes pieuses : en y plaçant leur argent et en en retirant de larges bénéfices, elles ne basculeraient pas dans la contestation radicale du régime prônée par les intellectuels islamistes qui avaient enfanté les assassins de Sadate et les mouvements extrémistes des années 1970. Au lieu de rejoindre l'opposition, elles seraient intégrées économiquement et trouveraient leur intérêt à la perpétuation d'un système politique qui leur permettait de s'enrichir. Pourtant, à partir de 1988, le pouvoir commença à craindre que la puissance financière acquise par ces sociétés n'en fasse une instance incontrôlable, et ne devienne le moyen pour ses opposants islamistes d'y constituer son trésor de guerre contre le régime « impie » du président Moubarak. Mosquées, hôpitaux, dispensaires, publications de « livres islamiques » et activités caritatives multiples financées par les sociétés de placement de fonds ne furent plus perçus comme un palliatif bienvenu aux insuffisances sociales du gouvernement, mais comme l'embryon d'un État dans l'État, où bourgeoisie pieuse, intellectuels islamistes et jeunesse urbaine pauvre collaboraient pour saper les bases du régime. Ces sociétés firent alors l'objet de campagnes de presse hostiles dans les mêmes journaux qui avaient publié de nombreuses pages de publicité pour elles, des entretiens avec leurs responsables et les *fatwas* des dignitaires religieux qui les recommandaient. Les liens de certaines d'entre elles avec des militants extrémistes furent exposés au grand jour, en même temps qu'elles furent présentées comme des entreprises frauduleuses. Enfin, elles furent mises en demeure de modifier leur structure légale. Ces diverses mesures sapèrent la confiance des déposants qui, dans la panique, tentèrent de retirer leurs fonds, précipitant la faillite de nombre de ces sociétés, notamment celles dont les placements étaient les plus risqués et spéculatifs.

L'exemple égyptien illustre l'ambivalence de la finance islamique, objet des convoitises et des tentatives de contrôle du pouvoir comme de l'opposition islamiste. En dépit des facilités accordées dans les premiers temps aux banques et aux sociétés d'investissement selon la *chari'a*, le gouvernement y a vu un risque politique croissant, surtout à partir de 1986, après que la plupart des condamnés dans les procès liés à l'assassinat de Sadate et au soulèvement d'Assiout [17] ont été libérés, et quand une émeute des conscrits de la police contre leurs conditions de vie misérables finit en saccages des grands hôtels proches des Pyramides [18]. Ainsi, malgré les garanties de conservatisme social que l'Arabie Saoudite offrit au départ à un réseau bancaire sur lequel elle exerçait de l'influence, l'expansion de celui-ci à travers des sociétés d'investissement nombreuses dirigées par des personnages incontrôlables ouvrait la voie à une autonomie politique de la bourgeoisie pieuse. Elle pouvait basculer dans une opposition radicale, s'allier aux militants extrémistes destinataires de certains des financements des sociétés incriminées, dans la perspective de renverser le régime. C'est ce qui motiva l'intervention du gouvernement pour brider la finance islamique, à travers des mesures législatives prises en 1988 — tandis que l'année suivante le mufti de la République, le cheikh Tantawi, promulguait une *fatwa* qui déclarait licite au regard de l'islam le système bancaire conventionnel égyptien pratiquant le prêt à intérêt.

L'interaction entre finance et militantisme devait jouer un rôle important au Soudan voisin, pour faciliter la prise du pouvoir par le mouvement islamiste en 1989. En 1977, le président Nimayri avait autorisé l'ouverture de la Banque Islamique Faysal dans ce pays, à une période où il tentait de briser l'isolement de son régime en menant une politique de « réconciliation nationale » à laquelle étaient partie prenante les Frères musulmans. Pour le pouvoir, c'était une occasion d'attirer des fonds saoudiens — qui entraient à 60 % dans le capital de départ[19]. Mais la banque fut dirigée par des Frères, dont certains avaient été accueillis par le prince Faysal en Arabie pendant que Nimayri pourchassait les islamistes au début des années 1970. Un autre de ses dirigeants deviendrait l'un des principaux dignitaires du régime de M. Tourabi après 1989[20]. Comme la banque *Al Baraka* fondée peu après, elle devait non seulement fournir de nombreux emplois à de jeunes militants diplômés, leur permettant une ascension sociale à travers ce réseau, mais aussi attirer des dépôts de Soudanais expatriés et des commerçants du souk. Ces banques furent considérées comme l'une des places fortes d'un mouvement islamiste qui, contrairement à ses homologues égyptien ou algérien, n'avait guère de base populaire, mais recrutait la plupart de ses soutiens dans les jeunes élites éduquées. Elles jouèrent un rôle clef dans la structuration d'une petite bourgeoisie pieuse qui, le moment venu, s'allierait aux intellectuels islamistes et à des officiers de l'armée pour s'emparer du pouvoir en 1989 par un coup d'État (et non une révolution, car la jeunesse urbaine pauvre ne se mobilisa pas), comme nous le verrons plus loin.

Au Pakistan, en Malaisie, en Jordanie, voire dans des États aussi laïques que la Turquie ou la Tunisie[21], la création de banques islamiques, souvent accompagnée de mesures fiscales très favorables, se situa partout, comme dans les cas égyptien ou soudanais que nous avons évoqués, au croisement d'enjeux internationaux et nationaux. Pour l'Arabie Saoudite et les milieux politico-financiers des pétro-monarchies du Golfe, c'était l'occasion de resserrer les liens avec les bourgeoisies pieuses locales ; pour les autres États, le moyen d'attirer celles-ci et les dissuader de prendre part à des mouvements islamistes radicaux. Ces derniers y voyaient la possibilité d'établir un trésor de guerre hors du contrôle du pouvoir, ce qui permettrait de financer son renversement. Elles devinrent donc l'un des facteurs les plus importants de l'expansion islamique des années 1980, car, autour de leur devenir, se jouait l'attitude politique des classes moyennes pieuses. Celles-ci prirent des positions contradictoires selon la situation propre à chaque pays, mais utilisèrent d'abord l'émergence de ce système bancaire pour se constituer comme un groupe social et culturel particulier, désireux de faire entendre sa voix de manière autonome. Cela contribua à accroître la visibilité — et la respectabilité — de la référence islamiste, qui s'embourgeoisa significativement durant cette décennie, sans qu'il apparût encore si cette bourgeoisie nouvelle ferait prévaloir son zèle militant ou ses intérêts strictement financiers.

4

L'« Intifada » et l'islamisation
de la cause palestinienne

Axé sur la rivalité irano-saoudienne, le monde islamique des années 1980 avait marginalisé quelque peu le Moyen-Orient. Les lignes de force s'étaient déplacées vers l'est : sur le front irako-iranien pendant la guerre entre ces deux pays, vers l'Afghanistan et le Pakistan durant les années de *jihad*. La cause palestinienne, qui cristallisait l'identité arabe et lui donnait le plus clair de son sens, avait perdu une grande part de sa capacité militante et de son attrait : l'OLP, affaiblie par la répression israélienne dans les territoires occupés, avait brouillé la clarté de son message par ses engagements sans gloire dans les méandres de la guerre civile libanaise, avant de se voir expulsée militairement du Liban au lendemain de l'invasion israélienne de 1982. Enfin, en décembre 1983, Arafat et ses loyalistes devaient quitter Tripoli, au Liban, à la suite d'une offensive syrienne qui soutenait les groupes palestiniens opposants, dont l'importance et l'audace s'étaient nourries des échecs de l'organisation.

Avec l'*Intifada*, qui débute à la fin de 1987, la cause palestinienne retrouve l'aura perdue depuis le début de la décennie. Le mouvement, dont le nom arabe signifie « soulèvement », conquiert sa popularité de « révolte des pierres » et dresse de jeunes Palestiniens désarmés contre l'armée d'occupation israélienne. Il s'avérera si dommageable pour l'État juif, son image internationale et son identité morale, qu'il contraindra ses dirigeants à envisager un processus de reconnaissance de l'OLP. Celui-ci prendra forme après la guerre du Golfe de 1990-91, et aboutira à la « déclaration de principe [1] » israélo-palestinienne de septembre 1993 et à l'installation à Gaza de l'Autorité palestinienne autonome conduite par Yasser Arafat, en juillet 1994.

Mais en recouvrant son prestige avec l'*Intifada*, la cause palestinienne change en partie d'image. Elle incarnait à la fois le nationalisme arabe et des idéaux qui, à l'échelle internationale, s'inscrivaient dans la mouvance tiers-mondiste et socialiste. Elle était restée extérieure à l'émergence de l'espace de sens islamique dont les porte-parole les plus éloquents ne maîtrisaient guère les catégories. Dans ce domaine, le *jihad* en Afghanistan s'était substitué à elle comme pôle d'identification, voire comme champ de bataille chez un certain nombre de jeunes Arabes — même si Abdallah Azzam ne manquait jamais de rappeler dans ses publications que combattre en Palestine comme en Afghanistan était un même devoir individuel pour tous les musulmans, dont la terre avait été « usurpée par l'ennemi ». Les camps palestiniens du Liban dans les années 1970 avaient été remplacés par ceux des « jihadistes » de Peshawar dans l'imaginaire de la génération suivante, et les priorités financières du soutien des pays arabes pétroliers s'en étaient ressenties, comme le déplorait un dirigeant de l'OLP qui aurait été heureux que son organisation reçoive « même 10 % de l'aide qui va aux *moujahidines* en Afghanistan [2] ». Or le déclenchement de l'*Intifada*

transforme cette perception : il permet à des islamistes d'accéder à une grande visibilité dans tous les
territoires occupés, particulièrement à Gaza. L'OLP
perd son monopole sur la représentation symbolique des Palestiniens — et il lui faudra batailler
durement pour maintenir son hégémonie.

Nous avons noté plus haut comment la révolution
iranienne avait inspiré un groupe militant très
motivé mais au recrutement restreint, le Jihad Islamique, qui réconcilia en pratique la revendication
islamiste et la lutte anti-israélienne, face à l'OLP
combattante mais a-religieuse et aux Frères musulmans pieux mais politiquement inactifs contre
Israël. Il se signala par des actions spectaculaires,
notamment l'assassinat de soldats israéliens, mais
ne parvint à construire ni une implantation de
masse ni des réseaux de solidarité profonds au sein
de la population. L'émergence d'un mouvement islamiste puissant à l'occasion de l'*Intifada* est principalement imputable à la mutation des Frères
musulmans, qui abandonnèrent leur attitude quiétiste traditionnelle et passèrent au *jihad* contre
l'occupant, avec la création du mouvement Hamas,
quelques jours après le début du soulèvement.

On date celui-ci du 8 décembre 1987, lorsqu'un
camion israélien emboutit deux taxis palestiniens,
causant quatre morts. La veille, un Israélien avait
été poignardé à Gaza, et la collision fut interprétée
comme une revanche délibérée, et non un accident
de la route, par de jeunes Palestiniens des camps de
réfugiés qui lancèrent des manifestations de colère,
rassemblant des foules nombreuses[3]. Au lieu de
retomber rapidement, le mouvement, à la surprise
des dirigeants de l'OLP de l'extérieur (comme des
Frères musulmans), se transforma en un soulèvement durable. L'*Intifada* se produisit dans un

contexte social et politique global qui évoque celui de l'émergence islamiste des années 1970 en Égypte, auquel s'ajoutent des caractéristiques propres à la situation palestinienne. De même que les mouvements égyptiens ont commencé à se développer significativement vingt ans après la prise du pouvoir par Nasser en 1952, lorsque arrivait à l'âge adulte une génération qui n'avait jamais connu l'ancien régime et demandait des comptes au pouvoir en place, l'*Intifada* se produit vingt ans après l'occupation des territoires palestiniens par Israël en juin 1967. Les jeunes de 1987 n'ont d'autre expérience que l'occupation et la gestion de la résistance depuis deux décennies par les élites de l'OLP. Si l'organisation conserve un accès privilégié au tissu social palestinien grâce aux fonds qu'elle collecte auprès de la diaspora et surtout des monarchies pétrolières, puis redistribue sur le terrain, elle semble militairement et politiquement dominée par Israël et incapable de sortir de l'impasse une jeunesse qui a connu des bouleversements profonds. En termes démographiques, tout d'abord, les territoires occupés détiennent le record mondial de la natalité et de la fécondité [4], près de la moitié de la population ayant moins de quinze ans et 70 % moins de trente. L'éducation s'y est généralisée, et on comptait en 1984-85 plus de trente mille étudiants, sur place comme à l'étranger. Pourtant, 20 % seulement des diplômés du secondaire ou du supérieur parvenaient à trouver un travail au terme de leurs études. Parmi les établissements supérieurs, l'Université Islamique de Gaza, fondée en 1978 et animée par les Frères musulmans, comptait quelque cinq mille étudiants, à quoi s'ajoutaient d'autres instituts islamiques à Hébron et Jérusalem [5]. Issus de milieux généralement modestes, première génération massivement éduquée, les diplômés se retrouvaient chômeurs ou journaliers en Israël pour la plupart d'entre eux. La prévention de l'explosion sociale dans un contexte aussi tendu avait été assurée par l'aide internationale, l'émigration vers les pays arabes pétroliers et les transferts de fonds des émigrés. Mais le retournement du marché pétrolier de 1986 avait considérablement restreint cette manne, tandis que se développait la colonisation juive dans les territoires — encouragée par l'arrivée des immigrants de Russie —, et que de nombreux obstacles étaient mis par Israël au développement économique et à tout investissement, qui risquaient de consolider l'affirmation d'une entité palestinienne[6].

Cette situation était propice à l'émergence de la jeunesse comme acteur politique autonome. Telle fut la première caractéristique de l'*Intifada*, que les dirigeants palestiniens, toutes tendances confondues, n'avaient pas vu venir. C'est dans les camps de réfugiés de Gaza, où la population était le plus démunie, que les manifestations furent les plus dures dès les premiers jours[7]. Les autres groupes sociaux qui prirent part au soulèvement — les villageois (dont beaucoup étaient journaliers en Israël) et les commerçants — ne le rejoignirent qu'au début de 1988, quand il était devenu clair qu'il allait se prolonger et que leurs intérêts économiques et politiques seraient davantage menacés par leur abstention que par leur participation[8]. Mais tout au long des quatre ou cinq années que dura le soulèvement[9], les *shebab*, les jeunes, jouèrent un rôle central, convaincus qu'ils n'avaient rien à perdre dans l'affrontement, aussi violent soit-il.

OLP et Hamas entrèrent rapidement en concurrence pour diriger l'*Intifada*. Chacun tentait de mobiliser et d'encadrer à son profit les *shebab* dont l'allégeance pouvait faire basculer le sens de la lutte, et d'éviter qu'ils ne rejoignent l'adversaire. Hamas disposait d'atouts importants : comme nous l'avons indiqué, les tensions sociales et démographiques exacerbées dans les territoires occupés en 1987 présentaient des similitudes avec celles qui avaient favorisé l'émergence des mouvements islamistes ailleurs. Mais l'OLP, contrairement aux régimes arabes discrédités, ne dirigeait pas d'État contre lequel la jeunesse aurait pu déployer sa rage. En dépit de ses faiblesses et de ses insuccès dans les années 1980, elle restait l'incarnation de la résistance et d'une indépendance à venir, et Arafat disposait d'une légitimité politique parmi les Palestiniens infiniment supérieure à celle de n'importe lequel des chefs d'État arabes de la région. Le soulèvement se faisait avant tout contre l'occupation israélienne[10]. Cependant la compétition islamiste s'avéra rude pour l'organisation nationaliste palestinienne.

Les Frères musulmans, réunis le 9 décembre 1987 autour de leur figure de proue, le cheikh Ahmad Yassine, diffusaient le 14 un tract signé du Mouvement de la Résistance Islamique appelant à l'intensification du soulèvement[11]. Mais ils ne reconnurent la paternité de ce MRI qu'en février 1988 : ses initiales en arabe (HMS pour *Harakat al Mouqawama al ISlamiyya*) seraient transformées en le sigle Hamas (« zèle ») sous lequel l'islamisme palestinien deviendrait célèbre dans le monde entier. Pendant ces premiers mois d'hésitation, les Frères furent partagés entre la crainte que la répression israélienne n'écrase du même coup le soulèvement et leur organisation, si elle s'en réclamait, et la hantise que la jeunesse pauvre ne leur échappe et rejoigne d'autres groupes, le Jihad Islamique ou l'OLP. C'est pourquoi ils donnèrent à Hamas l'apparence d'une instance opérationnelle, autonome par rapport à eux. Mais leurs incertitudes reflétaient aussi le malaise d'un mouvement dirigé par des clercs religieux, des médecins, pharmaciens, ingénieurs et enseignants, soit des intellectuels issus des classes moyennes pieuses, devant une initiative spontanée et violente de la jeunesse pauvre. Le moment où les Frères décident d'assumer la paternité de Hamas, en février 1988, correspond à l'entrée en scène des commerçants. Après s'être fait forcer la main par les *shebab*, ils affrontent la police israélienne en fermant leurs échoppes, suivant les mots d'ordre de grève. Ceux-ci représentent un groupe social traditionnellement proche de ce courant. À partir de l'époque où des membres pieux des classes moyennes et le souk basculent dans le soulèvement, la voie est ouverte à la dynamique d'un mouvement islamiste puissant. La jeunesse pauvre n'est plus perçue comme un acteur politique imprévisible par des Frères musulmans perplexes, mais comme le champ d'action par excellence du prosélytisme — d'autant que, en mars 1988, la répression israélienne a anéanti les cellules du Jihad Islamique, libérant l'espace politico-religieux de tout concurrent radical. Hamas s'efforcera de canaliser la rage sociale hétéroclite et imprévisible de cette jeunesse et de la transformer en un « zèle » pieux au service de son projet de société particulier. Il jouera sur le triple registre privé, social et politique. Par le fort contenu moral de son message, il fera des jeunes démunis les porteurs d'une authenticité islamique qui seront chargés de punir le « vice » des classes moyennes ou bourgeoises, dont la liberté de mœurs ou l'occidentalisation sera dénoncée comme un effet de la « dépravation juive », ce qui mettra ainsi en cause la légitimité éthique de leur statut d'élite. Les attaques contre les activités culturelles « non islamiques », les débits de boisson, voire les jets d'acide sur les femmes non voilées (générale-ment issues des classes moyennes), participeront de cette même logique qui tend à faire des classes populaires réislamisées les représentantes par excel-lence des valeurs de la société face aux élites séculières stigmatisées moralement. Pareil phéno-mène était observable en 1978 lorsque le clergé prit le contrôle du mouvement populaire dans la révolu-tion iranienne, et on le retrouvera quelque temps plus tard en Algérie, avec le développement des groupes islamistes armés. La référence morale sert à galvaniser les pauvres comme l'incarnation du peuple véritable, de l'Oumma pure et sincère face aux élites laïques « corrompues », les orientant ainsi vers l'alliance avec la bourgeoisie pieuse.

L'OLP, également prise au dépourvu par le proces-sus de l'*Intifada*, le ressent comme une remise en cause de son hégémonie politique. Elle y voit un mouvement spontané de *shebab* qui marginalise les politiciens plus âgés et plus établis, liés à elle. À par-tir de janvier 1988, un équilibre complexe s'établit entre de jeunes cadres nationalistes de Gaza, de Cis-jordanie et de Jérusalem, qui appartiennent aux diverses composantes de l'organisation (Fatah, FPLP, FDLP, Parti communiste), et la direction en exil à Tunis, qui n'aura de cesse de reprendre l'initia-tive. La mise en place du Commandement National Unifié (CNU) est le point d'équilibre entre la direc-tion de l'extérieur, incarnée par Arafat, et cette géné-ration de l'intérieur, d'origine plus modeste, qui accède pour la première fois à des fonctions de res-ponsabilité[12]. Les défis de ces leaders du CNU sont multiples : il leur faut simultanément lutter contre la répression israélienne, limiter la montée de Hamas et échapper à l'emprise exclusive de Tunis. L'issue se trouve dans leur capacité à mobiliser les *shebab*, à orienter leurs actions sur des cibles politiques anti-israéliennes clairement identifiées, sans débordement, et à leur proposer une alternative à l'identité islamiste qu'offrent leurs adversaires.

Hamas et le CNU se disputent au grand jour, dès l'été 1988, l'allégeance des acteurs de l'*Intifada* en publiant des calendriers divergents de jours « obligatoires » de grève et de travail. Des heurts tournent à l'avantage des islamistes, que le CNU est contraint de laisser libres de proposer leur propre calendrier. C'est la première fois, dans l'histoire du mouvement palestinien, qu'ils parviennent à imposer leur volonté aux nationalistes. Cette montée en puissance sur le terrain se prolonge dans le domaine idéologique avec la diffusion de la Charte de Hamas, le 18 août, qui se démarque de la Charte de l'OLP, référence obligée et unique jusqu'alors. Elle rappelle que le *jihad* pour libérer la Palestine, terre musulmane usurpée par les ennemis, est une obligation religieuse individuelle *(fard 'ayn)* — comme en écho aux proclamations similaires d'Abdallah Azzam sur l'Afghanistan (et la Palestine) depuis Peshawar : « il n'y aura de solution à la cause palestinienne que par le *jihad*. Quant aux initiatives, propositions et autres conférences internationales, ce ne sont que pertes de temps et activités futiles[13] ». Cela est surtout l'occasion de prendre date contre le processus de négociation que le Conseil National Palestinien, le « Parlement » de l'OLP, enclenche lors de sa réunion à Alger le 15 novembre, où il proclame l'État palestinien indépendant, tout en acceptant l'existence d'Israël.

Dès lors, islamistes et nationalistes s'engagent dans une course de vitesse : Hamas s'efforce de capitaliser l'opposition à la voie diplomatique de l'OLP, en présentant l'organisation comme la dupe de la

« duplicité juive ». Tout durcissement de l'affrontement avec Israël favorise sa stratégie. Quant à l'OLP,
la poursuite de l'*Intifada* lui sert à accroître la pression sur l'État hébreu pour l'amener à la négociation
aux meilleures conditions pour la partie palestinienne. Dans la compétition entre ces deux sensibilités, le principal enjeu est d'attirer à soi les « comités
populaires » qui se créent à l'échelle des quartiers,
des camps ou des villages, et organisent la résistance
quotidienne, distribuant les tours de garde, réparant
les rideaux de fer des magasins et les cadenas brisés
par les militaires israéliens, mettant en œuvre les tactiques de survie dans un contexte où le boycott et les
grèves permanentes, la démission des fonctionnaires
et des policiers palestiniens entraînent la pénurie, le
manque de revenus et l'asphyxie économique [14].
  Au cours de l'année 1989, les difficultés matérielles croissantes se combinèrent avec le blocage
politique, car Israël refusait les offres de négociations de l'OLP après le congrès d'Alger. Cela favorisa
la radicalisation de la population et l'influence des
islamistes. De plus, Hamas bénéficiait de relais efficaces dans le réseau des mosquées et des associations caritatives des Frères musulmans, qui avaient
profité de la mansuétude israélienne. En septembre,
l'État hébreu, désormais préoccupé par le succès
islamiste, changea de stratégie et prit les premières
mesures répressives, arrêtant et condamnant le
cheikh Ahmad Yassine et plus de deux cents des
principaux activistes. Comme l'État égyptien de
Sadate qui avait encouragé les *jama'at islamiyya*
contre la gauche à l'Université avant de les contrecarrer, Israël chercha à briser un mouvement qui,
certes, gênait les nationalistes du CNU, mais était
devenu un adversaire redoutable de l'État hébreu,
sous la pression des jeunes rejoignant Hamas en

nombre croissant. À ce stade, la répression ne fit qu'accroître la légitimité de la mouvance islamiste aux yeux de la population des territoires occupés. Les dirigeants emprisonnés furent remplacés par une génération plus jeune, moins expérimentée politiquement, et dont la fougue devait se traduire par des actes de violence désordonnés. Une même évolution se dessinait dans les rangs des nationalistes, dont les élites étaient réprimées avec plus d'ampleur et depuis plus longtemps par Israël.

L'année 1990, la troisième de l'*Intifada*, vit augmenter l'influence de Hamas dans divers syndicats professionnels palestiniens qui étaient jusqu'alors sous le contrôle des partisans de l'OLP : pour la première fois les islamistes remportèrent des élections professionnelles qui marquaient leur percée dans la classe moyenne salariée[15]. Parallèlement, ils réussirent à capter une part importante de l'aide arabe du Golfe : en 1990, le Koweït versa soixante millions de dollars à Hamas contre vingt-sept millions seulement à l'OLP[16]. Ainsi, le mouvement islamiste palestinien était parvenu à mobiliser simultanément des éléments de la bourgeoisie pieuse et de la jeunesse pauvre, en particulier dans les camps, où l'impatience grandissait face à l'absence de résultats de l'offre de paix d'Arafat à Israël. En réponse à ce défi, l'OLP proposa à Hamas de faire partie du Conseil National Palestinien, en avril 1990 — dans l'espoir de le transformer en une force d'opposition minoritaire qui se soumettrait à la loi de la majorité et serait mieux contrôlable — à l'instar du FPLP, du FDLP ou du Parti communiste. Le mouvement islamiste exigea près de la moitié des sièges du Conseil, la réitération de l'élimination d'Israël, et la proclamation du *jihad* comme seule voie pour libérer la Palestine[17] : si ces conditions avaient été acceptées, elles auraient fait de Hamas la force dominante du CNP, et remis en cause tout l'effort diplomatique issu des résolutions prises à Alger en décembre 1988. Elles furent rejetées par l'OLP, et les escarmouches se multiplièrent sur le terrain entre militants des deux factions. Hamas s'estimait en position de force : il avait créé une dynamique qui paraissait d'autant plus irrépressible que la guerre du Golfe de 1990-91 (que nous traiterons dans la troisième partie) porta un coup terrible à l'OLP dont les dirigeants avaient soutenu l'Irak contre le Koweït et l'Arabie Saoudite. L'affaiblissement de la centrale palestinienne s'était traduit sur le terrain par la multiplication d'actes de violence incontrôlés, l'assassinat de centaines de « collaborateurs » réels ou supposés, et le peu de suivi des appels à la grève lancés par le CNU qui ne parvenait plus à « tenir » le soulèvement. Les conditions semblaient réunies pour que les islamistes bousculent en Palestine, comme ailleurs dans le monde, les nationalistes : le *jihad* dans les territoires occupés prendrait le relais de celui qui déclinait alors en Afghanistan, bouleversant la signification symbolique de la cause palestinienne.

Au moment où éclatait la crise du Golfe, en 1990, l'islamisme palestinien avait su construire une dynamique politique en tirant profit de l'*Intifada*, mobilisant ensemble jeunesse pauvre et classes moyennes pieuses, et disputer à l'OLP son hégémonie. La dernière cause propre au nationalisme arabe semblait en passe de changer de registre symbolique et d'intégrer l'espace de sens islamique, après l'Afghanistan et avant l'Algérie et la Bosnie. Mais la capacité de Yasser Arafat à rebondir et à changer le cours des événements, trempée par deux décennies d'adversité et d'épreuves, en déciderait autrement — comme on le verra dans la troisième partie.

5

Algérie : les années FIS

Moins d'une année après le début de l'*Intifada*, un autre pays qui avait incarné en son temps l'arabisme, le tiers-mondisme et l'anti-impérialisme allait à son tour basculer dans la sphère de l'islam politique : en octobre 1988, l'Algérie était la proie des émeutes les plus graves depuis son indépendance (1962). La jeunesse urbaine pauvre, marginalisée par la haute hiérarchie militaire qui contrôlait le pouvoir à travers l'appareil du Front de Libération Nationale (FLN), s'empara de la rue, manifestant qu'elle serait désormais un acteur social à part entière. Comme en Égypte ou en Palestine, l'événement concerna la première génération qui arrivait à l'âge adulte sans avoir jamais connu d'autre régime que celui contre lequel elle se dressait. Là encore, l'explosion démographique avait précipité les enfants des fellahs vers les villes et leurs périphéries aux conditions de vie précaires ; et là aussi, la masse de ces jeunes eut pour la première fois dans l'Histoire accès à l'éducation, source de grandes espérances puis d'insupportables frustrations lorsque le diplôme durement acquis se révéla sans valeur sur le marché du travail. En 1989, 40 % des vingt-quatre millions d'Algériens avaient moins de 15 ans, la population urbaine dépassait 50 %, le taux de natalité s'élevait à 3,1 %, et 61 % des adolescents étaient scolarisés dans l'enseignement secondaire. Le taux de chômage « officiel » était de 18,1 % de la population active (probablement beaucoup plus élevé dans les faits) — et il passerait officiellement à 28 % en 1995 [1].

La jeunesse urbaine pauvre algérienne était affublée du sobriquet de *hittiste* — terme mêlant l'arabe *hit* (« mur ») au suffixe français [2]. Cette trouvaille sociologique et politique de l'humour local désignait le jeune désœuvré adossé au mur toute la journée. Elle laissait entendre que, dans un pays socialiste où chacun était censé bénéficier d'un emploi, le métier des *hittistes* consistait à « tenir le mur » pour éviter sa chute. Cette appellation dérisoire avait fait d'eux un objet social passif, sans prise sur leur destin, contrairement aux « déshérités » iraniens *(mostad'afines)*, ainsi glorifiés par les mouvements religieux qui les mobilisaient et les érigeaient en porteurs du sens de l'Histoire et de la Révélation.

Les journées d'octobre 1988 s'inscrivent également dans le contexte particulier de l'Algérie de la fin de cette décennie : les hydrocarbures y représentent plus de 95 % de la valeur des exportations, et assurent plus de 60 % des ressources budgétaires. Sous les présidents Ben Bella (1962-65) et Boumediene (1965-78), l'État algérien était une sorte de pétrodémocratie populaire. Les revenus du pétrole permirent au pouvoir qui en monopolisait la rente d'acheter la paix sociale en subventionnant les biens de consommation importés, en contrepartie de la passivité politique de la population. Inspiré par le modèle soviétique, le régime interdisait l'expression de toute opposition, et était coiffé par le parti unique, le Front de Libération Nationale (FLN), qui se targuait d'une légitimité irréfutable pour avoir mené la guerre d'Indépendance contre la France de 1954 à

1962[3]. Dans les faits, sous le vernis du socialisme et de « l'unité de la famille révolutionnaire » autour du FLN, les détenteurs effectifs du pouvoir se recrutaient pour l'essentiel parmi les arabophones de l'est du pays[4], d'où étaient issues la haute hiérarchie militaire et la nomenklatura du parti, au détriment des populations du Centre et de l'Ouest, ainsi que des Kabyles, qui avaient pourtant payé un lourd tribut à la guerre d'Indépendance.

Cette balance des forces faite de socialisme et de subsides, de répression et d'idéologie officielle, reposait sur des équilibres économiques fragiles conditionnés pour l'essentiel par le prix élevé des hydrocarbures. En 1986, le retournement du marché pétrolier, qui se traduisit par une baisse de moitié du budget de l'État, ruina l'édifice. De plus, l'explosion démographique suscitait des besoins croissants, tant dans le domaine alimentaire que dans les infrastructures urbaines, le logement, l'emploi, etc. Or les dysfonctionnements de l'économie planifiée avaient engendré de nombreuses pénuries, accompagnées d'une vaste corruption et de l'expansion d'un secteur commercial informel aux prix spéculatifs, le *trabendo*[5]. Le marché de la construction en particulier avait pris un retard considérable par rapport à la demande[6], ce qui créait des situations de promiscuité et d'entassement propices à l'explosion sociale.

C'est dans ce climat dégradé, marqué par des grèves à répétition, qu'éclatèrent au soir du 4 octobre 1988 des émeutes pendant lesquelles de jeunes Algérois pauvres s'en prirent aux symboles de l'État et des services publics (autobus, signalisation routière, agences d'Air Algérie) ainsi qu'aux voitures de luxe et au centre commercial Riadh al Fath [« les jardins de la victoire »], sur les hauteurs de la capitale, lieu de consommation somptuaire et de rendez-vous de la

« tchi-tchi », ou jeunesse dorée. La réaction violente des forces de répression, qui fit plusieurs centaines de morts, leur valut de se faire conspuer comme « juifs ! » par les jeunes manifestants qui voyaient chaque soir à la télévision d'État des images de l'*Intifada* réprimée par l'armée israélienne. Le régime n'imaginait pas que ses professions cathodiques d'anti-sionisme se retourneraient contre lui de la sorte. Le soulèvement d'octobre fut largement spontané, et riche en signes de rage sociale et de dérision de l'idéologie du pouvoir : près de Riadh al Fath, le drapeau algérien fut amené et un sac de semoule vide hissé à sa place. Mais ces journées ne se réduisirent pas à une « révolte du couscous » ni à un « chahut d'étudiants ayant mal tourné[7] », comme les présentèrent commentateurs et représentants du pouvoir. Elles marquèrent l'apparition de la jeunesse urbaine pauvre comme acteur social autonome : les « hittistes » méprisés pouvaient désormais tenir la rue et faire trembler sur ses bases un régime qui les avait exclus et dont ils récusaient la légitimité.

Pourtant, l'expression de la révolte ne parvint pas à se traduire par un mouvement politique structuré. Laissée à elle-même, la jeunesse urbaine pauvre était incapable de faire valoir ses revendications propres. Et le vocabulaire du socialisme ayant été largement discrédité par l'usage qu'en avait fait le pouvoir, la gauche algérienne s'avéra inapte à encadrer et relayer le soulèvement. En revanche, cette explosion sociale fut immédiatement perçue par la mouvance islamiste comme une extraordinaire occasion de pousser son avantage.

Le courant salafiste avait en Algérie des bases anciennes : comme nous l'avons noté dans le prologue, l'Association des oulémas musulmans avait été fondée en 1931 à Constantine par Abdel Hamid

Ben Badis, trois ans après la naissance des Frères musulmans en Égypte. Elle partageait une même vision rigoriste de la religion dont elle faisait l'axe de la vie privée comme de l'organisation sociale, mais ne mettait pas en avant la question de l'État isla- mique, et moins encore du combat nationaliste. Comme les déobandis de l'Inde britannique ou les Frères musulmans palestiniens sous occupation israélienne avant l'*Intifada*, Ben Badis et ses amis tenaient pour dangereux et futile d'affronter une colonisation triomphante : l'année précédant la fon- dation de l'Association, la France avait célébré en grande pompe le centenaire de la conquête. En revanche, ils luttaient contre toute tentative d'assimi- lation des Algériens à la France, qui adultérerait l'identité islamique dont ils se voulaient les garants et les défenseurs, face à la laïcité comme aux « super- stitions » des marabouts. Ils tenaient en suspicion les nationalistes, influencés par le socialisme et les idées européennes, et, lorsque le FLN déclencha l'insurrec- tion en 1954, il mirent deux longues années à s'y ral- lier.

Le FLN lui-même était partagé sur son attitude envers l'islam — comme la plupart des partis natio- nalistes du monde musulman. Dirigé par des élites de formation occidentale, il voyait pourtant dans la religion un moyen de rassembler une population qui ne comprenait guère le langage moderne — surtout à la campagne — et de bien marquer la rupture identi- taire avec le colonisateur chrétien. Ainsi, l'insurrec- tion de novembre 1954 fut proclamée « au nom d'Allah », sans que cela fît pour autant du FLN un mouvement religieux. À l'indépendance, en 1962, le courant islamique fut marginalisé par le régime de Ben Bella, qui à l'époque[8] se tournait davantage vers Moscou et Cuba que vers La Mecque. Les marabouts et leurs confréries, les *zaouias*, propriétaires de grands domaines fonciers, subirent la nationalisation, dans le cadre de la réforme agraire et en rétorsion à leur attitude jugée trop complaisante envers la colonisation. Les oulémas furent un peu mieux lotis, eu égard à leur participation, quoique tardive, à la guerre, mais toute tentative d'expression autonome leur attirait une réplique cinglante de la tendance marxiste du pouvoir — que l'un des journaux stigmatisa, en 1964, comme « les oulémas du mal ». En 1963, un groupe d'intellectuels et de membres religieux du Parti fondèrent l'association *Al Qiyam al islamiyya* (« les valeurs islamiques »), pour lutter contre « l'occidentalisation », et prôner l'instauration de l'État islamique qu'ils estimaient être l'aboutissement nécessaire de la guerre d'Indépendance. Proches en cela des idées de Sayyid Qotb, ils adressèrent une missive à Nasser en août 1966 pour demander sa grâce quelques jours avant son supplice. L'Association fut dissoute, mais son influence s'accrut à l'intérieur même des cercles du pouvoir : l'éviction de Ben Bella par Boumediene en juin 1965 fut suivie par une campagne d'arabisation et d'islamisation qui permit à ce courant de pensée de contrôler largement les secteurs de l'éducation et de la culture. Parmi les coopérants égyptiens recrutés alors pour arabiser et défranciser le système scolaire, nombreux furent les Frères musulmans qui fuyaient la répression nassérienne. Ils devaient former une génération d'instituteurs arabisants largement acquis à leurs idées : ils constitueraient la base d'une large intelligentsia islamiste qui structurerait le Front Islamique du Salut, et dont l'instituteur Ali Benhadj, le « numéro 2 du FIS », serait le symbole.

Officiellement interdit à l'extérieur du parti unique, l'islamisme algérien formait l'une des composantes du pouvoir, mais il y restait confiné au domaine culturel, sans véritable possibilité de peser sur les choix politiques. Ce n'est qu'en 1982, avec une décennie de retard sur l'émergence islamiste au Moyen-Orient[9], que ce courant commence à s'affirmer en opposition au régime. D'emblée, deux grandes tendances s'y manifestent, qui persisteront ultérieurement : un groupe extrémiste qui prend le maquis et se réclame de la lutte armée, et une sensibilité réformiste qui cherche à influencer les décisions du pouvoir sans bouleverser l'ordre social.

Les radicaux sont emmenés par Moustafa Bouyali[10], un ancien combattant de la guerre d'Indépendance, né en 1940, en rupture avec un régime qu'il qualifie d'impie. Prédicateur éloquent et enflammé, réclamant l'application de la *chari'a* et l'instauration de l'État islamique par le *jihad* armé, il rassemble dès le milieu des années 1970 un petit noyau de partisans déterminés, lecteurs de Sayyid Qotb et comparables dans leur démarche à ses disciples égyptiens de cette époque. Pourchassé par les services de sécurité, il passe à la clandestinité en avril 1982, puis fonde le Mouvement Islamique Armé algérien (MIA), une nébuleuse de groupuscules dont il est proclamé émir. Parmi ses adeptes, dont beaucoup se retrouveront au FIS puis dans la mouvance islamiste armée après 1992, figure notamment Ali Benhadj. Le groupe conduit des coups de main audacieux qui sont le premier défi d'ampleur au pouvoir du FLN — il tiendra le maquis pendant cinq ans, jusqu'à ce que Bouyali soit abattu en février 1987, l'année précédant la révolte d'octobre 1988. Son épopée se situe à la croisée de plusieurs expériences et fédère diverses composantes de l'imaginaire islamiste international de l'époque comme de l'histoire algérienne moderne. Lorsqu'il lance son *jihad* dans la

Mitidja, les *moujahidines* afghans combattent l'Armée rouge depuis plus de deux ans, et sont devenus des héros du monde de l'islam, parrainés par l'Arabie Saoudite. Or l'Union soviétique est un proche allié du régime d'Alger, à qui elle fournit l'essentiel de son équipement militaire : pour les islamistes radicaux, le combat contre l'une est le prélude à la lutte contre l'autre. Plusieurs centaines d'entre eux rejoindront les camps de Peshawar — et l'un, Abdallah Anas, deviendra le gendre d'Abdallah Azzam puis son successeur après son assassinat, en novembre 1989. Par ailleurs, en prenant le maquis dans les lieux mêmes où le FLN l'avait fait pendant la guerre d'Indépendance, le MIA s'inscrit dans sa filiation, reprend symboliquement son combat pour manifester que les détenteurs du pouvoir valent, aux yeux des militants, le pouvoir colonial français. À l'époque, le phénomène paraît secondaire. Avec le recul de la guerre civile algérienne des années 1990, qui verra surgir les maquis beaucoup plus importants de l'Armée Islamique du Salut et du Groupe Islamique Armé, l'action de Bouyali et de ses affidés prend toute sa signification comme trait d'union entre les deux guerres d'Algérie, illustrant la continuité dans les méthodes et le basculement dans les références idéologiques, du nationalisme à l'islamisme.

Cette même année 1982 où Bouyali prend le maquis voit également poindre des militants qui s'efforcent de faire pression sur le régime pour accroître l'islamisation — sans recourir pour autant à la lutte armée. Au mois de novembre, des incidents entre étudiants marxistes francisants et islamistes arabisants à l'université d'Alger font un mort parmi les premiers. À l'origine, une grève déclenchée par les arabisants protestait contre leurs maigres perspec-

tives de carrière, en dépit de la propagande du
régime et des mesures autoritaires d'arabisation, par
rapport aux débouchés des francophones qui mono-
polisaient les emplois rémunérateurs, conditionnés
par la connaissance du français. Au terme d'une
prière collective qui rassembla plusieurs milliers de
personnes, Abbassi Madani, un enseignant de la
faculté, ancien du FLN en rupture avec le parti, présenta une revendication en quatorze points qui réclamait notamment le respect de la *chari'a* dans la
législation, l'épuration de l'État des « éléments hostiles à notre religion » et la suppression de la mixité.
Ce fut la première manifestation publique et organisée d'une opposition islamiste non violente, qui
débordait le cadre autorisé du parti unique. Elle
s'attira immédiatement la répression : Madani passa
deux ans en prison, et une rafle toucha la plupart des
figures connues d'une mouvance encore réduite à
des prédicateurs et quelques universitaires [11] — qui
formerait le noyau de l'intelligentsia autour de
laquelle s'agrégeraient la jeunesse urbaine pauvre et
la bourgeoisie pieuse après 1988.

Pour éradiquer cette contestation à base religieuse, le régime algérien s'efforça de développer sa
propre légitimité islamique. En 1984 l'Assemblée
Populaire Nationale (le « Parlement » contrôlé par le
FLN) vota un Code de la famille inspiré des conceptions les plus rigoristes, et qui limitait les droits des
femmes ; une politique de construction de mosquées
financées par l'État et où officiaient des prédicateurs
contrôlés par le ministère des Affaires religieuses
tenta de faire pièce au développement de petites
salles de prières « sauvages » dans les quartiers
pauvres où exerçaient des prêcheurs libres ; enfin, en
1985 fut inaugurée l'université islamique Emir Abd
el Kader à Constantine avec sa mosquée-cathédrale :

il s'agissait de doter l'Algérie d'un centre de formation d'imams prestigieux [12]. En l'absence d'oulémas
locaux de renom qui pourraient conférer au pouvoir
leur onction, le gouvernement, dirigé depuis 1979
par le successeur de Boumediene, Chadli Benjedid,
fit venir successivement d'Égypte deux des cheikhs
les plus célèbres du monde musulman, Mohammed
al Ghazali, puis Yousef al Qaradhawi, compagnons
de route des Frères musulmans, et très bien en cour
dans les pétromonarchies de la péninsule Arabique [13]. Outre un constat de vacuité du champ islamique algérien, l'importation de deux imams
appartenant à cette famille de pensée marquait le
souci du régime de renforcer la dimension religieuse
de l'idéologie nationaliste du FLN, qui peinait à
convaincre la jeune génération et toutes les couches
de la population qui ne se reconnaissaient pas dans
le pouvoir. Mais les deux prédicateurs ne le légiti-
mèrent que du bout des lèvres, et encouragèrent le
« réveil islamique » à l'œuvre dans la société. Au
moment où éclatèrent les émeutes d'octobre 1988, il
existait ainsi en Algérie une intelligentsia islamiste
formée d'étudiants et d'instituteurs qui prêchaient
dans les quartiers populaires, et à laquelle l'État ne
pouvait pas opposer d'oulémas crédibles proches de
lui — à la différence de l'Égypte par exemple. Là, le
président Moubarak avait su embrigader les principaux dignitaires d'Al Azhar pour porter la contradiction aux assassins de Sadate, limitant l'expansion de
l'islamisme radical dans une population pleine de
respect pour les docteurs de la loi représentant cette
institution millénaire.

De la sorte, les militants islamistes algériens à la
fin de la décennie 1980 avaient devant eux un espace
religieux vide de rivaux. La tendance bigote du parti
unique — surnommée « barbéfèlène » par l'humour

local — avait beaucoup d'affinités avec eux et nombre de ses membres s'agrégeraient au FIS ou sympathiseraient avec lui à partir de 1989. Le monde des confréries avait été démantelé au moment de l'Indépendance. Et il ne se trouvait guère d'oulémas présentables que le pouvoir pût opposer aux activistes qui, au lendemain du début des émeutes, commencèrent à faire la jonction avec la jeunesse urbaine pauvre, transformant en quelques mois les cercles de fidèles rassemblés autour de prédicateurs épars en un mouvement de masse qui prit les allures d'un raz de marée.

Le déclenchement des journées d'octobre reste à ce jour inexpliqué : la rumeur d'Alger les attribue à des luttes intestines de l'appareil gouvernemental, et à des agents provocateurs qui auraient été envoyés déstabiliser le président Chadli, dont les choix politiques et économiques face à la crise sociale que vivait le pays étaient contestés[14]. Quoi qu'il en soit de l'étincelle initiale, elle embrasa la masse des « hittistes » et de la jeunesse en général avec une rapidité extraordinaire. Face aux scènes de pillage à grande échelle qui se déroulaient dans la capitale, les prédicateurs islamistes se réunirent en « cellule de crise ». Le cheikh Sahnoun, prêcheur de 81 ans, ancien membre de l'Association des oulémas et figure de l'intransigeance envers le régime, lance le 6 octobre au soir un « appel au calme » qui restera sans effet, mais qui pose l'intelligentsia islamiste en intermédiaire obligé entre le pouvoir et la société en révolte. Le 10 octobre, à la suite d'une manifestation menée par Ali Benhadj depuis la mosquée Kaboul (fondée par d'anciens « jihadistes » d'Afghanistan dans le quartier Belcourt), un coup de feu provoque la panique dans la foule énorme qui se disperse, et l'on déplore plusieurs dizaines de morts. Benhadj

lance alors un appel qui traduit les aspirations populaires avec les mots de l'islamisme politique, érigeant
les intellectuels islamistes en porte-parole de la jeunesse urbaine pauvre. L'alliance sera scellée avec la
création, quelques mois plus tard, en mars 1989, du
Front Islamique du Salut (FIS)[15].

Au soir du 10 octobre, le président Chadli, qui
annonce des réformes, reçoit Sahnoun, Benhadj et
Mahfoudh Nahnah, le représentant en Algérie des
Frères musulmans[16], les consacrant interlocuteurs
valables. Le soulèvement prend fin. Après avoir
limogé quelques responsables, le président est réélu
à la tête de l'État en décembre, puis fait adopter en
février 1989 une Constitution qui met fin à l'ère du
parti unique. Il espère ainsi disposer d'une présidence forte qui lui permettra de composer à son gré
des coalitions entre divers partis (nationaliste, islamiste, marxiste, berbériste, etc.) pour sauver l'essentiel du système établi depuis 1962, sans comprendre
la dynamique que les islamistes ont su enclencher en
octobre. Cela précipitera le régime dans la crise, puis
le pays dans la guerre civile.

Le 10 mars 1989, la naissance du FIS est proclamée à la mosquée Ben Badis à Alger. Ses quinze fondateurs représentent des sensibilités diverses, allant
des partisans de la lutte armée et des compagnons de
Bouyali, comme Ali Benhadj, aux anciens du FLN
qui veulent islamiser le régime sans modifier les
grands équilibres sociaux, comme Abbassi Madani.
Toute la mouvance n'y est pas représentée : des que-
relles de personnes et de préséances maintiennent en
dehors du parti le Frère musulman Nahnah, l'islamiste du Constantinois Abdallah Jaballah[17], le vieux
cheikh Sahnoun et le chef de file des « djazaristes »[18]
Mohammed Saïd. Le pouvoir saura utiliser certains
d'entre eux, ultérieurement, pour gêner la progres-

sion du FIS. Mais, dès sa première année d'existence, celui-ci connaît un développement fulgurant qui fédère des groupes sociaux différenciés — selon un processus et un rythme qui rappellent l'année 1978 à Téhéran.

Comme dans le processus iranien en effet, c'est la multiplication des manifestations lancées par les islamistes qui leur permet d'entretenir un climat de mobilisation permanente où les jeunes désœuvrés trouvent l'occasion d'exprimer, par-delà leur rage spontanée contre le régime, et pour la première fois, leur adhésion à un projet de société à travers un changement révolutionnaire qui semble à portée de main, après un quart de siècle d'immobilisme. Ce projet prend dès 1989 la forme de la *doula islamiyya* que les intellectuels du FIS vantent dans leurs harangues. Le pluripartisme permet pourtant l'émergence d'une cinquantaine de formations politiques, mais seul le FIS dispose du réseau de prédicateurs, de l'infrastructure des mosquées partout dans le pays, lui permettant de structurer le mouvement de masse qui honnit l'État-FLN. L'ancien parti unique ne survit que grâce à son appareil et à la situation acquise de ses cadres, et traverse une crise morale sans précédent. Quant aux partis « démocrates » qui se réclament d'une conception non religieuse de la politique tout en rejetant le FLN, ils restent confinés à une base ethnico-régionale (comme la Kabylie pour le Front des Forces Socialistes de Aït Ahmed) ou à une couche restreinte de classes moyennes francophones (ainsi du Rassemblement pour la Culture et la Démocratie (RCD) du docteur Saadi).

Le succès du FIS — que matérialiseront ses victoires aux deux premières élections libres depuis l'indépendance algérienne, en juin 1990 et décembre 1991 — tient à sa capacité à rassembler, à l'instar de

Khomeini une décennie plus tôt, la jeunesse urbaine pauvre et la bourgeoisie pieuse, par l'entremise d'une intelligentsia islamiste dynamique qui sait produire une idéologie de mobilisation où chacun trouve son compte, et qui parvient même à démarquer et à récupérer une partie du discours nationaliste qu'elle soustrait à l'emprise du FLN. Cette force, tant que le mouvement est porté par son impact initial et prend au dépourvu le pouvoir, jusqu'à la « grève insurrectionnelle » de juin 1991, est servie par le caractère bicéphale du parti. Ali Benhadj, le petit instituteur et l'ancien compagnon de Bouyali, l'adepte du *jihad*, qui a 33 ans en 1989 et se déplace à vélomoteur, électrise la foule des « hittistes » qu'il sait faire pleurer ou rire, qu'il peut fanatiser ou refréner à son gré, grâce à ses talents incomparables d'orateur en arabe de mosquée comme en dialecte algérien [19]. Abbassi Madani, l'ancien du FLN, l'universitaire et le politicien madré âgé d'un quart de siècle de plus que son cadet, qui affectionne les Mercedes luxueuses — cadeaux des monarques de la péninsule Arabique selon la rumeur —, sait s'adresser aux boutiquiers et aux commerçants, ainsi qu'aux « entrepreneurs militaires [20] » qu'il détache du régime et convainc qu'investir dans le FIS est une garantie pour l'avenir de leurs affaires. Or cet effet cumulatif se transforme en son contraire dès que le régime commence à réprimer le parti, après l'échec de la grève de juin 1991. Les commerçants et les entrepreneurs qu'avait séduits le changement promis par le FIS commencent à s'inquiéter de ses projets véritables, et de l'équilibre des forces en son sein, à s'effrayer de la radicalisation du discours des proches de Benhadj derrière lequel ils appréhendent la revanche sociale incontrôlée des « hittistes » — dont ils redoutent d'être les victimes. La dyarchie à la tête du parti devient alors une faiblesse — alors qu'en Iran, au contraire, Khomeini sut jusqu'au bout incarner la figure unique qui exaltait les déshérités tout en rassurant le bazar. Le mouvement islamiste algérien ne parviendra pas à conserver ensemble jeunesse urbaine pauvre et bourgeoisie pieuse ; c'est ce que montrera sa scission, lors de la guerre civile, entre les factions antagoniques du GIA et de l'AIS qui sont l'expression respective de chacune de ces composantes.

Dès les premiers mois de son existence légale (septembre 1989), le FIS multiplie les démonstrations de force. La première livraison de son hebdomadaire, *Al Munqidh* (« le sauveur »), qui paraît en octobre, et tire à deux cent mille exemplaires, exige la libération des anciens membres du groupe Bouyali incarcérés par la justice des « impies » : la barre est d'emblée placée au plus haut. À la fin du mois, un tremblement de terre ravage le département de Tipasa ; à l'incurie de l'État, le FIS oppose l'efficacité et le dévouement de ses médecins, infirmiers et secouristes, qui arrivent dans des ambulances frappées du sigle du parti[21]. Un mois après sa création, il manifeste déjà qu'il est prêt à prendre la relève de l'État défaillant et corrompu, et fait preuve d'une *rahma* (« miséricorde ») qui impressionne la population et lui vaut une réputation flatteuse, au-delà de sa clientèle immédiate. Durant les six premiers mois de l'année 1990, le parti multiplie les marches et les rassemblements, exerçant une pression sans relâche sur le pouvoir à qui il arrache la promesse d'élections législatives anticipées. Le 12 juin, il obtient un triomphe aux élections municipales et régionales. Ses militants contrôlent la majorité des communes du pays. La jeunesse urbaine pauvre a pris en masse le chemin des urnes, et élu la première génération

des notables du FIS. Ces maires et conseillers muni-
cipaux sont bien sûr les intellectuels islamistes qui
ont donné au parti ses cadres, notamment les instituteurs, mais aussi, eu égard au grand nombre de
sièges à pourvoir, les représentants des classes
moyennes pieuses. À l'exception de ralliés de l'ex-
FLN, c'est la première fois que des commerçants, de
petits entrepreneurs qui se sont construit une réputation locale, une clientèle, ont accès à la responsabilité politique, réservée jusqu'alors aux laudateurs du
régime, cooptés par l'appareil du parti unique. D'un
point de vue strictement social, la victoire du FIS aux
élections municipales de juin 1990 « modernise » le
système politique algérien, car elle rapproche le
« pays réel » du « pays légal ». Politiquement, elle
scelle l'alliance entre les trois composantes de la
mouvance islamiste, et elle se traduit par des services
accrus aux démunis, grâce au budget des « municipalités islamiques » *(baladiyyat islamiyya)* qui permettent au FIS de déployer à grande échelle une
activité caritative destinée à donner à la jeunesse
urbaine pauvre un avant-goût de l'État islamique à
venir, et de la garder mobilisée à cette fin. Dans le climat euphorique qui règne alors parmi les sympathisants du mouvement, de nombreux témoignages font
état de la justice, de l'équité, de l'ordre, de la propreté
— de l'ensemble des vertus civiques que déploie-
raient les élus du FIS, par contraste avec la corruption, la gabegie, l'autoritarisme et l'inefficacité qui
régnaient auparavant[22]. Ces vertus sont mises sur le
compte d'une rectitude religieuse fondée sur le strict
respect des injonctions de la *chari'a*, et se traduisent
par la mise en œuvre de la « morale islamique » : les
employées municipales doivent se présenter voilées,
débits de boisson, vidéo-shops et autres commerces
« immoraux » sont convaincus de fermer leurs

portes, les femmes de mœurs légères (ou supposées telles) [23] sont l'objet de la vindicte, et les municipalités côtières organisent la ségrégation de la baignade, interdisent les tenues « indécentes », etc. Comme dans les autres pays où les mouvements islamistes ont effectué une percée, la multiplication des interdits moraux a pour premier effet de désigner à l'opprobre populaire les classes moyennes européanisées affranchies des tabous traditionnels, de les rendre illégitimes comme porteuses des valeurs de la modernité, et de leur substituer la bourgeoisie pieuse dans cette fonction d'élite de la société. Elle permet aussi de faire des jeunes démunis, humiliés, et contraints à l'abstinence ou à la misère sexuelle par la promiscuité familiale, des héros de vertu pourchassant comme vice tout ce dont ils sont dépossédés.

Dans le contexte algérien, cette traduction en morale des conflits sociaux et politiques se doublait d'un marqueur linguistique spécifique au Maghreb. La lutte contre la langue française y avait pris, dans la propagande islamiste la plus triviale, les aspects d'une sorte de *jihad* : elle était vue comme le vecteur par excellence des pires turpitudes de l'Occident, l'esprit des Lumières et la laïcité en premier lieu [24]. C'est ainsi qu'Ali Benhadj déclara se consacrer à « bannir intellectuellement et idéologiquement [la France d'Algérie] et à en finir avec ses partisans qui en ont tété le lait vénéneux [25] ». Ces propos, et de nombreux autres comparables tenus après la victoire du FIS aux municipales, mettaient du baume au cœur des « hittistes » et des diplômés arabophones de l'enseignement secondaire et supérieur, désavantagés, par rapport à leurs camarades maîtrisant le français, dans leur quête d'un emploi rémunérateur. En revanche, ils ne pouvaient qu'inquiéter des classes moyennes urbaines qui, ayant soutenu le FIS aux élections de juin 1990 par dégoût du FLN, n'en affectionnaient pas moins le journal de 20 heures des chaînes de télévision françaises retransmis par les antennes « paradiaboliques » — comme les nommaient les militants islamistes qui s'efforcèrent de les détruire, puis se contentèrent de les tourner vers le satellite Arabsat, diffusant les programmes saoudiens. En Iran, la petite bourgeoisie urbaine sécularisée avait basculé derrière Khomeini car celui-ci tenait, jusqu'à la prise du pouvoir, un discours d'ouverture et d'inclusion de toute la société dans le projet révolutionnaire, et concentrait ses attaques sur un seul ennemi, le chah. En Algérie, par contraste, dès que le FIS contrôla l'essentiel du pouvoir local après son succès aux élections municipales, les prédicateurs qui haranguaient la jeunesse urbaine pauvre, loin de se limiter à fustiger le seul pouvoir « impie », s'en prirent à une partie de la société stigmatisée pour sa « francisation », une notion aux frontières floues qui pouvait désigner à la rage sociale des « hittistes » une bonne part des classes moyennes urbaines et les menaçait. De fait, le point culminant de l'impact du parti islamiste, mesuré en termes électoraux, fut atteint aux municipales de juin 1990. Un an plus tard, au premier tour des législatives de décembre 1991, il perdra près d'un million de voix (tout en restant largement en tête), pour avoir commencé à inquiéter une partie de la société qui appréhendait désormais sa conquête du pouvoir — alors que Khomeini avait, quant à lui, pris soin de n'effrayer aucun groupe social avant la fuite du chah et son propre retour à Téhéran. De plus, l'ayatollah avait concentré ses attaques sur la monarchie avec laquelle il offrait de rompre radicalement, facilitant l'isolement de celle-ci. En Algérie, la direction du FIS n'avait pas rompu avec l'idéologie du FLN : au contraire, elle se réclamait de sa filiation « véritable[26] », dénonçant la perversion de ses idéaux par l'influence néfaste des « fils de la France » qui l'auraient fait dévier de son cours originel. Dans ses publications, le parti islamiste se présente comme l'héritier légitime de la guerre d'Indépendance, dont il fait rétrospectivement un *jihad* pour instaurer l'État islamique, trahi par des communistes francophones qui auraient usurpé le pouvoir en 1962[27]. Pareille vision de l'histoire a permis aux dirigeants les plus conservateurs socialement, comme Madani, de maintenir des liens étroits avec la tendance bigote et arabophone de l'ancien parti unique, comme au président Chadli de garder le contact avec la direction du FIS, qu'il ne renonçait pas à intégrer dans une coalition de gouvernement le jour venu. Ainsi, et contrairement à la situation en Iran où le mouvement islamiste avait réussi à prendre le pouvoir pour avoir su rassembler la société et isoler le régime, le FIS, dès la mi-1990, commence à s'aliéner une partie des classes moyennes urbaines (sous la pression de sa fraction la plus radicale). La direction, représentée par Madani, reste prisonnière de sa recherche d'un compromis politique avec un FLN qu'elle veut « redresser » et dont elle cherche à récupérer le capital de légitimité. Cette volonté d'épuration hâtive mêlée à l'incapacité à rompre clairement avec le régime comptera pour beaucoup dans l'échec politique ultime du FIS.

Dans l'année qui suit la victoire aux élections municipales de juin 1990, le pouvoir algérien donne l'impression pourtant de perdre graduellement prise sur les événements, et de se contenter de réagir aux initiatives du parti islamiste, qui occupe le terrain par ses marches, meetings, et initiatives multiples dans les communes qu'il contrôle. L'état de « double pouvoir » qui caractérise les périodes révolutionnaires paraît s'installer en Algérie. Le déclenchement de la guerre du Golfe, en janvier 1991, avec l'offensive contre l'Irak de la coalition internationale menée par les États-Unis et appuyée sur l'Arabie Saoudite, est le prétexte à de gigantesques défilés de soutien à Bagdad, qui sont autant d'occasions pour le FIS d'occuper la rue et de déborder le régime. Au terme de l'un d'eux, en tête duquel paradent des « jihadistes » retour de Peshawar en tenue afghane, Ali Benhadj, vêtu d'un treillis militaire, harangue les manifestants devant le ministère de la Défense, et exige la formation d'un corps de volontaires destiné à aller combattre aux côtés de Saddam Hussein. La signification symbolique de l'événement est double. D'une part, pareille intrusion dans le domaine réservé de l'armée représente un affront pour la hiérarchie militaire — un signal de danger pour la cohésion du corps, et cela déterminera l'état-major à briser la mobilisation islamiste. D'autre part, l'affaire irakienne rend visibles les lignes de faille qui traversent le FIS : dans un premier temps, Madani, reconnaissant envers des pétromonarchies qui avaient beaucoup aidé financièrement le parti, exprime une position pro-saoudienne. Mais il lui faut s'effacer derrière Benhadj, qui, captant l'enthousiasme populaire en faveur de Saddam Hussein, appuie l'Irak. C'est un signe supplémentaire que la jeunesse urbaine pauvre peut imposer ses vues et ses passions au parti, et que la direction de celui-ci ne parvient pas à la canaliser. Pour les classes moyennes qui appréhendent la revanche des « hittistes », c'est une nouvelle cause de souci.

La tension entre le pouvoir et le FIS et les contradictions au sein de celui-ci atteignent un palier supplémentaire lorsque est rendu public, à la fin du mois de mai, le projet de découpage des circonscriptions pour les élections législatives prévues à la fin du mois suivant, destiné à minorer les résultats du parti grâce à un « charcutage » approprié. S'estimant trahi, Madani appelle à une grève générale illimitée pour faire revenir le pouvoir sur son dessein. Mais les manifestations dégénèrent rapidement en heurts violents où la jeunesse urbaine pauvre prend une part prépondérante. Le gouvernement est contraint de concéder l'une des plus grandes places d'Alger au FIS, qui y tient des sit-in permanents pendant près d'une semaine. C'est alors que l'état-major militaire intervient directement, pour mettre fin à la situation de double pouvoir qui s'est instaurée, et qui peut basculer dans l'insurrection. Le 3 juin au soir, l'état de siège est proclamé, les chars dispersent les manifestants, et l'armée nomme un nouveau Premier ministre, Sid Ahmed Ghozali, qui annonce le report des élections à décembre. Puis elle s'attaque à la base locale du pouvoir du FIS en faisant retirer les panneaux « municipalité islamique » des mairies conquises l'année précédente. Benhadj en appelle au soulèvement, et Madani menace de déclencher le *jihad* si la troupe ne rentre pas dans ses casernes. Mais ces déclarations viennent trop tard, alors que l'armée est déployée et que la base populaire du FIS est décontenancée par les hésitations qu'a manifestées au cours du mois de juin le parti. Il a perdu l'initiative des opérations au détriment de l'état-major militaire, qui gère désormais directement le pays. Le 30 juin, Benhadj et Madani sont arrêtés pour appel à la sédition, et ils resteront en prison pendant toute la durée des événements ultérieurs et de la guerre civile.

La tournure qu'a prise la « grève insurrectionnelle » se traduit par l'accentuation des divisions au sein de la mouvance islamiste. À la dyarchie fonctionnelle qu'incarnaient Madani et Benhadj succèdent quantité de petits chefs qui luttent pour le leadership. Les partisans de la lutte armée, autour de rescapés du groupe de Bouyali et d'anciens « jihadistes » d'Afghanistan, commencent à prendre le maquis, sont prêts à passer à l'action, et manifestent leur refus du processus électoral où ils ne voient que duperie. Leur première action spectaculaire sera l'attaque sanglante d'un poste-frontière, où des « Afghans » décapiteront les conscrits, à Guemmar, le 28 novembre 1991 — date choisie pour marquer (à quatre jours près) le deuxième anniversaire du « martyre » d'Abdallah Azzam à Peshawar. Ce sera le coup d'envoi sur le territoire algérien d'un *jihad* auquel l'expérience et la référence afghane fourniront un vocabulaire qui viendra compléter la reprise des méthodes et de la tradition de la guerre d'Indépendance, elles-mêmes actualisées par l'épopée de Moustapha Bouyali.

Le parti, qui n'a guère de prise sur la nébuleuse des groupes armés, subit des défections parmi les fondateurs les plus « radicaux », qui critiquent la voie « politicienne » de Madani et, inversement, est rallié par les technocrates « djazaristes » qui voient dans son affaiblissement l'occasion de s'emparer de sa structure. Une conférence convoquée à Batna les 25 et 26 juillet 1991 permet au jeune ingénieur Abdelkader Hachani, qui se réclame de la ligne de Madani, de contrôler l'appareil et d'élaborer un compromis entre les différentes tendances, qui fait la part belle aux « djazaristes ». Bien que les dirigeants arrêtés en juin restent incarcérés, et en dépit des pressions de l'armée qui, ayant désormais repris l'initiative politique, emprisonne puis relâche Hachani et d'autres dirigeants, celui-ci décide de participer aux élections législatives dont le premier tour est fixé au 26 décembre. Le FIS est opposé à deux autres partis islamistes qui ont le contact avec le pouvoir, la Nahda de Abdallah Jaballah et surtout le Hamas de Mahfoudh Nahnah. Ils lui prendront une partie de son électorat dans la bourgeoisie pieuse, que commence à effrayer la situation de crise dans laquelle est plongé le pays. Et nombre de jeunes radicalisés qui ne croient plus aux élections ne se rendent pas aux urnes. Le FIS perd en effet plus d'un million d'électeurs (environ le quart de ses suffrages) par rapport aux municipales de juin 1990[28], mais il arrive très largement en tête, avec cent dix-huit députés élus dès le premier tour (contre seize au FLN) et plus de 47 % des voix.

Ce succès incontestable rend caduc le projet du président Chadli d'intégrer une partie des élites islamistes au sein d'une coalition qu'il dirigerait à son gré : les projections pour le second tour assurent au FIS une large majorité absolue des sièges. L'armée « démissionne » Chadli le 11 janvier 1992, interrompt les élections le 13, et dissoudra le FIS le 4 mars. Entre-temps, son appareil est démantelé, des milliers de militants et d'élus locaux du parti sont internés dans des camps au Sahara, et les mosquées placées sous surveillance.

Le coup d'envoi est alors donné à une guerre civile qui durera tout le reste de la décennie (et que nous traitons dans la troisième partie). Mais le Front Islamique du Salut comme parti islamiste de masse a vécu : son organisation a été brisée par le coup d'État de janvier, auquel il n'a pas été capable d'organiser de riposte. L'alliance qu'il avait su forger entre jeunesse urbaine pauvre et classes moyennes pieuses, à l'instigation de l'intelligentsia islamiste, n'a pas pu conduire à la prise du pouvoir, au contraire de l'Iran, où le mouvement s'était identifié à une figure charismatique unique qui lui avait permis de surmonter les contradictions entre les composantes sociales de sa base et d'attirer à lui toute la société, dans un processus révolutionnaire isolant le régime. Même si le FIS reste, de loin, la première force électorale du pays au moment de sa dissolution, son apogée est derrière lui : il l'a connue en juin 1990, avec la conquête des municipalités. Ce succès lui a permis de renforcer son assise dans les couches qui lui étaient déjà acquises, mais lui a aliéné les classes moyennes laïques stigmatisées comme « enfants de la France » et désormais persuadées qu'elles seraient les premières victimes expiatoires livrées à la rage des « hittistes ». Or en Iran, ces classes sécularisées, et même le Parti communiste, s'étaient ralliés à Khomeini et le débrayage des ouvriers du pétrole, peu réceptifs à l'idéologie religieuse, avait porté le coup final au régime impérial. En Algérie, le régime parvint à cumuler le soutien de groupes sociaux minoritaires, mais dont l'appui et la résistance au FIS s'avérèrent cruciaux. Il gardait son assise dans une armée dont l'état-major s'était soudé, ayant tout à craindre de l'arrivée au pouvoir d'un mouvement islamiste dont les dirigeants ne lui avaient donné aucune garantie de survie. Contrairement à l'Iran, la troupe ne bascula pas, en dépit des appels de Benhadj à la mutinerie en 1991. De plus, le régime conservait sa clientèle traditionnelle dans la « famille révolutionnaire » (les **anciens combattants de la guerre d'Indépendance** qui s'étaient approprié les biens des colons en 1962), et qui, ayant eux-mêmes exercé la violence pour s'enrichir, redoutaient qu'une violence identique ne s'exerçât cette fois à leur détriment. L'Iran du chah ne disposait pas d'un groupe social aussi déterminé, dont les privilèges étaient directement attachés à la perpétuation de la monarchie. Enfin et surtout, les classes moyennes sécularisées urbaines, qui pourtant n'avaient pas été les bénéficiaires du système et avaient dû en subir les rigueurs, la corruption, ou le népotisme, vivant dans des conditions assez médiocres, en vinrent à appréhender un changement où elles craignaient de se voir désignées, par leurs habitudes culturelles, vestimentaires ou alimentaires, comme cibles. *Nolens volens*, ces groupes sociaux, minoritaires mais occupant des positions de responsabilité et d'encadrement dans le dispositif social et administratif du pays, donnèrent leur appui au coup d'État [29] — alors qu'en Iran elles avaient basculé contre le chah.

Face à cette coalition soudée par la crainte des islamistes, ceux-ci pâtirent en fin de course de cela même qui avait fait leur succès : sans adversaires de taille dans le champ religieux algérien, les jeunes prédicateurs radicaux l'avaient aisément conquis. Contrairement à l'Égypte où leurs pareils s'étaient heurtés aux oulémas d'Al Azhar au moment de l'assassinat de Sadate, contrairement à l'Iran où les clercs chi'ites avaient récupéré à leur profit les idées révolutionnaires de Shari'ati, ils s'étaient emparés du discours de l'islam en Algérie entre 1988 et 1992, donnant le ton à la propagande du FIS. Mais leur jeunesse, leur fougue, leur virulence, leur immaturité politique effrayèrent les classes moyennes séculières, empêchant le mouvement de gagner le soutien de celles-ci ensemble avec les « hittistes » et la bourgeoisie pieuse. La guerre civile accentuera cette déréliction de l'alliance islamiste, lorsque les notables pieux de l'ex-FIS deviendront à leur tour la proie des gangs de jeunes « partisans du *jihad* » prolétarisés.

6

Le putsch militaire
des islamistes soudanais

En 1989, année charnière pour l'expansion du mouvement islamiste à travers le monde, l'événement qui aurait dû fonder un régime durable sur ces bases n'advint pas en Algérie, en dépit des succès initiaux du FIS. Paradoxalement, la principale victoire survint au Soudan, sous l'égide de Hassan el Tourabi : elle résulta d'un coup d'État militaire, sans aucune dynamique populaire. Elle était la conséquence d'un long travail d'infiltration de l'appareil d'État, de l'armée et du système financier par l'intelligentsia islamiste, en liaison avec une bourgeoisie pieuse émergente.

Au Soudan les Frères musulmans ne naquirent qu'en 1944, soit plus de quinze ans après la création de l'organisation en Égypte par Hassan el Banna[1]. Contrairement à celle-ci, qui s'était très tôt bien implantée parmi les couches moyennes, les Frères soudanais restèrent un courant circonscrit au monde des diplômés et des intellectuels jusqu'au milieu des années 1960. Comme dans les autres pays d'Afrique noire, le champ religieux musulman y était fortement contrôlé par les confréries[2] : elles laissaient très peu de place à la vision rigoriste et urbaine des Frères qui militaient pour une islamisation de la société et de l'État où elles ne se retrouvaient guère. Le monde confrérique soudanais se partageait pour l'essentiel entre deux grandes branches, relayées par deux partis politiques. Les Ansars se réclamaient de la filiation du *Mahdi*, ou « Messie », qui avait proclamé en 1881 le *jihad* contre la colonisation britannique[3] : ils eurent pour relais, après l'Indépendance, en 1956, le parti Oumma. La Khatmiyya, traditionnellement plus liée à l'Égypte, était représentée par le Parti Unioniste Démocratique. Les uns comme les autres devaient privilégier un mode de fonctionnement politique traditionnel : l'allégeance des militants à la personne des dirigeants reproduisait la dévotion des disciples au maître soufi, qui, en retour, dispensait sa *baraka* à ses affidés et leur accordait sa protection. Les Ansars, dirigés par la famille al-Mahdi, bien implantés dans le monde rural, avaient la haute main sur l'économie agricole du pays ; la Khatmiyya, sous l'égide de la famille al-Mirghani, était très influente dans le souk et les réseaux du commerce. Au sein des milieux éduqués urbains, peu nombreux dans les années 1960, la mouvance islamiste se heurtait à la concurrence du Parti communiste le plus important du monde arabe : particulièrement bien établi à l'Université, il disposait aussi d'une implantation ouvrière parmi les cheminots d'un pays à qui le colonisateur avait légué un long réseau ferroviaire. Le nationalisme arabe y comptait également ses champions, comme dans le reste de la région. Mais le Soudan n'était un pays arabe que pour partie[4]. Le Sud, principalement animiste et chrétien, peu arabisé, restait opposé à tout projet national construit autour de l'arabisme et ultérieurement de l'islam dont il redoutait qu'il ne se bâtît à son détriment, annihilant sa spécificité négro-africaine.

C'est dans un contexte marqué par de telles

contraintes que surgit le dirigeant charismatique qui devait conduire les islamistes soudanais à la victoire grâce au putsch militaire de 1989. Hassan el Tourabi, né en 1932 dans une famille de dignitaires religieux descendant d'un *mahdi* mineur, dépositaire de la *baraka*, reçut une éducation coranique traditionnelle avant d'étudier le droit à l'université de Khartoum, d'où il sortirait avocat. Il poursuivit ses études par une maîtrise à Londres (1957), suivie d'un doctorat obtenu à Paris en 1964[5]. Cette même année, à son retour à Khartoum, il devint doyen de la faculté de droit ; en octobre, la dictature militaire qui dirigeait le pays depuis 1958 fut renversée, et un gouvernement civil dans lequel les idées socialistes étaient prépondérantes la remplaça.

Cet intellectuel polyglotte âgé de 32 ans se réclamait d'une double légitimité, traditionnelle et surtout moderne, dont il sut jouer avec brio. Il utilisa sa formation occidentale pour construire, à partir de la matrice des Frères musulmans, un mouvement politique islamiste original, le Front de la Charte Islamique (FCI). Son organisation était calquée sur le rival par excellence, le Parti communiste soudanais, et le FCI rompit avec la logique des Frères qui se consacraient avant tout à la prédication religieuse[6]. Au scrutin législatif d'avril 1965, le Front n'obtint que sept députés (dont deux dans les circonscriptions réservées aux diplômés[7], où la gauche remporta les onze sièges restants). Aux élections étudiantes de la même année, le Front, avec 40 % des voix, recueillait le fruit de son prosélytisme à l'Université, où il talonnait la gauche qui obtint 45 % des suffrages[8]. À l'Assemblée, la domination du parti Oumma, avec soixante-seize sièges, marquait la prééminence des politiciens issus du monde confrérique dans un pays qui restait rural à plus de 80 %, et son leader, Sadiq al Mahdi, fut nommé Premier ministre. Tourabi, qui deviendrait son beau-frère, allia le FCI à l'Oumma : les Frères eurent ainsi accès à un comité d'élaboration de la Constitution, qui devait proposer que l'islam fût religion d'État et la *chari'a* source principale du droit. C'était l'occasion, pour un parti d'intellectuels minoritaires, de s'agréger à la confrérie dominante, marquée par la référence au *mahdi*, et de réactualiser l'expérience de celui-ci en réclamant l'application de la *chari'a* à l'époque contemporaine, comme cela avait été le cas durant l'État mahdiste de la fin du dix-neuvième siècle. Pareille tactique permit à la mouvance islamiste d'installer ses hommes au cœur de l'establishment politique. Mais, en plaçant la *chari'a* au centre de l'identité soudanaise, elle aliénait les 30 % de citoyens non-musulmans, principalement sudistes. Dans le contexte de tension extrême qui s'ensuivit et qui devait se traduire par la guerre civile au Sud, un coup d'État porta au pouvoir en juin 1969 le général Nimayri, avec le soutien des communistes, l'appui de l'Égypte nassérienne et de la confrérie Khatmiyya. Le FCI fut dissous et Tourabi passa sept années en détention.

Sans emprise dans la masse de la population dont les deux grandes confréries et leurs partis se partageaient l'allégeance, les islamistes soudanais menèrent un travail patient de conquête du monde estudiantin, pépinière des intellectuels et des classes moyennes pieuses modernes. En prison, Tourabi rédigea un opuscule, *La position de la femme dans l'islam*, qui, tout en insistant sur l'obligation du port du voile, encourageait la participation des femmes à la vie publique. Cela lui valut l'hostilité des milieux les plus traditionnels, mais permit à son mouvement de recruter de nombreuses étudiantes, auxquelles

les partis de gauche, laïques et communiste, étaient les seuls à offrir jusqu'alors une vision du monde qui prît en compte leurs aspirations à l'émancipation. Dans le même temps, le Parti communiste, sur lequel Nimayri s'était appuyé en s'emparant du pouvoir, perdit la faveur du dictateur, qui démantela son organisation, lui infligeant un dommage dont il ne se relèverait pas, ce qui devait faciliter la captation par les islamistes du monde des élites du savoir où le PC prédominait. En 1977, les soutiens du régime s'amenuisèrent dangereusement face aux échecs économiques et au piétinement de l'offensive de l'armée dans le Sud. Nimayri décréta alors une « réconciliation nationale », libérant les opposants et faisant revenir les exilés. Tourabi et ses fidèles y jouèrent un rôle important en infiltrant la haute administration où leur formation intellectuelle, fréquemment acquise en Occident, les rendait indispensables pour remettre en route l'appareil de l'État. Ce « pragmatisme » de la mouvance islamiste soudanaise, théorisée par Tourabi sous le nom de *fiqh al darura* (« jurisprudence de la nécessité »), et qui poussait ses membres à occuper toute position de pouvoir accessible, résultait du caractère restreint et élitiste de l'organisation. Contrairement aux Frères musulmans égyptiens, aux islamistes algériens, palestiniens ou iraniens qui s'efforcèrent dans un premier temps de prêcher la masse de la population, Tourabi et ses amis (plus proches en cela de Mawdoudi et de la *jama'at-e islami* pakistanaise ou d'Anwar Ibrahim et de l'Abim malaisienne) étaient adeptes d'une islamisation de la société « par le haut » : la conquête de l'État par l'élite « éclairée » lui permettrait d'en mettre en œuvre le projet.

À cette fin, ils servirent d'intermédiaires entre le Soudan et l'Arabie Saoudite qui, au faîte de sa puissance financière après la guerre d'octobre 1973, souhaitait resserrer les liens avec ce pays proche, riverain de la mer Rouge, gros pourvoyeur de main-d'œuvre immigrée[9], et dont il lui importait d'éloigner l'influence communiste. Le régime soudanais cherchait pour sa part, comme tous les pays africains musulmans pauvres, à attirer des capitaux arabes du Golfe. Dès l'automne 1977, la Banque Islamique Faysal ouvrit une branche soudanaise ; la banque *Al Baraka* s'implanterait en 1984, ainsi que d'autres institutions financières du même type. Les proches de Tourabi y monopolisèrent une grande partie des emplois, fournissant par là travail et enrichissement aux diplômés qui avaient milité dans les rangs de leur organisation étudiante — un phénomène comparable à ce que l'on pourrait observer dans le système bancaire islamique malaisien[10]. Ces banques devaient aussi accorder des prêts à des conditions très favorables aux investisseurs et entrepreneurs liés au mouvement, favorisant l'émergence d'une bourgeoisie pieuse, directement dépendante pour sa réussite économique de ses liens politiques et de son inspiration idéologique. Enfin, elles démarchèrent avec succès des déposants potentiels, notamment parmi les commerçants locaux qui n'avaient pas accès aux banques conventionnelles, tournées vers l'extérieur, et en firent une clientèle à la fois commerciale et politique. Ce processus connaîtrait un certain engouement : la Banque Faysal devint le second établissement du pays par le montant de ses dépôts dès le milieu des années 1980. Grâce à ce phénomène, qui manifesta l'appui financier saoudien aux islamistes soudanais, ceux-ci purent dépasser leur implantation limitée aux milieux universitaires et intellectuels, et donner voix à une bourgeoisie pieuse et éduquée émergente, qui échappait à l'influence tant des partis a-religieux (communistes, nationalistes, etc.) que des confréries traditionnelles. La connexion saoudo-soudanaise par l'entremise du FNI s'exprima également à travers le Centre Islamique Africain, richement doté par les pays du Golfe et dirigé à partir de 1979 par un membre du parti, qui avait pour fonction de former des prédicateurs et de jeunes élites provenant des pays d'Afrique francophone et anglophone, imbus de la vision salafiste de l'islam, armés pour combattre les missionnaires chrétiens et supplanter les confréries[11].

Les huit dernières années du régime de Nimairy furent marquées par un accroissement de l'influence des proches de Tourabi, qui étaient laissés libres de noyauter l'appareil de l'État, à condition de ne pas mettre en cause le dictateur lui-même. Celui-ci voyait dans l'islamisation des lois dont ils se faisaient les champions l'occasion d'exercer un contrôle plus rigoureux sur une population lassée de la corruption et de l'inefficacité du régime, et de déplacer sur le terrain religieux les conflits sociaux. Dans cette perspective, en septembre 1983 la *chari'a* fut appliquée par décret : les premières mains furent coupées aux voleurs, les premiers couples adultères lapidés, l'alcool fut banni, et l'islamisation du système bancaire encouragée. En janvier 1985, Mahmoud Mohammed Taha, un intellectuel qui souhaitait repenser certains points du dogme de l'islam, fut pendu en public[12]. En mars, Nimairy, préoccupé par l'influence qu'avaient acquise Tourabi et son entourage, qualifiés par lui de « Frères diaboliques », les fit brièvement emprisonner, avant que son régime ne s'effondre, le mois suivant.

Pendant les quatre années d'intermède démocratique entre la chute de Nimayri et le putsch de juin

1989, le mouvement islamiste soudanais consolida ses positions, créant en 1985 le Front National Islamique, qui remporta cinquante et un sièges (sur deux cent soixante-quatre) aux élections parlementaires d'avril 1986, dont vingt et un des vingt-huit sièges réservés aux « diplômés ». Par rapport aux élections de 1965, il avait conquis une nette suprématie parmi les électeurs de la classe moyenne éduquée, même si ses résultats dans l'ensemble de la société manifestaient que, contrairement à son homologue algérien, il n'avait pas pénétré la masse de la population. En revanche, ces années furent utilisées pour infiltrer la hiérarchie militaire (ce que les islamistes algériens ne parvinrent pas à faire), à qui le FNI fournit la justification idéologique de la guerre menée par l'armée contre les animistes et les chrétiens du sud du pays, dépeinte sous les couleurs du *jihad*. Or, l'échec de cette guerre avait amené le gouvernement à négocier avec les rebelles sudistes, et, le 30 juin 1989, il devait suspendre les lois islamiques en vigueur, comme préalable à la mise en œuvre de la réconciliation nationale [13].

Le coup d'État mené ce même jour par le général Omar al Bachir, appuyé sur des officiers islamistes [14], avorta ce projet. Rapidement, le putsch laissa transparaître que Tourabi, malgré son assignation à résidence quelque temps comme les autres dirigeants politiques pour donner le change, était l'« éminence grise » du nouveau régime. Comme au Pakistan en 1977, lorsque le général Zia ul-Haq avait renversé Ali Bhutto, puis avait proclamé « l'État islamique » en puisant son inspiration chez Mawdoudi, les intellectuels islamistes et la bourgeoisie pieuse influencée par eux étaient parvenus au pouvoir au Soudan sans aucune mobilisation populaire en leur faveur. Dans les deux cas, une partie de la hiérarchie militaire avait adopté l'idéologie islamiste, et assuré la victoire du mouvement en évitant le recours à une jeunesse urbaine pauvre dont les revendications sociales sont toujours grosses de bouleversements incontrôlables de l'ordre établi. Dans chaque pays, l'idéologie islamiste avait su trouver d'autant plus aisément accès à l'état-major que la *jama'at-e islami* pakistanaise comme le FNI soudanais avaient fourni une ample justification religieuse aux guerres menées sans grand succès par l'armée — contre la sécession du Bangladesh en 1971 dans le premier cas, contre les animistes et les chrétiens du Sud dans l'autre. Enfin, l'établissement d'une dictature militaire islamiste se traduisit dans les premières années par une répression impitoyable contre les classes moyennes sécularisées, qu'avait symbolisée au Pakistan la pendaison d'Ali Bhutto en 1979. Au Soudan, où les mœurs politiques étaient traditionnellement douces et s'exprimaient par des mariages et des alliances tribales entre élites dirigeantes, qui assuraient protection à ceux qui subissaient une disgrâce temporaire, le régime de 1989 inaugura une violence inconnue : purges et exécutions touchèrent d'abord le corps des officiers, tandis que les fonctionnaires civils et militaires étaient soumis à des stages de « rééducation » destinés à leur faire adopter la vision islamiste du monde. La torture des personnes interpellées et amenées dans les *ghost houses*, les villas fantômes des services de sécurité, devint une pratique courante, dénoncée par les organisations internationales [15] — mais dont Tourabi devait minimiser la portée, l'attribuant à « l'extrême sensibilité des Soudanais [16] ». Associations, partis et journaux indépendants furent interdits, et leurs responsables incarcérés.

La brutalité « révolutionnaire » des premières

années du régime permit au FNI d'asseoir sa domination sur l'État en plaçant partout ses hommes, issus de l'intelligentsia islamiste et des classes moyennes pieuses. Elle avait pour objectif de détruire le pouvoir des groupes dominants traditionnels, issus des grands partis politiques liés aux confréries, et de les remplacer par une nouvelle élite « moderne [17] ». En même temps, elle réprimait plus durement encore les intellectuels ou les membres des classes moyennes non islamistes, contraignant à l'exil un très grand nombre d'entre eux, afin qu'ils ne puissent constituer une alternative. Enfin, le FNI s'efforça de pallier sa médiocre implantation populaire en favorisant un groupe ethnique venu de l'Ouest africain, les Fallata [18], que son origine allogène avait maintenu dans une situation marginale — et au sein duquel il put s'assurer une clientèle d'autant plus fidèle, voire disponible pour les basses besognes, qu'elle lui devait sa promotion et craignait de la perdre en cas de changement du pouvoir.

Cette politique permit à Tourabi et à ses amis de conquérir l'État et de s'y maintenir pendant une décennie. Cela valut au dirigeant charismatique l'admiration de la plupart des mouvements comparables dans le monde arabe — notamment des responsables du Mouvement de la Tendance Islamique (MTI) tunisien ou du Hamas palestinien [19], qui donnent le Soudan en exemple —, et la sympathie de nationalistes voire de militants de gauche de la région qui font prévaloir l'anti-impérialisme du discours de Tourabi sur la répression que subissent leurs camarades à Khartoum. Contrairement au régime pro-islamiste du général Zia au Pakistan, également issu d'un coup d'État militaire, mais qui avait bénéficié d'un soutien américain massif à l'occasion du combat contre les Soviétiques en Af-

ghanistan, le pouvoir soudanais a encouru puis
cultivé l'ire des États-Unis. Les exactions de l'armée
et des milices au cours de la guerre sans fin, dans le
Sud, ont dressé contre le régime de très nombreuses
organisations chrétiennes, protestantes et catholiques, ayant leurs entrées à Washington comme
dans les capitales européennes, fermant aux dirigeants soudanais l'accès aux divers forums de « dialogue islamo-chrétien » grâce auxquels beaucoup de
mouvements islamistes d'autres pays sont parvenus
à établir des contacts avec les cercles de pouvoir
occidentaux. En ce sens, le FNI, bien qu'issu d'un
putsch et dirigé par des élites formées en large part
en Grande-Bretagne ou aux États-Unis, est l'objet
d'une hostilité américaine qui évoque celle qui frappait l'Iran khomeiniste, pareillement classé comme
État soutenant le terrorisme. Mais, comme en Iran,
le régime a su transformer en ressource de légitimité
cette inimitié et le cortège de sanctions qui lui sont
liées ; au Soudan, ce fut l'occasion d'incriminer
l'Amérique pour les désastres économiques de la
décennie écoulée[20], et d'appeler à l'union sacrée.
Cela permit aussi à Tourabi — qui avait soutenu
Saddam Hussein durant la guerre du Golfe de
1990-91, s'aliénant ainsi temporairement l'appui
saoudien — de rassembler des soutiens internationaux au-delà de la mouvance islamiste, et de faire de
son pays, pourtant l'un des plus pauvres de la planète, un symbole de la résistance à l'impérialisme.
En avril 1991, une conférence populaire arabe et
islamique rassembla à Khartoum, outre le gotha
islamiste international en provenance du Moyen-
Orient arabe, du Maghreb, d'Iran, d'Afghanistan et
du Pakistan, Yasser Arafat et des nassériens
d'Égypte, réitérant la solidarité des participants avec
l'Irak et se posant en alternative à l'Organisation de

la Conférence Islamique (OCI) sous influence saoudienne, loin toutefois de disposer de ses moyens.
Elle serait suivie d'une deuxième conférence ayant le
même objet, en décembre 1993, puis d'une troisième, en mars-avril 1995[21]. Celles-ci fournirent à
Tourabi l'occasion de s'affirmer sur la scène internationale, à travers les médias mondiaux dont il sait
jouer à merveille[22], lui permettant ainsi de renforcer
son emprise sur son propre pays. De la sorte, le
régime est parvenu à occulter opportunément son
origine putschiste et sa médiocre implantation
populaire, et à se donner l'image d'un pouvoir révolutionnaire porte-parole des masses musulmanes et
progressistes du monde. Il a pu occuper pareille pos-
ture parce que, à partir de 1989, il était non seulement devenu le seul mouvement islamiste sunnite à
s'être emparé de l'État, mais avait également mis à
profit le vide laissé par la mort de Khomeini, ce
même mois de juin qui s'acheva par le putsch de
Khartoum.

7

Europe, terre d'islam :
le voile et la « fatwa »

Khomeini mourut le 3 juin 1989, un peu plus d'un trimestre après avoir appelé les musulmans du monde à tuer l'auteur des *Versets sataniques*. Cette *fatwa* stupéfiante fut le véritable testament politique de l'ayatollah et elle clôt, avec l'année 1989, la phase ascendante que connurent les mouvements islamistes au long d'une décennie inaugurée par la conquête du pouvoir à Téhéran, en 1979. Elle s'inscrit au croisement de deux registres symboliques. Téhéran avait été contraint de cesser la longue guerre contre l'Irak, entre 1980 et 1988, abandonnant l'espoir de chasser Saddam Hussein. L'Arabie Saoudite conservait son hégémonie sur l'expression de l'islam malgré les tentatives de déstabilisation iraniennes. Dans ce contexte, la *fatwa* est d'abord une tentative pour reprendre l'initiative en ce domaine. Khomeini se fait le héraut par excellence des musulmans offensés par un roman jugé attentatoire à leur honneur, leur religion et leur culture — alors que ni Riyad ni les organismes qui en dépendent n'ont pu empêcher la parution du livre. En second lieu, la *fatwa* du 14 février 1989 déplace les lignes de faille de la contestation islamiste, situées en Asie du Sud-Ouest durant les années 1980, en dehors des frontières historiques traditionnelles de la Communauté des Croyants, vers l'Europe occidentale où vit Salman Rushdie et dont il est ressortissant. Elle projette soudain le *dar el islam* à l'échelle de l'univers entier, y agrège les populations d'origine musulmane émigrées, en fait les otages puis les acteurs du combat entre les forces qui s'affrontent pour dominer un espace de sens islamique mondial dont l'Occident deviendra au cours de la décennie suivante un nouveau champ de bataille.

Le 15 février 1989 devait marquer la victoire du *jihad* parrainé par l'Arabie Saoudite et les États-Unis en Afghanistan : ce jour-là, à l'initiative de M. Gorbatchev, les troupes soviétiques achèveraient leur retrait, et l'on s'attendait qu'un gouvernement de coalition entre les partis de mojahidines basés à Peshawar, et sous influence saoudo-pakistanaise, s'installe à Kaboul. Il s'en faudrait encore de plus de trois ans pour que la capitale afghane tombe entre leurs mains, mais les esprits étaient alors convaincus que l'Arabie allait marquer un nouveau point important dans l'affirmation de son magistère sur l'islam mondial — d'autant que les partis chi'ites afghans ne faisaient pas partie de la coalition victorieuse. Or, la fin du retrait soviétique passa quasiment inaperçue des salles de rédaction qui reproduisirent partout la *fatwa* émise par Khomeini la veille, remettant l'Iran au cœur de tous les enjeux liés à l'expression politique de l'islam et à son contrôle. En même temps que le court texte qui « condamnait à mort » l'auteur et les éditeurs des *Versets sataniques* et appelait « tout musulman zélé à les exécuter immédiatement où qu'ils se trouvent », furent diffusées des images de la mise à sac du Centre culturel américain d'Islamabad, au Pakistan, le 12 février, qui fit cinq morts et des dizaines de blessés, parmi lesquels le chef du parti des oulémas déobandis, Maulana Fazlur Rahman : le soutien des États-Unis au *jihad* afghan n'avait servi de rien pour protéger une de leurs institutions d'une foule ameutée contre le livre de Salman Rushdie (bien que ce dernier n'eût pas d'attache outre-Atlantique). On pouvait aussi voir dans les programmes consacrés à la *fatwa* des scènes filmées un mois auparavant à Bradford, dans le Yorkshire, où un auto-da-fé du roman avait été organisé en place publique, à l'initiative du Conseil des Mosquées de cette ville comportant une nombreuse population d'origine pakistanaise.

Ce déchaînement de violences contre un ouvrage de fiction suscita stupeur et hostilité en Occident, où il évoquait le fanatisme de l'Inquisition espagnole ou les bûchers de livres qu'allumaient les nazis. Les militants de Bradford, pour leur part, plaidaient qu'un roman qui décrivait des personnages identifiables aux femmes du prophète Mohammed comme des prostituées insultait l'honneur de l'islam, tournait en dérision ses croyances. Peu leur importait que Rushdie eût voulu écrire une fiction dont le sujet était le bouleversement des représentations et des repères né de la grande vague de sédentarisation des musulmans immigrés en Europe dans le dernier quart du vingtième siècle. Son cas était aggravé par son origine musulmane, qui faisait, aux yeux de ses adversaires, du blasphémateur un apostat, c'est-à-dire un criminel que la *chari'a* condamne à mort s'il ne se repent pas.

Les premiers mois de l'affaire Rushdie, entre la publication du roman, en septembre 1988, et l'auto-da-fé de Bradford, le 14 janvier 1989, sont dominés par les disciples de Mawdoudi, depuis l'Inde et le Pakistan, puis à travers leur relais britannique, la *U.K. Islamic Mission*[1]. Ils activent les réseaux saoudiens pour faire interdire le livre, grâce à des pressions sur le gouvernement de Londres, qui s'avéreront sans effet. La deuxième période, entre l'auto-da-fé et la *fatwa*, voit des associations déobandies et barelwies occuper le devant de la scène. Elles agissent à la base, en soulevant la rue contre le roman et son auteur, en Angleterre comme au Pakistan, à l'inverse de la logique diplomatique de Riyad, toujours méfiant face aux mouvements de foule. Enfin, la troisième phase, qui commence le 14 février, sous l'impulsion de Khomeini, mêle mobilisation populaire, action internationale et menace de terrorisme. À chaque étape, une tendance islamiste différente s'empare de la direction de la campagne, en évinçant les autres : aux deux rivaux des années 1980, les wahhabites saoudiens, la *jama'at-e islami* et les Frères musulmans d'un côté, l'Iran de l'autre, s'adjoint un troisième concurrent, le milieu des oulémas indo-pakistanais, surtout déobandis, dont l'influence sur la scène islamique internationale ne fera que croître dans la décennie 1990, et d'où sortiront les Talibans.

Dès le 3 octobre 1988, une semaine à peine après la parution des *Versets sataniques*, la Fondation islamique de Leicester, animée par des héritiers spirituels de Mawdoudi, adressa une circulaire à l'ensemble des mosquées et des associations musulmanes du Royaume-Uni, leur demandant, extraits du roman à l'appui, de prendre part à une campagne de pétitions afin d'obtenir l'interdiction du roman, son retrait de la vente, et des excuses publiques de l'auteur. Ils y avaient été incités par leurs « frères » de la *jama'at-e islami* de Madras, en Inde, qui avaient soutenu l'action de politiciens indiens musulmans visant à faire interdire l'entrée du livre dans le pays natal de Rushdie. Le Premier ministre d'alors, Rajiv Gandhi, au milieu d'une campagne électorale difficile où il avait besoin des suffrages des musulmans (environ 15 % du milliard de citoyens indiens), déféra à leur demande le 5 octobre — s'attirant une réponse virulente du romancier. La semaine suivante, un Comité d'Action Islamique *ad hoc*, réuni chez un diplomate saoudien en poste à Londres, amplifia la campagne en suggérant que la loi britannique contre le blasphème (qui en protège la seule Église anglicane) fût étendue aux autres religions, ce qui aurait permis la censure du roman. Ces demandes restèrent sans effet face à la protection juridique dont bénéficie la liberté d'expression au Royaume-Uni. En revanche, la plupart des États musulmans interdirent l'entrée sur leur territoire du livre, qui fut condamné le 5 novembre lors d'une réunion de l'Organisation de la Conférence Islamique (OCI), où l'Arabie Saoudite joue un rôle prépondérant. Mais la première phase de la mobilisation resta de faible intensité : les disciples de Mawdoudi au Royaume-Uni, intellectuels très bien organisés mais peu implantés dans une population musulmane en majorité ouvrière et frappée par le chômage, où prédominaient déobandis et barelwis, avaient pour objectif d'accroître leur influence, de conquérir un magistère moral et politique qui leur faisait défaut, en défendant l'honneur de l'islam. Cette campagne leur offrait l'occasion d'élargir leur base à la jeunesse urbaine pauvre pakistanaise issue de l'immigration : contrairement à la génération de ses parents, peu anglophone et illettrée, elle avait fréquenté l'école anglaise et pouvait être sensible à l'enjeu représenté par un livre édité dans cette langue. Mais ils tenaient également à sauvegarder les nombreux accès qu'ils s'étaient ménagés aux institutions britanniques. Elles voyaient en eux un interlocuteur islamique de référence, et ils préféraient, à des initiatives intempestives, des pressions diplomatiques que le poids financier des Saoudiens, espéraient-ils, rendrait efficaces. Au début de la décennie en effet, Riyad avait causé un scandale en empêchant la diffusion d'un téléfilm, produit par la BBC et intitulé *Mort d'une princesse*, qui relatait la manière dont avait été réglé un adultère dans la famille royale saoudienne. Mais les *Versets sataniques* ne furent pas perçus comme un enjeu majeur qui valait de mettre en action l'appareil diplomatique saoudien et de menacer Londres de rétorsions commerciales. Fin décembre 1988, l'Attorney général du Royaume-Uni déclara que le roman n'était pas justiciable de poursuites.

Cet échec de la première phase de la campagne ouvrit la voie aux manifestations populaires des associations déobandies et barelwies. Leurs membres n'étaient guère concernés par un roman rédigé en anglais, qui se situait en dehors de leur univers de représentation habituel, ni par des considérations géopolitiques. Ils réagissaient au premier degré à ce qu'ils percevaient comme une insulte à l'islam, c'est-à-dire à la règle des comportements de leur vie quotidienne, dans le sens rigoriste et prégnant transmis par leurs *medressas*. Pour les dirigeants de ces associations, dont l'autorité dépendait de la croyance absolue des adeptes dans le caractère intangible et immuable du dogme, tout texte qui risquait d'instiller le doute — notamment dans l'esprit de la jeune génération, plus perméable aux influences occidentales — constituait un danger. Il n'en était que plus pressant dans le cadre britannique, où le pouvoir des mollahs, qui faisait d'eux les intermédiaires par excellence entre communauté musulmane et autorités du Royaume-Uni, était lié à la hauteur de la clôture mentale, linguistique et culturelle qui séparait leurs ouailles de la société globale et limitait leur accès direct à celle-ci. Le « blasphème » des *Versets sataniques*, s'il n'était pas contré, risquait d'inciter des jeunes indo-pakistanais, comme les héros du roman, à casser les schémas traditionnels de pensée ainsi que les règles de soumission et d'obéissance aux religieux déobandis et barelwis. La campagne contre Rushdie représentait pour eux la défense d'intérêts acquis, ce pourquoi ils ameutèrent leurs troupes avec beaucoup de virulence, brûlant le roman à Bradford, et tentant d'incendier le Centre culturel américain d'Islamabad. Mais la violence, symbolique ou réelle, de ces manifestations qui rassemblaient des petites gens en grand nombre n'avait pas de prolongement politique direct, d'accès aux puissants, à l'inverse de la campagne des mawdoudistes, rapidement reprise en haut lieu dans les cercles saoudiens, mais sans relais dans la rue.

En lançant sa *fatwa*, Khomeini récupérait cette initiative populaire au lendemain des troubles d'Islamabad, en lui donnant la dimension politique qui lui manquait : elle prit instantanément une extension mondiale. Jusqu'alors, la campagne était dirigée contre le roman, même si elle s'accompagnait parfois de slogans vouant Rushdie à la mort. Désormais, en appelant à l'exécution d'un auteur qui se trouvait être citoyen britannique (et n'avait aucun rapport avec l'Iran), elle changeait de registre, prenant de court les réseaux saoudiens qui n'étaient pas parvenus à empêcher la parution du livre, faisant du Guide de Téhéran le héraut incontestable des musulmans offensés, face à la pusillanimité de Riyad — réduisant à rien les dividendes symboliques que le royaume attendait des succès du *jihad* en Afghanistan, sanctionné par le retrait soviétique le 15 février. Enfin et surtout, elle ignorait les frontières traditionnelles du monde de l'islam : en effet, dans la doctrine juridique, une *fatwa* ne pouvait avoir de validité en dehors du *dar el islam*, de cette portion de l'univers gouvernée par un prince musulman et où, en principe, était appliquée la *chari'a*. Or, par son coup d'éclat, Khomeini faisait de la terre entière sa juridiction : non seulement il s'imposait symboliquement aux chi'ites comme aux sunnites, dépassant le territoire du seul Iran, mais il jugeait de son ressort les populations émigrées en Europe, les intégrant du même coup dans le « domaine de l'islam ». Ce double bouleversement eut des conséquences majeures dans les rapports de forces au sein du monde musulman et dans les perceptions réciproques entre celui-ci et l'Occident.

Dans l'espace de sens islamique, Khomeini avait réussi à rétablir sa situation. En Iran, face aux velléités d'un courant « pragmatique » mené par le président du Parlement, Hachemi Rafsandjani, qui cherchait les moyens de rétablir des liens avec l'Occident après la fin sans gloire de la guerre contre l'Irak, il avait radicalisé de nouveau le vocabulaire politique. Exaltant les déshérités démotivés et déçus, il leur offrait un combat moral et religieux insolite, propre à les détourner de leur mécontentement social dans un pays où la paupérisation croissante de la masse s'accompagnait de l'enrichissement considérable de la bourgeoisie pieuse, du bazar lié aux mollahs. À l'extérieur, il plongea dans l'embarras les Saoudiens et leurs alliés, les divisant et affaiblissant leurs positions, processus qui parviendrait à son terme l'année suivante avec le déclenchement de la guerre du Golfe. Un certain nombre d'activistes qui avaient participé au *jihad* afghan et que Riyad pensait avoir attirés dans son orbite et éloignés de la version iranienne et antiaméricaine de l'extrémisme, comme le cheikh égyptien Omar Abdel Rahman (qui se rendrait célèbre lors de l'attentat contre le World Trade Center de New York en 1993), donnèrent leur appui à Khomeini. Au terme de la conférence des ministres des Affaires étrangères de l'OCI, le 16 mars, l'Arabie et les États « modérés » durent accepter un communiqué déclarant l'auteur des *Versets sataniques* apostat. Cela revenait à fournir quasiment une justification doctrinale à la *fatwa*[2] — en jugeant du « blasphème » de Rushdie selon les catégories du droit islamique — tout en évitant le caractère provocateur de la condamnation à mort explicite d'un ressortissant britannique vivant en Angleterre. Pour son dernier grand acte politique avant de mourir, Khomeini était parvenu à piéger ses adversaires. Comme l'exprima le président iranien Khameneï (et son futur sucesseur) : « Il est le Guide des communautés et de la nation musulmanes ; pour lui, qui n'est pas seulement le Guide de la nation iranienne, tous les musulmans du monde sont liés par le cœur. Comme Guide de l'Oumma islamique, il lui faut défendre leurs droits[3]. »

Les « communautés » auxquelles voulait s'imposer pareil Guide étaient formées pour une large part des populations immigrées en Europe occidentale. Ce mouvement migratoire, qui remontait dans certains cas jusqu'aux premières décennies du siècle, avait pour cause la quête de travail[4]. Les industries européennes recherchaient une main-d'œuvre banale au coût le plus faible, et les immigrés un revenu en numéraire qu'ils pussent rapporter dans leur pays d'origine. Il n'y avait rien de spécifiquement « islamique » dans cette migration qui n'était liée ni à la foi ni à son expansion — et dont on retrouvait l'équivalent dans les populations d'origine chrétienne d'Europe du Sud partant chercher du travail vers les pays du Nord. Après la fin de la Seconde Guerre mondiale, puis lors de l'indépendance de la plupart des pays musulmans, ce mouvement s'amplifia, sous le double effet des besoins considérables en main-d'œuvre de l'Europe de la reconstruction et du plan Marshall, et de la croissance démographique du tiers-monde. Jusqu'au milieu des années 1970, ceux que l'on nommait alors les « travailleurs immigrés » étaient pour la grande majorité de sexe masculin et pourvus d'un emploi — dans des pays d'accueil au taux de chômage très faible. Il n'y avait guère encore de processus de sédentarisation à l'œuvre : les inté-ressés (et les autorités européennes) voulaient voir en eux des « immigrés » (et non des « immigrants ») qui repartiraient chez eux, une fois leur projet accompli, et seraient remplacés par de nouveaux venus, selon le rythme régulier de la « noria migra-toire ». La France et le Royaume-Uni accueillaient surtout des ressortissants de leur ancien empire colonial, venant du Maghreb et d'Afrique occiden-tale dans le premier cas, du sous-continent indien dans le second. En Allemagne, la masse de l'immi-gration musulmane provenait de Turquie. Jusqu'aux lendemains de la guerre israélo-arabe du Kippour, ou du Ramadan, en octobre 1973, l'islam représen-tait un enjeu assez faible encore, comme nous l'avons observé, dans des pays du tiers-monde où prédominait l'idéologie nationaliste sous ses diverses variantes. Émigrés, leurs ressortissants se référaient d'abord à leur nationalité, surtout si celle-ci était récente, et issue d'un long combat, comme en Algérie. Quant à ceux qui pensaient le monde en catégories religieuses, ils percevaient l'Europe de l'Ouest comme *dar el kufr* (« domaine de l'impiété ») — cette partie de l'univers gouvernée par des non-musulmans, où la *chari'a* n'était pas appli-

cable, contrairement au *dar el islam*. En termes
concrets, cela signifiait que la religiosité, en France
et en Allemagne, n'eut presque aucune visibilité :
mosquées et salles de prière y étaient en très petit
nombre et peu fréquentées. Tout au plus demeurait
le respect *a minima* de certains interdits, portant sur
la consommation de viande de porc ou d'alcool (ce
dernier moins observé), ainsi que l'accomplissement
de la prière quotidienne et le jeûne du Ramadan —
que le caractère individuel de ces pratiques et le
désintérêt qui les entourait ne permit pas de quanti-
fier. À cette désaffection, les musulmans indo-
pakistanais du Royaume-Uni firent exception : en
effet, ils s'étaient depuis un siècle, notamment à travers l'expérience des déobandis et des barelwis,
accoutumés à vivre entre eux, d'une manière
communautaire et fortement piétiste sous un gouvernement non musulman et dans une péninsule où
ils ne comptaient guère que pour un cinquième de la
population (contrairement aux Maghrébins, Africains et Turcs qui venaient de pays en majorité,
voire exclusivement, musulmans). Ils s'appliquaient
la *chari'a* à eux-mêmes sans que l'État intervînt. Et
en arrivant au Royaume-Uni après la Seconde
Guerre mondiale, beaucoup d'entre eux transposèrent au contexte britannique le modèle élaboré
dans l'environnement hindou, gardant strictement
les interdits, qui les contraignaient à un repli
communautaire d'autant plus absolu qu'il était
nécessaire à leur mode de vie. Ainsi, afin de consommer de la viande rituellement abattue *(halal)*, qui
n'était pas disponible à l'époque dans le commerce,
il leur fallait se grouper pour acheter et égorger un
mouton dans le cadre de telle association barelwie
ou déobandie, où l'on priait, s'entraidait et se surveillait. Au Royaume-Uni, un tissu associatif musul-

man s'était constitué comme tel dès le début des
années 1950, avec un premier réseau de mosquées
qui organisait les populations dans un cadre
communautaire religieux — beaucoup plus astrei-
gnant que pour les Turcs d'Allemagne ou les Maghrébins de France à la même époque.

La guerre d'octobre 1973, qui avait joué un rôle
crucial dans l'essor de l'islamisme conservateur de
facture saoudienne, eut des conséquences imprévues
et non moins considérables sur le devenir des populations musulmanes en Europe de l'Ouest. L'envolée
des prix du pétrole se traduisit par une inflation à
deux chiffres et un chômage soudain et massif, qui
toucha en premier lieu les travailleurs faiblement
qualifiés, parmi lesquels les immigrés représentèrent
les premières victimes. Les gouvernements européens prirent des décrets pour restreindre l'immigration, dans l'espoir de réduire le chômage, comptant
que ceux qui se trouvaient sans travail repartiraient
chez eux, et qu'ils ne seraient pas remplacés. Mais
ces mesures eurent un effet inverse : percevant qu'il
serait dans leur avantage de rester en Europe, en
dépit des aléas du chômage, plutôt que d'affronter
celui-ci dans leur pays d'origine, la plupart des immigrés décidèrent de se sédentariser, marquant ce
choix par le regroupement familial. En quelques
années, leur population, où prédominaient très largement les hommes, se féminisa et compta de nombreux enfants, arrivés en bas âge ou nés dans le pays
d'accueil après 1973. À la fin des années 1980, ils
deviendraient la première génération des jeunes
adultes d'origine musulmane, nés ou éduqués en
pays européen, en parlant la langue, familiers de la
culture populaire locale, citoyens de leurs États ou
ayant vocation à le devenir.

Entre les débuts de la sédentarisation, dans les

lendemains de la guerre d'octobre, et 1989, les développements de l'islam en Europe étaient encore largement dominés par des enjeux politiques liés aux
pays de départ. Ils répondaient aussi à des
contraintes sociales propres à la situation des pays
d'accueil, où les immigrés traversaient une période
particulièrement difficile. À l'omniprésence du chômage, qui entravait l'intégration à la société par le
travail et la mobilité professionnelle ascendante,
s'ajoutait l'ajustement complexe à une vie familiale
inhabituelle. Les femmes, fraîchement arrivées,
vivant souvent recluses au foyer quand elles ne parlaient pas la langue, posaient un problème inédit de
socialisation, de mœurs. Les enfants, scolarisés en
français, anglais, allemand ou néerlandais, représentaient un défi inverse : intermédiaires indispensables avec la société environnante, ils mettaient à
mal la hiérarchie des générations et dévalorisaient le
capital culturel des parents.

C'est dans ce contexte instable où les repères traditionnels paraissaient obsolètes et où la société
d'accueil semblait opaque ou hostile que se développa une identité islamique nouvelle. Elle répondait à la quête de sens de populations qui avaient
fait un pari sur l'inconnu et cherchaient leurs
marques. Cette demande était d'autant plus forte
parmi les couches fragiles, peu éduquées, touchées
par le chômage — et elle suscita dans les premiers
temps une offre venant des mouvements islamiques
les plus piétistes, à même d'encadrer la vie quotidienne des croyants par des pratiques très codifiées,
qui y remettaient de l'ordre. Parallèlement aux succès renouvelés des déobandis et des barelwis en
Grande-Bretagne, le *tabligh*, ce mouvement d'origine
indienne qui corsetait étroitement la vie de ses
adeptes par une discipline rigoureuse (les aidant à

rompre, à l'origine, avec l'environnement hindou), fit une percée en France dans les milieux maghrébins, où il était peu implanté traditionnellement. Pour nombre d'Africains de l'Ouest, l'encadrement prégnant des confréries mourides et tidjanes avait isolé les talibés (disciples) de la déstabilisation migratoire — au prix d'une vie qui s'apparentait, dans les foyers de travailleurs, au ghetto. Dans le monde turc d'Allemagne, les confréries, bannies dans l'État fondé par Atatürk, Nurcus, Nakshibendis et Süleymancis en particulier, remplissaient une fonction identique.

Jusqu'à la révolution islamique d'Iran, les autorités européennes n'avaient qu'une vision assez indifférente de l'islam, plutôt apprécié comme une religion conservatrice, hostile aux idéologies révolutionnaires et au communisme, facteur de stabilisation de populations qu'on ne renonçait pas à voir un jour rentrer dans leur pays d'origine. Lors des grandes grèves dans les foyers de travailleurs immigrés en France, entre 1975 et 1978, l'administration avait encouragé discrètement l'ouverture de salles de prière, rapidement desservies par des prédicateurs du *tabligh*, qu'elle voyait comme un antidote au gauchisme, et la clef du retour à la paix sociale. Mais le retour de Khomeini à Téhéran, les harangues prônant d'exporter la révolution islamique, l'extension au Petit Satan français de l'anathème fulminé contre le Grand Satan américain, les violences imputables aux « étudiants dans la ligne de l'imam » iraniens inscrits dans les universités européennes, transformèrent du tout au tout l'image de l'islam, désormais associé par les journaux télévisés aux mollahs brandissant des mitraillettes dans les manifestations de Téhéran. Or, à cette même époque, la Ligue Islamique Mondiale, d'obédience saoudienne, avait commencé d'ouvrir des bureaux sur le vieux continent, afin d'y financer la construction de mosquées, à travers des associations locales dont elle escomptait que la dépendance pécuniaire se transformerait en allégeance idéologique au wahhabisme. Le monde naissant de l'islam européen était, dès le début de la décennie 1980, l'objet d'une concurrence pour les différents courants qui se disputaient l'espace de sens islamique mondial. Mais Paris, Bonn ou Bruxelles, préoccupés alors au premier chef par le « danger » iranien qu'ils surestimaient, pris au dépourvu par la survenue d'un phénomène religieux que leurs services n'avaient pas l'habitude de traiter et ne savaient comment analyser, affermèrent la gestion de l'islam à des États ou des institutions étrangers sur lesquels ils avaient prise — à charge pour eux de faire régner l'ordre et d'éradiquer l'épidémie venue de Téhéran. De la sorte, le pouvoir algérien, qui géra la Grande Mosquée de Paris dès 1982 avec l'aval des autorités françaises, veilla à éviter que parmi ses ressortissants, la plus grande part des musulmans de l'Hexagone, ne se développent des courants islamistes inspirés des mouvements qui virent le jour cette même année 1982 dans les maquis autour de Bouyali ou à l'université d'Alger derrière Abbassi Madani. La Direction des Affaires Religieuses rattachée au Premier ministre turc dépêcha ses prédicateurs et ses enseignants en Allemagne, pour faire pièce aux prêcheurs inspirés par les confréries et par la mouvance islamiste animée par M. Erbakan, qui mettaient à profit la liberté d'expression germanique pour s'affranchir de la prudence imposée au pays par la stricte laïcité d'Atatürk.

Au sein de l'islam européen de ces années, les intellectuels islamistes étaient représentés par les étudiants venus du monde musulman. Un certain nombre s'étaient investis dans le travail de prédication et de prosélytisme, mais il leur était difficile de convaincre les travailleurs ou les chômeurs immigrés, dont ils ignoraient l'expérience vécue. Cette première génération, marquée par l'émigration et ses épreuves, menacée par la raréfaction des emplois de « cols bleus » après 1973, préoccupée par l'éducation d'enfants nombreux qui acquéraient une culture sur laquelle leurs parents n'avaient guère prise, était plus attirée, lorsqu'elle se souciait de religion, par les formes piétistes et rassurantes que par des militants qui prêchaient pour l'État islamique, dénonçaient comme impies les gouvernants des pays d'origine, et apparaissaient comme des fauteurs de troubles potentiels.

Cette situation se transforme en 1989 avec l'arrivée à l'âge adulte de générations entières d'enfants d'immigrés, à la fois acculturés en Europe et en butte à de nombreuses difficultés sociales, confrontés à un accès au marché du travail d'autant plus malaisé que l'échec scolaire n'est pas infréquent. Parmi eux se constitue, pour la première fois sur le sol européen, une jeunesse urbaine pauvre d'origine musulmane. Elle sera plus réceptive que ses parents aux militants islamistes radicaux. Ceux-ci, étudiants maghrébins, moyen-orientaux, turcs ou indo-pakistanais, ont leur âge, disposent d'un capital intellectuel supérieur, et maîtrisent la langue et les usages du pays d'origine. Les enfants d'immigrés les connaissent souvent mal ou pas du tout, mais beaucoup sont attirés par cette culture où ils se découvrent des racines valorisantes. La percée de l'idéologie islamiste parmi cette nouvelle génération bénéficiera aussi des espérances déçues des grandes causes des années 1980. En France, le mouvement SOS-Racisme, qui voulait fondre l'ensemble de la jeunesse, toutes ascendances confondues, dans un grand élan antiraciste — et fut utilisé par le président Mitterrand pour flétrir à ce titre le Front national, divisant ainsi la droite —, laissa le souvenir d'initiatives spectaculaires, mais dénuées d'effet social. Le mouvement « beur » (altération du verlan *reubeu*, « arabe »), qui s'efforçait de construire une identité propre aux jeunes Français d'origine maghrébine, tirant parti du croisement de leurs deux trajectoires culturelles, rencontra rapidement ses limites, en favorisant surtout l'ascension d'une « beur-geoisie » restreinte aux élites éduquées. Le demi-échec de ces initiatives laissa à beaucoup de « petits frères » des « potes » de SOS-Racisme et des Beurs un sentiment d'amertume et de désenchantement envers les constructions identitaires qui privilégiaient leur adhésion aux valeurs issues de la culture française, et marginalisaient la référence à l'islam.

Sur ce terrain devenu favorable à la *da'wa* islamiste, les associations issues de la mouvance des Frères musulmans, de la *jama'at-e islami* pakistanaise ou du *Refah Partisi* turc, et implantées en Europe, adaptèrent leur message à une jeunesse urbaine pauvre qui leur paraissait désormais mûre pour le prosélytisme. Il fleurit à cette occasion toute une prédication en français, anglais, allemand, etc., sermons et leçons de mosquées, brochures traduisant des œuvres de Sayyid Qotb ou de Mawdoudi — par contraste avec la décennie écoulée, où les langues du pays d'origine étaient le vecteur par excellence de la propagation du message. De plus, jusqu'à 1989, les États européens avaient été « sanctuarisés » par les mouvements islamistes qui s'y étaient implantés : ils n'étaient qu'un lieu où recruter militants et sympathisants qui reviendraient au pays mener le seul combat qui valût contre les régimes impies. Tout avait été fait pour éviter les conflits avec les autorités locales — et les expulsions des militants khomeinistes qui avaient voulu faire de l'agitation parmi les travailleurs immigrés au tout début des années 1980 avaient rappelé que le rapport de forces était par trop inégal. Dans l'islam d'Europe, les dimensions sociale et politique de la prédication avaient été découplées. Le travail caritatif, les secours aux nécessiteux, l'encadrement moral, qui concernaient la vie quotidienne, étaient pris en charge par des groupes piétistes et des confréries apolitiques épaulés par les consulats et leurs imams « officiels », qui s'efforçaient aussi d'organiser les cours d'éducation religieuse destinés aux enfants. Les mouvements islamistes, quant à eux, formaient leurs recrues à la lutte idéologique contre les pouvoirs algérien, marocain, tunisien, ou turc, contre la présence indienne au Cachemire, mais évitaient toute pression sur les États d'accueil.

Or, les premières générations de jeunes adultes européens d'origine musulmane changèrent la situation du tout au tout. Leurs parents, en majorité étrangers, peu au fait des lois, maîtrisaient mal les codes culturels, et portaient souvent le poids des schémas mentaux de la domination coloniale. Les enfants formèrent une jeunesse sûre de ses droits, prompte à revendiquer et à identifier comme adversaire les institutions des pays dont ils parlaient la langue et possédaient, ou allaient détenir, la nationalité. La police, la justice, l'enseignement français, britanniques, allemands furent incriminés, désignés comme responsables de l'échec scolaire, des problèmes de l'insertion sur le marché du travail, des arrestations trop fréquentes « au faciès », etc. Ces problèmes avaient déjà été soulevés par les mouvements antiracistes des années 1980, mais ils se posaient avec beaucoup plus d'acuité parce que ces groupes, à la fin de la décennie, avaient perdu leur prestige, et parce que les nouvelles générations étaient de plus en plus nombreuses. Les intellectuels islamistes s'engouffrèrent alors dans cette brèche : abandonnant la stratégie de la « sanctuarisation » de l'Europe, ils décidèrent d'intervenir dans le champ politique européen, en se faisant les porte-parole de la jeunesse urbaine pauvre qu'ils dépeignirent pour l'occasion comme une « communauté islamique ». Ce changement de cap s'accompagnait d'une réflexion théorique : à partir du moment où des musulmans étaient citoyens des États d'Europe, ceux-ci ne pouvaient plus être classés dans la catégorie du *dar el 'ahd* ou « domaine de paix contractuelle ». Dans la doctrine islamique, ce terme désigne la portion du *dar el kufr* (« domaine de l'impiété » opposé au *dar el islam*) où les fidèles peuvent vivre en paix. Dans les temps anciens, le *dar el 'ahd* recouvrait les territoires dont le souverain avait signé un traité de paix avec le Commandeur des Croyants : ceux-ci, commerçants, voyageurs, marins, pouvaient y vaquer à leurs occupations de manière pacifique. Il s'opposait, à l'intérieur du *dar el kufr*, au *dar el harb* (« domaine de la guerre ») où les musulmans devaient mener le *jihad*. Au cours des années 1980, seuls les militants du Hizballah libanais qui perpétrèrent des attentats à Paris en 1985 et 1986 avaient agi comme si la France faisait partie du *dar el harb*. L'immense majorité des islamistes installés en Europe jusqu'à la fin de cette décennie la pensaient comme *dar el 'ahd*. Or, dans ce « domaine de la paix contractuelle », il n'est pas envisageable de réclamer l'application de la *chari'a*, puisque le souverain est *kafir*, « impie ». Il était donc impossible aux organisations islamistes qui se voulaient les porte-parole de leur « communauté » d'agir dans ce cadre. C'est pourquoi elles qualifièrent l'Europe, à partir de 1988, de *dar el islam,* puisque des musulmans en grand nombre en étaient devenus citoyens. Ils devaient donc pouvoir s'y organiser en communauté islamique appliquant les règles de la *chari'a,* et intervenir comme tels dans l'ordre politique.

En Allemagne, au Royaume-Uni, ou aux Pays-Bas, pareille évolution doctrinale ne se traduisit pas par des transformations tangibles : chacun de ces États laissait, dans sa logique institutionnelle propre, les populations dites « minoritaires » s'organiser en communauté, voire les y encourageait. En Allemagne, où la législation sur la naturalisation rendait très difficile l'accès à la citoyenneté pour un Turc, même né et éduqué sur place, la logique communautaire servait de compensation au déni de l'intégration civique par l'octroi de la nationalité. Cette population était d'autant plus incitée à vivre en vase clos, à parler sa langue, se fournir dans les magasins « ethniques », à pique-niquer en groupe dans les parcs publics et à voiler ses femmes qu'elle n'avait pas vocation à devenir allemande. Et en multipliant ainsi les marqueurs de son « altérité », elle renforçait les partisans du « droit du sang » dans leur définition restrictive du *Heimat.*

Au Royaume-Uni, où la qualité de sujet britannique avait au contraire été longtemps aisée à acquérir pour les ressortissants du Commonwealth, sans qu'il leur fût nécessaire de parler anglais ou de manifester d'autre signe d'acculturation ou d'allégeance, l'État privilégiait l'insertion communautaire par opposition à l'intégration individuelle. Il prolongeait ainsi la tradition « communaliste » de l'Empire britannique des Indes, où l'appartenance confessionnelle des hindous, des musulmans ou des sikhs conditionnait leur représentation politique, et faisait des notables de chaque communauté religieuse les représentants de leurs coreligionnaires auprès des pouvoirs publics. Ainsi, à Bradford, Birmingham ou ailleurs, les comités de mosquée se voyaient déléguer par les municipalités de nombreuses fonctions de médiation avec leurs ouailles : gestion du chômage, actions caritatives, etc. En contrepartie, les imams faisaient voter leurs fidèles pour tel candidat travailliste ou conservateur au Parlement, qui s'engageait à soutenir la création d'écoles de filles pour ne pas exposer les élèves musulmanes à une mixité perçue comme licencieuse, à garantir une restauration *halal* dans les cantines scolaires, et toutes sortes de dispositions qui favorisaient la clôture communautaire et renforçaient l'autorité des dignitaires religieux.

En France, en revanche, où les deux traditions de la laïcité et du jacobinisme s'opposaient à l'introduction du religieux dans la chose publique et à tout écran communautaire entre le citoyen et l'État, le nouveau cours voulu par les intellectuels islamistes dégénéra rapidement en une situation conflictuelle autour du port du voile dans les établissements scolaires. La logique de l'intégration républicaine y voulait que tous les élèves fussent égaux, par-delà la diversité de leurs origines sociales, ethniques, ou religieuses, devant l'acquisition des connaissances et l'apprentissage de la citoyenneté. Ils ne devaient pas faire ostentation d'une appartenance confessionnelle qui figerait leurs différences au lieu de rechercher leurs convergences. Or, pour les militants, dès lors que la France comptait comme *dar el islam*, les élèves musulmanes devaient être autorisées à respecter les prescriptions de la *chari'a*, telles qu'interprétées par les disciples de Sayyid Qotb et de Mawdoudi, et porter le *hijab*. Les mouvements implantés dans l'Hexagone qui se firent les champions de cette revendication avaient identifié avec beaucoup de discernement un mot d'ordre leur permettant d'enclencher un processus de rupture contrôlée avec l'État. Pour les adeptes et les sympathisants potentiels, la « loi de Dieu » devait avoir précédence sur les règlements des collèges et lycées français, dévalorisant ceux-ci au profit de celle-là. Par là serait inversé le rapport de forces culturel entre la jeunesse urbaine pauvre « déshéritée » issue de l'immigration et les institutions « arrogantes » de l'État. En faisant reculer celui-ci et en le contraignant à modifier sa définition de la laïcité, les militants islamistes s'imposeraient comme interlocuteurs communautaires, en tirant un prestige considérable auprès des jeunes pour qui ils organisaient par ailleurs camps de vacances et stages de formation, se substituant aux activités sociales du mouvement communiste en déclin et modelant leurs programmes sur les camps d'été des *jama'at islamiyya* égyptiennes, où l'on intériorisait les normes de la « vie islamique pure ».

La première « affaire du voile » se déroula à l'automne 1989 et fut suivie de nombreuses autres jusqu'au milieu de la décennie 1990. Les dirigeants de l'Union des Organisations Islamiques de France (UOIF) y jouèrent les premiers rôles. Située dans la mouvance des Frères, bien en cour en Arabie Saoudite, elle avait pu acquérir un château où elle formait des imams destinés aux jeunes musulmans européens, sous le haut patronage du cheikh égypto-qatari Youssef al Qaradhawi. Tous les ans, elle organisait, fin décembre, un grand rassemblement qui lui permit d'acquérir une forte visibilité en invitant, outre des personnalités du courant islamiste mondial, des universitaires et des ecclésiastiques français qui s'adressaient aux milliers de jeunes de banlieue venus par cars spécialement affrétés. En s'impliquant dans les conflits autour du voile, elle avait pour stratégie de valoriser son rôle d'intermédiaire communautaire auprès des autorités. En échange des concessions qu'elle obtiendrait, elle se faisait forte d'encadrer une jeunesse déshéritée et potentiellement instable, de lutter contre délinquance, toxicomanie, et passage à la violence.

Cette logique communautaire, qui allait de pair avec le classement de la France dans le *dar el islam*, visait à faire du contrôle de cette religion un enjeu de politique française, et à affranchir celle-ci de la sujétion aux conflits entre islamistes et pouvoir au Maghreb ou au Moyen-Orient, à quoi elle était jusqu'alors soumise. N'étant plus part du *dar el kufr*, « domaine de l'impiété », la France aurait dû avoir la garantie qu'aucun *jihad* ne serait déclenché sur son territoire — doctrine que remettraient en cause les attentats terroristes perpétrés en 1995 à l'instigation du GIA, comme nous le verrons au chapitre suivant. Les organisations islamistes européennes actives en 1989 s'efforçaient de s'implanter parmi la jeunesse pauvre des banlieues, dans une perspective à long terme d'où toute stratégie de violence était exclue. Elle recherchait au contraire l'appui des secteurs « démocrates » de la société française à qui les affaires de voile étaient présentées sous l'aspect d'une revendication ressortissant à la liberté d'expression et de croyance. Ainsi, dans les médias, les intellectuels islamistes laissèrent le premier rôle aux jeunes filles voilées, qui insistaient sur leur volonté d'avoir accès à l'éducation moderne tout en protégeant les valeurs intangibles de leur religion de toute adultération. Pour elles, comme pour leurs « frères » qui cultivaient le marqueur religieux masculin du port de la barbe, à l'imitation du Prophète, la séduction du modèle communautaire s'expliquait par les échecs de l'intégration individuelle de type républicain à tenir ses promesses. Ils en voyaient la preuve dans le grand nombre de jeunes d'origine musulmane qui, complètement acculturés, voire assimilés à la société française à travers leur parcours scolaire, avaient été rejetés dans ses marges, broyés par le chômage, et avaient basculé dans la déviance. La solidarité communautaire, exacerbée par une identité religieuse sur le mode islamiste qui valorisait les exclus et dépréciait les puissants, apparut alors à nombre d'enfants d'immigrés comme une panacée — ce qui déclencha même un mouvement de conversion chez certains de leurs camarades de cités français, britanniques ou allemands de souche.

C'est dans un tel contexte que surgit la *fatwa* de l'ayatollah Khomeini condamnant à mort Salman Rushdie. Elle intervint au moment où l'islam européen était en pleine mutation, sans qu'elle en fût aucunement la cause. Comme la révolution iranienne dix ans auparavant, qui avait coïncidé avec l'apparition des premières mosquées en France, elle eut plutôt pour effet de creuser des antagonismes et de conforter les clichés qui assimilaient les musulmans en général au fanatisme et à la violence. Mais elle s'agrégea à une évolution en cours, mettant en porte à faux les associations islamistes implantées sur les deux rives de la Manche, dont le patient travail de construction communautaire s'appuyait sur une propagande destinée aux autorités européennes, et qui faisait fond de leur capacité à encadrer paisiblement une jeunesse déshéritée et potentiellement frondeuse.

Au Royaume-Uni, les disciples de Mawdoudi à l'origine de la première campagne contre *Les Versets sataniques* ainsi que les groupes barelwis et déobandis qui avaient brûlé le livre à Bradford se dissocièrent de la *fatwa*, soulignant qu'ils avaient réclamé la censure d'un roman et non l'assassinat de son auteur. Mais un certain nombre de jeunes d'origine pakistanaise, exaspérés par le chômage et qui ne voyaient guère de secours dans les réseaux d'entraide communautaire, saisirent l'occasion pour crier leur rage et défier l'autorité, au cours de manifestations virulentes où l'on vouait Rushdie à la mort. Cette radicalisation trouva son expression la plus achevée lorsqu'un activiste pro-iranien, Kalim Siddiqui, poussa à l'extrême la logique de la rupture communautaire en créant un Parlement musulman parallèle à celui de Westminster, dont les membres « élus » prétendaient légiférer au nom des fidèles de l'islam au Royaume-Uni. Pareille initiative minoritaire et délibérément provocatrice ne connut guère de succès à terme, mais elle rappelait que l'exacerbation des identités communautaires avait abouti, dans bon nombre de cas, à la fragmentation des sociétés. Dans les autres pays européens, l'affaire Rushdie n'eut qu'un faible impact en milieu islamique : si beaucoup de croyants réprouvaient un ouvrage qu'ils percevaient comme insultant envers leur foi, la plupart y étaient indifférents. Les enjeux paraissaient concerner en dernier ressort l'Iran et les ressortissants du sous-continent indien, sans qu'Arabes et Turcs se montrent très motivés par ce qu'un ministre saoudien ne voulait qualifier que de « combat marginal et imaginaire » dont le principal effet consistait à « faire de l'islam une proie facile pour quiconque voulait l'attaquer ou lui porter dommage[5] ».

*

L'année 1989 fut l'apogée de l'expansion islamiste, une vingtaine d'années après que les idées de Qotb, de Mawdoudi ou de Khomeini eurent commencé à être relayées par des étudiants et de jeunes intellectuels, rencontrant un écho grandissant dans les nouvelles générations de déshérités urbains puis dans la bourgeoisie pieuse. La décennie qu'inaugura la révolution iranienne, et qu'a dominée la figure de Khomeini, s'achève par un bilan spectaculaire qui semble augurer de succès nouveaux que rien ne pourra entraver : en 1989, quand s'éteint le guide, la tempête qu'a suscitée sa *fatwa* dans le monde entier paraît indiquer que la capacité de mobilisation du mouvement reste intacte. Cette même année, un régime islamiste s'empare du pouvoir au Soudan, et le FIS qui se crée en Algérie a tôt fait de se transformer en un mouvement de masse dont les chancelleries anticipent la victoire. En Palestine, la dernière cause vivante du nationalisme arabe doit compter, depuis le début de l'*Intifada*, avec la composante islamiste vigoureuse de Hamas. Partout, les gouvernements du monde musulman doivent multiplier les concessions à des forces d'opposition qui se réclament de la *chari'a*, et recherchent une légitimation religieuse auprès d'oulémas qui monnaient leur soutien en investissant le champ des idées et des valeurs où les intellectuels laïques sont en retrait. Enfin, par-delà les sociétés du *dar el islam* traditionnel, le mouvement fait une percée en Occident, à travers la première génération de jeunes adultes nés de parents immigrés. Son dynamisme est tel qu'il parvient à remettre en cause des valeurs aussi enracinées que la laïcité française — et 1989, où l'on devait célébrer de manière consensuelle le bicentenaire de la Révolution, restera marqué dans l'Hexagone par les déchirements de l'affaire du voile islamique. Surtout, cette année est celle de l'effondrement du communisme : son symbole le plus communément reçu est la chute du mur de Berlin, en novembre, alors que, dès le 15 février, le retrait soviétique d'Afghanistan avait sanctionné la déroute de l'Armée rouge vaincue par le *jihad*. Aux yeux de ses militants, l'islamisme, même subventionné par les États-Unis, avait non seulement renversé le communisme, mais voyait s'ouvrir à lui de nouveaux territoires après le démantèlement du pouvoir de Moscou : de la Bosnie à la Tchétchénie et l'Asie centrale, tout un monde réintégrait la Communauté des Croyants. La dernière décennie du vingtième siècle ne réalisera pourtant pas, malgré des débuts prometteurs pour la cause, les espoirs mis en elle par les militants.

TROISIÈME PARTIE

ENTRE VIOLENCE
ET DÉMOCRATISATION

La guerre du Golfe
et la fissure
du mouvement islamiste

Le 2 août 1990 au matin, les ministres des Affaires étrangères des États membres de l'Organisation de la Conférence Islamique, réunis au Caire[1], apprirent à leur réveil que Saddam Hussein venait d'envahir le Koweït. Un État musulman, qui avait accueilli le dernier sommet de l'OCI et en exerçait la présidence, venait d'être rayé de la carte par un autre membre de l'Organisation. Les troupes irakiennes, après s'être emparées de l'émirat presque sans coup férir, parvinrent à la frontière saoudienne : elles effectuèrent quelques incursions en direction de la province du Hasa, où sont concentrés les puits de pétrole. En trois jours, elles pouvaient conquérir en totalité l'Arabie Saoudite. Le 7 août, le roi Fahd, « Serviteur des deux Lieux Saints » (La Mecque et Médine), fit appel aux troupes américaines. Dans le cadre de l'opération « Bouclier du désert », plusieurs centaines de milliers de soldats non musulmans membres de la coalition internationale mandatée par l'ONU débarquèrent dans le royaume, sauvant la dynastie mais ruinant tout l'édifice que la monarchie saoudienne avait patiemment élaboré, contre vents et marées, pour dominer le monde islamique depuis les années 1960.

Le système saoudien avait résisté, tout au long de

la décennie 1980, aux assauts répétés de l'ayatollah Khomeini. En finançant le *jihad* afghan, il avait maintenu sa crédibilité jusque parmi les plus radicaux des militants sunnites. Grâce au réseau financier et bancaire islamique, il avait gardé le contact avec les classes moyennes pieuses de tout le monde musulman. À travers l'OCI, sa diplomatie s'assurait d'un consensus des États. La Ligue Islamique Mondiale et les autres organisations transnationales qui œuvraient dans le même esprit diffusaient l'idéologie wahhabite aux bénéficiaires de ses largesses : peu se risquaient, en dehors des milieux chi'ites, à reprendre les anathèmes lancés contre Riyad par Téhéran. Bon an mal an, les mouvements islamistes sunnites avaient surmonté les clivages entre les « extrémistes » issus de la jeunesse urbaine pauvre et la bourgeoisie pieuse « modérée » : carabins et ingénieurs barbus prédisaient à tous le règne prochain de la *chari'a*, sur les décombres du socialisme et d'un Occident dépourvu de tous repères moraux.

Le détonateur de l'explosion du système saoudien, et du consensus social qu'il avait construit autour de ses valeurs, fut un personnage qui n'avait guère brillé par sa piété. Saddam Hussein avait fait pendre, parmi des milliers d'autres, Baqir as-Sadr, l'un des principaux penseurs islamistes de la fin du vingtième siècle. Contrairement à Khomeini, le président irakien n'avait aucun titre à se prévaloir d'une quelconque légitimité religieuse : le parti Baath qui l'avait porté au pouvoir se réclamait de la laïcité comme doctrine et cela lui avait valu d'être voué à l'enfer dans bien des mosquées. Durant la guerre contre l'Iran, de 1980 à 1988, il avait commencé à récupérer la rhétorique pieuse, pour contrer les discours de Téhéran qui le traitaient d'apostat. Mais, derrière le vocabulaire islamique, perçait toujours la référence à l'arabisme : l'Irak menait la guerre contre les « Persans », au nom de l'islam dont les Arabes avaient les premiers reçu la révélation.

Après l'invasion du Koweït, Saddam Hussein reprit à son compte les griefs imputés aux Saoudiens par l'ancien ennemi iranien, les traitant de protectorat américain, indignes à ce titre d'administrer les Lieux Saints de l'islam. La présence de plus d'un demi-million de soldats des États-Unis sur le territoire de l'Arabie Saoudite durant le conflit confortait cet argument, qui portait d'autant mieux qu'il n'émanait plus de Persans chi'ites, mais d'Arabes sunnites, du cœur même de l'espace islamique que Riyad avait borné avec tant d'efforts et de dépenses. Le consensus bâti autour d'un wahhabisme socialement conservateur qui attirait les allégeances de tous côtés grâce à son extrême rigorisme et à sa générosité financière, projetant à l'échelle internationale l'alliance entre bourgeoisie pieuse et jeunesse urbaine pauvre, ne pourra plus fonctionner à l'identique après la guerre du Golfe. En donnant une dimension populiste à ses appels au *jihad* (pour en compenser le faible fondement doctrinal), Saddam Hussein brise les équilibres internes à la mouvance islamiste au détriment des bourgeois et conservateurs. L'effet cumulatif des années 1980, qui poussait celle-ci à unir ses diverses composantes et à en masquer les contradictions grâce à la communion dans une même idéologie, commence à s'inverser avec les années 1990 : la doctrine pourra de moins en moins occulter les clivages sociaux à l'intérieur du mouvement. La divergence des trajectoires entre classe moyenne et jeunesse déshéritée ira croissant. La première se montrera sensible aux tentatives de cooptation par les gouvernements en place, la seconde s'engagera dans une dérive de violence et de terrorisme.

La chronique des dix dernières années du vingtième siècle semble pourtant plaider pour l'extension mondiale du phénomène et sa montée en
puissance partout. On voit même dans la Turquie
laïque M. Erbakan, chef du parti islamiste Refah,
devenir Premier ministre en 1996 et, pour une brève
période, dans la Bosnie sortie du communisme, le
pouvoir échoir à M. Izetbegovic, issu de ce même
milieu, mais qui devra composer avec une société
très laïcisée. Du côté des radicaux, la guerre civile
algérienne fait écho au terrorisme dans la vallée du
Nil, qui ruine temporairement l'économie touristique égyptienne ; les Talibans s'emparent du pouvoir à Kaboul en 1996 deux ans après leur
apparition, et en Tchétchénie une guérilla islamiste
tient Moscou en échec depuis 1995 ; en Occident
l'attentat contre le World Trade Center de New York
en 1993 précède les campagnes de terrorisme du
GIA en France en 1995 puis les explosions qui
détruisent simultanément les ambassades américaines au Kenya et en Tanzanie en août 1998. Mais
en réalité, les deux composantes désunies de la mouvance islamiste ne parviennent plus à féconder un
mouvement social débouchant sur un succès
durable comme celui de la révolution iranienne. Les
accès de violence récurrents de la décennie sont
d'abord l'expression de cette incapacité politique
structurelle. De plus, aucun idéologue d'envergure
n'a pris la succession de Mawdoudi, de Qotb ou de
Khomeini, et leurs épigones ne parviennent pas à
offrir une vision d'ensemble qui transcende les antagonismes sociaux. Les groupes extrémistes publient
leurs propres manifestes, où la lutte contre les frères
« déviants » occupe autant de place que la dénonciation des « impies ». Quant aux intellectuels liés aux
classes moyennes pieuses, ils doivent prendre posi-

tion en faveur de la démocratie, des droits de l'homme (voire des femmes), de la liberté d'expression, tous thèmes sur lesquels les pères fondateurs tenaient un discours ambigu ou hostile. Cela leur permet de contracter des alliances avec leurs homologues laïques face aux pouvoirs autoritaires, mais les contraint à des révisions doctrinales qui mettent à mal la définition même de leur identité islamiste, et les désignent à la vindicte des intransigeants. Cette crise du mouvement, qui se déploie tout au long de la décennie 1990, a des causes sociales, politiques, économiques et culturelles profondes, que nous retrouverons plus loin. Elle est révélée par la ligne de faille qu'ouvre la guerre du Golfe, accompagnée par l'offensive idéologique de Saddam Hussein contre l'hégémonie saoudienne.

La guerre a des effets à deux niveaux. À l'échelle internationale, elle porte atteinte à la légitimité religieuse patiemment acquise par l'Arabie Saoudite, qui s'en ressentira durablement, même après la défaite militaire de l'Irak. Dans chaque pays musulman, elle met en porte à faux les mouvements islamistes, accentue les clivages en leur sein — et précipitera même l'émergence d'un islamisme oppositionnel sur le territoire de l'Arabie contre la famille Saoud.

Durant la guerre déclenchée auparavant par l'Irak contre l'Iran, une Conférence Populaire Islamique avait été réunie à Bagdad en 1983, afin de fourbir un argumentaire religieux opposable aux anathèmes de Téhéran contre le régime ba'athiste « apostat » de Saddam Hussein. Elle rassemblait notamment des personnalités islamiques fréquentant les réseaux saoudiens. Après l'invasion du Koweït le 2 août 1990, le régime irakien, désormais privé de leur appui, s'efforça de détacher de Riyad les mouvements islamistes sunnites issus de la matrice des Frères musulmans ou proches d'eux. À cette fin, Saddam Hussein, dont les drapeaux s'ornaient d'un « *Allah Akbar* » (« Allah est le plus grand ») tout récent, et que l'on filmait prosterné en prière, fit de la razzia du Koweït une sorte de *jihad* à contenu moral et social. La famille princière de l'émirat, les Al Sabah, régnant sur un État artificiel créé par le colonialisme britannique, n'était qu'un pion de l'Occident, utilisant les profits de son pétrole pour s'enrichir indûment. En l'annexant, l'Irak récupérait sa « dix-neuvième province » naturelle et élargissait son débouché sur la mer. Il œuvrait à l'unité des Arabes et des musulmans, s'engageait à mettre au service des « déshérités » les revenus que les émirs dilapidaient dans les casinos et les palaces. Ce discours ne s'embarrassait guère des finasseries du dogme : il se référait à l'élan premier de justice qui anime l'islam comme la plupart des religions, et l'amalgamait avec nationalisme arabe et tiers-mondisme. Grâce à l'or noir du Koweït, l'Irak deviendrait une grande puissance arabe, le héraut des pays pauvres face au nouvel ordre mondial américain. Pour justifier l'annexion de l'émirat, la propagande irakienne fabriqua un discours composite. Elle s'efforçait de fédérer les mécontentements et les frustrations antioccidentales dans l'ensemble du monde musulman, par-delà les conflits idéologiques entre nationalistes et islamistes, qu'elle aspirait à réconcilier dans un même souffle populiste. Mais, de la sorte, elle divisait les islamistes, les dressant les uns contre les autres, au gré de ses attaques contre l'Arabie Saoudite, que Bagdad cherchait à dépouiller de son capital de légitimité religieuse. Pour Riyad, qui avait réussi à contenir pareil assaut venant de l'Iran pendant dix ans, en jouant de la marginalité

chi'ite et persane de Khomeini, et au prix du financement du *jihad* en Afghanistan, ce nouveau défi
était beaucoup plus grave. Il émanait du monde
arabe sunnite, d'un État voisin dont les troupes
menaçaient sa frontière, alors même que l'Arabie
était investie par plus d'un demi-million de militaires « impies ». Accompagnés de leurs aumôniers
et rabbins aux armées, ils avaient été appelés à la
rescousse d'un pays que les wahhabites se targuaient
d'avoir tout entier sacralisé, en tirant prétexte pour y
interdire l'exercice de tout autre culte que l'islam.

Tous les organismes internationaux qui avaient
servi dans le passé à lutter contre le nassérisme, puis
à contenir la poussée idéologique iranienne, furent
mobilisés contre Saddam Hussein. Pourtant un certain nombre de correspondants habituels des Saoudiens ne répondirent pas à l'appel, ou le firent en
traînant les pieds, manifestant leur embarras et
l'attrait qu'exerçait la cause irakienne sur la composante la plus populaire des fidèles. Pour la première
fois depuis la guerre d'octobre 1973, les pétrodollars s'avéraient impuissants à acheter en dernier
ressort les allégeances, car le panégyrique de l'Arabie semblait devoir ternir la renommée des oulémas
et des intellectuels islamistes qui s'y seraient adon-
nés avec trop de zèle. Le pouvoir saoudien dut aller
quémander le soutien d'institutions comme Al Azhar
au Caire, que Riyad avait cru pouvoir écraser de sa
puissance financière pendant les deux décennies
précédentes, mais dont le prestige était resté
immense. Ses avis semblaient moins sujets à caution
que les *fatwas* du cheikh Abd al Aziz Ben Baz, l'idéologue du wahhabisme.

L'Organisation de la Conférence Islamique, en
session au moment de l'invasion du Koweït, avait, à
la majorité, exprimé sa solidarité avec l'émirat et

condamné l'annexion irakienne; mais cinq membres, outre l'Irak, n'approuvèrent pas la résolution (dont l'OLP, la Jordanie et le Soudan), tandis que deux autres (la Libye notamment) s'abstenaient[2]. En septembre, la Ligue Islamique Mondiale convoqua une conférence extraordinaire à La Mecque, présidée par M. Rabbani, le dirigeant du parti *jamiat* afghan. Plus de deux cents participants, dont beaucoup avaient bénéficié de la générosité saoudienne, condamnèrent l'invasion et justifièrent au nom de l'islam l'appel aux armées non musulmanes. Mais la plupart des mouvements islamistes importants évitèrent de se compromettre, s'efforçant de trouver une voie moyenne entre leur base qui penchait pour l'Irak et les aides toujours bienvenues des monarchies du Golfe. Au lendemains de la conférence de La Mecque, leurs dirigeants se réunirent à Amman, à l'invitation des Frères musulmans jordaniens. Ils envoyèrent une délégation dans les capitales concernées par le conflit ainsi qu'à Téhéran. Le communiqué final ménageait les deux parties en faisant droit à leurs revendications, mais critiquait surtout la présence américaine et occidentale autour des Lieux Saints de l'islam — une pierre dans le jardin saoudien.

À l'approche de l'ultimatum fixé par l'Onu à l'Irak pour quitter le Koweït, le 15 janvier, avant le déclenchement de l'opération « Tempête du désert », les deux adversaires convoquèrent, pour la même date, deux réunions différentes de la même Conférence Populaire Islamique, qui avait été créée en 1983 à Bagdad avec l'appui saoudien contre l'Iran. Celle qui se tint dans la capitale irakienne s'acheva par un appel au *jihad* contre l'Occident dont les troupes étaient accusées d'avoir désacralisé La Mecque et Médine. Les participants reflétaient les appuis populistes qu'était parvenu à rassembler Saddam Hussein : outre des islamistes, on y comptait des oulémas sensibles aux enthousiasmes de leurs ouailles (comme les responsables des Grandes Mosquées de Marseille et de Paris) ainsi que des nationalistes arabes. La réunion concurrente, qui eut lieu à La Mecque, reçut le cheikh d'Al Azhar et Mohammad al Ghazali, éminence du monde islamiste socialement conservateur, ainsi que les plus fidèles clients des Saoudiens : on y vitupéra les oulémas « égarés » qui soutenaient Saddam Hussein, signe que celui-ci était parvenu à fragmenter à son profit le champ islamique sur lequel Riyad avait autrefois établi son emprise.

Après la fin des opérations militaires et la défaite de l'Irak, la « guerre des conférences » se poursuivit en d'autres lieux. Le 25 avril, ce fut au tour du Caire et de Khartoum d'accueillir à la même date ceux qu'opposait leur volonté de dominer l'espace de sens islamique. Au Caire, siège d'Al Azhar, dont le cheikh avait conforté ses collègues de La Mecque quand on ne se bousculait guère à leurs côtés, les féaux de l'Arabie se rappelèrent à son souvenir. Des institutions de l'islam égyptien bâtirent divers projets à subventionner. L'écrasement de l'Irak, grâce à l'armée américaine, flanquée de contingents européens et arabes, avait laissé un sentiment d'amertume populaire, et les oulémas qui l'avaient légitimé n'y trouvaient guère motif à pavoiser. Pour panser les plaies idéologiques, il était urgent d'activer les œuvres sociales — et d'abord de les renflouer, en réclamant à l'Arabie l'aide que la guerre avait saignée. À Khartoum, le même jour, à l'invitation de Hassan el Tourabi, éminence grise d'un régime islamiste qui avait applaudi l'Irak, une « Conférence Populaire Arabe et Islamique » réunit les Frères musulmans du monde entier et les mouvements similaires, ainsi que Yasser Arafat et d'autres nationalistes arabes engagés aux côtés de Bagdad. Démarquant l'appellation de la « Conférence Populaire Islamique » irakienne qui avait éclaté en janvier, elle visait à capitaliser le mouvement de sympathie pour Saddam Hussein dans le monde musulman, à y agréger les restes du nationalisme arabe, notamment ses intellectuels, dotés de plus de finesse et d'entregent que leurs collègues barbus, et à fondre l'ensemble dans un courant islamiste international au vocabulaire plus radical que la rhétorique wahhabite, teinté de populisme et de tiers-mondisme. Elle se voulait une alternative durable aux instances de contrôle et d'influence saoudiennes (comme l'OCI et la Ligue Islamique Mondiale), et convoqua deux autres réunions en 1993 et 1995[3]. Khartoum ne pourrait rivaliser, sur la durée, avec ces machineries bien huilées et largement dotées. Mais les initiatives de Tourabi témoignèrent de la fracture persistante de l'espace islamique mondial, reflet des divisions sociales et idéologiques qui traversaient la mouvance dans chaque pays.

2

Le pouvoir saoudien
pris à son propre piège

La fissure du mouvement islamiste pénétra le territoire saoudien lui-même où se propagea une dissension persistante. La disproportion des forces entre la dynastie et cette opposition au nom d'Allah et du wahhabisme était sans appel — mais celle-ci devait largement contribuer à ébranler la légitimité religieuse du pouvoir, exposant à domicile la fragilité des équilibres sur lesquels reposait sa suprématie dans le monde musulman.

La présence massive des armées alliées dans le pays en 1990-91 suscita deux types de réactions face à la monarchie. La première traduisit l'attente de membres des classes moyennes libérales qui espéraient faire évoluer le régime vers l'ouverture politique. La seconde, qui vit dans pareille revendication la source de tous les dangers, dénonça l'occidentalisation du royaume découlant de sa dépendance complète par rapport au soutien militaire américain, et en appela à un retour à l'esprit puritain fondateur qu'avaient trahi les princes corrompus de la famille royale. Pareille accusation n'avait rien de neuf : l'Iran khomeiniste, puis Saddam Hussein et ses alliés, l'avaient rabâchée. En revanche, elle fut exposée pour la première fois par des ressortissants saoudiens organisés, plus de dix ans après l'assaut sans lendemains de Juhayman al-Utaybi contre la Grande Mosquée de La Mecque, en novembre 1979. Surtout, contrairement à celui-ci, elle disposa de soutiens et de réseaux à l'intérieur même de l'establishment religieux qui fournissait au pouvoir sa légitimation islamique.

Le mouvement des libéraux connut deux temps forts : le 6 novembre 1990, soixante-dix Saoudiennes gagnèrent le centre de Riyad en voiture, assises elles-mêmes au volant, en signe de protestation contre un règlement interdisant aux femmes de conduire. Bien qu'elles eussent pris soin de se réclamer de l'islam, invoquant l'exemple de la femme du Prophète, Aïcha, qui guidait elle-même son chameau, et déclaré agir pour le plus grand bien de la monarchie, dont elles ne contestaient pas la légitimité, elles avaient transgressé un tabou. Elles se permettaient de se réclamer d'un précédent sacré alors que le cheikh Ben Baz, le principal idéologue wahhabite, avait légiféré en sens contraire : elles portaient donc atteinte à l'autorité religieuse et troublaient l'ordre public. Même si nombre de princes, d'hommes d'affaires et d'universitaires étaient favorables à cette revendication, le « scandale » que causa le cortège automobile féminin l'emporta sur toute expression de solidarité avec les « putains communistes » que dénoncèrent les milieux les plus rétrogrades. Ces derniers saisirent là l'occasion d'exprimer la frustration que leur causait la présence des militaires étrangers. Les conductrices furent chassées de leur emploi et réprimées par le régime qui ne souhaitait pas affronter ses propres oulémas sur ce terrain, au moment où il sollicitait auprès d'eux des *fatwas* bénissant le recours aux GI's et autres *marines* face à l'Irak. En février 1991, pendant que l'offensive de la coalition internationale battait son plein, une nouvelle pétition fut soumise au roi Fahd : elle revendiquait une Constitution et la nomination d'un Conseil consultatif.

Face à cette pression exercée par les Saoudiens libéraux, le courant islamiste ne demeurait pas en reste[1]. Deux prédicateurs, dont les sermons circulaient sur cassettes, se firent les critiques les plus virulents de la présence des militaires occidentaux, en qui ils voyaient de nouveaux croisés. Le premier, Salman al-'Auda, imam d'une mosquée de la ville agricole de Burayda, dans la province du Qasim, près de Riyad, une région restée relativement à l'écart du boom pétrolier, était âgé de 36 ans ; l'autre, Safar al-Hawali, de cinq ans son aîné, était un rejeton prometteur de l'establishment religieux saoudien, formé à l'université islamique de Médine (animée par les Frères musulmans) puis à La Mecque, et issu d'une famille provenant des tribus dominantes du royaume. Avec cent sept autres prédicateurs et universitaires islamistes, ils signèrent une « lettre de réclamations » *(khitab al-matalib)*, qui fut approuvée par le cheikh Ben Baz, et présentée au roi Fahd en mai 1991. Elle demandait aussi la désignation d'un *majlis al choura* (Conseil consultatif) : mais il devait être formé d'oulémas qui pussent tempérer l'arbitraire monarchique et veiller à ce que le royaume restât fidèle à la norme wahhabite et résistât à l'influence néfaste des chrétiens et des juifs. En termes voilés, la critique des signataires portait à la fois sur le monopole du pouvoir exercé par la famille Saoud, et sur la perte de crédibilité islamique de la monarchie après qu'elle fut sauvée par des soldats « impies ». Comme la pétition des libéraux (mais sur un autre registre), elle réclamait que le régime fasse participer aux cercles de décision les classes moyennes éduquées n'appartenant

pas à la famille royale. Pour cela, elle mettait en
doute la légitimité dont se targuait la dynastie, et se
prévalait d'une rectitude wahhabite et islamiste
impeccable.

Le roi Fahd fut contraint de prendre ces
demandes en considération, afin de consolider les
fondations religieuses du pouvoir, sapées par la
guerre du Golfe. Pour sauver la face, il fit morigéner
par le Conseil des Grands Oulémas les jeunes prédicateurs, auteurs de l'épître, pour l'avoir rendue
publique à la plus grande joie des ennemis du pays,
au lieu de la transmettre discrètement. Le roi incrimina la forme, et non le fond, qu'avait approuvé le
cheikh Ben Baz. Puis il annonça, en novembre, la
nomination d'un Conseil consultatif et la codification des lois fondamentales du royaume — ce qui
advint en mars 1992. Les soixante membres du
Conseil, choisis par le roi qui n'était pas lié par leur
avis, étaient issus en majorité des principales
familles tribales. La région du Nejd, autour de
Riyad, berceau des Saoud, y était prépondérante, et
près de 70 % des conseillers avaient étudié en
Occident, dans les universités américaines pour la
plupart. Par sa composition, cette assemblée donnait davantage satisfaction aux libéraux qu'aux islamistes. Ceux-ci répliquèrent en septembre en
rendant public un « mémorandum d'admonestation » *(mudhakirat al-nasiha)*, qui formerait la base
des revendications de l'opposition religieuse. Cette
attaque en profondeur contre le régime fut en
revanche immédiatement condamnée par le Conseil
des Grands Oulémas, et par le cheikh Ben Baz[2]. Le
mémorandum accumule les critiques contre la politique saoudienne, et suggère des réformes propres à
l'améliorer en la rendant plus islamique, s'inscrivant
ainsi dans la tradition de la *nasiha*, le « bon conseil »

que les oulémas sont traditionnellement en droit de donner au prince pour qu'il conforme ses pratiques aux injonctions des Textes sacrés. Il revendique d'abord une véritable indépendance des clercs par rapport au pouvoir et rappelle leur prééminence sur celui-ci, puis réclame une islamisation totale des lois et règlements (rappelant notamment que l'Arabie, qui a promu partout le système bancaire sans intérêt, ne l'applique pas sur son territoire), seule à même de mettre un terme à la corruption, à la gabegie, aux violations des droits des musulmans, etc. Un bilan sévère des insuffisances de l'armée saoudienne pendant la guerre du Golfe suggère de s'inspirer du modèle... israélien de conscription, mais de rompre toute alliance militaire avec des États non musulmans. En politique étrangère, les critiques visent les relations avec les États-Unis, le soutien au processus de paix israélo-arabe et aux États comme l'Algérie qui combattent le mouvement islamiste dans leur pays.

Le mémorandum donnait l'image d'un royaume dominé par l'arbitraire, qui ne convoquait la religion que pour dissimuler les turpitudes de ses puissants ; il visait à ruiner sa prétention à quelque magistère moral sur l'islam à travers le monde. La réponse embarrassée des autorités encouragea la dissidence. Le 3 mai 1993, six clercs, dont quatre des signataires du « mémorandum d'admonestation », créèrent une organisation pour relayer le mouvement d'opinion de l'opposition islamiste qui se développait dans les mosquées et sur les campus. Connue à l'étranger sous son sigle anglais de CDLR (*Committee for the Defence of Legitimate Rights* : Comité de Défense des Droits Légitimes), elle se réclamait, en arabe, de la défense des seuls droits inspirés par la *chari'a (Lajnat al-difa' 'an al-huquq al-shari'a)*. Elle saurait utiliser habilement ce double registre pour séduire la presse occidentale qui vit en elle une organisation de défense des droits de l'homme, tout en développant une thématique plus strictement islamiste auprès de ses sympathisants au pays. Le pouvoir saoudien réagit vigoureusement à cette atteinte directe à son autorité, d'autant que le porte-parole du CDLR, Muhammad al-Mas'ari, un physicien formé aux États-Unis, accorda un entretien retentissant, en anglais, à la BBC, et obtint un rendez-vous à l'ambassade américaine à Riyad. Les signataires et leurs sympathisants perdirent leur emploi et furent emprisonnés mais Amnesty International adopta Mas'ari comme « prisonnier d'opinion », ce qui contraignit le pouvoir à l'élargir, prélude au départ de cet opposant pour Londres, où il réinstalla le CDLR en avril 1994.

Pendant deux ans, Mas'ari s'employa à ternir l'image du régime, mais d'une manière superficielle et exclusivement grâce aux médias, sans parvenir à donner l'impulsion à un mouvement social dans le pays. Contrairement aux cheikhs Hawali et 'Auda, qui appartenaient aux familles issues des grandes tribus, Mas'ari était considéré par la bonne société comme un déclassé[3], et à ce titre guère pris au sérieux. De plus, il ne possédait qu'un médiocre bagage doctrinal, face aux *fatwas* des oulémas que le royaume avait rangés en première ligne de défense, promouvant en juillet 1993 le cheikh Ben Baz à la fonction, longtemps vacante, de Grand Mufti, et réorganisant le ministère des Affaires religieuses sous la houlette d'un clerc énergique, Abdallah Turki. Mais il avait le génie de la communication, et, vite propulsé par le milieu islamiste londonien, il sut régaler les journalistes de révélations, pas toujours étayées, sur les vices publics et privés des princes Al

Saoud. Il fit un usage effréné du télécopieur, tournant par le fax la censure de la presse saoudienne — comme Khomeini avait, quinze ans plus tôt, déjoué par ses cassettes la radio du chah. Puis il ouvrit un site internet, où il publiait en anglais et en arabe communiqués et périodiques virtuels. Les médias se délectaient de la *story* de cet opposant qui ferait chanceler la monarchie saoudienne avec un modem-fax, de ce barbu postmoderne à l'assaut des rois du pétrole. Mais la renommée de Mas'ari reposait sur une ambiguïté : dans la langue de Shakespeare, d'Amnesty International et de Microsoft, il mettait l'accent sur la dénonciation des atteintes aux droits de l'homme, de la corruption, etc. Dans celle du Coran, il s'efforçait de fournir « les preuves définitives de l'opposition à la *chari'a* de l'État saoudien » (selon le titre d'un pamphlet qu'il publia en 1995), allant jusqu'à prononcer le *takfir*, l'excommunication, contre les musulmans qui obéissaient aux lois de Riyad, une attitude extrême qui le rapprochait du GIA algérien et de ses porte-parole londoniens. Mais cela lui aliéna bien des appuis dans la dissidence au pays, où l'on s'efforçait de gagner à la cause les grands oulémas plutôt que de les traiter par l'insulte et l'outrance. D'autant que le gouvernement avait donné un tour de vis supplémentaire à la répression, en arrêtant en septembre 1994 Hawali, 'Auda et quelques centaines de manifestants qu'ils avaient rassemblés à Burayda. D'autres manifestations, organisées l'année suivante, ne drainèrent qu'un petit nombre de participants, dans un climat de répression marqué notamment par la décollation en public d'un militant islamiste qui avait attaqué un officier de police. En novembre 1995, un attentat à Riyad tua cinq Américains : fax et internet seraient supplantés par les bombes, la dissidence par la violence. En février 1996, une scission affecta le CDLR, et Mas'ari quitta graduellement le devant de la scène médiatique, laissant la place à Oussama ben Laden, sans avoir été capable de transformer ses succès dans le champ virtuel en une implantation sociale, à rassembler la bourgeoisie pieuse saoudienne pour menacer le pouvoir de la famille régnante.

3

Décomposition et prolifération du « jihad » afghan

La monarchie saoudienne, fragilisée à l'intérieur, devait connaître, aux lendemains de la guerre du Golfe, une autre déconvenue, venant de ses enfants prodigues des années 1980, les combattants du *jihad* afghan. Elle vit se retourner contre elle ceux qu'elle avait armés et payés, et même le *wonderboy* de l'islamisme façon locale, le milliardaire Oussama ben Laden, dont la famille régnait sur les travaux publics dans la péninsule grâce à ses entrées dans les cénacles royaux.

Après le retrait soviétique d'Afghanistan le 15 février 1989, des acrimonies avaient commencé à se faire jour parmi les « jihadistes » frustrés de la victoire promise. Mohammed Najibullah, le dirigeant communiste, restait en place à Kaboul (il y demeurerait jusqu'en avril 1992), et l'allié américain, une fois l'Armée rouge partie, fut sensible aux voix qui dépeignaient certains des « Freedom Fighters » d'hier sous les traits de dangereux fanatiques et de trafiquants d'héroïne. Hekmatyar et Sayyaf, les chefs des factions les plus philo-wahhabites de la résistance, furent considérés par Washington comme des « extrémistes » au même titre que Najibullah, et privés de tout soutien. Au Pakistan, Benazir Bhutto, élue Premier ministre lors des élections consécutives au décès du général Zia dans un attentat en août 1988, ne vouait aucune sympathie au courant islamiste coopté au pouvoir par l'ancien dictateur, qui avait fait exécuter son père Ali Bhutto en 1979. Elle se consacrait à en affaiblir la principale force, la *jama'at-e islami*, le parti fondé par Mawdoudi qui parrainait le *Hezb-e islami* afghan de Hekmatyar. Dans ces cercles, on célébrait la mémoire du *chahid*, du martyr Zia, dont on attribuait la mort à un complot américain (bien que l'ambassadeur des États-Unis eût péri avec lui) destiné à faciliter la mise au pas de la résistance après la défaite soviétique, et à briser l'essor de la mouvance islamiste. L'anti-américanisme croissait dans ces milieux, alors même que l'un des objectifs du *jihad*, vu depuis Riyad, avait consisté à détourner contre l'Union soviétique la vindicte des militants, épargnant ainsi le protecteur américain, malgré les anathèmes dont Khomeini accablait le Grand Satan. Dans ce contexte, l'assassinat, en novembre 1989, d'Abdallah Azzam, le Frère musulman palestinien fondateur du Bureau des Services aux « jihadistes » arabes à Peshawar et l'intermédiaire entre le système saoudien et les activistes les plus virulents, favorisa l'émancipation de ceux-ci par rapport à leurs pourvoyeurs. Les positions anti-occidentales, momentanément mises sous le boisseau quand affluaient les dollars et les armes de la CIA, furent réaffirmées avec force. Elles se traduisirent rapidement par des incidents contre les agences humanitaires européennes et américaines présentes à Peshawar parmi les réfugiés afghans.

Lorsque l'Irak envahit le Koweït le 2 août 1990, la plupart des mouvements islamistes de la région commencèrent par réprouver qu'un État musulman en annexât un autre. Parmi les Afghans, le professeur Rabbani, dirigeant du parti Jami'at, et M. Hekmatyar, le chef du Hezb, participèrent à la conférence organisée en septembre à La Mecque pour condamner l'invasion. Au Pakistan, la *jama'at-e islami* et les partis d'oulémas (JUI et JUP) demandèrent à Saddam Hussein de retirer ses troupes, afin de ne pas fournir un prétexte à l'intervention militaire occidentale[1]. Mais celle-ci devint bientôt la principale grille de lecture du conflit : dès novembre, l'ensemble de la mouvance islamiste, voyant dans la guerre un complot américano-israélien pour dominer le Moyen-Orient, prit fait et cause contre la monarchie saoudienne. Particulièrement frappante fut la virulence du chef de la *jama'at-e islami*, Qazi Hussein Ahmed, un Pachtoune qui avait bâti son ascension politique sur le *jihad* afghan, et de M. Hekmatyar — alors que leurs organisations avaient été les principales bénéficiaires de l'aide financière saoudo-koweïtienne pendant la décennie 1980. Elle fut à la mesure, dans le contexte régional, de leur mécontentement face au « lâchage » du *jihad* par Washington, et dans une moindre mesure par Riyad, pour lesquels les causes afghane et pakistanaise avaient beaucoup perdu de leur importance stratégique, après la déconfiture soviétique, l'affaiblissement de l'Iran et la mort de Khomeini. Dans la foulée, l'ensemble des « jihadistes » arabes qui restaient basés sur place basculèrent dans le même sens que les partis islamistes locaux, s'émancipant de la tutelle du pouvoir saoudien et se dressant contre lui du même geste.

Cette espèce de brigade internationale des vétérans du *jihad* prit alors une nouvelle dimension : elle échappait désormais à tout contrôle par un État, et elle était disponible pour les causes les plus diverses de l'islamisme radical à travers le monde. Détachée des contingences politiques liées à un pays particulier, elle n'avait plus de comptes à rendre à un groupe social dont elle aurait été l'expression : elle ne reflétait pas les intérêts de la bourgeoisie pieuse ni de la jeunesse urbaine pauvre, même si ses militants en étaient issus individuellement. Ils allaient devenir des électrons libres du *jihad*, des « islamistes professionnels », entraînés au combat et aptes à y former les autres, basés dans les « zones tribales » pakistanaises, fiefs de contrebandiers où Islamabad n'exerçait guère d'autorité, ou hébergés dans des camps de *moujahidines* afghans. Autour des militants les plus engagés, une nébuleuse de sympathisants, dont beaucoup étaient bloqués au Pakistan, en délicatesse avec les autorités de leur pays, et auxquels les consulats occidentaux refusaient tout visa, vivaient dans la précarité. Se joignaient à eux, pour des stages de formation, de jeunes islamistes de tous les pays, parmi lesquels une bonne part des auteurs d'attentats qui auraient lieu en France en 1995. Par-delà la cause qu'ils pensaient servir, ils constitueraient aussi un vivier où pourraient puiser les services spéciaux de divers États intéressés par la manipulation de militants extrémistes sans attaches.

Dans ce milieu coupé de la réalité sociale et où le monde était perçu à travers un mélange de doctrine religieuse et de violence armée, prit naissance une idéologie islamiste nouvelle et hybride, qui fournissait une rationalisation à l'existence et aux comportements des militants : le « salafisme jihadiste[2] ». Dans l'usage universitaire, le terme « salafisme » désigne une école de pensée qui vit le jour dans la seconde moitié du dix-neuvième siècle et qui prônait, en réaction à la propagation des idées européennes, le retour à la tradition des « pieux ancêtres » (*salaf* en arabe). Illustrée par le Persan Afghani, l'Égyptien Abduh, le Syrien Rida[3], elle cherchait à exhumer, dans la civilisation musulmane, les racines de la modernité — et recourait, pour ce faire, à une interprétation assez libre des Textes sacrés. Mais dans l'acception des militants, les salafistes sont ceux qui comprennent les injonctions des Textes sacrés dans leur sens littéral figé par la tradition, incarnée notamment par le grand ouléma du quatorzième siècle Ibn Taïmiyya, référence première des wahhabites. Ce sont, au sens propre, les « intégristes » de l'islam, hostiles à toute innovation, décriée comme « interprétation humaine ». Selon les militants, là encore, il y a deux types de salafistes. Les « cheikhistes » ont remplacé l'adoration d'Allah par l'idolâtrie des cheikhs du pétrole de la péninsule Arabique, au premier rang desquels les Al Saoud. Leur idéologue est Abd al Aziz Ben Baz, Grand Mufti du royaume d'Arabie Saoudite depuis 1993, et archétype des « oulémas de cour » *(ulama al-balat)*. Leur salafisme ostentatoire n'est que le masque de leur hypocrisie, de leur soumission aux États-Unis, puissance non musulmane, et de leurs vices publics et privés. Ils doivent être combattus et éliminés. Face aux traîtres « cheikhistes », les « salafistes jihadistes » ont un respect aussi sourcilleux des Textes sacrés pris dans un sens littéral, mais ils le combinent avec la priorité donnée au *jihad*, dont la cible première doit être l'ennemi par excellence de la foi, l'Amérique. Les prédicateurs saoudiens dissidents Hawali et 'Auda sont tenus en haute estime dans cette mouvance, qu'illustreront également divers idéologues dont les pseudonymes reviendront régulièrement dans les bulletins du GIA édités à Londres : le Palestinien Abou Qatada et le Syrien (naturalisé espagnol) Abou Mous'ab, ainsi que l'Égyptien (naturalisé britannique) Moustapha Kamel, dit Abou Hamza, tous trois anciens du *jihad* en Afghanistan.

Hostiles aux « cheikhistes », les « salafistes jihadistes » le sont également aux Frères musulmans,
dont ils dénoncent la modernité excessive, qui les
conduit à prendre trop de libertés avec la lettre des
Textes sacrés. Même Sayyid Qotb, le père spirituel de
la tendance radicale des Frères, leur est suspect, et ils
incriminent sa lecture du Coran, *Fi-Zilal al-Quran*
(« Sous l'égide du Coran »), qu'ils tiennent pour une
collection d'interprétations personnelles *(ta'wilat)* de
l'auteur, dépourvu de formation théologique, et non
pour une glose canonique *(tafsir)* qui ferait autorité.
Quant aux Frères « modérés », qui participent au jeu
politique des États « impies », créent des partis, se
présentent aux élections, ils ne font que duper les
croyants en apportant leur caution religieuse à des
régimes qu'il faut au contraire abattre sans tergiver-
ser[4].

Ces visions extrêmes évoquent l'un des premiers
groupes extrémistes égyptiens, *al takfir wa-l hijra*
(« excommunication et hégire »), dont le chef, l'agro-
nome Choukri Mustapha, avait été pendu en 1978[5].
Mais Choukri, qui déclarait impie *(kafir)* tout musulman n'appartenant pas à sa secte, n'était pas un
« salafiste », bien plutôt un illuminé qui interprétait
à son gré les Textes sacrés, sans puiser dans la tradition illustrée par Ibn Taïmiyya. De plus, il prônait le
« retrait » de la société impie, tant que ses adeptes,
les « vrais croyants », étaient en situation de faiblesse face à l'État, et il n'affronta le pouvoir égyptien que contraint et forcé, dans des circonstances
qui lui furent fatales. Les « salafistes jihadistes », en
revanche, considèrent que la situation du monde
musulman est mûre pour passer à l'offensive, et
mener, lorsque toute occasion se présente, le *jihad*
qui conduira à la proclamation de l'État islamique.

En ce sens, ils sont à la fois les héritiers d'un autre

groupe égyptien, connu sous le nom de *Tanzim al-Jihad* (« organisation du *jihad* »), qui tua Sadate en octobre 1981[6], et d'Abdallah Azzam[7]. Avec les assassins du *raïs*, ils ont une filiation personnelle, puisque nombre de militants qui avaient gravité autour d'eux, après leur arrestation et leur procès en Égypte, rejoignirent les camps de Peshawar à partir des années 1985-86, lorsque commencèrent à être élargis ceux qui avaient été condamnés aux peines les plus légères. L'une des figures les plus en vue des « Arabes afghans », le médecin Ayman al-Zawahiri, incarne cette lignée. Ils ont aussi une proximité intellectuelle : contrairement à l'illuminé Choukri, les meurtriers du président avaient pris soin de rechercher dans la tradition les fondements de leurs actes, et convoqué Ibn Taïmiyya pour justifier l'exécution du Pharaon. Mais ces derniers ne pouvaient guère être qualifiés de « salafistes » : leur culture islamique restait rudimentaire, composée de pièces et de morceaux, comme l'avait illustré l'opuscule de l'idéologue du groupe, l'ingénieur électricien Faraj. Cela avait fait d'eux, par la suite, une proie aisée pour les oulémas liés au pouvoir, qui n'avaient pas manqué de tancer paternellement puis de rééduquer ces jouvenceaux « égarés ».

Le *Tanzim al-Jihad* était pétri de la glèbe de l'Égypte, issu de ses quartiers pauvres, mais n'avait aucune dimension internationale. C'est grâce à l'œuvre d'Abdallah Azzam que ce type d'expérience locale put féconder un *jihad* qui se projetât à l'échelle de l'Oumma tout entière puis de l'univers. Lui-même était demeuré un Frère musulman de stricte obédience, très lié à l'establishment saoudien au profit duquel il canalisait l'ardeur des militants islamistes du monde. Mais ses écrits, qui, dans les années 1980, quand la lutte des *moujahidines* af-

ghans contre l'Armée rouge battait son plein, justi-
fiaient un *jihad* bien précis et y attiraient des
volontaires soustraits à l'influence potentielle de
l'Iran révolutionnaire, s'inscrivaient aussi, à terme,
dans une ambition planétaire. Elle se manifesta
d'autant mieux après 1989, l'année du retrait soviétique et de l'assassinat d'Azzam. Outre l'Afghanistan,
tous les pays musulmans « usurpés » par les impies
avaient vocation, sous sa plume, à subir un *jihad* qui
les ramènerait sous autorité islamique. Cela concer-
nait en premier lieu sa Palestine natale, l'Andalousie
arrachée au *dar el islam* par la Reconquista, une ren-
gaine de la mouvance islamiste, les Philippines du
Front de Libération Moro, mais aussi les républiques musulmanes de l'Union soviétique d'alors,
voisines de l'Afghanistan, et le Yémen du Sud encore
communiste à cette époque, particulièrement exécré
à Riyad. S'y mêlaient des États dont les gouvernants
n'étaient pas musulmans à d'autres où ils étaient de
« mauvais » croyants, ce qui risquait d'augmenter à
l'infini le nombre des victimes potentielles. De fait,
cette liste serait étendue au début des années 1990 à
des pays sur lesquels Azzam était probablement peu
informé ou dont il ne pouvait prévoir de son vivant
qu'ils deviendraient des fronts du *jihad* planétaire
dont il avait la vision : la Bosnie, à partir de 1992, la
Tchétchénie depuis 1995, et le pays de son gendre [8],
l'Algérie, à compter du début de sa guerre civile
— auxquels s'adjoignait le Cachemire sous administration indienne. Ses disciples reprendraient à leur
propos les termes qu'il avait employés pour inciter la
participation des volontaires étrangers au *jihad* afghan.

Outre cette filiation doctrinale, les « salafistes
jihadistes » présentent des affinités avec un autre
mouvement, apparu à la même époque, dans la

même région et le même contexte, au sein de l'islam indigène : les Talibans. Ils ont en commun un attachement à l'aspect littéral des Textes sacrés, et l'usage du *jihad* pour atteindre leurs objectifs. Mais les Talibans, qui appartiennent à l'école hanafite et au courant déobandi, n'ont pas la même formation doctrinale que les « salafistes » arabes, et ils sont exclusivement issus des *medressas* traditionnelles, ce qui n'est pas le cas de ces derniers. En outre, leur *jihad* s'effectue d'abord envers leur propre société, à laquelle ils imposent un ordre moral très rigoriste, et ils n'ont guère de goût pour l'État ni pour la politique internationale. La promiscuité entre les deux mouvements, leur apparition concomitante, l'hospitalité que les Talibans ont offerte en Afghanistan aux principaux « jihadistes », le fait que certains de ces derniers se réclament d'eux, laissent ouverte la question de l'emprise de l'un sur l'autre.

Ils sont eux aussi des enfants imprévus du *jihad* afghan, le produit de son hybridation avec la tradition déobandie[9]. Pour celle-ci, depuis sa naissance en 1867, le *jihad* n'était pas une priorité, puisque ce courant de pensée avait été créé pour permettre aux musulmans d'Inde, qui avaient cédé le pouvoir aux Britanniques en 1857 et se retrouvaient minoritaires face aux hindous, de survivre comme communauté dans un environnement défavorable. Les oulémas déobandis avaient multiplié les *fatwas* grâce auxquelles leurs disciples suivaient méticuleusement les prescriptions de la *chari'a* en l'absence d'un État censé les faire appliquer. Ils avaient ainsi élaboré les règles d'un *modus vivendi* en société non musulmane, où ni le *jihad* ni l'émigration vers une terre d'islam n'étaient envisageables. À la création du Pakistan, les oulémas déobandis qui résidaient déjà sur le territoire du nouvel État, ou choisirent de s'y

établir en venant d'Inde, avaient créé un parti politique, le *Jamiat-e Ulema-e Islam* (« association des
oulémas de l'islam »), le JUI, davantage destiné à
protéger l'existence de leur mode de vie particulier
au sein d'un État musulman alors très séculier, et à
négocier l'obtention de fonds pour leurs *medressas*,
qu'à lutter pour le pouvoir [10]. À l'intérieur du champ
islamique proprement dit, il leur permettait de
défendre leur spécificité face à la *jama'at-e islami*
fondée par Mawdoudi — dont ils incriminaient le
« modernisme » et la confusion entre religion et
politique — et face à leurs rivaux les oulémas barelwis, qui avaient créé le *Jamiat-e Ulema-e Pakistan*
(« association des oulémas du Pakistan »), le JUP.
Or, par la force même du groupe de pression qu'ils
constituaient, appuyés sur les dizaines de milliers
d'élèves et de diplômés de leurs *medressas*, ils étaient
intervenus activement dans la vie politique, en
combattant tout ce qui pouvait porter atteinte à leur
conception de l'ordre islamique : leurs premières
victimes avaient été les Ahmadis, une secte dont ils
tenaient les disciples pour apostats, et dont certains
membres occupaient de hautes fonctions. Puis, sous
la présidence de Zia, entre 1977 et 1988, la volonté
du dictateur d'imposer l'islam sunnite hanafite
comme norme, le prélèvement de l'aumône légale
(zakat) directement sur les comptes bancaires [11], suivis de la révolte des 15 à 20 % de chi'ites pakistanais
en juillet 1980, avaient donné une nouvelle vocation
au militantisme déobandi : combattre le chi'isme. Il
y était encouragé par la rivalité saoudo-iranienne.
    Outre la guerre entre l'Irak et l'Iran et le *jihad* en
Afghanistan, le Pakistan constitua un front
secondaire de ce conflit [12]. En 1980 un parti chi'ite
avait été créé pour préserver l'identité de la communauté contre l'omnipotence sunnite, après les

menaces incarnées par le prélèvement automatique de la *zakat*. Intitulé *Tehrik-e Nifaz-e Fiqh-e Jafria* (« mouvement pour l'application de la jurisprudence jafarite [chi'ite] »), dirigé par de jeunes clercs, il s'enthousiasma à partir de 1984 pour la révolution iranienne. Il bénéficia d'une aide notoire de Téhéran, et suscita à ce titre l'inquiétude des groupes de pression sunnites. L'Arabie Saoudite, qui voyait là le talon d'Achille du *jihad* qu'elle parrainait en Afghanistan, accorda ses largesses aux organisations prêtes à combattre les chi'ites. Le mouvement déobandi en profita à plusieurs titres : les dotations accrues de ses *medressas* lui permirent d'augmenter leur nombre et leur capacité à accueillir les enfants de familles pauvres, rurales comme urbaines, qui bénéficiaient d'une prise en pension gratuite, et qui deviendraient à leur tour des zélotes antichi'ites potentiels. En 1985, un mouvement de jeunesse paramilitaire déobandi fut créé par un dirigeant du JUI au Penjab, Haq Nawaz Jhangvi, qui serait assassiné en 1990, à 32 ans. Intitulé *Sipah-e Sahaba-e Pakistan* (« les soldats des Compagnons du Prophète au Pakistan[13] »), il avait pour objectif de faire déclarer les chi'ites « infidèles » *(kafir)*, et n'hésita pas à recourir à la violence contre eux. Dans cette lignée, deux autres mouvements encore plus violents issus de la mouvance déobandie virent le jour au milieu de la décennie 1990 : le *Lashkar-e Jhangvi* (« armée de Jhangvi[14] »), en 1994, spécialisé dans l'assassinat de chi'ites, et le *Harakat-ul Ansar* (« mouvement des partisans[15] »), en 1993, dont les militants allaient faire le *jihad* au Cachemire sous contrôle indien, et qui se fit la réputation de décapiter comme infidèles les soldats hindous qui tombaient entre ses mains. Cet emballement de fanatisme avait sa contrepartie chi'ite : le *Sipah-e Mohammad Pakistan* (« les soldats du Prophète Mohammed au Pakistan »), SMP[16], créé en 1994, eut également à son actif des assassinats en nombre de sunnites.

Ce paroxysme de violences au nom de la religion n'est pas imputable au seul contexte régional et international, même si la manne financière et militaire qui s'est abattue sur le *jihad* afghan a soudain mis à la disposition de mouvements extrémistes des revenus et un armement lourd leur permettant de s'affranchir de toute légalité. Il est aussi le produit d'une crise sociale profonde propre au Pakistan, en particulier au sud du Penjab[17], où des enfants de paysans pauvres sunnites ruinés, dans un contexte d'explosion démographique persistante, sont confrontés à des propriétaires terriens chi'ites pour la plupart et à des structures urbaines dominées par les descendants des réfugiés venus d'Inde en 1947, les *mohajirs*. À la différence de la *jama'at-e islami* fondée par Mawdoudi, qui est demeurée pour l'essentiel un parti élitiste de classes moyennes pieuses sans implantation populaire, les déobandis encadrent une jeunesse démunie sans espoir d'ascension sociale, pour laquelle la violence est la principale forme d'expression dans une société bloquée et profondément inégalitaire. Les *medressas* mettent leurs élèves, leurs *talibans*, à l'abri de ces tensions pendant la durée des études, mais peuvent aussi rationaliser leur potentiel de violence en transformant celle-ci en un *jihad* contre quiconque sera désigné par le maître comme un *kafir*, un impie, qu'il s'agisse du voisin chi'ite, du soldat indien, ou de toute personne, même sunnite, tenue pour mécréante. De plus, la dévotion extrême à leurs oulémas de ces *talibans* qui ont été éduqués pendant des années entre eux, dans des conditions de promiscuité intense, presque sans contact avec le monde environnant, ânonnant des textes qu'on leur apprend à révérer et à appliquer sans les comprendre, leur donne un esprit de corps qui réduit à peu de chose l'expression de la volonté individuelle. Dans les *medressas* les plus doctrinaires, il est aisé de transformer en fanatique l'élève qui a subi pareille mise en condition.

Après la guerre du Golfe, le mouvement déobandi radicalisé a bénéficié de deux concours qui lui ont permis d'accroître considérablement son influence, et qui, outre le déchaînement de la violence au Penjab et au Cachemire, ouvrit la voie à la victoire des Talibans en Afghanistan. Le monde du wahhabisme saoudien, tout d'abord, avait été durablement échaudé par l'engagement militant aux côtés de l'Irak de la *jama'at-e islami* pakistanaise et du *Hezb-i Islami* afghan, alors que tous deux avaient été particulièrement bien dotés pendant une décennie. Le parti déobandi, le JUI, avait aussi manifesté contre la présence des soldats « impies » en Arabie, mais avait fait montre d'une moindre virulence envers la monarchie de Riyad. De plus, les oulémas déobandis étaient les ennemis intimes des *pirs*, ou guides de confréries barelwies, regroupés au sein de l'autre parti religieux, le JUP, dont le saint patron était enterré près de Bagdad, et qui recevait traditionnellement une aide irakienne. Pendant la guerre, son principal dirigeant, qui faisait part dans les meetings de soutien à l'Irak de son « amour » pour Saddam, établit des centres de recrutement pour partir combattre aux côtés de l'Irak qui avaient enrôlé, selon ses dires, cent dix mille volontaires[18]. Ne pouvant se priver de tout relais dans le champ religieux pakistanais, et devenu fort méfiant envers son ancien favori la *jama'at-e islami*, Riyad choisit le moindre mal et se reporta sur le JUI, qui n'était pas

lié aux réseaux internationaux des Frères musulmans, qui honnissait les chi'ites, les confréries et
l'Irak, et dont la stricte orthodoxie religieuse présentait des affinités avec la pratique wahhabite. En Afghanistan également, le Hezb de M. Hekmatyar,
outre ses prises de position pour l'Irak, perdait du
terrain face au commandant Massoud, et n'était plus
très en cour à Riyad. La voie était dégagée pour un
soutien saoudien aux élèves afghans des *medressas*
déobandies, les Talibans.

L'autre concours dont bénéficièrent la JUI et les
Talibans, plus surprenant pour les observateurs
occidentaux, fut celui du second gouvernement de
Benazir Bhutto — dont le gracieux visage faisait la
une de tant de magazines féminins — et qui encouragea pourtant un mouvement qui enfermerait les
femmes afghanes sous le grillage du *tchadri*, la version locale du *tchador*. La politique politicienne
pakistanaise est à l'origine de cette attitude, due
aux efforts du Parti Populaire Pakistanais de
Mme Bhutto pour briser la coalition des trois partis
religieux (JI, JUI et JUP) qui avaient soutenu son
rival le chef de la Ligue Musulmane et héritier spirituel du général Zia, M. Nawaz Sharif. Chassée du
pouvoir sous la pression de l'armée qui favorisa une
coalition soutenant M. Sharif en 1990, Mme Bhutto
fut de nouveau victorieuse aux élections de 1993.
Elle avait su détacher la plupart des déobandis de
son rival, et elle donna à la faction du JUI qui la soutenait des postes de pouvoir importants : son chef,
Maulana Fazlur Rahman, devint président de la
commission des Affaires étrangères du Parlement [19].
Dans le même temps, son gouvernement était préoccupé par l'anarchie en Afghanistan, aggravée depuis
la chute de Kaboul, en avril 1992, tombé aux mains
d'une coalition instable de commandants de *mouja-*

hidines et d'anciens partisans du pouvoir communiste. Elle n'avait guère de confiance dans la
politique des services secrets de l'armée, l'ISI, bastion des fidèles de Zia et de M. Sharif, qui favorisait
le Hezb. C'est dans ces circonstances que son
ministre de l'Intérieur, le général Babar, envoya,
début novembre 1994, un convoi de camions à travers le Sud-Ouest afghan vers le Turkménistan.
Intercepté par un commandant de *moujahidines* qui
souhaitait en tirer rançon, le convoi fut libéré par
plusieurs milliers de Talibans afghans surarmés,
arrivés opportunément des *medressas* des régions
frontalières pakistanaises. Le lendemain, ils s'empa-
raient de la capitale du Sud afghan, Kandahar.
Kaboul tomberait entre leurs mains en septembre
1996, puis, à l'automne 1998, ils contraindraient
leur dernier adversaire, le commandant Massoud, à
se replier dans son fief de la vallée du Panshir, frontalière du Tadjikistan, et contrôleraient dès lors près
de 85 % du territoire afghan.

Les succès des Talibans ont été imputés à une
combinaison de facteurs externes et internes, mais
ils ne rendent que partiellement compte de la dynamique de ce nouveau type de mouvements islamistes extrêmes, apparus au milieu des années
1990, et produits de la décomposition du *jihad* d'Afghanistan. Plusieurs fées se sont penchées sur eux,
et ont guidé leurs premiers pas : par-delà Benazir
Bhutto, alliée au dirigeant déobandi Maulana Fazlur
Rahman, ils ont bénéficié du soutien de la grande
majorité de l'establishment politique pakistanais,
même après que M. Nawaz Sharif fut revenu au
pouvoir, en novembre 1996. Pour Islamabad en
effet, un Afghanistan contrôlé par les Talibans
offrait d'entrée de jeu beaucoup d'atouts. Et les gouvernements successifs, confrontés à des échéances

de survie très brèves dans un contexte politique instable, ne s'embarrassaient pas de calculs politiques à long terme qui intégreraient les effets négatifs. Tout d'abord, le Pakistan vit dans un environnement régional marqué par de très fortes contraintes : les tensions récurrentes avec l'Inde, scandées par des incidents frontaliers, accompagnées par le « *jihad* d'usure » que mènent les groupes paramilitaires islamistes au Cachemire, et avivées par la rivalité nucléaire avec New Delhi, se complètent d'une animosité envers l'Iran chi'ite, lié aux minorités sensibles que forment ses coreligionnaires dans le sous-continent, et attisent la méfiance de Moscou, qu'inquiète la déstabilisation des États anciennement soviétiques (l'Ouzbékistan, le Tadjikistan et le Kirghizistan) par des mouvements islamistes venus du Sud. Or, M. Rabbani, le chef du parti afghan *jami'at* qui contrôlait les coalitions de *moujahidines* au pouvoir à Kaboul entre 1992 et 1996, s'était rapproché de cet axe indo-irano-russe, alors que le protégé des services d'Islamabad, M. Hekmatyar, ne parvenait pas à s'imposer. En second lieu, l'effondrement de l'empire soviétique avait rouvert les anciennes voies commerciales de l'Asie centrale vers les mers chaudes, fermées par Moscou depuis l'époque tsariste. Les hydrocarbures du Turkménistan[20], dont est friand le Pakistan surpeuplé et dénué de sources d'énergie, passent à travers l'Afghanistan, par la route où les Talibans avaient dégagé le convoi envoyé par le général Babar en novembre 1994. Pour que ces voies soient praticables, il fallait que le pays fût réuni sous une seule autorité garantissant la sécurité des transports. Depuis le déclenchement du *jihad*, il s'était fragmenté en une multitude de fiefs dirigés par des commandants de *moujahidines* qui rançonnaient à leur gré voyageurs et marchandises.

Or, à partir de la fin de 1994, les Talibans devaient graduellement apparaître, aux yeux de l'establishment politique pakistanais, comme la seule force capable d'unifier le territoire en lien étroit avec Islamabad. Outre leur idéologie déobandie qui en faisait des ennemis intraitables de l'Iran chi'ite, de l'Inde et de la Russie « impies », ils appartenaient pour la plupart à l'ethnie pachtoune, également implantée dans la province du Nord-Ouest pakistanais, autour de Peshawar, et qui peuplait le corps des officiers de l'armée et des services spéciaux. Cela laissait penser qu'un pouvoir taliban serait solidement arrimé au Pakistan, et lui permettrait d'acquérir la « profondeur stratégique » nécessaire face à ses trois ennemis régionaux.

À ces encouragements externes au succès des Talibans, qui se traduisirent par un appui logistique et militaire, s'ajoutaient des facteurs internes : la lassitude des populations afghanes face à l'incurie, la corruption et l'insécurité généralisées. Elles atteignirent des sommets inégalés depuis que la chute de Kaboul aux mains des *moujahidines*, en 1992, précipita la dilution de toute autorité, tandis que chaque faction bombardait les quartiers où était installée l'autre. En zone pachtoune au moins, les Talibans s'emparèrent de nombreuses localités sans avoir à combattre : leur réputation d'intégrité morale les précédait et, dans les milieux ruraux, leur conception ultrarigoriste des relations sociales ou de la claustration des femmes ne choquait guère ceux qui suivaient les règles assez semblables du *pachtounwali*, la coutume tribale. En revanche, il leur fallut combattre durement pour s'emparer de Kaboul (devant laquelle ils échouèrent une première fois, avant leur conquête définitive en septembre 1996), ainsi que des zones à prédominance chi'ite de l'Ouest, où ils se livrèrent à de pieux massacres d'« impies », notamment à Mazar-e Sharif, en 1998. Mais c'était l'effet nécessaire du zèle religieux qui les faisait monter au *jihad* et y sacrifier leur vie, certains de devenir des martyrs, des *chouhadas* à qui seraient ouvertes les portes du paradis.

Depuis que les Talibans ont pris la capitale, l'ordre y règne et l'insécurité a disparu, parmi les monceaux de ruines qu'ont laissées les affrontements entre *moujahidines* de 1992 à 1996. En contrepartie, les nouveaux seigneurs ont appliqué la conception déobandie de l'existence enseignée dans leurs *medressas*, non plus à la communauté des disciples consentants, mais en l'imposant à la société tout entière[21]. En effet, ces ruraux parlant pachtoune perçoivent la population de Kaboul, en majorité de langue *dari* et habituée aux usages urbains modernes depuis les années 1950, comme une foule corrompue qu'il faut amender pour faire régner la *chari'a*. Les femmes y déambulent désormais recouvertes du *tchadri*. Comme il leur est interdit de travailler, un bon nombre, qui ont perdu mari ou soutien de famille au combat, mendient dans les rues, entourées de nuées d'enfants[22]. Devant les ministères, vidés de leurs fonctionnaires envoyés en camp de rééducation religieuse, les herbes folles ont envahi allées et bâtiments. La culture déobandie est rétive à la chose publique, s'étant traditionnellement appliquée à organiser la communauté dans le respect méticuleux des injonctions du dogme sans se préoccuper de l'État, tenu pour impie depuis la conquête britannique de l'Inde en 1857. À Kaboul, les Talibans, maîtres des institutions afghanes, les ont vidées de leur substance, leur substituant trois fonctions : la morale, le commerce et la guerre. La morale, qui n'est autre que la stricte imposition à

tous des normes déobandies, est mise en œuvre par
« l'organisme pour la commanderie du bien et le
pourchas du mal » (que l'on rend en anglais par *vice/
virtue police*). Elle porte le même nom que le corps
similaire en Arabie Saoudite, formé des célèbres
moutawi'a [23], ces jeunes barbus d'extraction populaire armés de gourdins qui font observer les
horaires de prière, le port du voile par les femmes et
les règles de comportement wahhabites en général.
En Afghanistan, la notion du mal à pourchasser est
plus étendue, puisque les hommes glabres, ou ceux
dont la barbe est trop courte, y sont flagellés ; télévision, magnétoscopes, musique profane, sont pro-
hibés — on recrée l'environnement mental d'une
medressa. Et les barrages routiers des Talibans
comprennent une perche autour de laquelle sont
enroulées, comme des trophées, les bandes magnétiques des cassettes audio saisies dans les auto-
mobiles. Mais tout spectacle n'est pas proscrit — s'il
est édifiant : le vendredi, le grand stade construit par
l'Union soviétique pour célébrer en son temps
l'internationalisme prolétarien s'anime à l'occasion
de la flagellation des buveurs, l'ablation des
membres des voleurs et l'exécution des criminels par
la famille de leur victime, à qui une mitraillette est
remise pour l'occasion. L'État ne châtie pas lui-
même les contrevenants, reflet de sa faible existence :
il en confie l'exécution à la communauté morale des
croyants, sous les encouragements d'une populace
arrivée des campagnes depuis 1996 et qui a investi la
capitale, qu'elle « pachtounise » au détriment des
classes moyennes éduquées en persan qui n'ont pas
pu fuir.

La deuxième fonction qui subsiste dans « l'Émirat
islamique » est le commerce. Les Talibans avaient
d'abord bénéficié de l'aide financière saoudienne, à

l'époque où les princes de la péninsule venaient en avion privé à Kandahar pour se livrer à des parties de chasse, laissant en cadeau au moment du départ leurs véhicules tout-terrain et des dons substantiels[24]. Depuis que le pays est presque entièrement sous contrôle, les flux commerciaux entre Asie centrale et Pakistan, la contrebande acheminée depuis le port franc de Dubayy, le trafic d'héroïne[25] à destination des marchés américain, russe ou européen, se sont développés considérablement, permettant le prélèvement de péages qui alimentent les caisses des « étudiants en religion » — désormais autonomes financièrement par rapport à leurs parrains étrangers et capables de leur tenir tête[26]. Dans le bazar de Kaboul à l'ambiance médiévale, où se croisent en silence clients et commerçants barbus vêtus de l'habit traditionnel, les échoppes sont bien fournies. Négociants et transporteurs tirent profit d'un régime où la légèreté de l'État leur permet de prospérer sans les accabler d'impôts ni de réglementations.

Enfin, la guerre est la troisième fonction de l'« Émirat islamique », la seule qui nécessite un embryon de centralisation. Elle est menée depuis Kandahar, où réside le Commandeur des Croyants, Mollah Omar Akhund, qu'aucun « impie » n'a jamais vu. Cet ancien *moujahid* qui a perdu un œil au combat contre les Soviétiques siège parmi sa *choura*, décidant des offensives à mener pour réduire les groupes rebelles, faisant connaître ses réponses aux pressions étrangères, réitérant notamment les conditions auxquelles Oussama ben Laden et les « salafistes jihadistes » qui l'entourent bénéficient de l'asile en Afghanistan, malgré les réclamations saoudiennes ou américaines.

Mais l'exercice sommaire de ces trois fonctions ne fait pas véritablement de l'« Émirat islamique » un

État ; c'est bien plutôt une communauté organisée selon la norme déobandie et « gonflée » aux dimensions d'un pays sur lequel s'exercent la coercition morale à l'intérieur, le *jihad* sur les marges, et qui tire ses ressources des péages prélevés sur les flux du négoce — notamment illégal — qui transite par son territoire. En ce sens, l'Afghanistan des Talibans n'est comparable ni à la République Islamique d'Iran ni au Soudan de Hassan el Tourabi. Ces derniers s'appuient sur une administration perfectionnée, gèrent rationnellement l'islamisation autoritaire de leur société et sont devenus des acteurs de l'espace de sens islamique et du système international. Rien de tel chez les Talibans : ils ne se projettent pas dans le monde à travers un État — et n'entretiennent de relations diplomatiques qu'avec leur parrain pakistanais et leur principal partenaire commercial, les Émirats Arabes Unis, depuis qu'ils ont rompu avec le bienfaiteur saoudien. Ils sont indifférents à la sphère politique, objet au contraire de toutes les convoitises pour les mouvements islamistes issus de la filiation des Frères musulmans, « modérés » comme « radicaux », qui sont obsédés par la conquête du pouvoir. Il n'y a pas, dans l'idéologie déobandie, de cité vertueuse : seule la communauté, agrégat des croyants dûment corsetés par la masse des *fatwas* qui permettent à chacun de vivre en conformité avec la *chari'a*, se doit d'être morale. L'absence de légitimité de l'État et du politique est aussi une négation de toute notion de citoyenneté et de liberté, remplacées par la croyance et l'obéissance.

Il est difficile de prévoir comment évoluera l'Afghanistan des Talibans. Tant que dure le *jihad*, que de nouvelles promotions d'élèves frais émoulus des *medressas* partent tuer les « impies », le système peut perdurer — au prix de la fuite de tous les esprits libres et des cadres encore sur place. L'Albanie d'Enver Hodja et le Cambodge de Pol Pot représentent probablement l'approximation la plus envisageable de son destin, quoique dans un autre registre idéologique. L'extension du *jihad* en dehors du territoire afghan constitue une autre hypothèse. Elle est d'ores et déjà mise en œuvre au Cachemire, à travers le mouvement paramilitaire déobandi fondé en 1993, *Harakat-ul Ansar*, renommé *Harakat-ul Mojahedin* en 1997, après son classement par le Département d'État américain comme organisation terroriste. L'establishment politico-militaire pakistanais, là encore, encourage ces groupes qui recrutent dans la jeunesse pauvre du Penjab et permettent de mener une guerre par procuration contre l'Inde. Cette logique à court terme, grâce à laquelle les tensions sociales d'une province instable sont projetées sur un ennemi extérieur, est porteuse, à l'avenir, de défis pour les équilibres fondamentaux de la société pakistanaise elle-même : que deviennent les *moujahidines* de retour du Cachemire ? Transfèrent-ils, en sens inverse, le *jihad* qu'ils ont mené par-delà la frontière en un *jihad* intérieur qui, après le terrorisme antichi'ites dont se charge le *Lashkar-e Jhangvi*, peut se retourner contre l'État, ouvrant la voie à une « talibanisation » du Pakistan ? C'est la crainte de beaucoup d'intellectuels de ce pays.

Pourtant, le poids des partis religieux en général reste faible lors de chaque consultation électorale, même si le JUI et le SSP ont bénéficié de reports de voix lors de l'alliance paradoxale qu'a passée avec eux le parti de Mme Bhutto en 1993[27]. L'activisme des groupes les plus extrêmes, qui recrutent parmi les « déracinés », effraie les classes moyennes pieuses. Celles-ci ont trouvé en M. Nawaz Sharif, le dirigeant de la Ligue Musulmane et Premier ministre (1999), un champion. Pour leur complaire, il s'est engagé dans un projet d'islamisation totale des lois, régulièrement réactivé et que ses difficultés d'application ainsi que l'hostilité d'une large partie de la magistrature rendent tout aussi régulièrement caduc. Les jeunes issus de milieux déshérités qui forment la base du recrutement des *medressas* et des mouvements activistes liés à elles ne paraissent pas en mesure de devenir des acteurs politiques autonomes, exprimant des intérêts sociaux précis, et capables d'entrer en coalition, pour s'emparer du pouvoir, avec des groupes bourgeois islamistes qui s'estimeraient frustrés de l'accès au système. Ceux-ci ont en effet été largement intégrés dans les cercles du gouvernement et ne paraissent pas animés de velléités révolutionnaires : bien plutôt, avec leur aval, la jeunesse pauvre est canalisée, grâce au réseau des *medressas*, aux partis religieux et à leurs organisations paramilitaires, vers des objectifs qui la figent dans des antagonismes avec les « impies » chi'ites, chrétiens, ahmadis ou indiens. Cela détourne contre eux et épuise sa violence sociale, sans que soient affectées en dernier ressort les hiérarchies de pouvoir — malgré le bruit et la fureur spectaculaires de l'islamisme radicalisé du Pakistan. Mais les effets négatifs de la violence endémique sur l'image du pays, considéré comme un « *rogue State* » à l'étranger, ont fini par mettre un terme au mode de gouvernement de M. Nawaz Sharif, destitué à la fin de l'année 1999 par son chef d'état-major, le général Musharraf, qui n'hésita pas à se réclamer de l'exemple d'Atatürk. Signe que, dans les cercles supérieurs du pouvoir pakistanais, une évolution des esprits se fait sentir par rapport à la politique de *benign neglegt* qui était de mise envers le *jihad*.

L'effondrement de l'Union Soviétique, que précipita la débâcle de l'Armée rouge en Afghanistan, a
ouvert à la mouvance islamiste radicale, en particulier aux « salafistes jihadistes » basés entre Peshawar et Kaboul, de nouveaux fronts potentiels. Au
Tadjikistan voisin, le nouvel État indépendant dont
les cadres étaient issus de l'ancien sérail communiste fut contesté par une opposition armée, basée
dans le sud du pays, dans laquelle la mouvance islamiste jouait un rôle non négligeable[28]. Dans la république autonome caucasienne de Tchétchénie, aux
marges de la Russie mais à l'intérieur de ses frontières, la revendication indépendantiste, menée par
un ancien général soviétique, a pris, à partir de
1995, les accents du *jihad* sous l'impulsion d'un
jeune chef de guerre, Chamil Bassaïev, appuyé par
un groupe de combattants « islamistes professionnels » venus des camps de la frontière pakistano-
afghane, sous le commandement d'Ibn al Khattab,
un « jihadiste » qui venait de combattre au Tadjikistan après la fin du *jihad* afghan[29]. Mais ces
affrontements se déroulent dans des zones mal
connues du reste du monde, peu propices à mobiliser les soutiens et les enthousiasmes, dont la charge
symbolique reste limitée, et où la question russe fait
obstacle, fin 1999, à toute intervention des puissances.

4

La guerre en Bosnie
et le rejet de la greffe
du « jihad »

L'éclatement de la Yougoslavie anciennement communiste, sous l'effet des tensions nationalistes entre ses diverses composantes, a rappelé au monde l'existence de populations slaves de confession musulmane, au centre de l'Europe, descendantes oubliées des convertis qu'avait faits l'Empire ottoman lors de son expansion dans les Balkans à partir du quatorzième siècle[1]. En mars 1992, la déclaration d'Indépendance de la Bosnie-Herzégovine, où vivait la plus grande partie de ces populations, mêlées à des Serbes et des Croates[2], fut rapidement suivie par une agression militaire de milices serbes contre Sarajevo, capitale du nouvel État[3]. La guerre devait durer plus de trois ans, causer quelque cent cinquante mille morts, contraindre au moins deux millions de personnes à des déplacements forcés, imputables pour la plupart au « nettoyage ethnique[4] ». Dans la presse occidentale, cette pratique a été fréquemment rapprochée des atrocités de la Seconde Guerre mondiale — surtout lorsque parurent les premières images des camps où étaient parqués des prisonniers squelettiques et dès que l'on apprit l'existence de charniers dont les victimes semblaient avoir été massacrées dans une logique fréquemment imputée à une volonté de génocide[5]. Dans le monde de l'islam, où la plupart des gens découvraient, eux aussi, l'existence de la Bosnie, les réactions, souvent enthousiastes à la nouvelle qu'un État musulman venait de naître au cœur de l'Europe, firent généralement de l'agression serbe et du nettoyage ethnique une lecture en termes confessionnels. On y voyait une forme de croisade, un holocauste perpétré pour des raisons religieuses, et cela déclencha des formes de solidarité musulmane spécifiques avec ces coreligionnaires retrouvés dans les Balkans[6]. L'espace de sens islamique, qui s'était accru symboliquement à l'Europe occidentale en 1989 avec la *fatwa* contre Salman Rushdie, et qui sortait profondément fissuré de la guerre du Golfe de 1991, se trouvait soudain agrandi de nouveau vers l'ouest, en Europe centrale cette fois, et il englobait des populations indigènes, non des immigrés. Mais, à peine recouvrée, cette nouvelle terre musulmane semblait menacée de disparaître dans la tuerie perpétrée par des Serbes, au milieu du silence complice de l'Occident des droits de l'homme[7]. Les défenseurs de l'Irak furent prompts à dénoncer le « double standard » de ceux qui frappaient ce pays d'embargo et bombardaient son territoire, avaient diabolisé Saddam Hussein, mais n'infligeaient que des sanctions bénignes à la Serbie de Slobodan Milosevic. Le sang des musulmans, entendit-on, a moins de valeur que leur pétrole. Dans le camp des États du monde musulman qui avaient participé à l'opération « Tempête du désert », la solidarité avec la Bosnie devint une cause. Les oppositions islamistes y trouvaient matière à surenchère, accusant les régimes d'inertie, de connivence avec l'Occident, d'une nouvelle trahison de l'Oumma après la forfaiture qu'avait représentée l'appel à la rescousse de la coalition internationale pour écraser les armées de Bagdad.

La Bosnie fut ainsi, entre 1992 et 1995, un enjeu

majeur pour l'espace de sens islamique, après l'extinction du *jihad* en Afghanistan avec la chute de Kaboul aux mains des *moujahidines* en avril 1992 (le mois même où les hostilités furent déclenchées à Sarajevo par les milices serbes) et la dilution de l'*Intifada* dans le processus de paix israélo-palestinien. Contrairement à la guerre civile d'Algérie — qui débuta aussi en 1992, mais qui, opposant des musulmans entre eux, avait moins de lisibilité immédiate à l'échelle de l'Oumma[8] —, celle qui ensanglanta la Bosnie permit l'expression des diverses stratégies des États ou des mouvements oppositionnels luttant pour la suprématie sur l'islam. Comme dans la décennie précédente, on retrouva les mêmes pôles concurrents : l'Iran, l'Arabie Saoudite, les multiples tendances des mouvements islamistes, des Frères musulmans aux « salafistes jihadistes ». Mais le contexte n'était plus le même qu'en Afghanistan. Téhéran avait perdu le zèle révolutionnaire qu'aiguillonnait de son vivant l'ayatollah Khomeini ; à Riyad la monarchie était lourdement endettée après la guerre du Golfe, minée par son opposition intérieure ; et le *jihad* représentait un slogan à manier avec précaution en milieu européen, où il déclenchait des réactions virulentes, dont la propagande serbe faisait son miel. La cause bosniaque donna donc lieu pour l'essentiel à une compétition de basse intensité entre ces deux capitales et leurs cercles d'alliés, principalement à travers le parrainage d'organisations humanitaires islamiques, qui firent irruption dans un domaine dont les ONG caritatives occidentales avaient jusqu'alors le monopole, auxquelles elles opposèrent leurs propres conceptions de la charité, nourrissant de la sorte une polémique sur les finalités de cette activité. Des « jihadistes » de Peshawar, et de nouvelles recrues, évaluées à quelque quatre mille personnes au maximum[9], partirent combattre en Bosnie, mais sans parvenir à transformer significativement la guerre en un *jihad* car, à l'inverse de l'Afghanistan, ce terme ne rencontrait guère d'écho parmi les populations musulmanes locales. Dans l'ensemble, elles percevaient en d'autres termes la nature du conflit qui les opposait à leurs voisins serbes ou croates.

L'islam bosniaque n'était pourtant pas resté étranger aux grandes transformations qui affectaient cette religion à l'échelle planétaire depuis la fin des années 1960, en dépit de la prégnance de l'idéologie socialiste pendant le demi-siècle où elle régna sur la Yougoslavie du maréchal Tito. En 1970, l'année où mourait Nasser et où Khomeini publiait *Pour un gouvernement islamique,* circulait sous le manteau, à Sarajevo, un texte intitulé *Déclaration islamique,* dans lequel on retrouvait certains thèmes dont l'inspiration était proche du manifeste publié en 1965 par Sayyid Qotb, *Signes de piste*[10]. Son auteur, Alija Izetbegovic, avait fait partie de l'association panislamiste, influencée par les Frères musulmans égyptiens, *Mladi Musulmani* (« Jeunes musulmans »), fondée en 1941, et démantelée par le pouvoir titiste en 1949. Emprisonné une première fois pour ses idées en 1946, il devait l'être de nouveau au printemps 1983, au terme d'un procès intenté à treize inculpés accusés de « fondamentalisme islamique » dans les lendemains de la révolution iranienne. Sept ans plus tard, en mars 1990, tandis que la Yougoslavie commence à se décomposer, il crée le Parti de l'Action Démocratique (*Stranka Demokratske Akcije* : SDA), dont le nom originel de Parti Musulman Yougoslave n'a pas été agréé par les autorités. En novembre, le SDA fait le plein des voix musulmanes aux élections pour la présidence collégiale de la République yougoslave de Bosnie-Herzégovine, tandis que les partis nationalistes serbe et croate l'emportent dans leurs communautés respectives[11]. M. Izetbegovic, l'ancien Jeune musulman, deviendra le premier président élu démocratiquement d'un pays où la population (à l'instar des Serbes et des Croates) est pourtant massivement laïcisée[12]. Il a su en attirer les suffrages en inscrivant son parti au cœur d'une identité nationale énoncée par l'appartenance confessionnelle, dans un contexte d'exacerbation des nationalismes[13] sur tout le territoire de la Yougoslavie en déréliction.

Pourtant, la coïncidence électorale entre le message d'un courant panislamiste anciennement constitué mais très minoritaire et une population faiblement sensible à cette idéologie — fût-elle désorientée par l'éclatement de la Yougoslavie et la guerre — n'incitera pas les dirigeants du SDA à proclamer un État islamique ni à appliquer la *chari'a*, malgré les espoirs des brigadistes du *jihad* venus projeter sur Sarajevo le fantasme d'un nouveau Kaboul. Ce furent les États-Unis, et dans une moindre mesure l'Europe occidentale qui, par les accords de Dayton, conclus en novembre et signés à Paris en décembre 1995, mirent un terme aux affrontements, au prix d'une intégration de la Bosnie dans le domaine européen qui se solda par la déprise de l'espace de sens islamique sur son devenir, et le départ, contraint et forcé, des « volontaires » venus de Peshawar, du Caire ou de Téhéran.

L'échec de cette greffe fut l'un des premiers signes perceptibles de deux phénomènes caractéristiques des années 1990. D'abord, l'éloignement graduel entre les représentations du monde des islamistes radicaux et des populations musulmanes aux yeux desquelles cette utopie perd sa capacité d'attraction. Ensuite, l'élaboration, au sein de ces mêmes populations, d'un type de société démocratique musulmane qui dépasse le modèle islamiste et propose une lecture de la tradition culturelle leur permettant de s'insérer dans la modernité de plain-pied sans pour autant se renier — au terme d'une guerre faite d'atrocités perpétrées au nom d'une conception fermée et exclusive de l'identité.

Pour interpréter ces phénomènes, il faut d'abord les situer dans la construction de l'identité musulmane en Bosnie-Herzégovine depuis que celle-ci s'est trouvée mise en question par les victoires militaires de l'Autriche-Hongrie, qui occupe la province à la place de l'Empire ottoman en 1878, suite au Congrès de Berlin. En Bosnie, les Slaves islamisés constituaient une minorité dominante, parmi laquelle élites urbaines et propriétaires terriens tiraient leur pouvoir et leur statut de leurs liens avec Istanbul. L'occupation austro-hongroise leur fit perdre cette prépondérance, en même temps qu'elle les diluait au sein d'un ensemble où les Croates catholiques favorisés par Vienne jusqu'à la Première Guerre mondiale puis les Serbes orthodoxes régnant sur le royaume de Yougoslavie indépendant de 1918 à 1941 s'assuraient la suprématie politique. Cette situation n'était pas sans rappeler celle des musulmans indiens qui, après la victoire britannique de 1857 sur le dernier sultan moghol de Delhi, se retrouvèrent en minorité dans un État où la *chari'a* n'avait plus lieu d'être appliquée, et furent confrontés, comme nous l'avons vu, à la question de leur identité religieuse et politique. Contrairement à l'Inde, où l'émigration *(hijra)* vers une terre d'islam était une entreprise lointaine et difficilement réalisable, les élites musulmanes des Balkans les plus attachées à la Sublime Porte émigrèrent à Istanbul, où la communauté d'origine bosniaque était bien représentée autour du sérail. Et il n'y eut pas d'équivalent au mouvement déobandi, qui construisait une clôture communautaire autour de la codification des pratiques religieuses dans leur sens le plus strict. En revanche, comme en Inde, la société bosniaque se figea autour de communautés définies par l'appartenance confessionnelle, dont les chefs assuraient la représentation auprès de l'État des Habsbourg. Lorsque des élections sont organisées par la puissance occupante, en 1910 en Bosnie et en 1911 en Inde, elles se déroulent pareillement selon un mode censitaire et confessionnel : les électeurs, définis par leur identité religieuse, votent pour des notables représentant leur propre communauté (musulmane, serbe, croate ou juive dans un cas, hindoue ou musulmane dans l'autre). Entre 1918 et 1941, dans un État qui s'appelait à l'origine royaume des Serbes, des Croates et des Slovènes, l'identité des populations musulmanes est confrontée à un défi. Si cette communauté veut exister au même titre que les autres, qui disposent de territoires dont le peuplement est plus homogène il lui faut se transformer en une nation. Résidant pour l'essentiel entre les zones à majorité croate, dans l'Ouest, et serbe, dans l'Est, les musulmans sont pris en étau entre ceux qui les considèrent comme des « Croates islamisés » ou des « Serbes islamisés », tandis que la Bosnie-Herzégovine perd son autonomie territoriale et est divisée en quatre départements *(banovinas)* en 1929. Dans ce contexte, où l'appartenance confessionnelle éprouve des difficultés croissantes à se traduire en communauté politique, le parti musulman, *Jugoslovenska Muslimanska Organizacija* (« Organisation Musulmane Yougoslave »), le JMO, fondé en 1919, périclite tandis que d'autres formes de constructions identitaires se développent. Outre le Parti communiste, qui s'implante aussi chez les Serbes ou les Croates, un courant panislamiste politique voit le jour. Pour lui, l'appartenance confessionnelle doit devenir militantisme pour réinstaurer la Communauté des Croyants dans sa grandeur à l'échelle universelle. En effet, plus encore que leurs collègues arabes[14], les oulémas bosniaques ont été ébranlés par l'abolition du califat ottoman prononcée par Atatürk en 1924, car il constituait leur référent par excellence : le *reis ül ülema* (« chef des oulémas ») qui exerçait l'autorité religieuse suprême était nommé avec l'aval de l'autorité religieuse d'Istanbul. La jeune génération religieuse se tournera vers les mouvements islamistes qui naissent au Caire à la fin des années 1920, fondant en 1936 l'association *al-Hidaje* (« la voie droite »), et, en mars 1941, les Jeunes musulmans[15]. Recrutant dans la jeunesse scolarisée, cette dernière fait de l'islam dans sa forme salafiste et épurée, comme les Frères égyptiens, le mode d'organisation de la société cette idéologie s'oppose au communisme et aux fascismes qui se répandent dans ces milieux.

L'invasion nazie, qui se produit le mois suivant la création des Jeunes musulmans, voit certains des militants rejoindre la division SS *Handjar* (« Poignard »), levée parmi les musulmans bosniaques par le mufti de Jérusalem Amine al Husseini, hôte du IIIe Reich[16]. Par la suite, le mouvement des partisans dirigé par Tito, secrétaire général du Parti Communiste, parvient à enrôler bon nombre de recrues dans une population musulmane à laquelle il offre une échappatoire face aux milices oustachies (croates pronazies) et tchetniks (serbes) — l'une et l'autre se livrant à des massacres dans les zones qu'elles contrôlent[17]. À la Libération, le régime communiste dissout *al-Hidaje*, compromise avec l'occupant, et, en 1949, les Jeunes musulmans sont frappés à leur tour, quatre de leurs responsables étant condamnés à la peine capitale.

Paradoxalement, la Yougoslavie communiste de Tito jettera les bases de l'affirmation d'une identité nationale musulmane — que le SDA saura récupérer. Après une quinzaine d'années pendant lesquelles l'idéologie officielle favorise un centralisme politique et culturel visant à fondre toutes les composantes du pays dans une identité yougoslave et communiste unique, la décennie 1960 marque une détente. Elle accentue la dimension confédérale de l'État, et permet l'expression de débats, certes limités, mais qui détonnent par rapport à la censure très stricte dans le bloc de l'Est. Par opposition aux autres républiques constitutives de la Fédération yougoslave, qui correspondent à une « nation » (peuplées de Serbes, Croates, Slovènes, Macédoniens...), la Bosnie-Herzégovine ne comprend pas une « nation bosniaque », mais regroupe des Serbes, des Croates et des « indéterminés » — jusqu'à ce que le recensement de 1961 fasse apparaître la dénomination distincte de « Musulmans », entendue au sens ethnique. Celle-ci deviendra à partir de 1968 une « nationalité » nouvelle. Les « Musulmans » (avec un *M* majuscule) sont les populations de langue serbo-croate et d'appartenance confessionnelle islamique, alors que les « musulmans » (avec un *m* minuscule) sont l'ensemble des fidèles de l'islam, quelle que soit leur nationalité (Musulmans, mais aussi Albanais du Kosovo par exemple). Cette affirmation sécularisée d'une identité nationale fondée sur l'appartenance confessionnelle rappelle la définition des musulmans ou des juifs lors de la création du Pakistan en

1947 ou d'Israël en 1948. Elle se produit au moment
où les populations « Musulmanes » de Bosnie
deviennent le premier groupe démographique de
cette république, voient leurs élites percer dans
l'appareil politique et le monde économique, et sont
mises en avant par Tito pour promouvoir la stratégie
internationale de la Yougoslavie à la tête du Mouvement des non-alignés, lequel compte de nombreux
pays musulmans, comme l'Égypte ou l'Indonésie.

Seule nation yougoslave sans territoire en propre,
les Musulmans, chez qui la laïcisation se développe
aussi rapidement que parmi les autres nationalités,
ne trouvent pourtant d'institution autonome que
dans le champ religieux : les instances politiques,
économiques ou culturelles existant dans le cadre de
la République de Bosnie-Herzégovine sont toutes
plurinationales, et y mêlent Serbes et Croates. La
Communauté Islamique *(Islamska Zajednica)*, structure animée par des oulémas, et interlocuteur religieux autorisé du pouvoir, chargée de gérer les
mosquées ainsi que la *medressa* de Sarajevo,
s'emploie à redonner le contenu le plus pieux possible à la nationalité « Musulmane ». Ce processus
rappelle l'action des partis d'oulémas et de la
jama'at-e islami des premières décennies du Pakistan, mais il revêt ici une moindre ampleur. La
Communauté favorise également la réaffirmation du
courant panislamiste réprimé à la fin des années
1940 : la *Déclaration islamique* rédigée en 1970 par
Alija Izetbegovic comme « programme d'islamisation des Musulmans et des nations musulmanes »
manifeste que son auteur est perméable aux nouvelles idées qui se font jour dans le reste du monde
autour des penseurs islamistes[18]. Elles attirent des
étudiants et des élèves de la *medressa* souvent issus
de milieux ruraux et qui n'appartiennent pas aux

familles des élites « Musulmanes » de Sarajevo, bénéficiaires de la modernisation entreprise par le
régime. Une génération d'intellectuels islamistes voit
ainsi le jour à partir des années 1970. Elle présente
des caractéristiques communes avec ses semblables
dans le reste de l'Oumma à cette époque : mêmes
références à des penseurs issus de la filiation des
Frères, mêmes origines sociales dans les milieux nouvellement urbanisés, et cela au moment où la population « Musulmane » de Bosnie connaît une
expansion démographique. Mais il n'existe pas, par-
delà cette intelligentsia islamiste, d'autres groupes
sociaux susceptibles de se fédérer sous sa houlette
pour créer un mouvement comparable à ceux que
connaissent alors l'Égypte, le Pakistan ou la Malaisie.
Il n'y a ni bourgeoisie pieuse ni jeunesse urbaine
pauvre qui, dans cette République de Bosnie encore
socialiste, seraient à même de s'y agréger. Les islamistes bosniaques demeurent, entre 1970 et 1990, un
courant intellectuel dont les membres sont soudés
par des relations anciennes et des vicissitudes
communes, mais ne constituent pas un mouvement
social. La principale de leurs épreuves est le procès
intenté à treize d'entre eux, au printemps 1983, dans
une période où la victoire de la révolution iranienne
(février 1979) a suscité des inquiétudes, tandis que la
mort de Tito (mai 1980) a fait disparaître la clef de
voûte du système yougoslave, et ouvert la voie à la
compétition des nationalismes qui conduira à
l'explosion du pays. Ce procès politique, au terme
duquel Alija Izetbegovic et ses principaux coïnculpés
écopent de plusieurs années de prison pour « fondamentalisme », affaiblit une tendance dont il entrave
l'expansion au-delà de cercles estudiantins, mais lui
donnera une légitimité indéniable lorsque, dès la fin
de la décennie, se lèveront des élites nouvelles

capables d'incarner le nationalisme « Musulman » au milieu des incertitudes puis des drames de la guerre.

La création du SDA, en mars 1990, est le fait d'anciens condamnés de 1983, autour desquels se sont regroupés de jeunes imams, des intellectuels islamistes de formation laïque, et quelques personnalités venant du bazar ou des media. Mais ce parti issu d'un cercle d'intellectuels sans véritable relais dans la population parvient à s'imposer, dans le vide institutionnel et le désarroi politique d'une société perdant très rapidement l'essentiel des repères construits depuis 1945. Il se présente comme le représentant par excellence de Musulmans qui appréhendent de faire les frais des affrontements entre des Serbes et des Croates, déterminés à proclamer des États indépendants et tentés de dépecer le territoire de la Bosnie. Durant les huit mois séparant la création du SDA de l'élection de M. Izetbegovic à la présidence de la République bosniaque, il devient un parti de masse, grâce à l'appui que lui apportent des notables liés à la Ligue des Communistes, dont le plus éminent est Fikret Abdic, directeur du combinat Agrokomerc, impliqué dans un scandale financier retentissant en 1987, et sans aucune affiliation avec la mouvance islamiste. Sa victoire à l'élection de novembre 1990 est davantage marquée dans les régions rurales et les villes moyennes qu'à Sarajevo, où les couches urbanisées sont plus réceptives au programme de partis « citoyens » hostiles au nationalisme, qu'il soit musulman, serbe ou croate. Mais dans l'ensemble, les trois partis nationalistes victorieux (SDA, SDS serbe et HDZ croate) se répartissent le pouvoir, au sein d'une coalition de circonstance où ces deux dernières composantes sont attirées dans une dynamique centrifuge qui les projette vers la Serbie et la Croatie[19].

Ainsi, lorsque éclate la guerre sur le territoire bosniaque, en avril 1992, le mois suivant la proclamation de l'Indépendance que refusent les députés serbes du SDS, et au lendemain de la reconnaissance de celle-ci par la Communauté Européenne, la « lisibilité » de la situation, d'un point de vue « musulman » est passablement confuse. Les Musulmans dont les milices serbes attaquent les villages se définissent comme tels en termes de nationalité, tout en ayant une pratique religieuse particulièrement faible. Toutefois, le parti qui les représente et pour lequel ils ont majoritairement voté, le SDA, est issu du courant religieux, dont le président Izetbegovic a été le principal idéologue. Celui-ci a pourtant évolué depuis la *Déclaration islamique* de 1970. Son livre de 1988, *L'islam entre l'Est et l'Ouest*, comme ses textes ultérieurs prennent leurs distances avec les thèmes les plus radicaux de ses écrits de jeunesse. L'aspiration à l'État islamique y cède la place à l'exigence de la démocratie, thème plus apte à séduire les classes moyennes urbaines laïcisées qui forment le gros des cadres et des intellectuels de Sarajevo, rétives à l'égard d'un parti dont les origines leur restent suspectes. Et au fur et à mesure du déroulement de la guerre, le SDA aura un besoin croissant de ces couches socio-culturelles, de leurs capacités techniques, organisationnelles, militaires. Elles représentent également les interlocuteurs privilégiés des gouvernements et des intellectuels occidentaux, relais d'opinion précieux pour promouvoir l'image de Sarajevo « capitale culturelle de l'Europe », en valoriser l'ouverture et la tolérance, et l'opposer à la barbarie des milices serbes engagées dans le nettoyage ethnique. Ainsi, en octobre 1993, les partis « citoyens » participent au pouvoir, et M. Haris Silajdzic est nommé Premier ministre

Après son départ du gouvernement, en janvier 1996, il deviendra l'une des principales figures des « démocrates musulmans » critiques envers l'État-SDA.

La guerre met à l'épreuve la définition de l'identité musulmane en Bosnie, entre les conceptions islamistes d'une partie des élites au pouvoir et la version sécularisée qu'en a la majorité de la société. Ceux qui perpétraient le nettoyage ethnique et ses atrocités ne s'interrogeaient pas pour savoir si leurs victimes étaient croyantes ou laïques[20]. Ces persécutions ont favorisé, notamment chez certaines personnes déplacées qui avaient tout perdu, l'exacerbation d'une identité religieuse sur le modèle de l'islamisme militant : elle s'est exprimée par la création, au sein de l'armée bosniaque, de quelques « brigades islamiques » rassemblant ces déplacés, où interdits et prescriptions étaient strictement respectés. Le phénomène est demeuré minoritaire, malgré les encouragements que lui prodiguèrent tant certains dirigeants du SDA que les diverses organisations caritatives islamiques étrangères et les « jihadistes » formés dans la nébuleuse de Peshawar.

La « solidarité islamique » envers la Bosnie, si elle fit couler beaucoup d'encre dans le monde musulman, et donna matière à de nombreuses déclarations de principe, fut prise au dépourvu, dans le domaine concret, par une situation sur laquelle les modes d'intervention étaient malaisés et soumis à des contraintes internationales beaucoup plus complexes que la solidarité avec la Palestine ou l'Afghanistan[21]. Sauf l'Iran, les États et les organisations qui souhaitèrent l'exprimer disposaient de peu de relais et de contacts dans la société bosniaque, dont le caractère européen était, pour pareille opération, nouveau et déconcertant.

L'Organisation de la Conférence Islamique, le

forum adéquat pour cette initiative, et où l'influence saoudienne s'exerçait de manière prépondérante, se trouvait tiraillée entre trois types de pressions : l'activisme iranien, la surenchère des mouvements islamistes oppositionnels, et les initiatives incontrôlées des « salafistes jihadistes » qui voyaient dans la Bosnie un nouveau front de la guerre sainte.

L'Iran avait tissé des liens anciens avec les fondateurs du SDA : trois des inculpés du procès de 1983 avaient été arrêtés alors qu'ils revenaient de l'un de ces congrès pour l'unité entre chi'ites et sunnites à Téhéran que le régime khomeiniste convoquait alors chaque année contre l'Irak et Saddam Hussein. Et la révolution iranienne, avec son caractère moderne et iconoclaste, exerçait plus d'attrait sur l'establishment islamiste européen du SDA que le conservatisme wahhabite avec ses relents médiévaux, son insistance sur le dogme, et tous les aspects « sclérosés » qu'avait vilipendés la *Déclaration islamique* dès 1970. En 1992, Téhéran fut particulièrement actif durant deux conférences extraordinaires de l'OCI sur la Bosnie, à Istanbul en juin et à Djedda en décembre. La seconde, à laquelle participa M. Izetbegovic, qui chercha à obtenir la levée de l'embargo mis par le Conseil de Sécurité de l'Onu sur les armes à destination de la Bosnie[22] — faisant valoir que les Serbes disposaient des arsenaux de l'ancienne armée yougoslave —, s'acheva pourtant sur des résolutions qui, tout en exprimant la solidarité de l'organisation avec Sarajevo, n'enfreignaient pas les résolutions de l'Onu en ce sens. Il était difficile, devant les radars de l'Otan, d'armer les Bosniaques comme l'avaient été les Afghans. L'embargo aurait pourtant été tourné par l'Iran dès le printemps 1992 : les armes transitaient par la Turquie et l'aéroport de Zagreb, et étaient livrées en zone bosniaque après prélèvement

d'un tiers de la cargaison par les forces croates[23].
Cette filière bénéficia, dans un premier temps, du
benign neglect du gouvernement américain, qui
voyait là un moyen de rééquilibrer les forces dans
l'ancienne Yougoslavie en faveur de la fédération
croato-musulmane. Bien qu'elle eût été éventée
lorsque furent confisquées publiquement plusieurs
tonnes d'armes dans un avion iranien à Zagreb, en
avril 1994, motivant par la suite une enquête du
Congrès américain[24], elle ne fut entravée qu'après la
signature des accords de Dayton, en décembre 1995.
Les conseillers et instructeurs militaires iraniens
(quelques centaines selon les estimations les plus
fiables), issus du corps des Gardiens de la Révolution *(pasdarans)*, furent alors contraints de partir,
sous la pression américaine. En parallèle à cette aide
militaire, la République islamique déploya en Bosnie des activités idéologiques, relayées par certains
dirigeants du SDA, et caritatives, par l'intermédiaire
de la Société du Croissant Rouge iranien. Contrairement aux réseaux wahhabites, elle sut donner une
image d'efficacité où la dimension humanitaire
comptait autant que la solidarité islamique : à la sortie du conflit, un sondage indiquant que 86 % des
musulmans bosniaques avaient une « opinion favorable[25] » de l'Iran marqua la réussite de cette stratégie — un motif de souci pour les États-Unis, qui
mirent tout en œuvre pour la faire échouer[26], mais
aussi pour les concurrents de Téhéran dans l'espace
de sens islamique international.

Face à cette inertie relative de l'OCI et des dirigeants des États sunnites, l'opposition islamiste de
chacun de ces pays fit du soutien aux Bosniaques un
cheval de bataille, grâce auquel elle pouvait entamer
la légitimité religieuse de gouvernements dont elle
incriminait la passivité. Ainsi, en Égypte, les Frères

musulmans appellent dès 1992 à un *jihad* contre les Serbes, calqué sur celui d'Afghanistan. Pour le pouvoir et tous les cercles qui lient les « Arabes afghans » de retour au pays au terrorisme qui se développe alors dans la vallée du Nil, il est impératif d'éviter une nouvelle agitation, incontrôlable sur ce thème. L'État s'emploie dès lors à contrôler la solidarité avec la Bosnie, la cantonne dans une dimension strictement humanitaire et médicale, et réprime toute velléité d'engagement dans un *jihad* armé [27].

En Arabie Saoudite, où la légitimité islamique de la dynastie est mise en question par une dissidence intérieure après la guerre du Golfe et où l'on craint les initiatives d'Oussama ben Laden comme la concurrence iranienne, le pouvoir et les instances religieuses qui sont dans son orbite se font les avocats de l'armement de la Bosnie, voire d'un *jihad* armé, mais redoutent que celui-ci ne passe sous le contrôle de groupes hostiles à Riyad, comme cela vient de se produire en Afghanistan. C'est donc l'aide humanitaire et matérielle qui joue le premier rôle, entre des initiatives diplomatiques sans grand effet et un *jihad* que l'on préfère voir s'exprimer par la plume que par l'épée. Elle passe par une branche spécialisée de la Ligue Islamique Mondiale, et par un fonds spécial géré par le prince Salman, le gouverneur de Riyad, qui en avait supervisé un, semblable, pour l'Afghanistan. Dès 1992, quelque 150 millions de dollars d'assistance saoudienne, publique et privée, parviennent en Bosnie [28]. Outre les organisations humanitaires islamiques basées dans les principaux pays de la péninsule Arabique et en Malaisie, le conflit suscite l'entrée en scène d'associations caritatives récoltant des fonds parmi les populations musulmanes d'Europe occidentale (particulièrement au Royaume-Uni, où elles bénéficient du charisme de Youssouf Islam, l'ancien chanteur pop converti Cat Stevens, qui dirige l'une des *charities* les plus actives, *Muslim Aid*). Dans les milieux islamistes européens, la cause des musulmans de Bosnie permet de lancer un mouvement de solidarité qui entame le monopole de l'aide humanitaire par des organisations occidentales, chrétiennes ou non confessionnelles, dépeintes comme animées d'un esprit missionnaire. C'est aussi l'occasion d'intervenir dans un domaine moral par excellence, devenu au cours des années 1980 un enjeu politique important des relations internationales, de rassembler les musulmans d'Europe comme tels, de favoriser leur regroupement communautaire. La spécialisation islamique de cette cause humanitaire évite la dilution de leurs dons dans des associations caritatives à vocation universelle. La commune identité européenne des musulmans bosniaques et des descendants de Pakistanais, de Maghrébins ou de Turcs en Angleterre, en France ou en Allemagne, par-delà le clivage entre autochtones dans un cas et convertis dans l'autre, est une puissante motivation que ces associations mettent en avant. Chez certains militants, les atrocités subies par les Bosniaques, pourtant Européens « de souche », voire blonds aux yeux bleus, parlant la même langue, appartenant à la même ethnie que leurs bourreaux, et dont la plupart étaient profondément laïcisés dans leur comportement, démontraient la vanité de toute velléité d'assimilation des musulmans immigrés à la culture dominante des sociétés d'Europe de l'Ouest. En Bosnie, cela n'avait servi de rien aux musulmans pour les sauvegarder : le salut résidait au contraire dans une intensification du lien religieux et un renforcement de la communauté.

Certaines des organisations humanitaires islamiques présentes en Bosnie, qui se regroupèrent en
un Comité de coordination (comparable à l'*Islamic
Coordination Council* créé à Peshawar en 1985)[29]
sous égide saoudienne, mettaient en œuvre une
conception de la charité associée à la *da'wa*, la propagation de la foi. Elle suscita de nombreuses
controverses, car l'obtention des secours était parfois liée à l'accomplissement des obligations religieuses, comprises dans leur acception la plus
rigoriste, par ceux qui les recevaient. La rumeur se
répandit ainsi que les femmes non voilées ne recevaient pas d'aide, que ceux qui ne fréquentaient pas
la mosquée n'y avaient pas droit non plus, etc. Les
circonstances de la guerre n'ont pas permis de
recenser précisément ces faits, mais telle fut la réputation que ces associations acquirent.

Une forme plus radicale de propagation des
conceptions intransigeantes de l'islam fut promue
par les « salafistes jihadistes » qui parvinrent en Bosnie pour y mener le *jihad* armé malgré l'opposition
de leurs gouvernements. Comptant, selon diverses
estimations, près de deux mille combattants, dont
bon nombre de Saoudiens et de ressortissants de la
péninsule Arabique, ils arrivèrent en Bosnie après
l'entrée des *moujahidines* à Kaboul en avril 1992.
Tandis qu'Égyptiens et Algériens commençaient à
rentrer dans leur pays — où beaucoup prendraient
part aux activités militaires de la *gama'a islamiyya* et
du GIA — ceux qui venaient en Bosnie n'avaient à
peu près aucune idée de ce que pouvait bien être un
pays musulman européen, qu'ils perçurent comme
une nouvelle portion de l'Oumma islamique où se
comporter comme en Afghanistan.

L'un des principaux dirigeants des *moujahidines*
de Bosnie fut une figure haute en couleurs, le

« commandant » Abou Abdel Aziz, dit « Barbaros » (Barberousse), ainsi nommé à cause de la barbe qu'il portait longue de plusieurs empans, et qu'il teignait (ainsi que sa chevelure soigneusement peignée) au henné, selon une coutume attribuée au Prophète[30]. Ancien d'Afghanistan, qu'il rejoignit en 1984 à l'appel d'Abdallah Azzam, il cherchait un nouveau terrain pour poursuivre le *jihad* après la chute de Kaboul en 1992, hésitant entre les Philippines et le Cachemire. « Quinze jours seulement s'écoulèrent, et la crise en Bosnie commença. Cela confirmait le propos du Prophète, la paix et la bénédiction soient sur lui : " Certainement, le *jihad* continuera jusqu'au jour du Jugement. " Un nouveau *jihad* commençait en Bosnie, nous y sommes allés, et nous y prenons part, s'il plaît à Allah[31]. » Parti en reconnaissance avec quatre « Afghans », il authentifia le conflit comme un *jihad*, puis demanda des *fatwa*s à trois des oulémas salafistes qui avaient déjà apporté leur soutien à Abdallah Azzam pour la guerre en Afghanistan[32]. Les volontaires qui arrivèrent alors en Bosnie, et qui firent de la ville de Zenica, facilement accessible depuis la Croatie, leur lieu de rassemblement, combattirent soit de leur propre initiative, soit dans le cadre de la 7ᵉ brigade (« islamique ») de l'armée bosniaque, créée en septembre 1992. Les conflits idéologiques qui les opposèrent aux combattants de souche bosniaque conduisirent à leur regroupement au sein du régiment *El Mudzahidun*, créé spécialement pour eux en août 1993. « Barbaros » exerçait son commandement dans cette structure. Ces « jihadistes » aguerris, venus avec des armes lourdes, livrèrent des batailles féroces aux milices serbes[33], contre lesquelles leurs textes de propagande considèrent qu'ils ont remporté des succès décisifs, sauvant l'islam de l'anéantissement. Ils

ne leur cédaient en rien en cruauté, et les photographies de guerriers arabes brandissant en souriant
les têtes de « chrétiens serbes » fraîchement coupées
ou les écrasant à coups de talon [34] firent un tel effet
que l'armée bosniaque dut reprendre le contrôle des
éléments dont le zèle excessif lui portait préjudice.

Outre leur action militaire, ils utilisèrent leur
« temps libre » pour propager auprès des musulmans bosniaques leur conception salafiste : ils entre-
prirent de « purger » l'islam local [35], perturbant les
cérémonies des confréries jugées « déviantes », tentant d'imposer aux femmes le port du voile noir, aux
hommes celui de la barbe, saccageant les cafés, etc.,
transposant donc l'expérience afghane dans les
Balkans, en particulier dans la région de Zenica. Ces
pratiques, parfois accompagnées de mariages
« chari'atiques » (non déclarés à l'état civil) avec des
jeunes filles bosniaques, alimentèrent une rumeur
défavorable et des réactions négatives dont la presse
des « partis citoyens », certains intellectuels musulmans démocrates et même des idéologues panisla-
mistes du SDA se firent l'écho [36]. La brigade *El
Mudzahidun*, à laquelle le président Izetbegovic rendit publiquement hommage le 10 décembre 1995, ne
devait pas résister aux accords de Dayton, signés
quelques jours plus tard à Paris, au terme desquels
les « volontaires étrangers » furent priés de quitter le
territoire de la Bosnie-Herzégovine [37], en contrepartie de l'arrivée des militaires américains venus faire
respecter la paix. Pour bon nombre de ces « salafistes jihadistes », l'expérience était amère puisque la
guerre dont ils avaient voulu faire un *jihad* s'achevait
en *pax americana* — où, selon leur lecture de la
situation, des soldats « impies » investissaient le territoire de la Communauté des Croyants, comme en
un écho funeste de la venue en masse des armées de

la coalition internationale sur le sol saoudien cinq ans auparavant. La Bosnie avait été sauvée de la prédation serbe, mais au prix de son attraction dans l'espace de sens européen, de son « occidentalisation », à l'inverse de l'Afghanistan. Les conceptions militantes et rigoristes de l'islam dont ils avaient fait l'apologie ne rejetèrent de souche qu'auprès de petites organisations extrémistes de jeunes [38], et il ne reste aujourd'hui de leur présence que quelques ressortissants arabes naturalisés, ayant pris femme en Bosnie, et vivant au sein d'une « commune islamique » dans un village isolé du nord du pays, qui évoque les expériences du *Darul Arqam* de Malaisie ou de Choukri Mustapha en Égypte [39].

L'échec de la greffe des militants islamistes radicaux en Bosnie n'est pas seulement imputable aux maladresses des ONG humanitaires qui mêlaient trop étroitement charité et *da'wa* ni à la rigidité des « salafistes jihadistes » qui confondirent Zenica et Jalalabad, pas plus qu'à la machination occidentale que ces derniers furent prompts à dénoncer. Il est dû en premier lieu à l'émergence, dans la société civile, d'une mise en pratique et d'une appropriation du religieux dans un cadre démocratique, qui s'apparente par bien des aspects à la logique « postislamiste » qui se déploie, à partir du milieu de la décennie 1990, dans les sociétés d'autres pays musulmans — jusques et y compris en Iran, comme nous le verrons plus loin.

Lors des élections organisées en septembre 1996, alors que la guerre était terminée, le SDA a consolidé son succès de 1990, tirant ainsi l'essentiel des bénéfices de la victoire morale remportée contre l'agression serbe et de la stature internationale qu'a acquise M. Izetbegovic. Son rival, le Parti pour la Bosnie-Herzégovine fondé par l'ancien Premier ministre M. Silajdzic, en dépit du rôle primordial que celui-ci jouait dans la restauration de l'État depuis l'automne 1993, n'obtint qu'un score relativement faible. L'essentiel des critiques contre le parti au pouvoir portèrent sur son accaparement de l'État : il reproduit, selon ses adversaires, le fonctionnement du Parti communiste de Tito — dont bon nombre d'anciens cadres l'ont rejoint, y transposant leurs habitudes (ce qui leur vaut, dans l'humour de Sarajevo, le surnom de « pastèques » : verts à la surface et rouges à l'intérieur). De même, il a été reproché au SDA d'instrumentaliser l'islam pour fonder sa légitimité, de fusionner « Musulmans » et « musulmans », identité nationale et appartenance confessionnelle. Mais cet accaparement même de la religion, s'il est gros d'une dérive populiste ou unanimiste, interdit aussi la radicalisation du message ou de la pratique du parti. Il ne peut gouverner qu'en rassemblant les classes moyennes laïques des villes, les anciens cadres communistes, peu sensibles à la religion, et la Bosnie rurale, où reste vivace la piété confrérique qui horrifiait tant les *jihadistes* arabes. Chaque année, en juin, les dignitaires du SDA président à la célébration de l'*Ajvatovica*, un pèlerinage aux origines anciennes, islamisé par les confréries, et qui, loin de toute orthodoxie au sens où l'entendent salafistes et militants islamistes, est en passe de symboliser l'identité de la Bosnie musulmane et le pluralisme qui se déploie en son sein. On peut lire, dans les revues du parti, quelques textes appelant à la réislamisation de la société, insistant sur l'ordre moral dont l'islam est porteur, qui rappellent la tonalité de la *Déclaration islamique* de 1970. Mais le président lui-même ne cesse, sans renier ses engagements d'antan, de faire des déclarations publiques marquées au coin du réalisme politique, estimant que l'instauration de l'État islamique ou toute tentative d'appliquer la *chari'a* se heurteraient à l'opposition de la masse des électeurs — et mineraient ainsi le pouvoir du SDA. Bien que le cercle des fondateurs demeure de sensibilité islamiste, garde le contrôle des rouages et de l'idéologie, le parti a été transformé par la société, qui l'a investi, plus qu'il n'est parvenu à la changer en l'islamisant. On observera plus loin qu'un phénomène assez comparable s'est produit à l'intérieur du parti islamiste turc, que le passage au pouvoir, municipal puis national, a contribué à délester en partie de sa doctrine originelle et à transformer en instrument d'ascension politique pour les classes moyennes pieuses. En Bosnie, les esprits dogmatiques du parti ont fait rire en lançant une campagne contre le Père Noël, symbole non islamique. Enes Karic, intellectuel musulman formé à la *medressa* de Sarajevo, traducteur du Coran, un temps ministre de la Culture, et aujourd'hui proche de M. Silajdzic, résume la situation d'une société musulmane bosniaque pluraliste et démocratique dans laquelle personne ne peut se prévaloir d'une authenticité islamique contre d'autres musulmans, à des fins politiques : « La Bosnie est sur le sol européen, et il est très important que les Musulmans bosniaques aient accepté depuis longtemps et jusqu'à aujourd'hui le principe de pratiquer et exprimer l'islam dans la société civile et un État civil ». Pour lui, cette religion doit pouvoir s'y déployer sans subir « aucune injonction politique sur ce que devrait être le "bon islam" », lequel « ne deviendra jamais la propriété de personne, ni un instrument entre les mains de politiciens qui s'en serviraient dans un but égoïste ou mondain[40] ». Par-delà les accents idéalistes de ces formules, on retiendra l'échec d'une greffe islamiste qui, en 1992, semblait portée par une dynamique internationale mais qui, trois ans plus tard, était rejetée par la souche bosniaque, sans avoir su porter aucun fruit. En 1995, la grande saison du *jihad* est en train de s'achever partout. Sa déconfiture en Bosnie ne sera que le prélude aux fiascos algérien et égyptien, deux ans plus tard.

5

La seconde guerre d'Algérie : logiques du massacre

L'année où débuta le conflit en Bosnie se déclenchait en Algérie une autre guerre civile où la référence islamiste joua un rôle central. De 1992 à 1997, des affrontements d'une violence et d'une sauvagerie inouïes déchirèrent ce pays, causant plus de cent mille morts, à la suite du coup d'État qui interrompit les élections législatives qu'allait remporter le Front Islamique du Salut, en janvier 1992. Par-delà le combat entre l'armée algérienne et les militants qui investirent les quartiers populaires ou montèrent au maquis, la guerre hâta le processus de fragmentation de la mouvance issue du FIS, opposant de plus en plus nettement bourgeoisie pieuse et jeunesse urbaine pauvre. La première, qui se reconnaissait principalement dans la direction du FIS dissous, réserva ses sympathies à son « bras armé », l'Armée Islamique du Salut (AIS) qui en était issue, puis aux partis islamistes « modérés », en particulier le Hamas fondé par Mahfoudh Nahnah. Le régime, au fur et à mesure qu'il consolidait ses succès sur le plan militaire, à partir de 1995, entreprit graduellement de récupérer cette bourgeoisie pieuse, en l'intéressant aux privatisations et au passage à l'économie de marché. La jeunesse urbaine pauvre, elle, s'identifia largement, dans les premières années de la guerre civile, à la nébuleuse de groupes armés qui devaient prendre le nom de Groupe Islamique Armé (GIA). Préconisant une guerre totale contre le pouvoir, hostile à toute trêve ou compromis, le GIA rassembla, autour d'un noyau d'anciens membres du Mouvement Islamique Armé qu'avait dirigé Moustafa Bouyali entre 1982 et 1987, et d'anciens « Arabes afghans » algériens de retour dans leur pays, un mouvement « salafiste jihadiste » particulièrement violent, qui prit le pas sur les groupes fidèles au FIS en 1994, et attira, outre de nombreux « hittistes », des intellectuels passés au maquis. Dirigé par une succession d'« émirs » âgés tout au plus d'une trentaine d'années et qui moururent les armes à la main, le GIA finit par se couper de sa base populaire, exportant le terrorisme vers la France en 1995, et achevant sa dérive par des massacres de population civile dans la banlieue d'Alger à l'automne 1997, au moment où l'AIS proclamait une « trêve unilatérale » avec le pouvoir. Son échec fut celui de la jeunesse démunie radicalisée et des intellectuels « salafistes jihadistes » qui l'avaient accompagnée, et il priva la mouvance islamiste dans son ensemble de sa composante populaire, désormais défaite et incapable de se mobiliser comme elle l'avait fait entre 1989 et 1991, donnant alors au FIS la masse critique qui lui avait permis de conquérir la rue et de l'emporter dans les urnes. Pour cette raison, le pouvoir algérien conserva la maîtrise de la situation politique au sortir de la guerre civile, et fut capable d'absorber, à ses conditions, les classes moyennes pieuses qui étaient disposées à composer avec lui sans menacer son omnipotence.

Mais l'échec des islamistes algériens ne fut consommé qu'en 1996-97, lorsqu'il devint clair que la stratégie du *jihad* avait perdu tout soutien popu-

laire, et s'était transformée en un terrorisme auto-
destructeur. Auparavant, notamment en 1994-95, la
violence et l'insécurité avaient atteint un stade tel
que l'État ne parvenait plus à les contrer, au point
que certains observateurs, particulièrement aux
États-Unis, semblaient se préparer à l'avènement du
« prochain État fondamentaliste » en Algérie [1]. Beaucoup de facteurs paraissaient alors devoir mener à
ce résultat : la frustration de la majorité des électeurs, qui avaient voté FIS en décembre 1991, la
conjonction de deux traditions de *jihad* récentes
(celle, indigène, de Bouyali et celle des « Afghans »
de retour chez eux), la mémoire contrastée des violences de la guerre d'Indépendance, avec ses maquis
et le triomphe des « colonels » qui accaparèrent le
pouvoir par la force en 1962, enfin la rage d'une jeunesse en surnombre et décidée à en découdre avec
les « voleurs » au pouvoir. Dirigeants et oppositions
islamistes dans le monde musulman avaient les yeux
rivés sur l'évolution du conflit algérien, chaque
camp attendant du succès de ses favoris un encou-
ragement déterminant pour sa propre cause. En
Égypte, où une vague de terrorisme toucha tout particulièrement la haute vallée du Nil, et dont la
gama'a islamiyya radicale échangeait des messages
de sympathie avec le GIA, la question algérienne
était suivie de très près. En France, où vit une population d'origine algérienne nombreuse, et où les liens
forgés avec l'Algérie après cent trente-deux ans de
colonisation restent forts, la guerre civile dépassa
rapidement le cadre de la politique étrangère en
Méditerranée pour devenir un enjeu intérieur. Après
des assassinats de Français en Algérie suivis de
mesures policières contre des militants islamistes
algériens dans l'Hexagone, le GIA transporta
l'affrontement sur le sol français, en détournant un

avion d'Air France en décembre 1994, puis en lançant une campagne d'attentats pendant l'été et l'automne 1995. Beaucoup de questions demeurent irrésolues sur les responsabilités exactes dans le terrorisme et l'enchevêtrement des manipulations par lesquels s'est achevée la saga sanglante du GIA. Celui-ci, en perdant la guerre sur le terrain militaire, au milieu d'atrocités sans nom, a affaibli politiquement l'islamisme dans son ensemble, en Algérie d'abord, mais aussi dans le reste du monde musulman où elle a dû consacrer beaucoup de temps et d'énergie à se distinguer de sa branche la plus extrémiste. Les modalités de l'échec algérien ont mis le mouvement sur la défensive (à l'exception des groupes les plus radicaux), en un singulier contraste avec l'optimisme offensif de la décennie 1980. Les intellectuels proches des classes moyennes pieuses ont été contraints à reformuler un discours mieux à même de rassurer le corps social, en se référant à une exigence démocratique qui les a distanciés des doctrines extrémistes, mais a aggravé de ce fait les dissensions internes. Le drame algérien des années 1990 a donc eu des conséquences majeures par-delà le pays même où il est survenu, et il importe d'autant plus d'en saisir les ressorts avec précision.

Lorsque le processus électoral est « interrompu », selon l'euphémisme usuel, le 13 janvier 1992, plusieurs petits groupes radicaux qui considéraient les élections et la démocratie comme de l'impiété *(kufr)* se sont déjà préparés au *jihad*. Ils en ont donné le coup d'envoi par l'attaque sanglante du poste militaire de Guemmar, le 28 novembre 1991, deux ans, à quelques jours près, après l'assassinat d'Abdallah Azzam à Peshawar. Le chef du commando, Aïssa Massoudi, dit Tayyeb al-Afghani, un ancien d'Afghanistan, sera arrêté, jugé et exécuté. L'attentat, que les autorités imputent au FIS, afin de le gêner durant sa campagne électorale, et dans lequel celui-ci dément toute implication, est la première manifestation visible de l'existence, en marge du parti islamiste, d'une mouvance « salafiste jihadiste » qui n'a jamais cru à la conquête du pouvoir par les urnes, mais a attendu que les circonstances soient mûres pour déclencher la lutte armée. Selon l'un des anciens d'Afghanistan à l'origine de la fondation du GIA, en effet, l'idée de créer un groupe qui s'emparerait du pouvoir grâce au *jihad* est née dès la fin de 1989, lorsque des dirigeants emprisonnés de l'ancien Mouvement Islamique Armé de Bouyali ont été libérés. Mais le développement spectaculaire du FIS, les succès de sa mobilisation jusqu'à la « grève insurrectionnelle » de juin 1991, ont créé un climat qui paraissait propice à une victoire politique du mouvement islamiste, et ne rendait guère crédible la proclamation du *jihad*. Ce n'est qu'après l'arrestation de Madani et de Benhadj au terme de la grève, un signe que le régime est déterminé à utiliser la force pour garder le contrôle de la situation, que les groupes armés décident de passer publiquement à l'action avec l'attentat de Guemmar. Ils estiment que les conditions sont réunies pour le *jihad*, car il existe désormais suffisamment de militants désenchantés par la stratégie électorale du parti et prêts à se lancer dans les opérations militaires[2]. Ce courant « jihadiste » est en fait composé de noyaux divers, qu'opposent des rivalités de doctrine, de personne, et d'expérience. Elles fourniront le prétexte à des affrontements fratricides et des liquidations. Deux filières principales l'ont constitué : les anciens militants du MIA de Bouyali, dont Abdelkader Chebouti, Mansouri Meliani, Ezzedine Baa, et les vétérans d'Afghanistan, comme Qari Saïd, Tayyeb al Afghani

ou Dja'far al Afghani[3] qui sera « émir » du GIA entre
août 1993 et février 1994. S'y adjoignent des dissidents du FIS — ainsi de Saïd Mekhloufi, ancien officier de l'armée algérienne puis rédacteur en chef de
l'organe du parti, auteur en 1991 d'un *Traité de la
désobéissance civile* préconisant le recours à la violence, et qui sera exclu au congrès de Batna en juillet
de la même année. Enfin, s'y agrègent des jeunes
sans expérience de l'action ou du militantisme, de
plus en plus nombreux à partir de 1992. À ces parcours contrastés s'ajoutent des divergences culturelles : le courant « salafiste jihadiste », qui a pris
corps en Afghanistan, se fondra sans difficulté avec
l'idéologie assez proche, mais peu élaborée, des
anciens disciples de Bouyali, et deviendra la source
principale des textes et proclamations du GIA. Mais
d'autres tendances se feront jour : les « qotbistes »
(disciples de Sayyid Qotb)[4], qui rejettent le salafisme ; les « takfiris[5] », qui considèrent que
l'ensemble de la société est impie et l'excommu-
nient ; les « jazaristes » (ou « algérianistes »)[6], une
association d'intellectuels technocrates qui basculent dans la violence, et fusionneront avec le GIA
en mai 1994. Le caractère de nébuleuse des groupes
armés sera largement dû à leur fragmentation idéologique, qui empêchera leur unification opérationnelle, et fournira l'argument des purges et des
liquidations à partir de 1995.

Cette mouvance disparate et très minoritaire est
propulsée au premier plan avec l'interruption des
élections de janvier 1992, suivie de l'arrestation de la
plupart des dirigeants du FIS et la dissolution du
parti. Les clandestins reçoivent là une justification
de leur stratégie, et commencent à être rejoints par
bon nombre de jeunes qui « montent au maquis »
pour échapper à la répression. En février, un groupe

armé attaque le siège de l'amirauté d'Alger, des policiers sont assassinés et des affrontements réguliers après la prière le vendredi font des dizaines de morts dans tout le pays. En août, un attentat spectaculaire et meurtrier à l'aéroport d'Alger est imputé par le pouvoir aux islamistes, tandis que les sympathisants du mouvement y voient une provocation. Mais 1992 reste relativement calme, par rapport au déchaînement de la violence qui caractérisera les cinq années suivantes : la direction du FIS a été démantelée, et elle s'avère incapable d'encadrer ses militants et électeurs, hésite sur la stratégie à suivre. La mobilisation relancée chaque semaine à la sortie de la prière du vendredi, dont les instigateurs semblent attendre un effet boule de neige comparable à ce qui s'est produit en Iran en 1978 sous la conduite de l'ayatollah Khomeini[7], est brisée par la détermination d'une hiérarchie militaire qui paraît alors contrôler la situation, et arrête plus de quarante mille personnes, qui sont envoyées ensuite au Sahara. Cette relégation massive aura un effet contraire aux attentes du pouvoir : sympathisants et militants y renforceront et radicaliseront leurs convictions, et fourniront, à leur libération (à partir de l'été 1992), une base de recrutement de choix pour les groupes armés[8]. Le désarroi du FIS se manifeste par l'éclatement de ses structures de décision : dirigé à l'intérieur par une « cellule de crise » secrète, rapidement dominée par Abderrazaq Redjem, proche de Mohammed Saïd, le chef des « jazaristes », il dispose à l'étranger de deux représentations : sa « délégation parlementaire », animée par Anouar Haddam, également « jazariste », et une instance dirigée par Rabah Kébir, installé en Allemagne, qui se réclame de la fidélité à Abbassi Madani. Elle ne seront réunifiées (temporairement) qu'en septembre 1993, à la suite de la création, à Tirana, en Albanie, de l'Instance Exécutive du FIS à l'Étranger (IEFE), censée parler d'une seule voix. À l'inverse de la situation iranienne, où l'année 1978 avait vu s'imposer Khomeini, rassemblant sous son égide des groupes sociaux différents dont il avait fait taire les divergences à travers un discours islamiste révolutionnaire unique, le FIS de 1992 est cassé par la répression. Les classes moyennes pieuses qu'il avait séduites s'en trouvent désorientées et marginalisées dans leur expression politique, et l'initiative va graduellement passer à des bandes violentes, dans lesquelles la jeunesse urbaine pauvre disposera d'un poids décisif dès que la guerre civile entrera dans sa phase active, au printemps 1993.

Pendant que la direction du FIS se fragmente et perd le contrôle de la situation (donnant ainsi au pouvoir l'illusion d'une victoire aisée), les groupes armés font au contraire un effort de coordination. En mars 1992, A. Chebouti et E. Baa, anciens du MIA de Bouyali, et S. Mekhloufi, membre fondateur du FIS, salafistes très tôt convaincus de la nécessité de lancer le *jihad*, ont créé le Mouvement de l'État Islamique (MEI), implanté dans le maquis, notamment près de Lakhdaria, au sud-est de la capitale, qui saura attirer un certain nombre de militants du FIS dissous ce même mois. Simultanément, Mansouri Meliani, autrefois adjoint de Bouyali lui aussi, a formé son propre noyau, auquel se sont agrégés des « Afghans » et des militants urbains plus jeunes : les attentats de l'amirauté en février et de l'aéroport en août leur sont imputés. Arrêté en juillet (il sera exécuté en août 1993), Meliani est remplacé par Mohammed Allal, dit Moh Leveilley (son surnom se réfère au quartier populaire d'Alger où il s'est établi), qui s'est construit une réputation de guerillero urbain. Les 31 août et 1ᵉʳ septembre 1992, une réunion a lieu à Tamesguida pour unifier tout ce monde sous l'autorité de Chebouti. Interrompue par les soldats, qui tuent Moh Leveilley, elle échoue. Il reviendra à son successeur Abdelhaq Layada, un ancien carrossier originaire du quartier populaire algérois de Baraki, qui découvrit l'islam à l'occasion du soulèvement d'octobre 1988, de franchir le pas décisif : la fondation du GIA, en octobre 1992, par l'union de trois petits groupes.

À la fin de 1992, la mouvance armée comporte ainsi deux tendances principales. Le MEI de Chebouti, paré du surnom de « général » (*liwa'*), bien organisé et structuré, privilégie un *jihad* à long terme s'appuyant sur la constitution d'un maquis, qui s'inscrit dans la lignée de la guerre d'Indépendance et de l'épopée de Bouyali. Sa lutte est dirigée d'abord contre l'État et ses représentants. En janvier 1993, une *fatwa* promulguée par Ali Benhadj depuis sa prison lui accorde la caution du numéro deux du parti dissous. Layada, quant à lui, privilégie, avec le GIA, l'action immédiate, portant à l'ennemi des coups qui le déstabiliseront en créant une situation d'insécurité généralisée. Son jugement sur le FIS est sévère, et il déclare « impies » ses dirigeants qui ont refusé de prendre les armes en prétextant qu'ils étaient contre la violence. Dans ses prises de position initiales, le premier « émir » du GIA menace également les journalistes « petits-fils de la France » et les familles des militaires, menace mise à exécution quelques mois plus tard, dès le printemps 1993. Dans un « entretien » publié par le bulletin *Al chahada* [9] (« la profession de foi ») en mars 1993, Layada inscrit son mouvement dans l'histoire contemporaine, permettant ainsi d'en retracer la filiation idéologique. Selon lui, « le plus grand drame que vit la Communauté des Croyants à notre époque est la chute du califat [en 1924] » ; la *jama'at-e islami* pakistanaise ou les Frères musulmans ont bien œuvré pour lutter contre « les idées de la *jahiliyya* » et établir l'État islamique, mais le bilan des soixante-dix années écoulées n'est pas fameux. Les « impies » ont partout réussi à conserver le pouvoir, parce que ces mouvements ont hésité à proclamer le *jihad* et prendre les armes. En revanche, « l'expérience islamique qui a suivi la voie du *jihad*, a réalisé beaucoup de ses objectifs et a fourni en abondance des enseignements stratégiques au niveau mondial, est l'expérience afghane ». En Algérie, où les ennemis de l'islam formés par la France se sont emparés du pouvoir à l'Indépendance, quelques prédicateurs [10] ont maintenu le flambeau de la résistance, jusqu'à ce que se dresse « le martyr Bouyali qui prit conscience que la voie pour élever la parole d'Allah passait par le chemin du *jihad*, mais il resta isolé car les prêcheurs vivaient dans les rêves, les mirages et une naïveté intellectuelle et opérationnelle ». Ensuite est venu le FIS, dont les objectifs étaient bons, mais dont la stratégie a été défaite par les forces de l'impiété. C'est pourquoi l'heure est au *jihad*, pour le lancement duquel « le GIA a rassemblé les preuves nécessaires selon la *chari'a* ». Et Layada de s'étonner que « ceux qui ont émis des *fatwas* pour proclamer que le *jihad* était une obligation pour chacun *(fard 'ayn)* en Afghanistan [11] ne fassent pas de même en Algérie et dans les autres pays musulmans alors que les bases sur lesquelles pareilles *fatwas* avaient été émises se retrouvent à l'identique ». Après une phase de préparation, suivie de l'unification des premiers noyaux jihadistes [12] dans le GIA, Layada projette d'unir sous sa direction tous les militants armés « sur un fondement intellectuel unique :

suivre la voie du sunnisme orthodoxe tel que l'ont compris les pieux ancêtres [13] ». Se réclamant ensuite d'Oswald Spengler pour attester du « déclin de l'Occident » et de Bertrand Russell pour proclamer que « le rôle de l'homme blanc est fini [14] », l'« émir » préconise l'établissement du califat en Algérie, grâce à la guerre. Il divise les mouvements islamistes existants en deux catégories. Ceux qui « font allégeance au pouvoir impie » : « Nous en sommes innocents [de leur sang], car le jugement d'Allah à leur sujet est clair, lorsqu'Il dit, le Très Haut : "Et celui d'entre vous qui leur fait allégeance, il est des leurs [15]." Quant à ceux qui ne sont pas les alliés du pouvoir, nous leur disons : "Qu'attendez-vous pour rejoindre la caravane du *jihad* [16]" ? » Enfin, plaidant l'unité des combattants, Layada veut éviter les dissensions qui, au moment où son texte parut, en mars 1993 [17], avaient transformé la victoire des *moujahidines* afghans sur l'Armée rouge en une guerre fratricide [18].

Cet entretien — que Layada en soit effectivement l'auteur ou qu'il ait été « retravaillé » par les rédacteurs du bulletin *Al chahada* — inscrit d'emblée le GIA dans la double filiation du *jihad* afghan et de l'épopée de Bouyali. Il le pose comme l'aboutissement naturel du mouvement islamiste algérien, après l'échec de la stratégie du FIS. Il estime avoir vocation à en récupérer les militants déçus, comme à devenir l'organisation unique de la lutte armée. Cette double ambition prendra corps en 1993, pendant l'émirat de Layada, et aboutira sous celui de Cherif Gousmi, en 1994. Elle est mise en œuvre par le déclenchement d'un cycle de violences qui ne s'en prend pas exclusivement à l'État et à ses agents d'autorité, mais à tous ceux (et celles) qui sont considérés, de près ou de loin, comme liés à lui.

Sur le plan des attentats, à partir de mars 1993, de

nombreux universitaires, intellectuels, écrivains, journalistes, médecins, sont assassinés ; tous ne sont pas liés au régime, mais beaucoup incarnent, aux yeux des jeunes urbains pauvres qui ont rejoint le combat, la figure exécrée de l'intellectuel franco-phone disposant d'un capital culturel inaccessible. Le régime ne s'en ressent pas au plan militaire, mais le mythe de la victoire aisée sur la mouvance isla-miste, qu'il a propagé en 1992, vole en éclats. La « visibilité » des victimes, leurs amitiés à l'étranger, sont autant de dommages portés à la crédibilité de l'État. Plus préoccupante pour celui-ci, mais moins vite connue en dehors de l'Algérie, la perte de contrôle de quartiers populaires, de zones rurales ou montagneuses, et d'axes routiers, qui passent sous l'autorité des groupes armés, révèle la fragilité du pouvoir et le basculement vers la dissidence de franges importantes de la population. Sans rejoindre à proprement parler les organisations encore embryonnaires du GIA ou du MEI, des bandes de jeunes d'origine modeste, plus ou moins encadrés par des « émirs » locaux, expulsent les forces de police de leur territoire et en font des « zones isla-miques libérées ». Ce processus, assez bien reçu dans les premiers temps par une population qui avait voté en majorité pour le FIS et se référait fré-quemment à la gestion municipale « honnête » des élus de ce parti[19], se traduisit par un bouleversement des hiérarchies sociales à l'intérieur de la mouvance islamiste. À l'époque des mairies sous contrôle du FIS (juin 1990-avril 1992), le pouvoir local était entre les mains des classes moyennes pieuses et des intellectuels du parti, qui menaient une politique populiste destinée à satisfaire les revendications sociales de la jeunesse urbaine pauvre : lutte contre la corruption des agents du secteur public, contre le vol, moralisation des comportements, etc. En 1993-94, les jeunes s'emparent du pouvoir local par la force : les notables islamistes, commerçants, transporteurs, entrepreneurs, hostiles à l'État qui les a frustrés de leur victoire électorale en janvier 1992, financent d'abord volontiers ces « émirs » hittistes, journaliers, plombiers en qui ils voient l'instrument de leur revanche politique. Mais au fil des mois, cet impôt islamique volontaire se transforme en racket, pratiqué par des bandes qui se réclament d'une cause de plus en plus brumeuse et se combattent pour contrôler un territoire où exercer leur prédation. Dans le même temps, l'armée, qui s'est retirée de ces quartiers, les encercle et les transforme en ghettos[20]. Les classes moyennes pieuses se retrouvent alors paupérisées, puis victimes de l'extorsion de gangs de jeunes de milieu populaire. Elles tentent d'y échapper en désertant leur quartier. Cela contribuera puissamment à briser l'unité sociale de la mouvance islamiste, et préparera, à moyen terme, ces classes moyennes à se rapprocher du régime.

En termes politiques, cette perte d'influence de la bourgeoisie pieuse au profit des classes populaires se traduit par la suprématie que conquiert le GIA sur le FIS en 1993-94. À Abdelhaq Layada, arrêté au Maroc en mai 1993, succède après une période de flottement[21] Mourad Si Ahmed, dit « Seif Allah Dja'far » (« Dja'far l'épée d'Allah ») ou « Dja'far al Afghani » en référence aux deux années qu'il aurait passées en Afghanistan auprès du *Hezb-e Islami* de Hekmatyar. Âgé de 30 ans lorsqu'il devient émir en août 1993, il n'a pas dépassé l'enseignement primaire et a vécu de contrebande, ou *trabendo*[22]. Comme ses prédécesseurs et successeurs, il est issu de la jeunesse urbaine démunie. Son émirat, qui s'étend jusqu'à sa mort au combat, le 26 février

1994, est marqué par une accélération de la violence, qu'évoque son surnom de « Seif Allah ». Il commence par un accroissement des bases de soutien du GIA. À l'étranger, depuis juillet 1993, paraît le bulletin hebdomadaire *Al Ansar* (« les partisans »)[23], rédigé à Londres par la mouvance « salafiste jihadiste » internationale, et animé par deux anciens d'Afghanistan, le Syrien (naturalisé espagnol) Abou Mous'ab et le Palestinien Abou Qatada. Ils fourniront, jusqu'en juin 1996, la justification doctrinale des actions du GIA, assurant ainsi leur publicité hors d'Algérie, et l'articulation entre *jihad* local et *jihad* international. Sur le plan intérieur, Dja'far al Afghani parvient à élargir l'emprise de son organisation sur de nouveaux groupes, qui revendiquent en son nom des actions spectaculaires[24], faisant passer la lutte à un niveau supérieur. Le 21 septembre 1993, deux géomètres français sont assassinés par un groupe rallié au GIA à Sidi Bel Abbes, dans l'ouest du pays. Le communiqué qui revendique leur exécution, signé par le nouvel émir et publié par *Al Ansar*, indique que les « impies » étrangers comme algériens sont des cibles légitimes du *jihad*. C'est le début de la campagne d'assassinat des étrangers : vingt-six seront tués avant la fin de 1993[25]. Ceux qui, dans la mouvance islamiste, s'opposent à la guerre, ne sont pas épargnés par « l'épée d'Allah » : le 26 novembre, le cheikh Bouslimani, prédicateur populaire et figure de proue du parti Hamas, surtout implanté dans la bourgeoisie pieuse et dirigé par Mahfoudh Nahnah, est enlevé puis exécuté, après avoir refusé d'émettre une *fatwa* légitimant les pratiques du GIA.

L'exacerbation de la violence contraint les groupes issus du FIS à s'engager plus activement dans le combat, afin de ne pas laisser le GIA occuper seul ce terrain. En été 1993, les intellectuels islamistes « djazaristes » regroupés derrière Mohammed Saïd créent le FIDA (Front Islamique du Djihad Armé), qui se « spécialisera » dans l'assassinat d'intellectuels laïques, leurs ennemis intimes. En mars 1994, à la fin du Ramadan, plusieurs centaines de combattants du Mouvement pour l'État Islamique (MEI) dirigé par Abdelkader Chebouti, attaquent la prison de Lambèze, près de Batna, et libèrent les détenus islamistes. Auparavant, le 26 février, en plein mois de jeûne, marqué par une accélération des violences, Dja'far al Afghani a été abattu, dans des circonstances qui laissent supposer que l'armée a bénéficié de renseignements précis.

Mais son décès n'entrave pas la montée en puissance du GIA, dont *Al Ansar*, le 10 mars, présente à ses lecteurs le nouvel émir, Cherif Gousmi, dit Abou Abdallah Ahmed. Jusqu'à sa mort au combat, le 26 septembre 1994, celui-ci réalisera l'un des premiers objectifs du *jihad*, l'unification des combattants, en absorbant une partie de ceux qui sont issus du FIS. Son « émirat » représente la période de plus grande puissance du GIA, qui parvient alors à combiner l'usage de la violence avec des objectifs politiques précis. Gousmi, âgé de 26 ans à sa prise de fonctions, a été imam et responsable local du FIS à Birkhadem, puis emprisonné dans les camps du Sahara en 1992. Rejoignant le GIA dont il dirige la Commission religieuse, il donne à ce titre un entretien en janvier 1994 à un hebdomadaire arabe, à Peshawar[26]. Le nouvel émir semble disposer d'un bagage militant national et international et d'une expérience religieuse qui en font une personnalité plus forte que ses prédécesseurs et successeurs.

Le 13 mai 1994, Mohammed Saïd, Abderrazaq Redjem ainsi que Saïd Mekhloufi rencontrent Cherif

Gousmi sous une tente, dans la montagne, décident de fondre leurs mouvements respectifs dans le GIA et font allégeance *(bay'a)* à son émir[27]. Le « Communiqué de l'unité, du *jihad* et de l'attachement au Coran et à la Sunna » qui en résulte, signé par A. Redjem au nom du FIS et par S. Mekhloufi au nom du MEI[28], établit un *majliss al choura*, ou conseil consultatif, où figurent les deux dirigeants du FIS emprisonnés, Madani et Benhadj (sans qu'ils aient été consultés). Mais le véritable maître d'œuvre de l'unité est Mohammed Saïd, une personnalité très supérieure, par son aura et sa culture, à tous les autres participants. Il exercera son ascendant sur un GIA représentant désormais la principale force islamiste algérienne.

La rencontre « historique » de l'unité, quelles qu'aient été les arrière-pensées des divers signataires, marque d'abord l'hégémonie conquise par un groupe principalement issu des rangs de la jeunesse urbaine pauvre : l'un des plus prestigieux intellectuels islamistes algériens, Mohammed Saïd, un professeur d'université quinquagénaire, fait allégeance à son « émir » de 26 ans. Plus largement, elle témoigne que, au sein de la mouvance, les classes moyennes pieuses ont perdu l'initiative, entérinant ainsi la dégradation de leur statut social.

L'Instance Exécutive du FIS à l'Étranger, dirigée depuis l'Allemagne par Rabah Kébir, quelque temps incrédule face au Communiqué de l'unité, organise la riposte en favorisant la création de l'Armée Islamique du Salut (AIS), afin de fournir à ces classes moyennes favorables au FIS un mode d'expression propre dans le champ du *jihad*, qui ne les contraigne pas à se ranger derrière un GIA aux objectifs radicaux. Excluant de ses rangs les partisans de M. Saïd[29], déniant tout droit à A. Redjem d'engager le FIS par sa signature, l'IEFE prépare la voie à la proclamation de l'AIS le 18 juillet 1994, qui réunit, dans la fidélité au FIS et sous l'autorité de ses dirigeants emprisonnés, des maquis bien implantés dans l'ouest et l'est de l'Algérie. Leur « émir national » Madani Merzag, fait pièce à « l'émir du GIA » Cherif Gousmi, dont les troupes occupent le terrain au centre du pays et dans les faubourgs de la capitale. Des combats sanglants opposeront rapidement les deux factions.

D'emblée, leurs objectifs politiques prirent des voies divergentes. Pour le FIS, la création d'une branche militaire visait à négocier avec le pouvoir à partir d'une position de force : en août, le mois qui suivit la création de l'AIS, Abbassi Madani écrivit de sa prison au général Zeroual, proclamé président au cours du mois de janvier précédent, pour lui proposer de rechercher une solution à la crise (aux conditions du FIS). Le régime n'y donna pas suite, mais transféra Madani de sa prison en résidence surveillée, et élargit trois dirigeants du parti, le 13 septembre. Le même jour, Gousmi rend publique une lettre virulente dans laquelle il critique la stratégie du FIS, rappelant que le GIA ne fait pas la guerre pour dialoguer avec les gouvernants « apostats » ni pour établir la « démocratie » à travers un régime « islamique modéré » qui bénéficierait de la faveur de l'Occident, mais pour purifier la terre des « impies » et établir par le *jihad* l'État islamique, réitérant le mot d'ordre qui figure en exergue des communiqués du groupe : « Pas d'accord, pas de trêve, pas de dialogue. » Sur le terrain, le GIA continue à l'emporter sur l'AIS, multipliant les « exécutions d'impies et d'apostats », et les assassinats d'étrangers (auxquels l'AIS s'est opposée). Deux semaines plus tard, le 26 septembre, au faîte de sa puissance, Gousmi est abattu.

Les événements confus qui suivent la mort de l'« émir » et la prise de fonctions de son successeur Djamel Zitouni ont fait l'objet d'interprétations diverses, entre lesquelles la difficulté d'accès aux sources ne permet pas d'arbitrer. Face à un FIS et une AIS affaiblis, le GIA dispose d'un dirigeant potentiel dont la stature politique est très supérieure à celle des jeunes émirs, en la personne de Mohammed Saïd. L'on s'attend qu'il assoie son emprise sur le groupe et en fasse l'instrument d'une ambition politique qui lui permettrait de dominer complètement le champ islamiste et de poser un défi majeur au pouvoir. Lui seul serait capable de recomposer la mouvance que la répression a désunie, de reprendre le contrôle de la jeunesse urbaine pauvre engagée dans un processus de radicalisation violente et de passage au terrorisme, tout en sachant s'adresser aux classes moyennes pieuses que le courant « jazariste » n'effraie pas. Le 6 octobre, *Al Ansar* annonce l'accès à l'« émirat » de Mahfoudh Tajine, l'adjoint de Gousmi. C'est un proche de Mohammed Saïd. Mais les salafistes les plus intransigeants ne veulent pas d'un « jazariste » à la tête du GIA, et effectuent un coup de force pour l'écarter au profit de Djamel Zitouni [30], que *Al Ansar* présente le 27 octobre comme le nouvel émir.

Âgé de 30 ans, ce fils d'un volailler a fait ses études secondaires en français, et sa maîtrise de l'arabe écrit semble aussi médiocre que sa connaissance des textes de l'islam, contrairement à l'ancien imam Cherif Gousmi. Interné dans un camp du désert en 1992-93, il a rejoint le GIA au sein duquel il s'est fait remarquer en assassinant des Français. Les circonstances de sa prise de pouvoir sont si troubles qu'il est rapidement contesté par certaines des « phalanges » locales qui composent le groupe — non seulement des « jazaristes » qui lui reprochent d'avoir écarté M. Tajine,

mais aussi des « salafistes » appartenant à des générations plus anciennes —, compagnons de Bouyali
comme Afghans. Là où Gousmi avait réussi à faire
progresser l'unification de la mouvance armée,
Zitouni, puis son successeur Zouabri, précipiteront
des dissensions en son sein qui lui seront fatales. Dès
les premiers mois de son émirat, des rumeurs, ali-
mentées par ses adversaires de l'AIS et que nombre
d'observateurs prennent au sérieux, soupçonnent
Zitouni de faire l'objet d'une manipulation par les services spécialisés algériens. Sa faible légitimité religieuse, les modalités bizarres de sa prise de pouvoir,
et les effets néfastes des initiatives prises pendant un
émirat long de deux ans nourriront les spéculations
en ce sens[31].

Cet émir, probablement le meilleur francophone
de tous ceux qui se sont succédé à la tête du GIA,
déclenche une guerre contre la France qui débute
par le détournement d'un Airbus d'Air France à la
Noël de 1994 et s'achève, après des attentats sanglants en métropole à l'automne 1995, par le démantèlement des réseaux de soutien islamistes dans ce
pays. Il entame également le processus, que mènera
à terme son successeur Zouabri, par lequel le GIA,
au lieu de diriger son *jihad* contre le seul État
« impie » algérien, prend la société pour cible, se
coupant de plus en plus de celle-ci par des actions
dont l'horreur et la cruauté iront croissant. Enfin, il
déclenche des purges dont les victimes, en premier
lieu Mohammed Saïd et Abderrazaq Redjem, mais
aussi plusieurs chefs militaires, sont des personnalités d'envergure. Leur disparition facilite le délabre-
ment du groupe, et sa dérive vers un terrorisme de
plus en plus aveugle et auto-destructeur, ce qui lui
vaudra la perte de ses appuis étrangers, ainsi que le
sabordage du bulletin *Al Ansar* en juin 1996.

En s'emparant à l'aéroport d'Alger, fin décembre 1994, d'un avion français[32], détourné sur Marseille (où les pirates de l'air seront neutralisés par le groupe d'intervention de la gendarmerie nationale), le GIA donne l'impression qu'il a franchi un nouveau palier et est désormais capable de porter la guerre en France. Outre le prestige qu'il acquiert dans les rangs des *hittistes* en frappant l'ancienne puissance coloniale sacrée « pire ennemi de l'islam en Occident », il escompte enclencher une dynamique politique au terme de laquelle le gouvernement français, considérant que le coût du terrorisme dans l'Hexagone est insupportable, retirera tout appui au pouvoir algérien, facilitant sa chute. Mais les morts et les blessés des attentats de l'été et de l'automne 1995 produisent l'effet inverse, renforçant la détermination des autorités françaises à lutter contre une mouvance islamiste extrémiste qui met en péril la paix sociale parmi la jeunesse musulmane issue de l'émigration maghrébine[33].

Cette nouvelle escalade dans la violence a lieu au moment où le FIS s'engage dans la préparation d'une « Plate-forme pour une solution politique et pacifique de la crise algérienne » avec plusieurs partis de l'opposition. Le texte en sera signé à Rome le 13 janvier 1995. Le parti dissous entend marquer ainsi qu'il demeure un acteur central et irremplaçable de la scène politique, laissant accroire qu'il dispose des moyens pour faire cesser la lutte armée, si le régime accepte de négocier, de faire rentrer l'armée dans ses casernes, et de confier les rênes du pouvoir aux classes moyennes pieuses. Cette prétention du parti islamiste défie les dirigeants algériens, d'autant que la plate-forme de Rome est accueillie avec faveur dans certains cercles influents aux États-Unis[34]. Mais la réussite de ce projet suppose que le

FIS soit toujours capable, en 1995, de contrôler la jeunesse urbaine pauvre, les gros bataillons du *jihad*, et le monde des commerçants et entrepreneurs pieux. Or tel n'est plus le cas. Les notables urbains, épuisés par la prédation des bandes dirigées par des émirs locaux, se montrent de plus en plus sensibles à un autre parti islamiste, le Hamas, dirigé par Mahfoudh Nahnah, qui accepte de collaborer avec le pouvoir auprès duquel il défend les intérêts corporatistes de ce groupe social. Quant au GIA, en dépit du soutien de Benhadj à la plate-forme de Rome, il mène contre cet accord, « conclu à l'ombre de la croix vaticane[35] », une campagne virulente, accusant les dirigeants du FIS de n'être que des « commerçants du *jihad* » qui « vendent le sang des combattants » pour satisfaire leurs ambitions politiques. En juin, Madani et Benhadj sont « exclus » du *majlis al choura* (conseil consultatif) du GIA, auquel ils avaient été nommés (à leur insu) après la « ren contre de l'unité » un an auparavant. Le 4 mai, Zitouni publie un communiqué interdisant aux représentants du FIS à l'étranger de s'exprimer au nom du *jihad* et leur donnant un mois pour se repentir, faute de quoi ils seront tués. Parmi les cinq responsables visés figure le cheikh Sahraoui : il sera abattu le 11 juillet. C'est le début d'une série d'actions terroristes en France qui ne cesseront qu'après l'élection présidentielle algérienne de novembre 1995.

La guerre contre la France (dont le déroulement dans l'Hexagone est examiné plus loin) s'inscrit dans le jeu complexe qui opposait le FIS, le pouvoir et le GIA autour du devenir de la guerre civile algérienne. En réussissant à mener à son gré une campagne terroriste de grande ampleur en France, le GIA entend prouver que le FIS est sans prise sur la lutte armée, ce qui ruine la prétention de ce dernier à négocier avec le régime algérien le retour à la paix civile. En ce sens, ces initiatives confortent le pouvoir. Il apparaît aux yeux des dirigeants et de l'opinion occidentaux comme la seule force crédible capable de faire barrage à un terrorisme qui en vient à les menacer sur leur sol. En s'appuyant sur pareil raisonnement, les responsables du FIS et un certain nombre d'observateurs furent renforcés dans leur conviction que le GIA de Zitouni faisait « objectivement » le jeu du gouvernement algérien et qu'il était infiltré par les agents de celui-ci[36].

En Algérie même, son émirat est caractérisé par l'accroissement des dissensions à l'intérieur du groupe : pour affirmer son emprise, Zitouni publie à la fin de 1995 sous son nom un opuscule de soixante-deux pages. Intitulé *Sur la Voie du Seigneur : élucidation des principes des* salafistes *et des obligations des combattants du* jihad[37], il réitère la ligne du GIA et répond à ses détracteurs. Ce texte sans originalité par rapport à la doctrine « salafiste jihadiste » à quoi son titre même se réfère, divisé en onze chapitres, paraît d'abord répondre aux soupçons qui se sont fait entendre, dans les rangs mêmes du GIA, sur Zitouni. Il fournit une chronologie très précise des divers groupes qui l'ont précédé, depuis le MIA de Bouyali, puis la liste des « émirs » et de leurs réalisations marquantes, comme s'il traduisait le souci de bien inscrire Zitouni dans cette lignée. À de nombreuses reprises, il incrimine les « kharijites » et autres partisans du *takfir*, ou excommunication de toute la société : il rappelle qu'ils ont été tués par les successeurs du Prophète et que leurs héritiers contemporains subissent le même sort lorsque le GIA s'en empare. C'est l'occasion pour l'auteur de s'en dissocier : il a en effet été accusé de se comporter comme eux, en particulier après son communiqué de février 1995 ordonnant que « pour chaque femme musulmane pure arrêtée soit tuée une femme d'apostat ». Mais si la société dans son ensemble est épargnée dans l'attente qu'elle rejoigne les rangs des combattants du *jihad*, les autres mouvements islamistes, « déviants », sont jugés sans appel comme « impies », en particulier les Frères musulmans et les « jazaristes ». Leurs militants doivent se repentir, adopter le « salafisme » et adhérer au GIA, selon une procédure précise que détaille l'opuscule signé par Zitouni[38]. Quant à ceux qui trahissent l'allégeance à l'émir, ils méritent la mort, ce que l'auteur s'emploie à prouver à grand renfort de citations des Textes sacrés et des auteurs salafistes.

De fait, l'année 1995 restera marquée par des purges de grande ampleur. En juin, Ezzedine Baa, numéro trois du Mouvement de l'État Islamique[39] — qui avait fusionné avec le GIA en mai 1994 — et ancien du groupe de Bouyali, fait dissidence pour rejoindre l'AIS : capturé, il est « jugé » et exécuté. Le mois suivant, Abderrazaq Redjem annonce qu'il rallie à son tour l'AIS. En novembre, il est tué dans des circonstances non élucidées à ce jour, en compagnie de Mohammed Saïd. Le GIA n'annoncera leur mort que dans la livraison d'*Al Ansar* du 14 décembre, en l'imputant aux forces de sécurité. Puis, il en assumera la responsabilité et la justifiera les 4 et 11 janvier 1996 en accusant les deux hommes, membres de « la secte jazariste hérétique » d'avoir fomenté un « coup d'État » contre Zitouni. Cette exécution a un retentissement exceptionnel dans l'ensemble de la mouvance islamiste algérienne, eu égard à l'envergure des deux victimes. Elle précipite l'isolement de Zitouni, abandonné par un certain nombre de chefs de région du GIA, même s'il reçoit pour quelques mois encore le soutien du principal idéologue du courant « salafiste jihadiste » basé à Londres, le Palestinien Abou Qatada. Mais le trouble est tel, et les accusations de manipulation si nombreuses face à une disparition qui obère l'avenir de l'islamisme algérien, que même *Al Ansar* doit demander à Zitouni des preuves. Celles-ci n'arrivent qu'à l'été 1996, sous la forme d'une cassette vidéo où des proches des deux victimes, A. Lamara, un universitaire jazariste, et Mahfoudh Tajine, qu'avait évincé Zitouni après la mort de Gousmi, « confessent » le complot, avant de demander puis de subir leur exécution, selon une mise en scène digne des procès de Moscou[40].

Mais ce « document » arrive trop tard pour restaurer, si tant est que cela fût possible, l'image de Zitouni. Tout au long du printemps se multiplient les défections de militants qui reprochent à l'émir son éloignement du « salafisme jihadiste » authentique. Le 27 mars, il fait enlever sept moines trappistes français du monastère de Tibéhirine[41], qui seront décapités par leurs ravisseurs après l'échec des tractations amorcées avec Paris pour les libérer. L'annonce de ce nouveau meurtre collectif, le 21 mai, suscite des protestations jusque chez les plus extrémistes, qui arguent que la tradition de l'islam prône le respect des moines[42]. Ils s'inquiètent de l'effet néfaste de cet assassinat, alors que nombre de représentants de ce courant implantés en Occident ont noué des relations avec des ecclésiastiques.

Mais pour le GIA, le coup le plus rude vient de ceux qui, depuis Londres et à travers le bulletin *Al Ansar*, légitimaient son *jihad* à la face du monde. Le 31 mai 1996, cette publication est suspendue par ses rédacteurs, et, le 6 juin, les deux principaux idéologues londoniens du courant « salafiste jihadiste », le Palestinien Abou Qatada et le Syrien Abou Mous'ab, ainsi que la *jama'a islamiyya* égyptienne du docteur Zawahiri et un groupe armé libyen, annoncent qu'ils cessent de soutenir Zitouni. Il a « versé le sang interdit », s'est rendu coupable de « déviations » dans la mise en œuvre du *jihad*, a assassiné Mohammed Saïd et Abderrazaq Redjem ainsi que plusieurs anciens d'Afghanistan qui, au maquis, avaient critiqué l'isolement croissant dans lequel la politique de l'émir plongeait le GIA[43]. Tandis que des groupes dissidents annoncent l'exclusion de Zitouni du GIA et le retour du groupe à une ligne « salafiste jihadiste » authentique, celui-ci, isolé et traqué, est abattu le 16 juillet près de Médéa, probablement par des jazaristes qui vengent l'exécution de leur chef de file, tué en novembre 1995.

Les vingt-deux mois que passa Djamel Zitouni à la tête du GIA firent basculer le *jihad* algérien dans l'échec — que consommerait son successeur à l'« émirat », Antar Zouabri. Quelles que soient les « infiltrations », avérées ou non, dont le groupe a pu être l'objet, il a mené des actions qui ont irrémédiablement brisé l'unité de la mouvance islamiste armée algérienne[44]. Elle se délita dans les quartiers d'Alger, où les classes moyennes pieuses, lassées de la violence et du racket au nom du *jihad* des bandes de jeunes, participèrent en masse à l'élection présidentielle de novembre 1995, malgré l'appel au boycott du FIS. Plus significative que la victoire sans surprise du général Zeroual fut la seconde place du candidat du Hamas, Mahfoudh Nahnah, qui apparaissait comme un rival du FIS dans la petite-bourgeoisie religieuse. La guerre contre la France accentua également les contradictions entre le GIA et le FIS. Le premier exaltait l'enthousiasme des déshérités urbains chaque fois qu'était frappée l'ancienne puissance coloniale. Mais les dirigeants à l'étranger du second s'étaient efforcés de persuader les gouvernements américain et européens que leur accès au pouvoir était le garant de l'ordre social et de l'expansion de l'économie de marché en Algérie. Or, en 1996, ces gouvernements se convainquirent que le FIS n'était plus capable de contrôler la lutte armée, qu'il n'avait plus d'impact sur la jeunesse pauvre, et qu'il pourrait d'autant moins s'emparer de l'État que l'assassinat de Mohammed Saïd avait hypothéqué l'émergence d'un leader charismatique qui saurait concilier extrémistes et modérés, pauvres et classes moyennes, partisans du *jihad* et « jaza-ristes ». Enfin, l'accroissement de la violence, qui touchait toute la société, les attentats aveugles, même s'ils étaient attribués en partie aux forces de sécurité ou à des provocations, rendaient le *jihad* de moins en moins populaire — au contraire de ses débuts en 1993-94. La rupture entre une population de plus en plus lasse d'un affrontement sans issue et les groupes armés atteindra son terme sous le dernier « émir », Antar Zouabri.

Celui-ci est nommé dans la confusion, par une faction du GIA que contestent d'autres tendances. Âgé de 26 ans, né au Houch « Gros », dans le gourbi attenant à une ancienne ferme coloniale au pied de l'Atlas blidéen, près de Boufarik, il s'est engagé dès son adolescence dans l'activisme. Son frère Ali dirigeait une formation armée[45], et il a participé aux groupes qui allaient se fondre dans le GIA dès son retour d'Irak, où, en 1991, il a rejoint le contingent qu'avait dépêché Ali Benhadj[46]. Proche de Zitouni, il en poursuit la ligne en s'engageant dans une fuite en avant dans la violence : il accélère les purges au sein du GIA, y fait tuer ceux qui contestent son autorité, et réfute les critiques qui viennent du courant « salafiste jihadiste » international. Il parvient à rétablir une certaine autorité, au début de 1997, et trouve dans l'Égyptien Abou Hamza, un ancien d'Afghanistan et de Bosnie qui prêche dans la Grande Mosquée de Finsbury Park, au nord de Londres, un nouvel idéologue disposé à cautionner son *jihad* par des *fatwas* appropriées. En février, celui-ci relance *Al Ansar*, après qu'il s'est assuré de l'orthodoxie salafiste de Zouabri, qui lui a fait parvenir un opuscule intitulé *Le sabre tranchant*[47] dans lequel sont résumées les positions du mouvement et qui lui sert de manifeste. Outre la justification des assassinats et liquidations depuis l'époque de Zitouni, ce texte présente la société algérienne comme rétive au *jihad*. En tant que communauté musulmane, elle devrait combattre les « impies » et rejoindre le GIA. Or, tel n'est pas le cas : seule une petite minorité soutient vraiment la religion en participant au *jihad*. Face aux gouvernants « impies » et « apostats », la majorité des gens « a laissé tomber cette religion et s'est découragée de lutter contre ses ennemis[48] ». *Le sabre tranchant* est sans illusion sur l'impopularité du *jihad*, ce qui contraste avec le ton triomphaliste des textes issus du GIA pendant les années précédentes. Et dans la pratique du groupe, cela se traduira par des violences qui auront de plus en plus pour objet de « punir » une population qui a trahi l'espoir mis en elle.

Le mois de Ramadan 1997, en janvier-février, est le plus sanglant de toute la guerre, et donne lieu à des massacres de civils, beaucoup perpétrés à l'arme blanche. Il semble que la création de « ligues de patriotes » armés par l'État, dans les villages où les militaires ne pouvaient demeurer, ait contribué à privatiser la violence et à la diffuser, mêlant vendetta et conflits locaux à l'affrontement entre le GIA et le pouvoir. En l'absence de véritable travail d'enquête et de recueil de témoignages fiables, il reste difficile d'établir les responsabilités exactes dans la vague de massacres qui caractérise l'« émirat » de Zouabri, et qui culmine dans les bains de sang de la fin août et de septembre, à Raïs, Beni Messous et Bentalha, où plusieurs centaines de personnes sont massacrées. Si la presse algérienne en fait porter la responsabilité exclusive aux « criminels du GIA », et souligne à l'occasion les liens entre certains de ses fondateurs et le FIS, les dirigeants du parti islamiste en exil ne veulent voir dans les tueries que des provocations perpétrées par les services de sécurité et destinées à couper la population de la mouvance islamiste dans son ensemble[49].

Quelles que soient les responsabilités exactes des différents adversaires dans l'effusion de sang, celle-ci se traduit en septembre 1997 par deux événements qui sonnent le glas du *jihad* organisé en Algérie : la disparition du GIA et la « trêve unilatérale » de l'AIS. Le GIA, en effet, fait paraître à la fin du mois de septembre son dernier communiqué, signé par Zouabri : il revendique les massacres et les justifie en déclarant « impies » tous les Algériens qui ne s'étaient pas engagés dans ses rangs, basculant ainsi dans le *takfir*, ou excommunication de la société. Abou Hamza le publie dans la livraison d'*Al Ansar* du 27 septembre (accompagné d'un commentaire critique), avant d'annoncer deux jours plus tard l'arrêt de ce bulletin et la fin de son soutien à Zouabri et au GIA, accusés d'avoir abandonné la ligne du « salafisme jihadisme » en « condamnant le peuple algérien pour impiété (*kufr*)[50] ». À partir de cette date, le GIA, en cessant de bénéficier d'un relais à l'étranger, ne parvient plus à diffuser de communiqués et perd sa signature distinctive. Cela ne met pas un terme aux agissements de groupes violents en Algérie, qui continuent à mener le *jihad* de manière erratique, sous la direction de chefs de bandes autonomes, mais sans plus de structure cohésive à l'échelle nationale. Le dernier « émir », Antar Zouabri, ne s'est guère manifesté depuis lors, et le GIA a disparu comme entité constituée et comme principal acteur de la guerre civile algérienne — de manière plus confuse et plus mystérieuse encore qu'il était venu à l'existence en 1992. En prononçant le *takfir* contre la société tout entière, par son dernier communiqué, Zouabri sanctionnait une dérive sectaire du groupe qui l'avait peu à peu coupé de toute base sociale, même de la jeunesse urbaine pauvre au sein de laquelle il avait trouvé ses premiers appuis. Celle-ci sortait de cinq années de violences démoralisée et démobilisée, peu encline à s'engager dans un projet politique islamiste qui lui demanderait de nouveaux sacrifices et un combat par trop inégal contre le pouvoir.

Le 21 septembre, le jour même où parvenait à Londres le dernier communiqué du GIA, Madani Merzag, « émir national » de l'AIS, appelait tous les combattants sous ses ordres à une trêve unilatérale à compter du 1er octobre suivant[51]. Elle exprimait la faiblesse de la branche armée du FIS, dont avait donné la mesure l'ampleur des massacres de septembre. Ils s'étaient déroulés sans qu'elle y puisse rien. Solution intermédiaire « honorable » entre la défaite et la reddition, la trêve négociée avec l'état-major de l'armée permettait à l'AIS de conserver ses hommes en attendant leur intégration éventuelle dans les rangs des forces de sécurité. Elle traduisait, sur le plan militaire, les conditions que mettait le régime à la récupération des classes moyennes pieuses qui avaient soutenu le FIS. Celles-ci pour-

raient bénéficier de la « clémence » à condition de
faire allégeance au pouvoir.

Malgré la disparition de la signature du GIA et le
cessez-le-feu avec l'AIS, les massacres n'en continuèrent pas moins pendant l'année 1998. En
l'absence de toute revendication crédible, ils furent
attribués à la poursuite du terrorisme aveugle des
groupes armés issus du GIA. Certains avaient basculé dans le banditisme pur, d'autres réglaient des
comptes entre eux ou avec les « patriotes » qui leur
faisaient la chasse, d'autres enfin, selon des logiques
qui rappelaient celles de la fin de la guerre d'Indépendance, s'étaient mis au service d'intérêts fonciers
divers qui souhaitaient faire déguerpir, par la terreur, les occupants illégaux de terrains où pourraient être réalisées, dans la perspective de la fin du
conflit, de fructueuses opérations immobilières. On
ne peut établir de manière fiable, là encore, les responsabilités exactes de tel ou tel groupe, mais il ressort de cette année où la violence n'a plus été relayée
par aucune revendication politique ni idéologique
un épuisement final du mouvement social qui s'était
traduit en catégories islamistes. Cela a permis au
régime d'organiser une série d'élections destinées à
institutionnaliser le retour graduel au calme, à partir de 1999, qui ont culminé avec l'arrivée d'Abdelaziz Bouteflika à la présidence de la République en
mai, suivie d'un référendum sur la « concorde nationale », en septembre, qui a pris la dimension d'un
plébiscite. Au terme de presque une décennie de
guerre civile, le mouvement islamiste algérien a été
vaincu par le pouvoir. La jeunesse urbaine pauvre,
qui s'était soulevée durant les journées d'octobre
1988, puis avait occupé la rue pour le FIS, avant de
fournir au GIA sa base de recrutement, a été anéan-
tie comme acteur politique. La bourgeoisie pieuse,

dont les intérêts économiques et les revendications culturelles sont défendus au sein du gouvernement par le mouvement Hamas de M. Nahnah, est en passe de se rallier aux conditions d'un président qui a exprimé son respect pour Abbassi Madani[52]. Celui-ci a fait part de son désir d'abandonner la politique. Ali Benhadj, idole de la jeunesse pauvre, reste en prison. Et Abdelkader Hachani, seule tête politique du mouvement à même de négocier durement avec le pouvoir, mais haï par les islamistes les plus radicaux, est assassiné dans des circonstances non élucidées le 22 novembre 1999. Le passage du socialisme à l'économie de marché, que la guerre civile a paradoxalement précipité, doit permettre, dans l'esprit des dirigeants algériens, d'intégrer au système entrepreneurs et hommes d'affaires privés, autrefois attirés par le FIS notamment parce qu'ils refusaient la mainmise des généraux sur l'économie de l'« import-import[53] ». Le chantier de la reconstruction du pays, dont les infrastructures ont été détruites ou peu entretenues pendant la décennie de la guerre, fournit une occasion de profits à ces investisseurs, si le sommet du pouvoir parvient à effectuer les arbitrages politiques qui le permettront. Mais quels que soient les aléas, il paraît peu envisageable que la dynamique sociale qui avait permis l'émergence du mouvement islamiste puisse resurgir au terme d'une guerre où s'est noyée dans le sang son ambition de conquérir l'État.

6

L'islamisme égyptien
au péril terroriste

Pendant les mêmes années exactement où la guerre civile ravageait l'Algérie, l'Égypte était touchée par une vague de violences de grande ampleur qui opposait aussi l'État aux groupes islamistes radicaux. En 1992, alors que les assassinats et les attentats commençaient à Alger, que le pouvoir internait les militants du FIS dans les camps de relégation du désert, et que les groupes armés du MEI et du GIA se structuraient dans les montagnes, la *gama'a islamiyya* assassinait au Caire l'auteur laïque Farag Foda, et paraissait agir sans frein dans la haute vallée du Nil. Ses militants, outre le harcèlement et le meurtre de membres de la minorité chrétienne, les coptes, commencèrent cette année-là à tuer systématiquement des touristes ainsi que des officiers des forces de sécurité. En décembre, quatorze mille soldats et policiers investirent et « nettoyèrent » le quartier populaire d'Embaba, dans la périphérie de la capitale, que la *gama'a* avait transformé en « zone islamique libérée », à l'instar des quartiers déshérités algérois des Eucalyptus ou de Baraki. Cette accélération de la violence, concomitante dans les deux pays, se produisit l'année de la chute de Kaboul aux mains des *moujahidines*. Plusieurs centaines d'« Afghans » algériens comme égyptiens étaient rentrés chez eux. Formés au moule du « salafisme jihadisme » à Peshawar, ils contribueraient à radicaliser le *jihad* local en y transposant leur expérience internationale. Dans les deux pays aussi, le régime s'était trouvé confronté aux succès des islamistes « modérés » dans les classes moyennes : M. Moubarak n'avait pas pris le risque d'une victoire islamiste aux élections législatives, comparable à celle du FIS en décembre 1991, mais les Frères musulmans égyptiens avaient manifesté leur force dans les interstices socio-politiques qui leur restaient ouverts. En septembre, ils remportèrent les élections de l'ordre des avocats, parachevant leur mainmise sur les ordres professionnels (médecins, ingénieurs, dentistes, pharmaciens) qui encadraient la petite bourgeoisie diplômée égyptienne. Le 12 octobre, à la suite d'un séisme qui fit plus de cinq cents morts et de cinquante mille sans-abri au Caire, ils prirent en main l'organisation des secours, débordant la bureaucratie inefficace de l'État — comme le FIS l'avait fait lors du tremblement de terre de Tipasa, en octobre 1989.

La vague de violences qui déferla sur l'Égypte culmina avec le massacre de soixante personnes, en majorité des touristes, à Louxor, le 17 novembre 1997, peu après les carnages de Raïs, Beni Messous et Bentalha en Algérie. Dans les deux cas, ces tueries furent les dernières que revendiqua la mouvance islamiste armée structurée. Les branches radicales de la *gama'a islamiyya* en Égypte et le GIA algérien s'effondrèrent, pulvérisés par la répression et haïs par la population. Les dirigeants « historiques » de la *gama'a* avaient appelé, dès juillet, à un « cessez-le-feu général ». En Algérie, l'AIS prononçait la « trêve unilatérale » fin septembre. De manière presque simultanée, la défaite du *jihad* armé était consommée dans les deux pays arabes où la violence avait atteint son paroxysme. Elle frayait la voie à la recomposition et à la cooptation par le régime d'une mouvance islamiste privée de force populaire, et recentrée sur les classes moyennes.

Le parallélisme entre les événements d'Égypte et d'Algérie, explicable en partie par la tournure commune que voulurent leur faire prendre les militants formés en Afghanistan, s'inscrivait pourtant dans un contexte politique interne très différent. L'État algérien était une construction récente, issue de l'Indépendance en 1962, il était marqué par les violences de la guerre, et sans grands relais dans la société, dès lors que le parti unique FLN perdait sa crédibilité, dans les années 1980. Les instances de médiation religieuses restaient embryonnaires, à tel point que l'État dut importer des oulémas d'Égypte lorsqu'il créa, en 1985, l'université islamique de Constantine, pour se donner une légitimité dans ce domaine. Ce vide avait aidé le FIS à mobiliser le peuple au nom de l'islam et à remporter les élections entre 1989 et 1991. Il facilita le basculement d'une partie de la population dans la guerre civile — au moins jusqu'en 1994-95. En Égypte, en revanche, l'État présidé par Hosni Moubarak était l'héritier d'une construction politique très ancienne, maîtrisant une administration efficace, en dépit des pesanteurs bureaucratiques dues à son « pharaonisme ». Il disposait, grâce à l'université Al Azhar, d'une instance de médiation religieuse qui avait su conserver un immense prestige, malgré les interférences du pouvoir d'un côté, les critiques des militants islamistes les plus radicaux de l'autre, et l'infiltration par les Frères musulmans d'une partie du corps des oulémas et des enseignants. De plus, contrairement à l'Algérie où la contestation islamiste violente s'était limitée, avant 1989, au maquis de Moustafa Bouyali, l'État égyptien, dont le raïs avait été assassiné par le groupe Al Jihad en octobre 1981, disposait d'une longue tradition d'affrontement avec la mouvance islamiste. Elle remontait à la fondation des Frères musulmans sur les bords du canal de Suez en 1928, en passant par la pendaison de Sayyid Qotb sous Nasser en 1966 et les relations ambiguës nouées par Sadate avec les *gama'at islamiyya* durant la décennie 1970. Entre 1992 et 1995, le basculement dans la violence d'une partie de la mouvance islamiste, malgré son caractère spectaculaire, ne se traduisit pas par une guerre civile généralisée, même si certaines poches du territoire échappèrent, temporairement, au contrôle de la police ou de l'armée. En 1995, un étranger pouvait vivre en sécurité au Caire — chose alors impossible à Alger.

Sur le plan militaire, l'ampleur de l'affrontement, jugée au nombre de morts (de l'ordre du millier en Égypte, pour une centaine de milliers en Algérie) fut sans commune mesure. Sur le plan politique, la mouvance islamiste égyptienne, qui paraissait en pleine expansion en 1992, tant dans la jeunesse urbaine pauvre que dans les classes moyennes et la bourgeoisie pieuse, sortira, comme en Algérie, profondément fissurée par cinq années d'exacerbation d'un conflit avec le pouvoir qu'elle ne parviendra pas à faire tourner à son avantage.

On date généralement de l'assassinat de l'essayiste laïque Farag Foda par des militants de la *gama'a islamiyya*, en juin 1992, le changement de phase d'un conflit qui était resté larvé, quoique persistant, depuis le milieu des années 1980. Après l'assassinat de Sadate, en octobre 1981, l'ampleur de la répression avait temporairement annihilé le courant extrémiste, dispersé les réseaux de sympathisants, et contraint à la discrétion les Frères musulmans, principalement occupés à se dissocier des militants du groupe Al Jihad. Le président Moubarak avait réintégré dans le jeu politique les partis d'opposition pourchassés par son prédécesseur, et organisé en mai 1984 un scrutin législatif au résultat sans surprise. Pourtant, la campagne électorale avait connu une liberté de ton inusitée depuis fort longtemps. Les Frères avaient fait élire quelques députés, et le pouvoir s'était senti assez assuré pour faire preuve de clémence envers les militants radicaux arrêtés en octobre 1981. La plupart avaient commencé à recouvrer la liberté. Jusqu'en 1987, ceux-ci n'avaient guère fait parler d'eux : un certain nombre avait rejoint le *jihad* afghan, via l'Arabie Saoudite (avec les encouragements du régime), d'autres restructuraient les réseaux démantelés en 1981. La mouvance islamiste au sens large reprenait lentement son processus d'expansion, en renouant avec les bastions qu'elle avait investis à l'époque de Sadate, et en poussant son avantage dans des domaines nouveaux. À partir de 1984, les élections estudiantines avaient vu ses listes recommencer à triompher sur la majorité des campus. Dès le milieu des années 1980, la plupart des vingt-deux ordres, ou syndicats, professionnels d'Égypte sont passés sous le contrôle de leurs jeunes membres Frères musulmans. Anciens activistes inscrits à la Faculté pendant la décennie précédente, une fois diplômés et entrés dans la vie active, ils poursuivent là la *da'wa*, la prédication-agitation initiée à l'Université[1]. Cette percée parmi les professions libérales et les « professionnels » s'était prolongée par l'enrichissement d'une bourgeoisie pieuse dont la prospérité s'agrégeait aux banques islamiques et sociétés islamiques de placement de fonds, alors en pleine croissance[2]. L'État égyptien avait donné en 1988 un coup d'arrêt au phénomène. Il craignait qu'il ne permît au mouvement, toutes tendances confondues, de se constituer un trésor de guerre, et qu'il n'assurât aux Frères et à leurs amis une indépendance financière qui se traduirait par une opposition politique sans concessions. Mais il avait en même temps favorisé l'expansion d'un espace religieux dont il espérait garder le contrôle, et qui donnait au pouvoir une légitimité opposable aux accusations d'impiété ou de tiédeur que lançaient contre lui les militants barbus. En 1985, la télévision d'État diffusait quelque quatorze mille heures d'émissions islamiques[3], assurant à des prédicateurs « télécoranistes », comme le cheikh Sha'rawi, connu pour son extrême conservatisme et son hostilité aux coptes, ou le cheikh Mohammed al-Ghazali, proche des Frères musulmans, la primauté sur l'expression cathodique des valeurs. Ces oulémas se percevaient comme le rempart idéologique de l'État contre « l'extrémisme religieux », et ils cherchèrent à en tirer des avantages de statut. Leurs premières cibles furent les intellectuels laïques, dont ils firent censurer les ouvrages qui selon eux « portaient atteinte à la religion », n'épargnant pas même, au passage, la version arabe intégrale des *Mille et Une Nuits* incriminée pour son « obscénité ». L'interdiction de servir de l'alcool dans les avions de la compagnie Egyptair, les décrets pris par certains préfets pour rendre leur département « sec », indiquaient que l'État avait laissé les religieux de tendance salafiste et conservatrice gérer les domaines de la morale, de la culture, du comportement et de la vie quotidienne. Au Parlement, les députés Frères musulmans exerçaient une pression sans relâche pour que la *chari'a* fût appliquée et que toute législation qu'ils y jugeraient contraire fût supprimée.

Lorsque le président de l'Assemblée, Rif'at al Mah-
goub (qui serait assassiné en 1990) leur opposa une
fin de non-recevoir en 1985, il marqua que le
domaine juridique devait rester, comme le politique,
hors d'atteinte du courant islamiste même
« modéré ». Des manifestations s'ensuivirent, organisées par un prédicateur virulent, le cheikh Hafez
Salama, qui furent rapidement dispersées, mais qui
indiquaient que cette mouvance s'enhardissait de
nouveau à s'exprimer dans la rue.

Tandis que les Frères musulmans, leurs proches
au sein de l'establishment religieux et le régime se
livraient une sorte de « guerre des frontières » — les
uns pour étendre leur influence au droit, à l'économie et à la politique, et l'autre pour les cantonner à
la morale et à la culture —, la composante clandestine des mouvements islamistes s'était divisée en
deux grandes tendances, autour d'un débat, mené en
prison[4] et né de l'échec de la conquête du pouvoir
après l'assassinat de Sadate. Pour la première, dirigée par le lieutenant Abboud al Zomor, l'un des
conjurés, condamné à la prison à vie, et le médecin
Ayman al Zawahiri[5], parti pour l'Afghanistan en
1985, le *jihad* ne pouvait réussir qu'en détruisant les
centres nerveux du régime « impie » par un coup de
force. Il nécessitait un petit noyau de militants
déterminés — qui instaurerait ensuite l'État islamique acclamé par le peuple débarrassé de la tyrannie. Cette conception putschiste reproduisait en
islamisant son langage les méthodes des militaires
nationalistes arabes durant les décennies précédentes. Elle ne croyait guère à la « prédication »
(da'wa) que l'État avait les moyens de brider tant
que le mouvement islamiste se trouvait en « phase
de faiblesse » — reprenant ainsi les théories exprimées dans l'opuscule rédigé par l'électricien Abdes-

salam Faraj pour justifier le meurtre de Sadate[6]. Le groupe Al Jihad *(Tanzim al-Jihad)*, reconstitué dans la clandestinité, se reconnaissait dans cette option.

À l'opposé, d'autres militants, qui reprirent l'appellation de *gama'a islamiyya* (« groupe islamique ») rendue fameuse sur les campus dans les années 1970[7], estimaient que le *jihad* devait être mené en même temps que la prédication, et s'étendait à la société dans laquelle il fallait mettre en œuvre « la commanderie du bien et le pourchas du mal[8] ». Cela supposait à la fois de privilégier un recrutement large et ouvert, de contrôler les portions de territoire que l'on pourrait soustraire à l'autorité de l'État, et d'y imposer « l'ordre islamique ». Les militants le comprenaient en termes moraux (pourchassant les individus aux mœurs suspectes, fermant de force les vidéo-shops, salons de coiffure, débits de boisson, cinémas, etc.), doctrinaux et juridiques (menaçant les coptes pour qu'ils payent l'« impôt de protection » établi par la *chari'a* sur les non-musulmans vivant sous domination islamique) et politico-militaires (attaquant les agents d'autorité de l'État, les policiers et autres). Le « guide spirituel » de la *gama'a* fut le cheikh aveugle Omar Abdel Rahman[9], « mufti » des assassins de Sadate, et qui s'était rendu célèbre pour ses *fatwas* autorisant l'attaque des bijoutiers et orfèvres coptes (et leur assassinat si nécessaire) pour financer le *jihad*. Libéré en 1984, il s'était installé dans l'oasis du Fayoum, où il prêchait contre ses cibles favorites. Brièvement incarcéré en 1986, il serait de nouveau arrêté en avril 1989 pour plusieurs mois, à la suite de heurts très violents entre ses partisans et la police, avant de partir au Soudan et d'y obtenir un visa pour les États-Unis. Il y poursuivrait sa prédication à Jersey City, jusqu'à son inculpation dans l'affaire de l'attentat du World Trade Center en février 1993.

La dégradation de la sécurité ne commença à préoccuper les observateurs qu'à partir de 1987, lorsque l'ancien ministre de l'Intérieur et des diplomates américains échappèrent à des attentats en mai, tandis que, à l'instigation de la *gama'a isla-miyya*, les violences contre les coptes ne cessaient de s'accroître en haute Égypte. Une rumeur voulait que des chrétiens aient aspergé le voile des femmes musulmanes d'un aérosol mystérieux qui faisait apparaître des croix sur le tissu après le premier lavage! Que pareil racontar pût déclencher des incidents en disait long sur l'état de tension dans la vallée. La même année vit progresser la représentation des Frères musulmans au Parlement; en coalition avec le Parti du Travail, animé notamment par un ancien marxiste devenu islamiste, il obtint 17 % des voix et soixante sièges. Le pouvoir, qui contrôlait la marge de liberté des résultats électoraux, privilégiait alors une stratégie de dialogue avec les classes moyennes pieuses, dont il attendait le maintien de la paix sociale. Or, la violence ne fit que s'accroître, année après année, jusqu'à la déflagration de 1992 : à l'automne 1988, à Héliopolis, dans la métropole cairote, les forces de l'ordre durent investir entièrement un quartier où la *gama'a islamiyya* « commandait le bien et pourchassait le mal » par la force, signe que l'organisation pouvait sortir de ses bastions ruraux de haute Égypte, et s'implanter dans les milieux populaires de la capitale [10]. En 1989 et 1990, la poursuite de la violence contre les coptes en haute Égypte et la vigueur croissante de la *gama'a* enclenchèrent un cycle de répression qui se traduisit notamment par le siège de la mosquée où Omar Abdel Rahman prêchait, au Fayoum, par des arres-

tations en grand nombre et des « bavures » policières, enclenchant des logiques de vendetta contre
les forces de l'ordre dans les milieux traditionnels de
la haute vallée, par-delà le seul affrontement idéologique entre islamistes radicaux et État. Celui-ci
maintint simultanément deux stratégies jusqu'en
1993 : une pression policière très médiatisée sur les
« extrémistes », et un dialogue discret avec certains
d'entre eux, par l'intermédiaire de dignitaires religieux proches de la mouvance salafiste ou des Frères
musulmans. L'hésitation entre ces deux lignes, qui
fut marquée par trois changements de ministre de
l'Intérieur en trois ans [11], fut interprétée par les militants comme une marque de faiblesse de l'État. Malgré les milliers d'arrestations, les attentats se firent
de plus en plus audacieux, comme le montra l'assassinat de l'ancien président du Parlement en plein
Caire en octobre 1990.

Ainsi, lorsque commence 1992, qui va marquer le
début des cinq années de « guerre », le pouvoir se
trouve dans une situation de fragilité relative. Mais
la mouvance islamiste, plus encore qu'en Algérie,
souffre de la division entre les différents groupes
sociaux qui la constituent et qu'opposent divergences tactiques et doctrinales. Les Frères musulmans ont conquis de solides positions dans les
classes moyennes pieuses, disposent de députés au
Parlement, d'un réseau de financement à travers le
système bancaire islamique où ils sont bien représentés, contrôlent les ordres professionnels, et, grâce
aux associations caritatives qu'animent certains de
leurs membres, peuvent toucher les milieux populaires. L'establishment religieux, sur lequel le pouvoir s'est appuyé après l'assassinat de Sadate, et qui
dispose d'accès privilégiés à la télévision et d'une
prépondérance dans le champ intellectuel, est

poreux à l'influence des Frères — par le biais de grands oulémas qui leur sont très liés, comme Mohammed al Ghazali et Youssef al Qaradhawi[12]. Pourtant, malgré le rôle de « médiation » dont ils se targuent, ni les Frères ni l'establishment religieux n'ont la capacité de contrôler le courant radical, moins encore d'encadrer la jeunesse urbaine pauvre, de la ranger en ordre de bataille derrière les classes moyennes pieuses dans un même combat contre le pouvoir, à l'inverse de ce que le FIS avait réussi en Algérie entre 1989 et 1991.

En effet, en 1992, la *gama'a islamiyya* et dans une moindre mesure le groupe Al Jihad, ont réussi à construire une position de force autonome, accumulant patiemment les succès depuis la libération de la plupart de leurs activistes en 1984. Dans la seconde moitié des années 1980, ils ont établi des bastions dans les départements d'Assiout et de Minia, en moyenne Égypte, où ils ont bénéficié de circonstances sociales favorables à l'expansion de leur prédication. La baisse des prix du pétrole, à partir de 1985, tarit les flux d'émigration vers la péninsule Arabique, qui constituait le principal débouché pour les jeunes diplômés issus de familles rurales et passés par les campus locaux qui ont poussé dans la Vallée depuis la décennie 1970. Beaucoup de ces jeunes, qui ont fréquenté la *gama'a islamiyya* à l'Université, se retrouvent à la fin de leurs études de retour dans leur village ou leur bourg, sans travail, à la fois à la charge de leur famille qui s'était privée pour leur payer une éducation, et frustrés dans leurs attentes. Le discours et l'idéologie de la *gama'a* savent traduire cette insatisfaction en révolte contre l'ordre établi, stigmatisé comme « impie ». Ces diplômés au chômage, au contact de leurs camarades sans instruction, forment une « intelligentsia islamiste » révolutionnaire qui saura mobiliser la jeunesse musulmane pauvre de la Vallée, en se greffant sur la situation particulière de cette région. Le *Sa'id* — la haute Égypte a en effet une tradition de maillage du tissu social par des clans locaux ou familiaux entre lesquels les relations sont fréquemment arbitrées par la violence et la vendetta *(tha'r)*. Le banditisme organisé autour d'activités illégales (trafic d'armes, culture et écoulement du haschisch) y est bien implanté, favorisé par la géographie : les grottes de la falaise nilotique, comme les îles du Nil à la végétation luxuriante et les hauts champs de canne à sucre offrent de nombreuses caches. La présence de l'État est faible à l'échelon local, contrôlé par les intérêts particuliers — cela favorise les poches de dissidence qui ont une longue tradition de survie dans cet environnement. Enfin, le monde rural autour d'Assiout et de Minia replié sur lui-même, n'a pas complètement succombé à la diffusion de l'islam. Dans cette province, le christianisme nilotique a pu résister le mieux au cours des siècles, grâce aux monastères. La proportion de coptes y est la plus élevée du pays, atteignant 18 % dans le département de Minia et 19 % dans celui d'Assiout, pour une moyenne nationale estimée à quelque 6 %[13].

Cette situation a créé un terrain favorable à l'expansion de la *gama'a islamiyya*. Elle a pu à la fois implanter des structures de mobilisation et d'encadrement à l'abri des pressions d'un État distant, mettant sur pied caches et camps d'entraînement, et traduire, dans des attaques contre les coptes notamment, son objectif de « commander le bien et pourchasser le mal ». Les relations de coexistence entre musulmans et chrétiens dans la Vallée avaient connu des vicissitudes diverses au cours des siècles.

De longues périodes de calme succédaient à des flambées de tension, quand un prédicateur zélé excitait ses ouailles contre « l'arrogance » des chrétiens : l'interprétation intransigeante des Textes sacrés enjoint de les rabaisser et de les humilier en collectant le tribut dit de « capitation » (*jiziyya*) que leur impose la *chari'a* en contrepartie du statut de « protection » (*dhimma*) dont ils jouissent (ou pâtissent, selon les interprétations). En 1911 s'était tenu à Assiout un « congrès copte » qui nourrit le fantasme, chez ses adversaires et certains de ses partisans, d'une « sécession » de la moyenne Égypte où s'établirait un « État chrétien ». Mais la tension exacerbée et les violences qui commencent avec le développement des mouvements islamistes dans les années 1970 et culminent deux décennies plus tard, si elles puisent leurs arguments dans ces registres, doivent leur ampleur à l'arrivée massive de migrants ruraux misérables, travailleurs comme étudiants, très majoritairement musulmans, dans des villes comme Assiout et Minia où beaucoup de coptes occupaient des positions en vue. À côté des notables fonciers, qui avaient souffert des nationalisations nassériennes, une classe moyenne copte avait émergé, profitant d'un système éducatif confessionnel chrétien développé. Pour la jeunesse musulmane pauvre sensible à l'idéologie de la *gama'a islamiyya*, pareille situation était scandaleuse : les coptes qui auraient dû être humbles et soumis paraissaient prospères, alors que les musulmans souffraient. Cette analyse simpliste négligeait que la plupart des coptes de la Vallée étaient, comme leurs concitoyens musulmans, démunis et ruraux, mais elle fournissait un exutoire religieux simple et aisément manipulable à une frustration sociale massive, d'autant plus explosif lorsque l'émigration vers la péninsule Arabique se tarit. Pour cette raison, l'agitation anti-chrétienne devint le mode privilégié par lequel les extrémistes de la Vallée parvinrent à étendre leur influence parmi les jeunes déshérités. Dans leurs tracts et les campagnes qu'ils lancent, la figure du chrétien est toujours celle d'un être pervers qui abuse de sa situation sociale supérieure indue, d'un agent de l'étranger et des croisés qui n'a de cesse de vouloir convertir les musulmans au christianisme, et qui pour cela s'efforce de les corrompre : tel copte de la région de Minia est ainsi accusé de prostituer des mineures musulmanes et de diffuser leurs ébats sur cassettes [14], et les pharmacies et bijouteries coptes sont des cibles de prédilection des émeutes attisées par les radicaux à qui « l'arrogance » des chrétiens fournit un prétexte récurrent. En 1992, la situation politique dans la Vallée est dominée par cette agitation, que la *gama'a islamiyya* a su capitaliser à son profit. La virulence de la réaction de l'État, qui multiplie arrestations et interrogatoires « musclés », va inciter la mouvance clandestine, désormais affermie dans les bastions qu'elle s'est constitués en moyenne Égypte, à changer d'échelle et à affronter le pouvoir directement. Ce passage à la « guerre totale », encouragé par le retour au pays cette année-là des premiers groupes d'« Afghans » entraînés militaire-ment et fanatisés par le milieu « salafiste jihadiste » de Peshawar, se déploie sur trois fronts : les assassi-nats de personnalités, les meurtres de touristes et l'investissement des ceintures de pauvreté de la capi-tale — symbolisées par la proclamation de la « République islamique d'Embaba ».

L'assassinat de Farag Foda, le 8 juin 1992, par des militants de la *gama'a islamiyya* qui furent identifiés puis arrêtés et jugés, avait un double objectif. En premier lieu, il atteignait un symbole de l'intelligentsia laïque. Opposant de toujours à l'application de la *chari'a*, partisan d'une lutte sans merci contre les islamistes et de l'intensification de l'arsenal législatif antiterroriste à leur encontre, il était également adepte de la normalisation des relations avec Israël. À ces titres, il était détesté par l'establishment religieux et les Frères musulmans, qui avaient multiplié les condamnations de ses ouvrages, et mal vu de la gauche nationaliste, pour qui l'État sioniste reste un ennemi en toutes circonstances. En le tuant, la *gama'a* avait sélectionné une personnalité sans grands relais sociaux, mais très visible et connue à l'étranger — défiant directement l'État, et terrifiant tous ceux qui seraient tentés d'adopter publiquement des positions comparables à celles de Foda. Plus encore, en ciblant un « laïciste radical », elle s'attirait, en dépit de la brutalité de la méthode, des sympathies profondes parmi ces mêmes religieux que le régime tentait de mettre en avant pour s'assurer une légitimité islamique. Ainsi, lors du procès des assassins, en juin 1993, le cheikh Mohammed al Ghazali, cité comme témoin par l'avocat de la défense, fit savoir qu'une personne née musulmane militant contre la *chari'a* (ce qui était le cas de Foda) commettait le crime d'apostasie, passible de mort. En l'absence d'État islamique exécutant la sentence, on ne pouvait blâmer ceux qui s'en chargeraient. Ce témoignage devait semer la consternation dans les milieux gouvernementaux et contribuer à l'abandon de la politique de « médiation » avec les islamistes radicaux par le biais de l'establishment religieux proche des Frères musulmans. Il s'inscrivit dans une série d'attaques de ces derniers contre toute tentative des intellectuels laïques d'intervenir dans le débat sur les valeurs centrales de la société, en les criminalisant. Une autre victime fut l'universitaire

Nasr Abou Zeid, prononcé également « apostat » sur la base de ses écrits, puis divorcé d'office d'avec sa femme par un tribunal au prétexte qu'un apostat ne peut pas rester marié avec une musulmane, et contraint de se réfugier avec son épouse en Europe [15] en 1995 pour échapper aux menaces de mort. Enfin, en octobre 1994, le prix Nobel de littérature Naguib Mahfouz, régulièrement attaqué par les religieux conservateurs pour ses romans jugés indécents, fut poignardé par un membre de la *gama'a*. Ces affaires manifestaient d'abord que la mouvance islamiste disposait de relais dans le monde juridique égyptien, non seulement parmi les avocats — comme l'avait montré la prise de contrôle de leur ordre par les Frères musulmans en 1992 — mais aussi dans la magistrature. Des juges islamistes avaient divorcé de force le couple Abou Zeid. Elles témoignaient également d'une complémentarité entre « modérés » et « extrémistes », les seconds exécutant les victimes qu'avaient désignées les premiers, et ceux-ci s'employant ensuite à plaider les circonstances atténuantes si le besoin s'en faisait sentir. Le ciblage d'intellectuels non religieux avait pour fonction de réunifier la mouvance, même si les « modérés » déploraient en public la fougue des militants qui passaient à l'acte. Mais il eut des conséquences désastreuses en termes d'image internationale, au moment où les Frères musulmans et leurs alliés étaient engagés dans une campagne de charme, notamment envers les États-Unis, pour se présenter comme l'incarnation de la société civile face à des États totalitaires, et comme la seule force à même de neutraliser les radicaux.

En parallèle à la campagne d'intimidation contre les intellectuels laïques, une offensive contre les touristes fut lancée par la *gama'a islamiyya* à partir de l'été. Débutant par des bombes artisanales en juin, elle se poursuivit par des tirs contre un bateau de croisière sur le Nil et un train, puis la mort d'une touriste anglaise en octobre, suivie par l'agression de voyageurs allemands, qui seront blessés, en décembre. Depuis New York, le guide de la *gama'a*, le cheikh Omar Abdel Rahman faisait parvenir des cassettes dans lesquelles il décrivait le tourisme comme une entreprise de débauche et de promotion de l'alcoolisme, et le déclarait *haram* (interdit par la religion). Une partie de la mouvance islamiste « modérée » lui emboîta le pas, voyant dans l'expansion du tourisme, notamment israélien, l'une des conséquences du processus de paix honni au Moyen-Orient[16]. Les uns et les autres regrettèrent la mort des « innocents », mais rejetèrent la faute sur les violences policières, qui contraignaient les « jeunes de la *gama'a* » à s'en défendre comme ils pouvaient. En 1993, les attentats se déplacèrent au Caire, faisant plusieurs morts parmi les visiteurs étrangers, et ils se poursuivirent sporadiquement les années suivantes, jusqu'à la tuerie finale de Louxor en novembre 1997. Comme les attaques contre les intellectuels laïques, celles qui touchèrent les touristes amenèrent une partie des islamistes « modérés » à trouver dans « l'impiété de l'État » une excuse à la fougue des radicaux, manifestant ainsi leur compréhension pour le phénomène et indiquant que la *gama'a* donnait à la mobilisation contre le pouvoir ses thèmes de référence, contraignant les autres composantes de la mouvance à la suivre, fût-ce seulement en paroles. Enfin, la « guerre » contre le tourisme représentait un quitte ou double pour ceux qui la décidèrent : avec un minimum de moyens, elle frappait durement l'État égyptien, financièrement[17] et dans son image à l'étranger. Les relais en

Occident des islamistes « modérés » tiraient argument de la violence pour montrer l'isolement et
l'incapacité de « l'État impie » : ils plaidaient pour la
venue au pouvoir de la bourgeoisie pieuse, qui saurait restaurer l'ordre et favoriser du même coup
investisseurs et *businessmen*. Ces arguments
commençaient à faire leur chemin, notamment dans
certains cercles politiques des États-Unis. Mais
l'État n'était pas la seule victime de l'effondrement
de l'industrie touristique. Une grande partie de la
population égyptienne, que choquait par ailleurs
l'assassinat planifié d'étrangers, sans aucun précédent dans l'histoire du pays, tirait son revenu du
secteur touristique, depuis les guides, les hôteliers
ou les restaurateurs jusqu'aux maraîchers, menui-
siers ou chauffeurs, ainsi que tous les membres de
leur famille qu'ils faisaient vivre. Quelle que fût leur
préférence politique ou religieuse, ils se trouvèrent
confrontés à une baisse considérable de leur niveau
de vie et, après quelque temps d'hésitation, devaient
marquer leurs distances avec ceux qui en étaient la
cause.

   Pourtant, la stratégie de la radicalisation à
outrance choisie par la *gama'a islamiyya* en 1992
n'était pas dénuée de logique, et son pari de faire
basculer la jeunesse paupérisée dans l'insurrection
se nourrissait, outre les défis qu'elle infligeait à
l'État, d'une implantation croissante dans les quartiers déshérités de la périphérie cairote, qu'elle pouvait espérer mobiliser. À l'automne 1988, près
d'Héliopolis, les forces de l'ordre avaient déjà dû
investir un quartier où les militants « commandaient
le bien et pourchassaient le mal ». Mais la situation
était devenue beaucoup plus sérieuse dans la zone
d'Embaba, une banlieue faite d'habitations spontanées située non loin du campus de l'université du

Caire, et peuplée d'un million de personnes environ (sur la douzaine que compte la capitale égyptienne). Sous-équipée, elle était peuplée de migrants ruraux, venus pour une large part de haute Égypte, et elle devint le symbole, voire la caricature, de l'implantation des islamistes radicaux [18] dans la capitale. Certains des inculpés dans le procès des assassins de Sadate en étaient originaires, mais, à l'époque, Embaba et sa « zone » avaient davantage servi de caches que de terrain de prédication privilégié. Ce n'est qu'après la libération de la plupart des militants, en 1984, que reprit l'implantation, dans la perspective d'élargir le recrutement de la *gama'a islamiyya* et de constituer un espace islamisé échappant au contrôle de l'État, sur le modèle des poches de dissidence de haute Égypte. La réussite de l'opération vint de la rencontre entre intellectuels islamistes, activistes des années 1970 diplômés de l'université toute proche, ou étudiants dans celle-ci, et caïds du quartier, qui incarnaient la figure traditionnelle des *futuwwa*, les « braves », mi-parrains, mi-redresseurs de torts qui géraient l'ordre social en l'absence des agents d'autorité de l'État. Ces gros bras, adeptes d'arts martiaux, basculèrent dans l'islamisme radical, au moment où celui-ci était disposé à valoriser leur rôle. Il s'engageait dans une stratégie d'affrontement violent avec le pouvoir, pour lequel il lui fallait mobiliser les éléments de la société qui avaient une maîtrise « technique » de la violence, de l'organisation de bandes, de l'obtention d'armes et de munitions sur le marché parallèle, etc. [19]. La rencontre entre intellectuels islamistes et *futuwwa* créa les conditions de l'embrigadement de la jeunesse urbaine pauvre derrière la *gama'a*, qui devint la principale force sociopolitique d'Embaba.

Dès 1984, Omar Abdel Rahman, le « guide spirituel » du groupe, fit une tournée dans les mosquées locales, dont les plus importantes furent investies par les militants, qui parvinrent à occuper l'espace social : activités sportives, enseignement, milices qui assuraient l'ordre islamique dans le quartier et contre les incursions de la police. La prise en main d'Embaba, que l'islamisation du nom des rues rendit tangible, passa par la substitution de la *gama'a* aux instances de médiation traditionnelle, pour régler un différend, apaiser les conflits entre familles engagées dans d'anciennes logiques de vendetta, etc. Enfin, un réseau d'associations de bienfaisance rattachées aux mosquées s'occupait des nécessiteux.

Les grandes familles tribales du quartier furent défaites les armes à la main, amenées à traiter, et les coptes — qui constituaient une minorité importante, groupée autour de vingt et une églises — subirent des exactions assez comparables à celles de leurs coreligionnaires d'Assiout ou de Minia. Le pillage de magasins et l'incendie d'églises, la bastonnade des chrétiens rencontrés lors des actes de violence organisés contre eux, s'inscrivaient dans le « pourchas du mal » prôné par les extrémistes. Le groupe attirait aussi quelques jeunes sans affiliation partisane qui profitaient de l'occasion pour faire du butin, tandis qu'étaient épargnés les commerçants coptes qui s'étaient acquittés de « l'impôt de protection » *(jiziyya)* auprès de la *gama'a* [20].

À Embaba les jeunes utilisèrent la radicalisation religieuse pour jouer des rôles sociaux qui auraient dû être dévolus aux aînés — phénomène que l'on retrouve dans la guerre civile algérienne, où les jeunes « hittistes » des quartiers défavorisés prennent le pas sur les notables du FIS après 1991. Et, comme en Algérie, ces jeunes imaginèrent que, une fois leur emprise établie, ils pourraient prolonger leur offensive jusqu'à faire chanceler l'État. À Embaba, dès l'année 1991 qui vit s'intensifier le harcèlement des coptes, la dimension caritative du mouvement le céda de façon croissante à une interprétation extensive du « pourchas du mal », où des délinquants se drapaient dans l'islamisme pour exercer le racket. Comme ce sera le cas plus tard dans les banlieues d'Alger avec le GIA, une partie de la population, qui avait sympathisé dans un premier temps avec la *gama'a islamiyya*, s'en détacha. Fin novembre 1992, dans un acte de bravade, cheikh Gaber, le responsable militaire du groupe, déclara à l'agence Reuters qu'Embaba était devenue un « État islamique » où la *chari'a* était appliquée. La dépêche fit le tour du monde. Contrairement au pouvoir algérien, qui devait opter pour l'encerclement et le « pourrissement » des « zones islamiques libérées » de la banlieue algéroise [21], l'État égyptien choisit d'effectuer un coup de force. En décembre 1992, quatorze mille hommes investirent Embaba pendant six semaines, arrêtant cinq mille personnes. Ils mirent fin à l'éphémère République islamique du cheikh Gaber, comme l'appelèrent les journaux, sans que le « bain de sang » annoncé par les partisans de ce dernier se produisît, car la violence même dans laquelle avait basculé le mouvement l'avait finalement déconsidéré et privé de beaucoup de ses appuis. Des fonds considérables furent alors alloués pour le développement du quartier : outre les postes de police, les services sociaux s'y multiplièrent, tandis que les mosquées passaient sous le contrôle du ministère des Affaires religieuses *(waqfs)* qui y nomma des prédicateurs « sûrs ». Cette reconquête par l'État ne s'appuya pas sur la seule répression : la disparition de la fonction d'intermédiaire social, que la *gama'a* avait conquise de force, permit l'apparition d'une nouvelle élite de jeunes entrepreneurs politiques, inscrits au Parti National Démocrate au pouvoir, et qui facilitaient l'accès à la manne soudain redistribuée par les autorités[22]. Certains d'entre eux avaient été, en leur temps, proches de la mouvance islamiste radicale et anticipaient l'épuisement qu'elle connaîtrait durant les années qui suivraient.

En brisant par la force la jonction entre jeunesse urbaine pauvre et intellectuels islamistes radicalisés dans un quartier déshérité de la capitale, le pouvoir égyptien conjurait un péril immédiat, porteur d'une mobilisation révolutionnaire. Mais il restait confronté à un autre danger, en provenance des Frères musulmans, dont les membres et sympathisants avaient fait, en 1992, plusieurs démonstrations de puissance. Ils occupaient de solides bastions dans les classes moyennes pieuses, risquaient de prendre le relais des extrémistes pour encadrer les masses pauvres grâce à leurs activités de bienfaisance, et avaient pénétré l'establishment religieux dont le régime attendait au contraire un appui face à la mouvance islamiste.

La victoire des Frères aux élections à l'ordre des avocats, place forte traditionnelle des libéraux, en septembre, fut qualifiée d'« événement le plus important en Égypte depuis l'assassinat de Sadate[23] », car elle parachevait leur conquête des organes représentatifs des classes moyennes éduquées. Seul l'ordre des journalistes restait encore hors de leur portée. Cela signifiait que le domaine du droit, central dans la revendication politique islamiste, qui repose sur l'application de la *chari'a*, était en passe d'échapper à l'influence des juristes positivistes, tandis que les Frères et leurs alliés sauraient de l'intérieur le faire évoluer vers leurs propres conceptions[24] Ils se servirent de leur position de force pour intenter des procès contre Nasr Abou Zeid ou d'autres auteurs « non conformes », et les gagner, grâce à des juges acquis à leurs idées. C'était une occasion d'embarrasser considérablement l'État, en faisant partiellement échapper la justice à son contrôle, et d'anticiper l'application de la *chari'a* lorsque la chance s'en présentait.

La réaction du pouvoir consista à reprendre en main l'ensemble des ordres professionnels, en imposant des quorums de participants aux votes, faute de quoi furent nommés des administrateurs judiciaires[25]. Mais cette mesure, perçue comme une manipulation, devait encourager les protestations, dans un contexte où le régime restait incertain de son orientation envers les classes moyennes pieuses.

Le choix de l'affrontement avec les Frères musulmans et leurs alliés fut décidé dans les premiers mois de 1993, au terme d'un semestre d'hésitations pendant lequel ces derniers avaient encore poussé leur avantage. À la suite du séisme du Caire en octobre 1992, ils avaient fait montre d'une efficacité très supérieure à celle des services officiels, paralysés par la bureaucratie et de nombreux dysfonctionnements, pour venir en aide aux cinquante mille sans-abri. Ils édifièrent, grâce aux « syndicats professionnels » soumis à leur contrôle et à leur réseau d'associations de bienfaisance, des milliers de tentes (qui étaient opportunément disponibles car stockées pour être envoyées en Bosnie par le comité d'aide des Frères[26]), sur lesquelles figurait leur slogan « L'islam, c'est la solution » *(Al islam huwwa al hall)*. Cette action caritative d'autant plus populaire et visible face à l'impéritie de l'État leur permit de collecter des fonds importants — que la puissance publique s'empressa de bloquer.

La poursuite de la violence, en réaction à l'investissement d'Embaba par la police, se traduisit par la mort de trois étrangers tués dans l'explosion d'un café au centre du Caire en février 1993. Dans la Vallée de nouvelles attaques contre les touristes et les coptes mettaient en lumière les tergiversations du gouvernement dans son choix d'une stratégie sécuritaire. Cela permit aux Frères et à leurs proches dans l'establishment religieux de lancer une initiative qui, en se prévalant de leur capacité de médiation entre police et « jeunesse dévote » extrémiste, pourrait, selon ses inspirateurs, ramener le calme là où la répression échouait. Un Comité de médiation, qui comportait, à côté du prédicateur « télécoraniste » Mitwalli Sha'rawi et de Mohammed al-Ghazali, proche des Frères musulmans, le cheikh Kichk, ancienne « star » du sermon des années 1970[27], ainsi que d'autres prêcheurs et journalistes de la même sensibilité, contacta les dirigeants emprisonnés de la *gama'a*, avec l'aval d'une partie du pouvoir, notamment du ministre de l'Intérieur. Sur la base d'un document qui faisait droit aux revendications politiques des militants radicaux, tout en rejetant la violence, le comité se proposait en fait de réunifier sous sa houlette toute la mouvance islamiste — divisée entre des classes moyennes pieuses acquises aux Frères et une jeunesse pauvre où était implantée la *gama'a islamiyya*[28]. Si ce projet avait été réalisé, il ne fait guère de doute que la légitimité de l'État en aurait été durement ébranlée par ceux-là mêmes auprès de qui il en était réduit à la solliciter, et qu'il se serait trouvé en danger. Après une ultime valse-hésitation, les autorités optèrent pour une stratégie d'affrontement avec l'ensemble de la mouvance. Dans la foulée, elles se distancièrent de l'establishment religieux proche des Frères. Le 18 avril, le ministre de l'Intérieur A. H. Moussa, portant le chapeau pour les encouragements qu'il avait prodigués au Comité, fut remercié. Le 20 avril, le ministre de l'Information Safwat Charif, qui était partisan de la conciliation et avait ouvert la télévision à l'inflation des programmes religieux, était victime d'un attentat imputé au groupe Al Jihad, et en juin Mohammed al Ghazali témoignait à décharge au procès des assassins de l'essayiste laïque Farag Foda. Le régime était ainsi conforté dans la ligne dure en faveur de laquelle il avait finalement opté : briser militairement les groupes islamistes armés, réprimer juridiquement et politiquement les Frères musulmans, et ne faire d'ouvertures à la bourgeoisie pieuse qu'une fois la guerre remportée sur le terrain.

De 1993 à 1997, l'intensification de l'affrontement fit des centaines de victimes. Une répression impitoyable répondait à des attentats toujours plus audacieux — dont l'un manqua tuer M. Moubarak à Addis-Abeba en juin 1995 [29] — et cela finit par tourner à l'avantage du pouvoir. La *gama'a* n'avait pas réussi à mobiliser la masse urbaine, après son échec à Embaba, et était contrainte à perpétrer une violence « ciblée » contre les touristes, les coptes et les policiers à partir de ses sanctuaires de la Vallée [30]. Pour spectaculaires qu'ils fussent, ces actes ne permettaient pas de transformer le rapport de forces en faveur des militants. À partir du début de 1996, le mouvement commença à donner des signes d'essoufflement [31] : nombre des dirigeants les plus aguerris, revenus d'Afghanistan en 1992, avaient été arrêtés, tués au combat ou condamnés à mort et exécutés, et n'étaient pas remplacés par des cadres de même qualité, à cause de la surveillance accrue des frontières. À l'étranger, les « sanctuaires » occidentaux n'étaient plus aussi sûrs : la condamnation à la prison à vie, aux États-Unis, du cheikh Omar

Abdel Rahman, en janvier[32], la « disparition » en Croatie du coordonnateur de la *gama'a* pour l'Europe, Tal'at Fouad Qassem[33], en septembre 1995, avaient désorganisé les réseaux internationaux de soutien, l'articulation entre « religieux » et « militaires », ce qui facilitait l'éparpillement des initiatives. Plusieurs pays extradèrent vers l'Égypte des militants réfugiés. Pour la même raison, les transferts de fonds en provenance des sympathisants de la péninsule Arabique diminuèrent, contraignant la *gama'a* à recourir à des « braquages » de plus en plus fréquents. La prédation sur la société locale, les assassinats de « collaborateurs » et autres « indicateurs » (dont les gardes champêtres) aliénèrent aux militants radicaux des couches de la population proches ou neutres — selon une évolution qui évoque celle de l'Algérie à la même époque. Les impasses de la stratégie de l'affrontement commencèrent à susciter des débats internes, et le premier appel au cessez-le-feu, provenant de l'« émir » d'Assouan, fut lancé en mars 1996. Il ne fit pas l'unanimité, car le mois suivant, dix-huit touristes grecs, dont quatorze femmes, étaient abattus dans un hôtel du Caire. La *gama'a*, ayant cru tuer des Israéliens, revendiqua l'opération dans un communiqué intitulé « Pas de place pour les juifs sur la terre musulmane de l'Égypte », qui la justifiait comme « une vengeance contre les juifs fils des singes et des porcs et adorateurs du démon *(taghout)*, pour le sang des martyrs tombés sur la terre du Liban[34] ». Ce faisant, le mouvement revenait à une stratégie privilégiant la lutte contre « l'ennemi lointain » (Israël), dans l'espoir d'élargir sa base de soutien en attirant les sympathies du courant nationaliste et d'une population frustrée par les impasses du processus de paix — au détriment du combat contre « l'ennemi proche[35] » (le pouvoir), qui était mené dans un isolement croissant.

Parallèlement aux succès militaires de l'État égyptien contre la *gama'a*, la pression politique s'intensifiait à l'encontre des Frères musulmans, conformément à la stratégie établie au printemps 1993. Le pouvoir, et le raïs lui-même, les accusèrent régulièrement d'être la face « présentable » des groupes violents, la matrice d'où étaient sortis les terroristes. Cette argumentation, qui peinait à présenter des preuves concrètes et convaincantes, visait d'abord à signifier aux classes moyennes pieuses que le régime ne négocierait pas en position de faiblesse, et que toute tentative de s'allier aux groupes radicaux et à la jeunesse urbaine pauvre pour faire pression sur le gouvernement serait combattue. C'était aussi un signal à destination des chancelleries occidentales, où des voix plaidaient pour favoriser l'arrivée au pouvoir des islamistes « modérés » — en Égypte comme en Algérie ou dans d'autres pays de la région.

Mais les succès mêmes des Frères avaient introduit en leur sein des divisions desquelles le régime égyptien sut se jouer. En effet, l'association était dirigée par une gérontocratie de membres « historiques » d'avant l'époque nassérienne qui restaient hostiles à la transformation de l'organisation en parti politique. Pour eux, cela signifiait implicitement reconnaître des institutions qui étaient radicalement étrangères à l'État islamique appliquant la *chari'a* auquel les Frères aspiraient. Comme le guide suprême Moustafa Machour l'expliqua à la presse au début de 1996, la stratégie de l'organisation consistait en une « présence » dans tous les espaces où il lui était possible de se développer, sans nourrir d'obsession pour le champ politique institutionnel,

dont les règles et le fonctionnement étaient soumis à
l'arbitraire du régime. À partir de cette présence
(dans les ordres professionnels, le secteur caritatif,
les mosquées et leurs associations, le réseau financier et bancaire « non usuraire », l'Université, la
presse, le monde judiciaire, les élus au Parlement),
s'exerçait une « prédication » *(da'wa)* qui convaincrait la société, à terme, de mettre en œuvre la
« solution islamique ». Mais cette stratégie de
conquête du pouvoir par l'implantation sociale fut
contestée par la génération des jeunes, issus du militantisme universitaire des années 1970, et qui
avaient remporté les succès électoraux dans les
ordres professionnels à partir du milieu de la décennie 1980. Dès janvier 1995, l'une des figures de
proue de cette génération, Issam al 'Aryan, vice-
président de l'ordre des médecins, demanda la léga-
lisation des Frères comme parti. Il fut rapidement
arrêté, en compagnie de plusieurs dizaines de médecins, ingénieurs et autres membres des classes
moyennes. Un tribunal militaire les condamna à de
lourdes peines de prison pour « constitution d'une
organisation illégale », accusation que les Frères (et
de nombreux observateurs) rejetèrent comme
« fabriquée », et destinée à les empêcher de participer aux élections législatives de novembre-décembre
1995[36]. En janvier 1996, d'autres membres de cette
« jeune génération » demandèrent la reconnaissance
d'un parti issu des Frères, mais sans lien organisa-
tionnel avec eux. Intitulé Al Wasat[37] (« le centre »),
comportant un copte (anglican) parmi ses dirigeants, il cherchait à occuper le centre de la représentation politique, visant explicitement un électorat
de classes moyennes éduquées, qu'il voulait fédérer
autour de leur composante pieuse (comme les
Frères avaient su le faire lors des élections des syndi-

cats professionnels). Son programme, axé sur les libertés publiques, les droits de l'homme, l'unité nationale, etc., rompait avec la méthode des Frères, et reconnaissait sans ambiguïté les fondements d'une démocratie de type occidental. Il s'opposait en cela à la fois aux Frères pour qui « l'État islamique » appliquant la *chari'a* était le seul ordre politique valable, et au régime, dont les pratiques répressives étaient visées par l'insistance sur les libertés. Rejetée sans appel par le guide suprême qui y vit une atteinte à son autorité, cette initiative ne fut pas agréée par le pouvoir — qui, au début de 1996, n'avait pas encore rétabli sa position et ne pouvait accepter un projet de rassemblement des classes moyennes qui ferait concurrence à la base sociale qu'il recherchait lui-même. Les principaux animateurs du parti potentiel furent arrêtés, et le projet avorta.

Pour les dirigeants de l'État, en 1996, la politique du « tout-répressif » contre la mouvance islamiste ne pouvait souffrir aucune exception : la décrue de la violence[38], malgré la persistance d'attentats spectaculaires, laissait espérer des succès structurels à moyen terme. Les hésitations d'avant 1993 n'étaient plus de mise, même au prix d'un déficit démocratique qui valait des rebuffades en Occident. Et, de fait, cette politique aboutit à l'épuisement et à la fragmentation de la *gama'a islamiyya* l'année suivante. En juillet 1997, ses « dirigeants historiques » emprisonnés en Égypte lancèrent un appel au cessez-le-feu, tirant le bilan de l'échec de leur stratégie de guerre contre l'État, dont les excès et l'insuccès leur avaient aliéné la population. Rejeté par plusieurs dirigeants en exil, mais soutenu par le cheikh Abdel Rahman depuis sa prison américaine, cet appel fut mis au défi par des assassinats de policiers en septembre dans la Vallée — qui montraient les divisions de l'organisation. Celles-ci culminèrent avec le massacre des touristes au temple d'Hatshepsout, à Louxor, le 17 novembre, condamné depuis le centre européen de la *gama'a*, mais approuvé par les dirigeants restés en Afghanistan[39]. Depuis lors, la *gama'a islamiyya* a cessé d'exister comme acteur majeur de la violence politique en Égypte.

Comme le pouvoir algérien, le régime égyptien a gagné la guerre qu'avait déclenchée contre lui le courant islamiste radical en 1992. Il a commencé par détruire la base de soutien populaire de la *gama'a* à Embaba, puis a pris celle-ci au piège de sa propre dérive terroriste qui, au fur et à mesure qu'elle durait, lui aliénait des couches de la population. Il a également veillé à interdire toute réunification de la mouvance islamiste — à laquelle aurait pu aboutir le Comité de médiation du début 1993 — puis a cassé systématiquement les tentatives des Frères musulmans de représenter politiquement la bourgeoisie pieuse, en criminalisant l'organisation, sans laisser plus de chances au projet de parti du « centre », qui faisait concurrence à sa propre ambition de rassembler les classes moyennes. Le pouvoir a pu mener à bien ces entreprises parce qu'il bénéficiait d'une conjoncture économique favorable dans les lendemains de la guerre du Golfe — sa participation lui valut l'effacement d'une partie de sa dette extérieure — tandis que les émigrés, échaudés par la disparition des banques koweïtiennes pendant plusieurs mois, commencèrent à placer leurs économies dans les banques égyptiennes. La politique de privatisation et de modernisation de l'économie a permis l'émergence d'une nouvelle couche d'entrepreneurs, qui ont plus changé le visage de la bourgeoisie égyptienne en une décennie que depuis l'époque nassérienne. Le pari du pouvoir est que l'accroissement de la richesse permettra de faire prévaloir les intérêts sociaux des classes moyennes pieuses sur leurs inclinations idéologiques, et qu'elles participeront à la prospérité tout en déployant et finançant une piété qui favorisera le consensus politique — au lieu d'encourager un islam oppositionnel incarné par les Frères musulmans. La récupération d'un grand nombre de symboles de religiosité qui étaient autrefois des « marqueurs » de l'islamisme militant, l'hybridation des signes et leur transformation en marchandises vont dans ce sens, qu'il s'agisse du *hijab* chic qui encadre un visage fardé ou de la barbe taillée selon la dernière mode italienne, ou encore des « tables servies » *(ma'idat al rahman)* les soirs du mois de Ramadan. Autrefois surmontées du slogan des Frères « L'islam, c'est la solution », elles servent aujourd'hui de support caritatif à la publicité commerciale des entreprises ou des commerces qui les dressent devant leur établissement [40]. Comme le pouvoir algérien là encore, le gouvernement du Caire semble faire le pari que l'islamisme est soluble dans le marché. Mais le marché risque fort de pousser les entrepreneurs à exprimer un jour leurs choix en faveur d'un pluralisme politique et d'une véritable démocratisation qui, dans les deux pays, se font toujours attendre [41].

7

La guerre ratée
contre l'Occident

Le *jihad* a été proclamé, ou intensifié, en Bosnie, en Algérie et en Égypte la même année 1992, au moment où arrivaient de Peshawar des militants aguerris. En Égypte comme en Algérie, les combattants étaient des natifs du pays, qui avaient fait le voyage vers les camps d'Afghanistan au milieu des années 1980 avec les encouragements discrets du pouvoir[1] — pas mécontent de se débarrasser de fauteurs de troubles potentiels. En Bosnie en revanche, les « jihadistes » étaient tous des étrangers, Arabes pour la plupart, parmi lesquels bon nombre de ressortissants de la péninsule Arabique, notamment des Saoudiens. De même, au Tadjikistan et, à partir de 1995, en Tchétchénie, d'autres volontaires arabes joueraient un rôle important dans la tentative de transformer en *jihad* un conflit local.

La dispersion dans le monde, à partir de 1992, des « salafistes jihadistes » auparavant concentrés entre Kaboul et Peshawar est un phénomène crucial. Elle a semblé exprimer l'expansion fulgurante de l'islamisme radical, exaltant l'enthousiasme des zélotes qui voyaient partout des coups portés aux « impies » et aux « apostats », dans les pays musulmans mais aussi sur le territoire de l'Occident. L'attentat contre le World Trade Center, en février 1993, la guerre du

GIA contre la France en 1995, furent l'expression la plus voyante de ce nouveau front ouvert jusque chez l'ennemi lui-même. Pourtant, la violence même de ces opérations, menées par des réseaux terroristes coupés de tout mouvement social mais enchevêtrés dans des manipulations obscures, eut en définitive un effet contraire aux attentes de leurs partisans. L'image de la mouvance islamiste dans son ensemble en sortit ternie — par-delà sa seule fraction la plus extrémiste. Plus encore, les voix mêmes qui s'élevaient, en Occident, pour favoriser la venue au pouvoir des Frères musulmans et autres « modérés » représentant la bourgeoisie pieuse, seule force capable, à les croire, d'enrayer la violence, commencèrent à se faire hésitantes. La difficulté à distinguer les diverses tendances d'un mouvement désormais fragmenté, à créditer tel groupe d'une influence sur tel autre, conduisit graduellement les États occidentaux à déconsidérer tous les « interlocuteurs » qui se réclamaient de l'islamisme, précipitant crises et mutations en son sein.

Lorsque Kaboul tomba aux mains d'une coalition de partis de *moujahidines* afghans en avril 1992, l'objectif du *jihad* avait été, en théorie au moins, atteint. L'État islamique était installé sur les ruines du pouvoir communiste, même s'il se traduisit par le chaos jusqu'à ce que « l'ordre taliban » s'y substitue progressivement. Les « jihadistes » arabes et internationaux n'avaient plus de motif à demeurer sur place, d'autant que les pressions américaines poussaient à la dispersion d'une force militaire devenue incontrôlable. Plusieurs centaines de combattants rentrèrent dans leur pays. Mais beaucoup manquèrent cette possibilité, dès que les « Afghans » furent perçus par la plupart des États arabes comme un danger et que la surveillance policière aux fron-

446 Entre violence et démocratisation

tières se renforça. Ils constituèrent une sorte
d'armée démobilisée, sans passeport, à la recherche
d'un terrain où combattre ou d'un refuge, et se
mirent au service de ceux qui leur procuraient des
subsides et assuraient leurs voyages d'un point à
l'autre du globe[2].

Ces quelques milliers de « jihadistes », sevrés de
leur terrain afghan, mais imbus de leur expérience,
se figèrent dans une logique politico-religieuse sectaire, coupée des réalités sociales du monde dans
lequel ils évoluaient. On a observé plus haut les
modalités de leur échec en Bosnie, en Algérie et en
Égypte. Mais il se manifesta de manière plus
extrême encore dans les pays occidentaux. Sanctuaires et refuges au début, ils devinrent, pour les
plus importants d'entre eux, les États-Unis et la
France, des cibles de la violence et du terrorisme.
Cela bouleversa les équilibres internationaux sur lesquels s'était structurée la diaspora des « jihadistes »
et les précipita dans l'échec.

Les États-Unis avaient joué un rôle pionnier dans
le financement du *jihad* afghan pendant la décennie
1980, et avaient facilité les déplacements, voire la
venue sur le territoire américain, de prédicateurs et
de recruteurs. En 1986, deux ans après sa sortie de
prison, le cheikh Omar Abdel Rahman avait obtenu,
par le biais de la CIA[3], son premier visa américain,
grâce auquel il participa à des conférences d'étudiants islamistes. On le retrouva ensuite au Pakistan, prêchant à Peshawar, déjeunant à l'ambassade
saoudienne à Islamabad, fêté dans des réceptions où
se pressaient les Américains. Il était l'une des
grandes figures qui pouvaient aider à enrôler des
combattants prêts au martyre pour entrer au paradis, et, accessoirement, à précipiter la chute du système soviétique pour le plus grand profit de

Washington. Mais, comme « émir » de la *gama'a islamiyya* dans son Égypte natale, il restait en délicatesse avec le régime de M. Moubarak, qu'il ne cessait de harceler par ses sermons. Le 22 avril 1990, il fut reçu pendant une heure et demie par le ministre de l'Intérieur, Abdel Halim Moussa, pour négocier un *gentlemen's agreement* au terme duquel le cheikh appellerait ses partisans au calme en échange d'une amélioration des conditions de détention des militants emprisonnés[4]. Trois jours plus tard, il quittait l'Égypte pour le Soudan. Le 10 mai, il obtint un visa américain à Khartoum[5], et arriva à New York le 18 juillet. Il y fut accueilli par Moustafa Shalabi, un activiste égyptien de Brooklyn, qui avait monté en 1986 un centre de soutien au *jihad* en Afghanistan, destiné à lever des fonds et recruter des volontaires aux États-Unis — et qui serait assassiné quelques mois après l'arrivée du cheikh à New York[6]. Dès janvier 1991, celui-ci demanda à obtenir le statut de résident permanent aux États-Unis, en tant que ministre du culte de la mosquée El Salam, à Jersey City, dite « Little Egypt » ; il obtint sa « carte verte » en avril[7], avec une célérité exceptionnelle. Durant cette période, il voyagea souvent vers l'Europe et le Moyen-Orient, haranguant ses auditoires en faveur du *jihad* en Afghanistan – qui ne prendrait fin qu'un an plus tard avec la chute de Kaboul en avril 1992.

Depuis la décennie 1980, toutes les activités de ce type avaient bénéficié de l'aide de la CIA. Mais, à partir de 1990-91, d'autres groupes d'intérêts américains avaient commencé à s'interroger sur les effets pervers de cette politique, et leur voix commença à l'emporter graduellement[8]. Le retournement de l'opinion et des élites dirigeantes s'effectua lorsque les « *Freedom Fighters* » islamistes qui combattaient l'Armée rouge et l'Empire du Mal furent soudaine-

ment présentés comme des terroristes et des criminels fanatiques. Le cheikh Abdel Rahman fut l'axe et
l'instrument de ce renversement d'image [9].

En juin 1991, alors qu'il participait au pèlerinage
à La Mecque, les autorités américaines se seraient
aperçues qu'il était bigame sans l'avoir déclaré [10], et
aurait donc « menti » en remplissant les formulaires
administratifs concernés : elles engagèrent un processus visant à le priver de son statut de résident. En
juin 1992, il déposa une demande d'asile politique,
pour se prémunir d'une décision d'expulsion du territoire, rassemblant des soutiens parmi les juristes
défenseurs des droits de l'homme, sans pour autant
cesser de prêcher le *jihad*. Autour de lui gravitait un
cercle d'immigrés arabes pauvres, captivés par ses
sermons, mais coupés de la masse des musulmans
américains, aussi bien les Noirs convertis que les
immigrants du Moyen-Orient ou du sous-continent
indien. C'est dans ce petit monde aux conditions de
vie précaires, infiltré par les agents provocateurs et
les espions, que se répandit l'idée de détruire le
World Trade Center. Les procès consécutifs à l'attentat ont établi sans guère de doute l'identité des exécutants, qui étaient des familiers du cheikh, et ont
relevé les prônes incendiaires qu'il tenait, dans son
style habituel, contre l'Amérique en particulier et
l'Occident en général. En revanche, la reconstruction par la justice américaine d'une vaste « conspiration [11] » dont le cheikh aurait été le cerveau unique
laisse de larges zones d'ombre, plusieurs années
après les faits. Outre l'impossibilité pour ce cheikh
aveugle de désigner des cibles qu'il n'avait jamais
vues et ne pouvait guère se représenter, il est difficile
de concevoir que ses comparses, au niveau intellectuel extrêmement médiocre, et pour qui la société
américaine restait un univers flou, aient pu imaginer

tout seuls un attentat de cette ampleur. Au procès, la défense a souligné le rôle qu'un informateur égyptien infiltré dans le groupe par le FBI et qui enregistrait ses conversations avec les accusés avait joué pour inciter ceux-ci à passer à l'action[12]. Une autre thèse, cherchant à faire de l'Irak de Saddam Hussein, alors vaincu après la guerre du Golfe de 1991 et soumis à de fortes pressions militaires américaines, le commanditaire de l'opération, a mis en lumière le rôle central d'un personnage mystérieux, Ramzi Youssef[13], dans la préparation logistique de l'entreprise. En l'absence de certitudes en ce domaine, on peut au moins établir que l'explosion qui secoua les célèbres tours jumelles de Manhattan, emblèmes du capitalisme américain triomphant[14], le 26 février 1993, causant six morts et un millier de blessés, eut un effet dévastateur sur l'expansion de la mouvance islamiste radicale, marquant symboliquement le retournement de la relation privilégiée qu'entretenaient les autorités américaines avec ceux qui avaient combattu en Afghanistan. Ils devinrent l'objet d'une répression multiforme. Plus encore qu'en Égypte et en Algérie, les militants s'étaient engagés dans la violence terroriste (ou avaient donné prise à la manipulation à cette fin) sans être en phase avec un mouvement social. Ils devaient être écrasés et discrédités — sauf dans le cercle de leurs sympathisants, qui alla dès lors en se restreignant.

Alors que le cheikh Abdel Rahman se réfugiait aux États-Unis dans des circonstances troubles, bon nombre d'autres dirigeants « salafistes jihadistes » quittant l'Afghanistan cherchèrent un asile dans les pays européens à partir de la fin du *jihad* en 1992, pour y reconstituer des réseaux de financement, d'approvisionnement des fronts, d'information et de communication. En Scandinavie, une tradition très généreuse du droit d'asile, assortie de conditions financières confortables pour ses bénéficiaires, et d'une large méconnaissance par les autorités locales des acteurs politiques de l'islamisme radical, permit à plusieurs d'entre eux de trouver un havre sûr. Ainsi, Copenhague accueillit l'état-major de la *gama'a islamiyya* égyptienne en exil, tandis que Stockholm offrait au GIA algérien la possibilité de publier et diffuser le bulletin *Al Ansar*. Dans ces pays, la population musulmane, assez peu nombreuse, ne représentait pas le même enjeu politique qu'en France ou au Royaume-Uni. Les deux capitales adoptèrent des positions opposées : Londres, où l'on restait traumatisé par les passions de l'affaire Rushdie, accorda libéralement l'asile aux militants du monde entier, tandis que Paris, où les affaires de voile islamique à l'école avaient empoisonné la vie politique, leur fermait les frontières du pays. La Grande-Bretagne devint ainsi, dès le début de la dernière décennie du vingtième siècle, la plaque tournante du mouvement, où se reconstitua le petit monde du Peshawar des années 1980, un « Londonistan ». En contrepartie, la « sanctuarisation » du territoire britannique fut respectée : aucun acte de terrorisme ne s'y déroula, et les activistes réfugiés ne cherchèrent pas à agiter contre l'État les jeunes Indo-Pakistanais qui avaient manifesté en 1989 contre l'auteur des *Versets sataniques*. En outre, la plupart de ces réfugiés, Arabes, n'étaient pas directement en prise sur les populations venues du sous-continent. En France en revanche, le gouvernement appréhendait la pénétration et l'influence des « jihadistes » arabes parmi quelque trois millions de Maghrébins où prédominaient les personnes venues

d'Algérie, au moment où la guerre civile commençait dans ce pays.

C'est ainsi à Londres que se retrouvèrent, à partir
de 1992, idéologues et organisateurs du courant
« salafiste jihadiste ». Côté égyptien, les responsables du groupe Al Jihad en exil y côtoyaient ceux
de la *gama'a islamiyya*. Outre leurs activités consa-
crées à restructurer ces mouvements, à en publier
les bulletins — diffusés par fax ou sur un site internet en ligne — ils investirent le champ des droits de
l'homme, dénonçant les arrestations arbitraires, la
torture, les condamnations à mort prononcées par
les tribunaux militaires, exerçant des pressions sur
le pouvoir égyptien [15]. La capitale britannique devint
aussi la base d'une fraction ultra-radicale du groupe
Al Jihad, « les avant-gardes de la conquête » *(Tala'i
al Fath)* [16], qui devait s'opposer à tout cessez-le-feu
en Égypte. Sur le modèle de l'opposant islamiste
saoudien Muhammad al-Mas'ari [17], qui diffusait par
télécopie depuis Londres ses bulletins, jusqu'à ce
que les sommes astronomiques qu'il devait à British
Telecom ne ralentissent son zèle, elle inonda de fax
les salles de rédaction — qui avaient du mal à distinguer les proclamations grandiloquentes du groupe
exilé de la réalité plus discutable de son implantation sur le terrain.

Comme à Peshawar, la concentration à Londres
de ces organisations et groupuscules favorisa les
excommunications réciproques et les anathèmes
mutuels. Mais elle constitua aussi, à l'inverse, un
lieu de libre discussion et d'échanges entre divers
courants opposés, propice à des réconciliations [18].
Ce fut également un espace de rencontres entre radicaux et modérés : la présence dans le même pays du
responsable international de l'organisation des
Frères musulmans [19], du dirigeant charismatique du

Mouvement de la Tendance Islamique tunisien, Rached al Ghannoushi [20], et du campus de la Fondation islamique à Leicester, animé par des responsables de la *jama'at-e islami* pakistanaise [21], a facilité cette dynamique. Du côté des « radicaux », le Syrien Omar Bakri, qui organisa deux grands meetings au stade de Wembley où fut exalté le *jihad,* tissa pour sa part des contacts — interrompus sur pression britannique — avec un certain nombre de dirigeants « modérés [22] ». Enfin, tous bénéficièrent, grâce à l'implantation à Londres des quotidiens *Al Hayat* et *Al Qods al 'Arabi* (« Jérusalem arabe »), d'une attention médiatique qui assura dans le monde arabe tout entier un écho à leurs débats.

La fonction de plaque tournante de la capitale britannique s'exerça au plus haut point à l'occasion de la guerre civile en Algérie. En effet, le GIA ne parvint à construire son image et à établir sa légitimité que grâce à la médiation des dirigeants « salafistes jihadistes » qui rédigeaient à Londres le bulletin bimensuel *Al Ansar,* « voix du *jihad* en Algérie et dans le monde entier ». Animée par deux des principales figures des anciens « Afghans », le Syrien Abou Mous'ab et le Palestinien Abou Qatada [23], cette publication assurait l'interconnexion entre les diverses activités du GIA en Algérie d'une part, et la filiation salafiste internationale de l'autre. Elle les « traduisait » dans le langage et les catégories politico-religieuses de cette dernière. Chacun y trouvait son compte : pour les activistes d'Algérie, à la culture islamique rudimentaire, la légitimation sacrée de leur violence ; pour les intellectuels prédicateurs de Londres, la base sociale qui leur manquait sur les bords de la Tamise. Ainsi, le GIA fonctionnait-il de façon éclatée, la jeunesse urbaine pauvre se battant au pays, tandis qu'une intelligentsia islamiste étrangère assurait la publicité du *jihad* depuis l'exil. Ce découplage posa de nombreux problèmes : le lien entre Londres et les maquis, en dépit des moyens modernes de télécommunication, était indirect, susceptible d'interférences et de manipulations diverses. Le caractère nébuleux du GIA sur le terrain algérien ne retrouvait ainsi de cohérence — parfois forcée — qu'à travers le filtrage et la sélection d'informations et de communiqués peu vérifiables publiés dans *Al Ansar*, rédigé par des non-Algériens dépourvus de toute connaissance concrète de ce pays, qu'ils voyaient à travers le prisme de l'Afghanistan. Les deux grandes crises que connut le GIA s'exprimèrent ainsi tout naturellement à l'interface entre ces deux pôles. Après les purges et la liquidation de Mohammed Saïd, à l'automne 1995, les intellectuels de Londres prirent graduellement leurs distances avec Zitouni, jusqu'à suspendre *Al Ansar* en mai-juin 1996. Relancé par l'activiste anglo-égyptien Abou Hamza en février 1997 en appui à l'« émirat » d'Antar Zouabri, le titre fut à nouveau sabordé à l'automne suivant, après les massacres de civils que revendiqua Zouabri. À partir de cette date, le GIA cessa d'exister comme tel : ceux qui s'en étaient réclamés poursuivirent leurs activités — comme le montrèrent les massacres de l'année 1998. Mais dès qu'il n'exista plus d'intelligentsia islamiste reconnue s'exprimant en son nom, il perdit toute identité, ce qui précipita sa fragmentation en une multitude de groupuscules qui s'entretuaient ou basculèrent dans le banditisme.

Par opposition à la politique britannique qui fit de Londres la capitale de l'islamisme mondial dans la décennie 1990, Paris rendit l'accès au territoire français très difficile aux activistes arabes venant de l'étranger. Parmi les résidents algériens, un réseau de sympathisants du FIS s'était constitué autour de la Fraternité Algérienne en France (FAF), et de son bulletin hebdomadaire *Le Critère*. Publiant des « nouvelles du *jihad* » dès le début de la guerre civile, il devait être interdit par les autorités, signe des limites à ne pas franchir[24]. En revanche, le cheikh Abdel Baqi Sahraoui, membre fondateur du FIS réfugié à Paris, où il anima une mosquée dans le quartier de Barbès, fut considéré par le ministre de l'Intérieur d'alors, Charles Pasqua, comme l'interlocuteur par excellence[25]. Fort de son autorité morale, le cheikh assurait que, pour les militants du parti installés dans l'Hexagone, la France constituait un sanctuaire et cela seulement. Rassembler les sympathisants de la cause, réunir discrètement des fonds pour la lutte armée, organiser éventuellement des convoiements clandestins d'armes provenant des anciennes démocraties populaires est-européennes n'était possible qu'à la condition expresse de se tenir strictement à l'écart des enjeux politiques français liés à l'islamisme dans l'Hexagone, des tensions en banlieue jusqu'au voile à l'école. La hantise des autorités était de voir la violence du *jihad* en Algérie se transférer en France sous la forme d'une *Intifada* dans les quartiers défavorisés peuplés d'enfants d'immigrés, attisée par des activistes.

Par ailleurs, comme on l'a vu précédemment, les mouvements islamistes français étaient engagés, depuis 1989, dans une logique inverse. Pour l'Union des Organisations Islamiques de France (UOIF) et les groupes similaires, qui avaient été au premier plan dans les affaires de voile à l'école, l'existence de jeunes musulmans citoyens français en nombre croissant avait transformé l'Hexagone en « terre d'islam » *(dar el islam)*. Selon eux, ces jeunes devaient pouvoir appliquer la *chari'a* à titre personnel. Cette position, qui voulait construire et structurer une « communauté musulmane » comme telle en France, guidée par les militants islamistes et sur leurs mots d'ordre, avait pour finalité de faire de ces organisations les intermédiaires et les interlocuteurs nécessaires des pouvoirs publics[26]. Elle supposait toutefois que celles-ci fussent capables de garantir l'ordre et la paix sociale. De ce fait, elles étaient très hostiles à toute radicalisation ou violence autour d'enjeux étrangers. À partir du moment où elles considéraient la France comme « terre d'islam », il était interdit d'y déclencher le *jihad*. Il en allait de leur crédibilité politique face aux autorités françaises qu'elles voulaient convaincre de leur rôle irremplaçable de médiateurs communautaires.

Jusqu'en 1994, organisations islamistes « franco-françaises » et réseaux de soutien au *jihad* en Algérie ne se mélangèrent pas : les premières évitaient la question algérienne[27], les seconds se tenaient à l'écart des affaires islamiques propres à la société française[28]. Mais en août de cette année, à la suite de l'assassinat à Alger de cinq fonctionnaires français par le GIA, la police effectua un « coup de filet » qui toucha les dirigeants de la FAF[29] ainsi qu'un imam algérien, responsable de l'une des plus importantes mosquées de la capitale, M. Larbi Kechat[30], et d'autres personnes. Ils furent internés dans le camp militaire de Folembray, dans l'Aisne, puis certains furent expulsés au Burkina. Dans le conflit qui montait entre les islamistes armés et l'État français, celui-ci avait donné un signe de fermeté et un avertissement, manifestant qu'il ne tolérerait aucune forme de débordement de la guerre en Algérie sur les intérêts français, couverts par la « sanctuarisation » qu'incarnait le cheikh Sahraoui (qui ne fut pas inquiété par la police).

Dans un premier temps, ce fut du Maroc que provinrent les inquiétudes : le 24 août, de jeunes terroristes tuèrent des touristes espagnols dans un hôtel de Marrakech, tandis que des complices étaient arrêtés à Fès et Casablanca. Tous étaient des fils d'immigrés algériens et marocains résidant en France, dans les régions parisienne et orléanaise. Les arrestations effectuées par la police française, et le procès qui eut lieu par la suite, dévoilèrent, pour la première fois, l'existence d'un réseau islamiste transnational appuyé sur des jeunes de banlieue, entraînés à la violence et au maniement d'armes. Comme le groupe qui gravitait autour du cheikh Abdel Rahman aux États-Unis, il comprenait des étudiants idéalistes, ainsi que des jeunes chômeurs passés par la petite délinquance ou la toxicomanie — dont certains avaient commis plusieurs « braquages » pour financer le réseau. Après avoir découvert, ou redécouvert, la religion à la fin des années 1980, ils avaient été pris en main par deux personnages au parcours marqué de zones d'ombre. L'un d'eux, ancien dirigeant d'un mouvement islamiste marocain radical, s'était réfugié en Algérie, puis était entré en France muni d'un passeport délivré par les autorités de ce pays [31]. Idéologue du groupe, il avait facilité le séjour de certains de ses membres dans des camps d'Afghanistan, en 1992, puis les activités furent orientées vers la déstabilisation du régime marocain, grâce à des attentats spectaculaires qui visaient des touristes et des juifs, sur le modèle de la *gama'a islamiyya* égyptienne [32]. Comme les conjurés de New York, ceux de France mêlaient niveau intellectuel rudimentaire, naïveté, imprudence et zèle religieux, ce qui fit avorter à mi-parcours l'entreprise et permit l'arrestation rapide de presque tout le réseau.

Le démantèlement de celui-ci à la fin de l'été 1994 permit de comprendre que la sanctuarisation du territoire français commençait à être battue en brèche par certains groupes islamistes radicaux. En effet, pour la première fois, de jeunes Arabes de France avaient été impliqués dans une opération de violence armée bien organisée, aux ramifications internationales, même si le basculement dans le terrorisme s'était effectué à l'étranger. Cela manifestait à tout le moins que, à travers quelques mosquées et prédicateurs extrémistes, des jeunes de banlieue touchés par la réislamisation pouvaient être sensibles à des appels au *jihad* — malgré les garanties données par les organisations islamistes françaises qui se voulaient des médiateurs communautaires. Un an plus tard, le passage au terrorisme s'effectuerait sur le sol de l'Hexagone.

Le « *jihad* contre la France » fut lancé par Djamel Zitouni avec la prise de l'Airbus d'Air France au départ d'Alger la veille de Noël 1994. Il culmina dans les attentats sur le territoire français à l'été et l'automne 1995, et se prolongea jusqu'au massacre des moines de Tibéhirine retrouvés décapités le 21 mai 1996. Il reste, à ce jour, aussi difficile à décrypter précisément que les autres grandes opérations terroristes islamistes anti-occidentales, celle du World Trade Center et celles qu'on impute à Oussama ben Laden. Il met en effet en scène, derrière les exécutants, des personnages qui gravitent dans l'ombre, et dont la filiation se perd dans un écheveau passablement embrouillé. On a déjà noté que la personnalité de Zitouni lui-même était sujette à caution, et la structure éclatée du GIA, entre les dirigeants au maquis, les relais londoniens et les terroristes en France, ne permet guère d'apporter d'éclaircissements. Mais, quels que soient l'identité et les calculs de ceux qui l'ont pensée et fait mener, la guerre du GIA contre la France, comme phénomène social, a eu un déroulement assez bien connu et des conséquences très importantes sur le devenir de la mouvance islamiste au nord et au sud de la Méditerranée.

Lorsque l'Airbus d'Air France détourné sur l'aéroport de Marseille-Marignane fut pris d'assaut par les gendarmes qui abattirent les quatre « pirates de l'air », les observateurs les mieux avisés notèrent que la guerre était à un tournant, et qu'elle allait désormais se poursuivre sur le territoire français. Mais le déclenchement des opérations concrètes ne commença qu'un semestre plus tard, lorsque le cheikh Sahraoui, garant de la « sanctuarisation » de la France, fut assassiné (avec un de ses proches) dans sa mosquée, le 11 juillet 1995 [33]. On devait retrouver ultérieurement l'arme du crime dans le sac à dos de Khaled Kelkal, abattu par les gendarmes après une traque dans les bois de la région lyonnaise, le 29 septembre. Huit attentats, entre le 25 juillet et le 17 octobre, firent dix morts et plus de cent soixante-quinze blessés. Ces opérations n'ont jamais été revendiquées de façon précise par le GIA, sinon à travers une litanie de menaces contre la France, « ennemi de l'islam », couplées avec une exhortation au président Chirac d'embrasser cette religion. L'implication dans les attentats, à partir de preuves matérielles, de personnes se réclamant de cette organisation, les financements qu'elles avaient reçus de l'un des animateurs du bulletin *Al Ansar* depuis Londres, les déclarations de l'un des principaux accusés lors de son procès, en juin 1999 [34], ont convaincu la plupart des analystes que le GIA de Djamel Zitouni en était le commanditaire. En répandant la terreur en France, il aurait pensé contraindre l'État français à cesser le soutien à l'État algérien que les islamistes lui prêtaient — facilitant ainsi la chute du régime d'Alger. Mais, du fait du caractère nébuleux du GIA, soupçonné par les dirigeants du FIS en exil et certains observateurs d'être infiltré et manipulé par les services spécialisés de l'armée algérienne, d'autres analystes voient dans la « guerre contre la France » de 1995 une stratégie de ceux-ci [35] pour obtenir l'effet inverse, à savoir le renforcement de l'appui de Paris à Alger et la répression sans merci de tous les réseaux de soutien à l'islamisme armé algérien en France et en Europe.

Toujours est-il que les exécutants, même s'ils ne maîtrisaient pas très clairement les enjeux et les conséquences de leurs actes, se réclamaient, pour leur part, de l'appui au GIA. Après leur arrestation, les arrêts de renvoi des juges d'instruction et les déclarations aux audiences permettent de se représenter un univers de jeunes d'origine maghrébine (ainsi que quelques convertis de même milieu) vivant dans une grande pauvreté, voués aux emplois précaires, et qui avaient embrassé le militantisme islamiste en réaction à leur malaise social. Certains étaient d'abord passés par le trafic de stupéfiants et la petite délinquance, qui les avaient menés en prison, où ils s'étaient mis à pratiquer l'islam. La préparation et l'exécution des attentats laissent une impression de bricolage : les accusés disposaient de sommes dérisoires, végétaient grâce à de petits trafics, maquillaient maladroitement leurs papiers, « bidouillaient » avec le plus grand mal des bouteilles de gaz pour faire leurs bombes. Si l'une fut très meurtrière (dix morts le 25 juillet à Paris), une autre n'explosa pas, et permit de relever les empreintes de K. Kelkal, à partir desquelles le démantèlement du réseau fut mené avec rapidité.

Traqué, Kelkal partit camper dans les bois, ravitaillé par deux copains au volant d'une vieille voiture rouge, et se fit finalement arrêter et abattre en attendant l'autobus, avec comme tout pécule une somme de 132 francs dans sa poche. Rien n'évoque — au niveau des exécutants en tous cas — l'univers du terrorisme professionnel, avec ses relais sophistiqués et ses capacités à « exfiltrer » les suspects recherchés par la police.

L'itinéraire de Khaled Kelkal, pour lequel on dispose d'un portrait sociologique exceptionnel[36], illustre le processus par lequel un jeune de banlieue, né en Algérie en 1971 et ayant grandi en France, qui se dit rejeté par ses camarades d'un lycée « bien coté » parce que « seul Arabe », se sent « plus à l'aise » dans « l'ambiance du dehors, des voleurs » , d'autant que, dans la cité où il habite, « 70 % des jeunes font des vols ». Lorsque la prison sanctionne ce comportement, il redécouvre sa religion grâce au « frère musulman » qui partage sa cellule. Sa rentrée en islam sera l'occasion d'adhérer à une nouvelle communauté, qui se substitue à la bande des « voleurs », mais qui n'en est pas moins une rupture par rapport à des Occidentaux arrogants dont « la religion chrétienne [...] n'est qu'une fausse religion ». La première partie de sa vie, telle qu'il la narre dans son entretien avec le sociologue qui l'interrogea en 1992, évoque une autobiographie célèbre : celle de Malcolm X, que fit connaître aux jeunes musulmans des banlieues françaises le film de Spike Lee, abondamment diffusé en vidéocassette par les associations islamistes. Même déception d'un élève méritant, même basculement dans la délinquance, même rencontre de l'islam en prison, et même sentiment de « rédemption » ensuite[37]. Les nombreuses enquêtes effectuées sur l'islam en

France dans les années 1990 permettent d'établir que pareil itinéraire, sans être la norme, n'a rien d'exceptionnel : le malaise social, après l'épuisement des mouvements antiracistes de la décennie précédente, a conduit un certain nombre de jeunes vers une réislamisation vécue comme rupture[38]. Celle-ci s'est parfois traduite en violence verbale, par exemple à travers le « rap islamique », ou s'est convertie en engagement politique, par le militantisme dans l'une des organisations islamistes de l'Hexagone, comme la Jeunesse Musulmane de France (JMF), liée à l'UOIF, ou l'Union des Jeunes Musulmans (UJM), bien implantée dans la région Rhône-Alpes[39]. Mais elle n'avait jamais débouché vers la violence politique concrète ni le terrorisme sur le sol français. Le mouvement social à dimension islamiste qui naissait en banlieue dans la première moitié des années 1990 s'y était refusé.

Comme cela avait été le cas du « réseau de Marrakech », Kelkal est passé au terrorisme à la suite d'une socialisation étrangère. À la fin de son entretien de 1992, il déclare ainsi : « Moi, j'aimerais faire une chose, quitter la France entière. Oui, pour toujours. Aller où ? Ben, retourner chez moi, en Algérie. J'ai pas ma place ici[40]. » De fait, il part pour l'Algérie en 1993 : la guerre civile a commencé et il en revient « fanatique », selon les déclarations que fit au procès sa compagne d'alors[41]. Il organise dans sa cité des visionnages de vidéocassettes du GIA, et aurait été identifié par Ali Touchent, nommé par l' « émir du GIA » responsable de ce groupe pour l'Europe, et basé en Hollande, comme un relais sûr. Trois cellules d'activistes (à Lyon, Paris et Lille) où se mêlent des militants venus expressément d'Algérie et des jeunes de France sont établies. Elles constituent l'interface entre la direction algérienne et le milieu des jeunes des banlieues françaises. En fonction des informations incomplètes dont on dispose tant que la procédure judiciaire n'est pas achevée, il semble que la réalisation des attentats a été l'œuvre de ces cellules, agissant sur instructions d'Ali Touchent.

Ainsi, la violence terroriste de 1995 en France a été une opération commanditée de l'étranger, et prenant appui sur des réseaux dans lesquels avaient été intégrés quelques jeunes islamistes de banlieue. Elle était donc, en dépit de la participation de quelques dizaines de ces derniers, déconnectée du mouvement de réislamisation plus large qui se déroulait alors dans ce milieu. Ses organisations et dirigeants s'étaient tenus à l'écart de l'affaire algérienne. Les opérations terroristes n'avaient pas pour objectif de déclencher un soulèvement des jeunes, mais d'utiliser certains d'entre eux pour frapper l'État français, au nom d'intérêts et d'enjeux politiques algériens L'échec de ce projet, le démantèlement des réseaux, et l'image catastrophique de l'islamisme militant que produisit cette vague de terrorisme dans la société française, devaient gêner considérablement le développement ultérieur du mouvement parmi les jeunes d'origine maghrébine en France. En effet, les organisations qui s'en réclamaient, et qui avaient l'ambition d'animer un mouvement social dans une perspective islamiste, furent confrontées à des pressions et des dilemmes qu'elles ne purent satisfaire. Tout d'abord, leur crédibilité auprès des autorités françaises, à qui elles se présentaient comme les garantes de l'ordre public grâce à l'encadrement religieux des jeunes, fut sensiblement entamée : elles n'avaient pas été capables de prévenir le passage au terrorisme d'individus, certes peu nombreux, mais qui gravitaient là où elles étaient présentes. La capacité de contrôle communautaire qu'elles faisaient valoir s'était révélée inefficace, ou improductive, au moment où l'ordre public subissait un défi majeur. De plus, parmi la population d'origine musulmane en France, les événements de 1995 suscitèrent une réprobation massive : outre l'indignation à la vue des victimes des attentats, et le refus que la foi islamique servît de prétexte au terrorisme, pareille violence risquait de saper les relations que les immigrés du Maghreb et leurs enfants avaient patiemment tissées avec la société française dans son ensemble, au moment où, en dépit des difficultés passées, l'intégration semblait se réaliser[42]. De ce fait, les organisations islamistes, dont les combats pour le port du voile à l'école avaient pu susciter auparavant quelque sympathie, furent tenues à distance par ceux qui voyaient désormais en elles les fauteurs d'un trouble qui risquait de déraper. Enfin, parmi les jeunes des quartiers défavorisés eux-mêmes, une fois exprimées l'admiration de certains pour Khaled Kelkal et leur révolte face aux circonstances de sa mort, l'impasse où avait conduit la violence ne fournit guère d'argument convaincant pour s'y adonner de nouveau. Plus encore, les organisations islamistes se trouvèrent confrontées à un problème de crédibilité face à leurs ouailles, car, après une décennie de présence sur le terrain pour les plus anciennes, elles s'avéraient en panne de projet social. Elles avaient bâti leur succès, à la fin des années 1980, sur l'épuisement du mouvement beur et de SOS Racisme — qui avaient beaucoup promis et peu tenu. Favorisées par le développement de la réislamisation partout dans le monde, qui connut son apogée vers 1989, elles avaient capitalisé des succès politiques avec les affaires de voile, la lutte contre la toxicomanie dans les cités, la création d'instituts de formation d'imams (qui leur avait permis d'attirer des dons venant de la péninsule Arabique). Mais en dépit de ces débuts prometteurs, elles furent confrontées aux mêmes échecs que les mouvements antiracistes laïques qu'elles avaient supplantés : à terme, elles n'avaient rien de significatif à offrir pour favoriser l'intégration sociale, l'accès au travail et la promotion individuelle. La logique communautaire dont elles se réclamaient n'aboutissait qu'à parer d'une sacralité religieuse l'enfermement dans les cités. Le discours islamiste lui-même, très en vogue au début de la décennie 1990 grâce à quelques prédicateurs charismatiques (qui surent séduire aussi certains universitaires et journalistes ainsi que des ecclésiastiques), avait perdu l'attrait de sa nouveauté et n'avait pu être relayé par un ancrage social. Cette désaffection fut particulièrement sensible dès lors que l'Union des Organisations Islamiques en France (UOIF), qui avait fait de sa rencontre annuelle du Bourget, à Noël, un symbole de sa capacité de mobilisation, attirant des milliers de jeunes musulmans ainsi qu'une couverture de presse notable, dut renoncer, à partir de 1997 à la tenir à cette date [43]. Le public s'était tari, et les coûts de l'opération étaient élevés. Dans le même temps, des responsables d'origine marocaine furent portés à sa tête, et la modération extrême de leur discours [44] contribua à rendre floue leur image, comme celle de la Fédération Nationale des Musulmans de France (FNMF), également dirigée par une équipe appréciée à Rabat.

Les événements de 1995 en France ont ainsi joué un rôle majeur dans la transformation de la mouvance islamiste — comme cela fut le cas, avec davantage d'ampleur, en Algérie ou en Égypte cette même année : la dérive terroriste et son échec ont coupé les groupes les plus radicaux de la jeunesse urbaine pauvre qu'ils aspiraient à représenter, et affecté l'alliance entre celle-ci et les intellectuels issus des classes moyennes pieuses. Ces derniers, à travers les organisations qu'ils animent, n'ont eu d'autre choix que de produire un discours de plus en plus « démocratique » et « libéral », afin de négocier, en position de faiblesse, leur participation à la vie politique, car leur base radicale s'était effritée. L'heure n'est plus aux actions de rupture avec le système, comme lors des campagnes d'agitation autour du port du voile à l'école au début de la décennie. On observera plus loin comment cette nouvelle stratégie s'est inscrite dans une logique globale des mouvements islamistes à l'extrême fin du vingtième siècle.

8

Oussama ben Laden et l'Amérique : entre terrorisme et grand spectacle

La dérive terroriste la plus achevée — et la plus médiatique — du courant « salafiste jihadiste » issu de l'Afghanistan des années 1980 s'est indéniablement incarnée dans la figure d'Oussama ben Laden. Promu par le gouvernement des États-Unis au rang d'ennemi public mondial numéro un, il est devenu, par-delà les actes concrets qui lui sont imputés, la star d'une sorte de fiction hollywoodienne planétaire où il joue le rôle du *bad guy* [1], assurant le succès des programmes de télévision, des magazines, livres et sites internet qui lui sont consacrés [2], et servant de justification à un certain nombre de choix politiques américains. Comme le cheikh Omar Abdel Rahman, mais à une plus grande échelle, il a cristallisé le retournement d'alliances entre les États-Unis et le salafisme conservateur saoudien d'un côté, et les « jihadistes » de l'autre, ce qui a entraîné la dislocation du mouvement islamiste. Ben Laden mobilise sur son nom une partie de la jeunesse urbaine pauvre radicalisée — comme l'ont montré les manifestations en sa faveur au Pakistan en été 1998 [3] — et peut compter, outre sa fortune personnelle, sur les subsides de certains bienfaiteurs qui ont fait fortune dans la péninsule Arabique. Il n'est pourtant pas établi qu'il soit devenu, avec le courant qu'il représente, une personnalité positive à laquelle la bourgeoisie et les classes moyennes pieuses puissent s'identifier — par-delà l'admiration sentimentale pour un héros qui brave l'Amérique — dans une Arabie Saoudite qui ne compte aucun héros, mais où la prospérité de tous ceux qui profitent du système reste garantie par la présence des GI's sur la « terre des deux Lieux Saints ».

Né en 1957, il est l'un des cinquante-quatre fils et filles engendrés par Mohammed ben Laden. Son père, issu d'une famille de maçons originaires de la région du Hadramaout, dans le sud du Yémen, avait émigré dans les années 1930 en Arabie Saoudite. Il fut recruté jeune dans la maison royale, et sut s'y faire remarquer, point de départ d'une carrière fulgurante, comparable à celle d'un autre roturier, le fils du médecin du roi Faysal et futur milliardaire Adnan Kashoggi. Sachant séduire le monarque par ses talents de constructeur de palais, il dut à sa faveur de devenir le plus grand entrepreneur de travaux publics du royaume, et l'un des premiers du Moyen-Orient. Il obtint la concession exclusive de l'extension et de l'entretien de la Grande Mosquée de La Mecque[4], le lieu le plus sacré de l'islam, ainsi que de toutes les autoroutes qui devaient y mener directement, à partir des principales villes du territoire saoudien. Les ouvrages d'art de la route de Djedda à La Mecque, à travers les montagnes de la région de Ta'if, passage obligé des pèlerins, ont tôt établi sa réputation et symbolisé son métier. À sa mort accidentelle, en 1968, sa fortune aurait atteint 11 milliards de dollars. Le sigle du groupe ben Laden[5] — en dépit du caractère sulfureux désormais attaché à ce nom par Oussama — est souvent, aujourd'hui encore, le premier qu'aperçoit le passager, à travers le hublot de son avion, placardé sur les palissades de l'aéroport où il atterrit au Moyen-Orient. Les enfants ben Laden furent éduqués et socialisés, dès leur plus jeune âge, avec les princes saoudiens, en dépit de l'origine roturière et yéménite de leur père, qui compensait celle-ci par un investissement considérable dans le champ religieux : chaque saison de pèlerinage était l'occasion de tenir table ouverte, à l'instar de la famille royale, aux oulémas et dignitaires de tout le monde musulman, et aux dirigeants des mouvements islamistes de l'Oumma entière. Oussama fut ainsi en contact avec ce milieu, bien en cour dans les cercles de pouvoir wahhabites[6]. Étudiant l'ingénierie à l'université du roi Abd-al-Aziz à Djedda, il aurait suivi des enseignements dispensés, dans les matières islamiques obligatoires, par Mohammed Qotb (le frère de Sayyid Qotb) et Abdallah Azzam, le futur héraut du *jihad* en Afghanistan. Il arriva à l'âge adulte en jeune milliardaire pour qui le monde des idées et de la réflexion passait par la doctrine des Frères musulmans et le salafisme à la mode saoudienne. Après l'entrée de l'Armée rouge à Kaboul, en décembre 1979, il effectua un voyage à Peshawar, par l'intermédiaire de la *jama'at-e islami*, et y retrouva des dirigeants de partis islamistes de *moujahidines* afghans côtoyés à la table familiale, s'enquérant des conditions de vie des réfugiés et de l'appui qu'il pourrait leur apporter. Jusqu'en 1982, il leva des fonds pour la cause, se faisant l'un de ses plus chauds partisans en Arabie Saoudite. Cette année-là, il se transporta en Afghanistan avec une infrastructure importante. Deux ans plus tard, il établit la première maison d'hôtes pour les « jihadistes » arabes à Peshawar, en coordination avec son ancien professeur Abdallah Azzam, qui créa le Bureau des Services[7]. À eux deux, ils se firent fort d'attirer et encadrer les milliers de volontaires qui commençaient à arriver, où se mêlaient des fils de famille saoudiens pour lesquels le *jihad* en Afghanistan tenait du *summer camp*, les militants islamistes révolutionnaires sortis des geôles égyptiennes cette année-là[8], les « bouyalistes » algériens frais émoulus du maquis qui fuyaient la répression — et avant l'arrivée de quelques jeunes des banlieues françaises dont certains prendraient part aux entreprises terroristes de 1994 et 1995[9]. À l'époque, tout ce monde était accueilli avec faveur : pour l'establishment saoudien dont ben Laden et Azzam étaient proches, la cause sacrée du *jihad* afghan permettait d'encadrer des trublions potentiels, de les détourner de la lutte contre les pouvoirs établis du monde musulman et contre le grand allié américain, et de les soustraire à l'influence iranienne. Aux États-Unis, la cause était entendue : les « jihadistes » combattaient « l'Empire du Mal » soviétique, évitant aux *boys* du Middle West de risquer leur vie, et les pétromonarchies payaient la facture, soulageant d'autant le contribuable américain. Toutefois, les services saoudiens veillèrent très tôt, semble-t-il, à éviter que les militants radicaux égyptiens ou algériens ne fréquentent de trop près les rejetons des bonnes familles de la péninsule — ce qui n'empêcha pas fraternisations et prises de contact, préludes à des retrouvailles lors de la décennie suivante.

Oussama ben Laden aurait établi ensuite, vers 1986, ses propres camps en Afghanistan même. Sa richesse et sa générosité, la simplicité de ses manières et son charme personnel, son courage au combat, tissèrent alors sa légende. Vers 1988, il constitua une base de données, répertoriant les « jihadistes » et autres volontaires qui transitaient par ses camps : cela donna naissance à une structure organisationnelle érigée autour d'un fichier infor-

matisé dont l'appellation arabe, *al Qa'ida* (« la base »
de données), deviendrait célèbre une dizaine
d'années plus tard, lorsqu'elle serait dépeinte par la
justice américaine comme un réseau terroriste ultra-
secret et donnerait matière à l'inculpation de ben
Laden pour « conspiration ». Selon diverses sources,
il aurait rompu alors avec Azzam pour des raisons
qui n'ont pas été éclaircies à ce jour[10], et l'année suivante celui-ci mourut dans un attentat non élucidé.
Le régime saoudien commença à se méfier de ce
personnage incontrôlable, qui avait la réputation de
vouloir propager le *jihad* un peu partout, et, cette
même année 1989, il fut retenu dans le royaume à
l'occasion d'un voyage et privé de son passeport.

Dans les mois qui précédèrent l'invasion du
Koweït par l'Irak en août 1990, les rodomontades de
Saddam Hussein, encore exécré par le courant
« salafiste jihadiste » comme « apostat » laïque[11],
inquiétèrent suffisamment ben Laden pour qu'il propose à la monarchie les services des « jihadistes » de
sa « base » afin de défendre la frontière. Mais, dès
que le roi Fahd, « serviteur des deux Lieux Saints »,
appela les troupes de la coalition internationale
menée par les États-Unis, il rejoignit les cercles qui
leur étaient hostiles, autour des cheikhs 'Audah et
Hawali[12]. Inquiété par le régime, il parvint, en avril
1991, grâce à ses relations familiales, à s'enfuir à
l'étranger (au Pakistan, en Afghanistan, puis finalement au Soudan de Hassan el Tourabi où il se fixa à
la fin de l'année).

C'est de cette époque que date le grand tournant
dans la vie de celui qui allait devenir l'ennemi public
numéro un du gouvernement des États-Unis.
Comme beaucoup d'autres militants islamistes
choyés par le système saoudien pendant la décennie
1980, il rompit radicalement avec ce dernier et son

protecteur américain à l'occasion de la guerre du Golfe, ce qui précipita la fracture à l'intérieur du mouvement. En s'installant au Soudan, qui devait accueillir par la suite des milliers de « jihadistes » d'Afghanistan en quête de refuge, il rejoignit la coalition hétéroclite qu'essaya alors de fédérer Tourabi à l'occasion des quatre Conférences Populaires Arabes et Islamiques qui se tinrent à Khartoum à partir de 1991 [13]. Regroupant tous ceux (panarabistes, Frères musulmans, islamistes radicaux et même, un temps, dirigeants de l'OLP) qu'unissait le ressentiment contre l'opération « Tempête du désert » et la victoire militaire américaine, Tourabi avait l'ambition de constituer un pôle hostile à la conception saoudienne et conservatrice de l'islamisme mondial — tirant parti des fractures et des reclassements qui suivirent la guerre. Dans le même temps, ben Laden favorisa le départ du Pakistan des « jihadistes » qui y étaient devenus indésirables, facilitant leurs voyages, procurant parfois des emplois dans ses entreprises de BTP en de nombreux pays. Outre le Soudan, de nombreux militants aboutirent au Yémen, le pays dont sa famille était originaire, et qui pouvait fournir un point d'appui sur la péninsule pour déstabiliser l'Arabie Saoudite voisine. Un mouvement islamiste puissant y avait vu le jour [14], mais il resta pour l'essentiel étranger aux objectifs que s'assignait ben Laden.

Dans ce contexte, le premier front contre les États-Unis fut ouvert en Somalie. À la suite de la guerre civile qui déchirait ce pays de la corne de l'Afrique, une nouvelle coalition internationale, sous direction américaine, y débarqua en 1992, dans le cadre d'une opération de l'Onu intitulée *Restore Hope* (« ramener l'espoir »). Les cercles islamistes y dénoncèrent une agression qui, selon eux, visait à conforter la mainmise occidentale dans cette région voisine du Moyen-Orient, et menaçait le Soudan proche [15]. Des « jihadistes » anciens d'Afghanistan y participèrent à des opérations armées qui se traduisirent par la mort de dix-huit militaires américains, les 3 et 4 octobre 1993, à Mogadiscio. En conséquence, l'opération tourna au fiasco, la coalition plia bagage, emmenant les GI's morts dans des sacs en plastique, et ce départ fut fêté comme une défaite de l'Amérique par ses ennemis. Les États-Unis devaient ensuite imputer à l'organisation de ben Laden la responsabilité de la mort de ses soldats — même si celui-ci, quoiqu'il s'en réjouît, ne s'en réclama que de manière indirecte [16].

Au Soudan, ben Laden effectua des investissements considérables dans l'agriculture et le réseau routier [17], et devint une figure de référence dans les milieux de l'islamisme antisaoudien : il fut déchu de sa nationalité en avril 1994. Khartoum, soumis à de fortes pressions internationales après la tentative d'assassinat contre le président égyptien à Addis-Abeba en juin 1995, finit par faire partir un hôte qui commençait à l'encombrer. À l'été 1996, il revint en Afghanistan. En juin, un attentat dans le camp militaire américain de Khobar, en Arabie Saoudite, qui coûta la vie à dix-neuf soldats, lui fut imputé. Il ne le revendiqua pas, mais diffusa, le 23 août suivant, une Déclaration de *jihad* contre les Américains occupant la terre des deux Lieux Saints, plus connue par son sous-titre « Expulsez les polythéistes de la péninsule Arabique [18] ». Ce texte de onze pages, truffé de citations coraniques, de *hadiths* (dits et récits) du Prophète, et de références à Ibn Taïmiyya, s'apparente par sa forme à la production du courant « salafiste jihadiste » que l'on retrouvait dans la revue du GIA *Al Ansar* par exemple, tout en développant une

« vision » géopolitique. Après avoir rappelé les souffrances que « l'alliance sioniste croisée » a imposées
aux musulmans dans de nombreux pays du
monde[19], il fait de « l'occupation de la terre des deux
Lieux Saints » la « plus grande de toutes ces agres-
sions ». Grâce au « réveil » de l'islam, celle-ci peut
être combattue victorieusement, sous la houlette des
« oulémas et prédicateurs » — comme les croisés et
les Mongols furent défaits en leur temps sous celle
d'Ibn Taïmiyya. Les cinq oulémas cités en référence
(Abdallah Azzam, Ahmad Yassine, guide du Hamas
palestinien, Omar Abdel Rahman l'Égyptien, et les
deux Saoudiens 'Audah et Hawali) se situent à
l'intersection entre les Frères musulmans et le courant « salafiste jihadiste » : ben Laden se place dans
leur filiation doctrinale, et se dépeint, depuis son
refuge dans les montagnes de l'Hindu Kush, en
Afghanistan, comme le point de départ de la
reconquête, à l'image du Prophète réfugié à Médine
en l'an zéro de l'Hégire avant de reprendre La
Mecque, puis d'ouvrir le monde à l'islam.

Il stigmatise ensuite la situation en Arabie Saoudite, règne de l'injustice, selon lui. Il fait surtout
droit aux revendications des catégories sociales élevées (auxquelles il appartient), les « grands marchands » auprès de qui l'État est endetté[20], qui
souffrent de la dépréciation du rial, etc. C'est à la
bourgeoisie pieuse (et à quelques-uns des princes)
qu'il s'adresse en priorité, afin de la détacher de la
dynastie[21]. Résumant ensuite le « mémorandum
d'admonestation[22] » de juillet 1992, il se présente
comme l'exécutant volontaire des demandes et des
critiques formulées dans ce document.

Chasser les Américains est la condition pour rétablir l'islam véritable dans la péninsule. Retrouvant
les accents de son ancien professeur Abdallah

Azzam pour qui le *jihad* est un « devoir de chacun » *(fard 'ayn)* dès lors que la terre des musulmans est occupée — au nom de quoi Azzam justifiait l'engagement en Afghanistan contre les Soviétiques —, ben Laden en appelle au *jihad* de chaque musulman pour bouter l'occupant américain hors de la « terre des deux Lieux Saints ». Se référant longuement à Ibn Taïmiyya[23], il invite à l'union de tous les fidèles par-delà leurs divergences[24], pour renverser les Saoud, ces collaborateurs de « l'alliance sioniste croisée ». Il s'adresse en premier lieu aux forces armées du royaume, engagées à désobéir aux ordres, puis aux consommateurs, incités à boycotter les produits américains.

Exaltant l'attentat contre le cantonnement américain de Khobar en juin 1996, et la « victoire[25] » remportée en Somalie en octobre 1993, la Déclaration de *jihad*, après avoir invoqué les « fils de l'Arabie » qui ont combattu en Afghanistan, en Bosnie-Herzégovine et en Tchétchénie, annonce que la bataille se poursuivra jusqu'à l'établissement de l'« État islamique » dans la péninsule. Poèmes guerriers et invocations à Allah concluent des pages où l'emphase dans l'anathème le dispute à la faible crédibilité de la stratégie envisagée.

Par ce premier manifeste ben Laden s'improvise idéologue, après s'être fait surtout connaître comme organisateur, financier et combattant. Il tente de fusionner deux courants : la dissidence islamiste saoudienne, dont les épîtres restaient enserrées dans un code de civilité wahhabite, et l'appel au *jihad* pour libérer la « terre d'islam » de l'occupation, sur le modèle des prêches d'Abdallah Azzam à Peshawar. Il radicalise la première, en la prolongeant par la lutte armée, et retourne le second contre ses anciens parrains, les États-Unis et l'Arabie, leur attribuant les rôles respectifs de l'Union soviétique et de l'Afghanistan communiste dans les années 1980 : l'envahisseur impie du *dar el islam* et le collaborateur apostat. Mais pour appuyer ce nouveau combat, il ne dispose nulle part d'un appui stratégique comparable à celui que les « volontaires » de la décennie passée avaient trouvé dans l'une des superpuissances et les pétro-monarchies de la péninsule. Les quelques *rogue States* qui ont pu le soutenir (le Soudan de Tourabi, l'Afghanistan des Talibans) sont démunis et dépendants. À l'intérieur de la mouvance islamiste mondiale, l'enthousiasme des jeunes urbains pauvres mobilisés par les partis religieux pakistanais et quelques autres autour de sa personne ne peut guère se traduire en une infrastructure puissante. Quant aux contributions de sympathisants fortunés, elles ne peuvent masquer la désaffection de la bourgeoisie pieuse dans son ensemble face à un courant qui s'en prend de front à Riyad et à Washington, et menace beaucoup d'intérêts acquis.

L'absence de relais internationaux de poids, le découplage par rapport à tout mouvement social, ont facilité le glissement de ben Laden et de ses acolytes dans un activisme dont on ne parvient plus à discerner quels intérêts il sert ou menace réellement. Sa présence dans l'Afghanistan des Talibans ne lui ayant guère fourni les moyens de mettre en œuvre son combat antisaoudien, il s'efforça de rompre son isolement en élargissant au monde entier son ambition « jihadiste ». En février 1998, il créa le Front Islamique International contre les Juifs et les Croisés, dont la charte fondatrice fut cosignée par le dirigeant du groupe égyptien Al Jihad, le docteur Ayman al Zawahiri, l'un de ses compatriotes de la *gama'a islamiyya* et quelques responsables de grou-

puscules islamistes du sous-continent indien. Ce
texte bref[26], qui cite abondamment le Coran et l'iné-
vitable Ibn Taïmiyya, reprend les accusations contre
« l'alliance sioniste croisée », et passe à un stade
nouveau de l'affrontement contre celle-ci en émet-
tant une *fatwa* qui stipule que « chaque musulman
qui en est capable a le devoir personnel [*fard 'ayn*] de
tuer les Américains et leurs alliés, civils et militaires,
en tout pays où cela est possible ». Le 7 août suivant
— huitième anniversaire de l'arrivée des troupes
américaines en Arabie à l'appel du roi Fahd — deux
déflagrations simultanées détruisirent les ambassades des États-Unis à Nairobi (Kenya) et Dar es-
Salaam (Tanzanie). La première causa 213 morts
(dont 12 Américains) et plus de 4 500 blessés, la
seconde 11 morts et 85 blessés (mais aucun Américain). Les autorités des États-Unis ne tardèrent pas à
incriminer ben Laden : après une attaque de missiles de croisière qui anéantit une usine chimique à
Khartoum et des camps d'entraînement en Afghanistan[27] le 20 août, ben Laden fut inculpé de
conspiration et sa tête mise à prix pour 5 millions de
dollars. Dans des entretiens qu'il accorda à la presse
depuis son refuge afghan, il laissa planer le doute
sur son implication directe dans les attentats
d'Afrique, tout en se félicitant qu'ils aient eu lieu[28].

Les tueries de Nairobi et de Dar es-Salaam se sont
inscrites dans la même logique que celles de Louxor
en novembre 1997 ou d'Algérie à la même époque :
désormais coupé de sa base sociale, le courant islamiste extrémiste recourt à un terrorisme plus ou
moins paré de justifications religieuses, et dont la
plupart des victimes n'ont rien à voir avec l'ennemi
désigné par les « jihadistes »[29]. La terreur à grand
spectacle est l'occasion, grâce à la couverture médiatique qu'elle procure, de se poser en champion de la

cause et de tenter de retrouver la faveur populaire à travers la représentation télévisée, en l'absence de travail effectif d'implantation sociale. Mais c'est un pari hasardeux, qui, à côté de quelques manifestations momentanées de sympathie, engendre une hostilité structurelle bien plus grande, à terme, dans les classes moyennes pieuses. Elle ne peut qu'encourager celles-ci à se distancier de toute la frange radicale de l'islamisme, qui aboutit à une impasse politique, et rechercher ailleurs les voies de l'intégration dans la société moderne.

9

Entre l'enclume et le marteau : Hamas, Israël, Arafat

La guerre du Golfe de 1991 et l'écrasement de l'Irak eurent des conséquences directes sur le conflit arabo-israélien. Ils contraignirent les élites politiques de l'État hébreu et de l'OLP à s'engager dans un processus de paix, qui devait s'élargir à la plupart des États arabes. Or ce conflit lui-même avait commencé à se lire en termes islamiques, à partir du moment où l'*Intifada*, le soulèvement qui débuta en décembre 1987, avait vu croître l'influence des mouvements islamistes, Hamas et, dans une moindre mesure, le Jihad Islamique, au détriment de l'hégémonie quasi absolue auparavant exercée par l'OLP. Au moment même où les groupes radicaux passaient à la violence en Algérie et en Égypte, stimulés par l'arrivée des militants revenus d'Afghanistan en 1992, les islamistes palestiniens furent confrontés à un défi politique majeur : faire la paix avec Israël. Cela représentait, en apparence, un handicap pour leur cause, puisqu'elle renforçait la main de leurs rivaux de l'OLP, qui se trouveraient à la tête d'une entité étatique reconnue par la communauté internationale, et verraient leur demi-siècle de lutte nationale aboutir à un résultat tangible. Mais les conditions de la paix, obtenue alors même que l'organisation de Yasser Arafat connaissait un affai-

blissement politique (et financier) majeur qui obé-
rait sa capacité de négociation, feraient de l'Autorité
palestinienne, d'abord basée à Gaza, une structure
peu viable, étroitement dépendante des caprices
politiques de la majorité au pouvoir en Israël. Elle
risquait de transformer les territoires palestiniens
autonomes en « bantoustans[1] », voire Arafat en
Pétain, une situation qui ouvrirait de vastes perspectives politiques à « l'alternative islamique » prônée
par Hamas.

Le mouvement islamiste avait ainsi une partie
politiquement délicate à jouer : il disposait d'un
capital de soutien social important parmi les jeunes
déshérités ainsi que dans la bourgeoisie commerçante. Il lui appartenait de faire fructifier
politiquement ce capital, en accompagnant le
désenchantement face aux lenteurs ou aux impasses
du processus de paix, voire à l'autoritarisme ou à la
corruption des dirigeants de l'Autonomie palestinienne. Il lui fallait maintenir la pression sans basculer pour autant dans la dérive terroriste des
groupes islamistes radicaux, emportés alors, en
Égypte ou en Algérie, par le souffle du *jihad*. Or, la
tentation de la violence était grande, face à la répression israélienne, à l'accumulation des vexations et
des humiliations. Elle rencontrait un écho certain
au sein de la jeune génération qui était arrivée à
l'âge adulte en s'engageant à fond dans l'*Intifada* dès
fin 1987, et refusait de se contenter de belles paroles
ou de quelques miettes de souveraineté tout en
continuant à pâtir d'un niveau de vie déplorable.
Dans ce jeu politique à trois partenaires, où les islamistes n'étaient pas seulement opposés aux dirigeants nationalistes mais pouvaient améliorer leur
main en provoquant efficacement Israël à la répression, exposant ainsi la faiblesse de l'OLP, Hamas sut

manœuvrer avec dextérité jusqu'à l'entrée en vigueur de l'Autonomie, en 1994. Il maintint un haut degré de cohérence entre sa base populaire, les objectifs des classes moyennes pieuses qui se reconnaissaient en lui, et l'intelligentsia islamiste sophistiquée — dont une partie était basée aux États-Unis — qui produisait son discours politique. Mais il fut pris ensuite, comme beaucoup d'autres mouvements islamistes intoxiqués par l'idéologie du *jihad* armé, au piège du terrorisme, tandis que l'OLP, malgré les revers, parvenait tant bien que mal à construire un appareil d'État, puis à organiser des élections générales en janvier 1996. Hamas fut alors divisé entre sa faction la plus radicale et la plus activiste et ses sympathisants modérés — désireux de participer au jeu politique nouvellement instauré, de créer un parti, et de tourner la page d'une violence autodestructrice. Il perdit de ce fait la capacité de mobilisation convergente de couches sociales diverses qui avait fait de lui, au début de la décennie, le challengeur le plus dangereux du système mis en place par Yasser Arafat.

La victoire des États-Unis, à la tête de la coalition anti-irakienne de 1990-91, avait radicalement changé la donne dans le conflit israélo-palestinien. Dans un monde où l'Union soviétique n'existait désormais plus, la superpuissance unique et triomphante pouvait imposer aux deux adversaires la signature d'une paix conforme à ses intérêts. En effet, Israël, dont le territoire reçut quelques missiles Scud tirés d'Irak, avait dû laisser à Washington la charge de sa défense, afin d'éviter que les États arabes partie prenante à la coalition ne soient soumis à de trop fortes pressions de leur opinion publique en cas d'attaque « sioniste » contre l'Irak « frère ». L'État hébreu avait ainsi vu considérablement réduire sa marge de manœuvre face à un gouvernement américain dirigé par les républicains, traditionnellement moins sensibles aux points de vue de l'électorat juif que les démocrates. De plus, le président George Bush était venu en politique après une carrière dans le pétrole qui le rendait accessible aux raisonnements politiques des capitales des pétromonarchies du Moyen-Orient, soucieuses de rééquilibrer la politique régionale des États-Unis en leur faveur. Cette faiblesse conjoncturelle d'Israël était doublée par celle de l'OLP, après le soutien désastreux qu'Arafat avait accordé à Saddam Hussein. La centrale palestinienne fut privée, en rétorsion, du plus clair des subsides de la péninsule Arabique d'où provenait son budget et qu'elle redistribuait ensuite dans les territoires occupés. La cessation des financements la contraignit à fermer nombre d'institutions qui en dépendaient[2]. Cela lui aliéna bien des allégeances et des relais, mais l'affaiblit aussi face à Hamas, dont la plus grande prudence dans la guerre du Golfe avait été récompensée au contraire par des largesses en pétrodollars.

Le gouvernement israélien et les dirigeants de l'OLP n'eurent donc guère d'échappatoire au processus de paix, qui prit forme avec la conférence de Madrid réunie en décembre 1991. À ce stade, l'organisation palestinienne ne fut représentée qu'indirectement, par le biais d'une délégation de personnalités des territoires incluses dans la délégation jordanienne — dont certaines démontreraient par la suite leur indépendance de vue. L'OLP n'eut de cesse de modifier ces règles, qui amoindrissaient sa stature, et la rendaient plus fragile encore face aux critiques des oppositions islamiste et marxiste qui voyaient dans ses accommodements une capitulation. Hamas, malgré son interdiction par les autorités israéliennes[3], était parvenu à capitaliser, autour de listes aux élections professionnelles présentées par ses sympathisants, la défiance envers une négociation de paix qui paraissait par trop défavorable aux intérêts palestiniens. En janvier 1992, l'OLP eut besoin de rallier ses opposants laïques du FPLP et du FDLP[4] pour éviter — ce fut de justesse — que la liste islamiste ne l'emportât au syndicat des ingénieurs de Gaza. En mars, celle-ci obtint une victoire sans appel à la chambre de commerce de Ramallah, une ville pourtant sécularisée où vivaient de nombreux chrétiens, montrant que Hamas disposait d'un soutien réel au sein des classes moyennes. En mai, à la chambre de commerce de Naplouse, l'OLP n'évita la défaite (recueillant à peine 3 % de voix de plus que les 45 % de la liste islamiste) qu'en multipliant les déclarations de piété.

Fort d'une démonstration électorale[5] de son implantation dans la bourgeoisie pieuse, Hamas n'en négligea pas pour autant de fournir un exutoire à la jeunesse pauvre radicalisée, en gardant le contrôle de la rue face à l'OLP. Les « faucons » de celle-ci étaient pris à partie par leur adversaire islamiste, les Brigades Ezzedine al Qassam[6], qui harcelaient aussi de plus belle les Israéliens. L'année 1992, si elle témoigna d'une nette décrue de l'*Intifada* comme mouvement de désobéissance et de révolte de masse, fut néanmoins marquée par une augmentation des assassinats de militaires et de civils, dont Hamas revendiqua la plus large part. Le 13 décembre, cinquième anniversaire de la fondation du parti islamiste, un sous-officier israélien fut enlevé à Lod (sur le territoire de l'État d'Israël même) par les Brigades al Qassam, qui demandèrent la libération du guide spirituel du parti, le cheikh Ahmad Yassine. Deux jours plus tard, le cadavre de l'otage, ficelé et poignardé, fut découvert en contrebas d'une route de Cisjordanie. Cet acte symbolique très fort — qui n'était pas sans rappeler les premières attaques meurtrières contre des soldats de l'État hébreu menées par le Jihad Islamique[7] — manifestait que Hamas ne craignait pas Israël, n'était pas lié par un processus de négociation qui semblait enlisé, et restait à la pointe de la violence armée, ce qui raffermit sa base de soutien parmi les activistes les plus radicaux. L'assassinat embarrassait aussi considérablement l'OLP, qui le dénonça, s'aliénant par là ces mêmes activistes. Le gouvernement travailliste présidé par Yitzhak Rabin, porté au pouvoir en juin de cette année, prit une mesure aussi forte symboliquement pour calmer l'émotion et la fureur de la population israélienne. Quatre cent dix-huit dirigeants et activistes de Hamas et du Jihad Islamique furent arrêtés et déportés à Marj al Zohour, un village montagneux du sud du Liban dont le nom poétique, qui signifie « pâturage fleuri », ne le préservait pas d'hivers rigoureux.

Des émeutes très violentes s'ensuivirent dans les territoires occupés, faisant des islamistes déportés les héros de toute la jeunesse, par-delà leurs sympathisants habituels, tandis que la presse du monde entier venait voir les proscrits aux pieds dans la neige. Les caméras de télévision, au lieu de terroristes patibulaires, filmaient des universitaires, étudiants et enseignants, des médecins et des ingénieurs, ainsi que des imams, dont certains exprimaient dans un excellent anglais les positions politiques de Hamas, son hostilité à Israël et sa défiance envers l'OLP. En « ciblant » l'intelligentsia islamiste, le gouvernement israélien avait cherché à désorganiser le mouvement par la privation de ses cadres. Mais ceux-ci transformèrent leur exil en une opération de relations publiques efficace, qui nimba leur courant de l'auréole de la persécution, et lui conféra la palme de la résistance la plus authentique à la répression de l'État hébreu. L'embarras de celui-ci toucha à son comble lorsque le Conseil de sécurité de l'Onu exigea leur rapatriement immédiat et inconditionnel [8]. Pendant que les négociations traînaient en longueur, les déportés organisèrent sur leur lieu de relégation des cours et des conférences, donnant à l'opération le nom d'« université Ibn Taïmiyya » en référence au célèbre penseur médiéval dont le mouvement islamiste sunnite tire une large part de son inspiration.

L'OLP fut contrainte de suspendre la participation de la délégation palestinienne aux négociations de paix. Elle devint l'otage d'une opération sur laquelle elle était sans prise, tandis que l'affrontement direct entre Israël et Hamas minait son autorité et diminuait son statut. Mais elle dépendait de manière vitale d'une avancée significative dans le processus de paix, afin de vaincre les réticences d'une population palestinienne de plus en plus désenchantée et sensible aux sirènes islamistes. C'est pourquoi, le mois même où les déportés étaient expulsés vers le Liban, des contacts secrets et directs entre représentants de Yasser Arafat et émissaires du gouvernement israélien furent noués, qui devaient aboutir à la Déclaration de principes, dite « d'Oslo », signée à Washington le 13 septembre 1993. La déclaration, qui prévoyait que Gaza et Jéricho seraient les premiers territoires palestiniens à être placés sous l'autorité de l'OLP, fournissait motif à satisfaction aux deux partenaires : Israël se débarrassait de l'abcès de fixation de Gaza, où le coût du maintien de l'ordre était trop élevé, et la centrale palestinienne pouvait annoncer à sa population un premier résultat tangible, prélude à la création d'un État indépendant. Elle attendait de cette percée symbolique un effet d'entraînement qui lui permettrait de reprendre une initiative politique que les succès de Hamas avaient entravée.

La signature de la Déclaration de principes suscita effectivement un regain de popularité de l'OLP dans les territoires : elle devait s'y traduire à court terme par le retrait tant attendu de l'armée israélienne et la fin de l'occupation directe, au moins dans une partie de ceux-ci. Mais elle facilita l'ouverture d'un front anti-Arafat où s'agrégeaient, autour de Hamas, les diverses factions de l'opposition de gauche : cinq jours après la signature, leurs militants se retrouvèrent pour conspuer le raïs dans un grand meeting à Gaza. En novembre et décembre, les élections estudiantines de Bir-Zeit — où le degré de politisation était élevé — se soldèrent par la défaite sans appel des listes de l'OLP face à la coalition de ses adversaires.

Avec la perspective de l'autonomie, Hamas se trouva confronté à un dilemme politique très concret, entre ses positions de principe maximalistes favorables à la libération de toute la Palestine, « du fleuve [le Jourdain] à la mer », où serait instauré l'« État islamique », et les aspirations quotidiennes de la population. Celle-ci souhaitait se débarrasser au plus vite de l'occupation, était favorable aux accords qui permettraient cela, mais mécontente des conditions léonines qui étaient imposées par Israël. L'organisation islamiste devait donc faire usage d'assez de violence pour exercer des pressions sur l'OLP et l'État hébreu — une stratégie qui lui avait bien réussi les années précédentes — sans compromettre entièrement par ses provocations le retrait israélien, de peur de susciter contre elle l'exaspération populaire. Ce dilemme reflétait aussi les objectifs contradictoires des composantes sociales de son soutien, dont l'Autonomie mettrait à l'épreuve la cohésion. La jeunesse urbaine pauvre, où recrutaient des Brigades al Qassam assez largement autonomes, s'accommodait des mots d'ordre maximalistes et de la violence, qui trouvèrent leur justification chez les dirigeants de l'extérieur, surtout basés à Amman, et visiteurs réguliers à Téhéran. En revanche, les classes moyennes pieuses souhaitaient participer, fût-ce au titre d'opposition, à la mise en place d'un pouvoir politique nouveau qui aurait le contrôle des ressources économiques indispensables à leurs activités[9], en l'espèce l'aide étrangère. Leurs attentes furent reflétées par diverses déclarations du cheikh Yassine et de dirigeants issus de ce milieu, qui n'exclurent pas la création d'un parti islamiste légal sous le régime de l'Autonomie palestinienne et la participation aux élections qui s'y tiendraient. En 1994, Hamas sembla capable de concilier les aspirations contradictoires de sa base et de continuer à affaiblir l'OLP, qui devait devenir, le 12 juillet, le Gouvernement de l'Autonomie. L'organisation islamiste fut ainsi le principal bénéficiaire politique de la tuerie d'Hébron, où un colon venu de l'implantation juive voisine de Kiryat Arba et membre d'un mouvement d'extrême droite massacra le 25 février à la mitraillette plus de trente musulmans palestiniens en prière dans la mosquée édifiée sur le tombeau des Patriarches. Les émeutes qui suivirent, et qui se soldèrent par plusieurs dizaines de victimes supplémentaires, ne firent que rendre plus fragile la position de l'OLP, accusée de négocier avec un adversaire des rangs duquel était issu l'auteur du massacre. Hamas en tira au contraire un blanc-seing populaire pour venger les victimes : en avril, des attentats suicides menés par ses militants sur le sol israélien firent à leur tour plus de dix morts et des dizaines de blessés juifs — ce qui conduisit, en rétorsion, à la fermeture des territoires et à des rafles massives dans les milieux islamistes. C'est dans ce contexte calamiteux que furent signés au Caire, le 4 mai, les accords mettant en œuvre la Déclaration de principes israélo-palestinienne, réglant le transfert de souveraineté, la délimitation des territoires évacués, l'ampleur des forces de sécurité palestiniennes, etc. À partir de juillet, avec l'instauration de l'Autonomie, il reviendrait à celles-ci d'assumer, en lieu et place de l'armée israélienne, la répression de Hamas [10] : une position inconfortable pour Arafat et son entourage de « gens de Tunis [11] » arrivés avec lui sur la terre de Palestine que certains n'avaient jamais foulée. Le parti islamiste poursuivit ses actions, notamment en octobre, assassinant des Israéliens à Jérusalem, enlevant un nouveau soldat, qui fut tué lorsque la cache où il était détenu fut prise d'assaut, et faisant sauter un autobus à Tel-Aviv dans un attentat suicide qui causa plus de vingt morts. Au début novembre, l'assassinat à Gaza, en représailles, du chef militaire du Jihad Islamique — imputé aux services israéliens — fut l'occasion pour Arafat d'être hué par la foule palestinienne réunie pour les funérailles, événement inimaginable auparavant. Le 18 novembre, le processus parvint à son comble lorsque, pour la première fois, la police récemment instituée de l'Autorité palestinienne ouvrit le feu sur des manifestants du Hamas à la sortie de la Grande Mosquée de Gaza, tuant seize personnes. La position morale d'Arafat se retrouvait au plus bas, et n'était en rien rehaussée par les effets seconds des nombreuses mesures anti-terroristes prises par Israël : la multiplication des barrages, des contrôles et des interdictions de circuler en Cisjordanie et aux frontières de Gaza rendaient la vie impossible au Palestinien de la rue. Les accords d'autonomie ne s'étaient traduits par aucune amélioration de la vie quotidienne, passé le premier soulagement d'être débarrassés de la présence de l'occupant. Hamas apparaissait comme le principal bénéficiaire de la situation.

1995 devait marquer la fin de ce processus cumulatif de la radicalisation du mouvement islamiste — l'année même où pareil phénomène commencerait à se produire à l'identique en Égypte ou en Algérie. Les premiers mois se traduisirent par la continuité dans la violence, à travers les attentats suicides en Israël. Mais la violence n'avait de force qu'autant qu'elle pouvait servir de moyen pour négocier dans de meilleures conditions, pour contraindre l'État hébreu à des concessions alors qu'il multipliait les obstacles à la mise en œuvre des accords [12]. C'était dans ce seul espoir que la population palestinienne pouvait soutenir l'usage de la force, en dépit du prix qu'il lui fallait payer immédiatement à cause des mesures de rétorsion israéliennes, qui se manifestaient, avec le bouclage des territoires, par une baisse dramatique du niveau de vie. Or, en 1995, le terrorisme de Hamas comme celui du GIA algérien ou de la *gama'a islamiyya* égyptienne touchent à leurs limites : l'adversaire (le pouvoir de Jérusalem, d'Alger ou du Caire) n'a pas cédé, et les souffrances de la population ne font que croître. De plus, à Gaza, l'Autorité palestinienne a amélioré ses capacités de répression, et plusieurs milliers de dirigeants et militants islamistes prennent le chemin de ses geôles : les réseaux sont démantelés, les sources de financement externes sont placées sous contrôle et les mosquées sous surveillance. Enfin, les forces de sécurité de l'Autonomie[13], le principal employeur local, recrutent leurs troupes dans la jeunesse urbaine pauvre qui a animé l'*Intifada* : elles appartiennent au même milieu que la base radicale de Hamas, rendant surveillance et prévention plus aisées. Cet ensemble de facteurs — auxquels il faut ajouter la crise terminale qui frappe le Jihad Islamique avec l'assassinat de son chef par le Mossad[14] — a contribué à dissocier les radicaux issus de milieu populaire des classes moyennes pieuses modérées. Comme à la fin de l'*Intifada,* celles-ci, épuisées économiquement[15], souhaitent quelque forme d'aboutissement aux négociations de paix, et redoutent que l'affaiblissement intérieur d'Arafat ne débouche en définitive sur un résultat négatif pour l'ensemble des Palestiniens. Certains dirigeants « modérés » de Hamas ont fait défection, et celui-ci est entré en négociations avec l'Autorité à l'automne 1995 pour trouver un *modus vivendi* dans la perspective de la préparation des élections générales au début de 1996. L'absence d'accord a finalement conduit les dirigeants du mouvement à l'étranger à prôner l'abstention, laissant ainsi les mains libres à Arafat pour composer à sa guise le paysage politique institutionnel.

Dans ce contexte, le Premier ministre israélien Rabin fut assassiné par un terroriste juif issu du milieu religieux, le 4 novembre. La campagne électorale qui s'ouvrit pour choisir son successeur remit les islamistes palestiniens au cœur du problème politique. La mort de l'« artificier » de Hamas, Yahya Ayache[16], fut suivie, en rétorsion, par des attentats-suicides spectaculaires qui firent soixante-trois victimes en Israël. En conséquence, l'électorat israélien élut M. Netanyahou le 29 mai 1996[17]. Le chef du Likoud avait un discours de fermeté – et, aux yeux de Hamas, sa politique d'obstruction au processus de paix ne pouvait que favoriser les desseins des islamistes en rendant la tâche de l'Autorité palestinienne particulièrement malaisée. Mais cette stratégie de la provocation se retourna contre ses auteurs : les nouveaux attentats en mars, juillet et surtout septembre 1997, qui fit dix-sept morts à Jérusalem [18], ne firent qu'entraîner un durcissement des autorités israéliennes impitoyable.

Le bouclage des territoires, selon un scénario bien rôdé aboutit à leur asphyxie économique – tandis que le gouvernement Netanyahou relançait le processus de colonisation juive et gelait le retrait graduel de la Cisjordanie. La finalité politique du terrorisme apparaît de la sorte de plus en plus incertaine, voire négative, pour une population palestinienne épuisée et démobilisée, sur laquelle le gouvernement de l'Autonomie, malgré les mécontentements et les critiques qui mettent en cause son autoritarisme, son incompétence, et la corruption de certains de ses membres, est parvenu, en l'absence d'alternative réaliste, à asseoir son autorité. Le Conseil législatif (le Parlement élu en janvier 1996) a vu l'entrée en politique d'une couche de notables locaux et de membres des classes moyennes, liées pour la plupart à l'OLP mais aussi à la mouvance religieuse au sens large. Ils paraissent plus attachés aux enjeux pragmatiques qu'aux proclamations idéologiques, et désireux de se mettre en phase avec ces « Palestines du quotidien [19] » qui n'attendent plus grand-chose des temps messianiques promis par le *jihad*. Et Hamas même, dans la crainte d'une division mortelle des rangs palestiniens « estime que les sionistes sont parvenus à éviter d'affronter le mouvement et son programme de *jihad* en se cachant derrière l'Autorité de l'Autonomie Palestinienne. Mais il est aussi conscient que, s'il affrontait militairement celle-ci, il réaliserait l'un des objectifs majeurs des sionistes[20] ». Dans l'incapacité de résoudre pareil dilemme, le mouvement islamiste palestinien a cessé de constituer, la dernière année du siècle, une alternative crédible et dangereuse au pouvoir de l'OLP.

10

L'opposition islamiste de Sa Majesté hachémite : les Frères musulmans en Jordanie

Le 1er janvier 1991, alors que l'armée de Saddam Hussein avait envahi le Koweït cinq mois auparavant, et que les troupes de la coalition internationale étaient stationnées en Arabie Saoudite, « terre des deux Lieux Saints », prêtes à lancer l'opération « Tempête du désert », le roi Hussein de Jordanie, interlocuteur privilégié de l'Occident au Levant, nomma un nouveau cabinet ministériel, dont sept membres (sur vingt et un) appartenaient à la mouvance islamiste. Pareille cooptation au plus haut échelon du pouvoir reflétait le poids que celle-ci avait acquis au Parlement élu en 1989, où elle détenait trente-quatre sièges (sur quatre-vingts). Dans ce petit pays de trois millions et demi d'habitants, dont plus de la moitié sont d'origine palestinienne, le régime avait un besoin pressant des Frères musulmans et de leurs alliés pour contenir une opinion publique fortement hostile à l'intervention internationale contre l'Irak. La fureur populaire pouvait déraper et prendre pour cible une monarchie structurellement fragile.

Les Frères musulmans jordaniens et palestiniens avaient partagé une longue histoire commune, d'autant plus intime pendant les deux décennies (1948-1967) où la Cisjordanie était partie prenante du royaume hachémite. Les Frères s'étaient comportés, depuis leur création en 1946 — la même année que celle du royaume — en « défenseurs du trône[1] » dont ils renforçaient la légitimité religieuse, bénéficiant en retour de la faveur royale, à une époque où les autres États arabes dans lesquels triomphait le nationalisme leur donnaient la chasse. Intervenant prudemment dans le champ politique au cours des premières décennies de leur existence[2], ils avaient en partage le maillage religieux du tissu social, à travers un réseau de mosquées et d'associations caritatives. Ils constituaient le milieu d'action privilégié des notables locaux[3], alors que le pouvoir avait été capté par une dynastie allogène, les Hachémites, venue d'Arabie, d'où cette famille avait été chassée par les Al Saoud en 1925. Sur la rive occidentale du Jourdain, conquise par Israël en juin 1967, les Frères musulmans avaient persisté dans cette attitude strictement piétiste pendant vingt ans encore, jusqu'au déclenchement de l'*Intifada* et la création de Hamas, en décembre 1987[4]. Sur la rive orientale, ils avaient fourni au roi Hussein, menacé à plusieurs reprises par des menées nationalistes arabes et par l'agitation des réfugiés palestiniens, le soutien irremplaçable de leurs réseaux dans le monde urbain. À l'exception d'Abdallah Azzam et de quelques dizaines de ses disciples, les Frères jordaniens ne s'étaient pas engagés, entre 1967 et 1970, dans le combat contre Israël depuis la Jordanie, hostiles qu'ils étaient aux « laïques » de l'OLP[5]. En septembre 1970, ils avaient loyalement soutenu le monarque dans le conflit sanglant qui l'opposa à la centrale palestinienne, et ils en recueillirent les fruits. Pendant les années 1970 et 1980, ils accueillirent et entraînèrent leurs frères syriens, engagés dans un affrontement sanglant avec le régime de

Hafez al-Asad[6]. À titre individuel, certains de leurs militants et sympathisants s'étaient vu conférer des responsabilités dans la haute administration, et avaient utilisé ces fonctions pour recruter à leur tour cadres et fonctionnaires qui appartenaient à la confrérie. En 1984, à l'occasion d'une élection partielle au Parlement, qui n'avait pas été renouvelé depuis 1976, les Frères présentèrent des candidats : ils conquirent trois sièges sur huit, un autre allant à un « islamiste indépendant ». Ce succès et cette « politisation » plus explicite se produisaient au moment où le mouvement connaissait une phase d'expansion partout dans le monde[7]. Au plan local, cette percée électorale survint pendant une période de tension avec le palais qui, à l'occasion d'un rapprochement avec la Syrie, avait arrêté les Frères syriens réfugiés en Jordanie et les avait livrés à Damas, tandis que les islamistes trop visibles se voyaient « purgés » des administrations où l'on craignait qu'ils n'aient acquis une influence excessive.

En avril 1989, des émeutes provoquées par la hausse des prix consécutive à un accord avec le Fonds monétaire international éclatent dans le sud du pays, à Ma'an : comme à Alger en octobre 1988, les manifestants saccagent les symboles de l'État et, comme en Algérie encore, le mouvement islamiste se présente comme intermédiaire pour faciliter le retour à l'ordre et la satisfaction de quelques revendications. Il en sera récompensé, dans les deux pays, par la possibilité de participer à un scrutin ouvert et relativement libre : le FIS, dans un État gouverné par l'armée et mal préparé à la manœuvre électorale, remportera une victoire immense aux élections municipales de juin 1990. Les Frères jordaniens, dans un pays où le palais est rompu aux jeux politiciens[8], obtiennent vingt-deux élus, auxquels s'ajoutent douze islamistes « indépendants ». Avec plus de 40 % des quatre-vingts sièges, les islamistes forment le premier groupe de l'Assemblée, mais ne peuvent contrôler le gouvernement.

La décision de participer aux élections a été l'aboutissement de débats au sein des Frères, entre les « modérés », issus pour la plupart des classes moyennes pieuses de l'est du Jourdain, et les « radicaux », qui trouvent parmi la population d'origine palestinienne, surtout les réfugiés les plus récents et les jeunes des camps, une importante base de soutien. Les premiers ont été favorables à la participation, et connaîtront, au cours de la décennie 1990, une évolution qui fera d'eux d'ardents partisans de la démocratie. Les seconds, hostiles à pareil concept qu'ils assimilent à l'impiété *(kufr)*, ainsi qu'aux élections, exigeront néanmoins leur quota de candidats une fois la décision de concourir prise par le *majliss al shoura* (conseil consultatif) de la confrérie. Ils comptent dans leurs rangs de nombreux prédicateurs, qui feront du pupitre parlementaire une chaire à prêcher.

Leur programme sociopolitique ne comporte aucune mesure destinée à bouleverser les hiérarchies établies, et se caractérise d'abord par la volonté de mettre en conformité tout l'appareil législatif avec la *chari'a* ainsi que de renforcer l'enseignement religieux, source d'emplois pour de nombreux militants, et d'influence sur la jeune génération. Comme ailleurs, le discours idéologique islamiste a d'abord pour fonction — par-delà les appels à la « moralisation » d'un pouvoir nécessairement corrompu parce qu'insuffisamment pieux, et à l'idéal lointain de l'instauration de l'État islamique véritable — de mobiliser ensemble des groupes sociaux aux objectifs divergents. En Jordanie, ce discours s'appuie sur un système efficient d'encadrement « paternaliste » des couches les plus démunies de la société, à travers un réseau très dense d'associations caritatives liées aux mosquées, d'hôpitaux, de dispensaires et d'établissements d'éducation, depuis la crèche jusqu'à l'université. Dans un pays où la couverture médicale est faible, où les services publics sont déficients, les Frères et leurs sympathisants sont devenus l'un des principaux entrepreneurs sociaux, à côté des associations patronnées par la reine[9]. Mais ils s'adressent aussi aux classes moyennes solvables auxquelles ils offrent des services payants, et ils ont ainsi bâti des empires financiers contrôlés par les diverses factions du mouvement — entre lesquelles les débats à caractère doctrinal et religieux recouvrent également des luttes pour les parts de marché[10].

Pour ces raisons, la médiation des Frères après les émeutes du printemps 1989 est apparue indispensable au régime, qui leur a ouvert les portes du Parlement. Ceux-ci, en retour, y ont vu l'occasion d'influencer la législation pour renforcer institutionnellement leur rôle d'intermédiaire et de contrôle social. C'est dans pareil contexte que Saddam Hussein, en envahissant le Koweït le 2 août 1990, a dramatisé les enjeux d'une situation déjà tendue : en Jordanie comme ailleurs, il allait mettre en porte-à-faux un mouvement islamiste écartelé entre les sympathies saoudiennes de son appareil et l'enthousiasme pro-irakien et anti-occidental de sa base. De plus, l'importante population palestinienne du Koweït accueillit dans l'ensemble plutôt favorablement l'armée irakienne en qui elle voyait une force libératrice panarabe, opinion partagée par ses compatriotes de Jordanie — ce qui créa dans ce pays une forte base d'appui à Saddam Hussein. Enfin, le

débarquement des troupes de la coalition sur la
« terre des deux Lieux Saints » acheva de faire basculer la partie de l'opinion sensible aux arguments
religieux dans un sens fortement hostile à
l'Occident. Les Frères, modérés et philosaoudiens
compris, se rangèrent sur cette ligne, se retrouvant à
la tête du mouvement populaire. Pour le roi Hussein, dont les liens avec les États-Unis étaient
anciens et solides, il importait avant toute chose
d'éviter que le trône ne fût emporté dans les bouleversements que risquait de susciter l'intervention
militaire alliée. Il nomma le premier cabinet de l'histoire du pays qui comportât sept membres islamistes, soit près du tiers des ministres. Les postes
stratégiques (Défense, Affaires étrangères, Intérieur,
Information) restaient contrôlés par les hommes du
palais, tandis que les Frères et leurs alliés obtenaient
les ministères dits « de proximité » (Éducation,
Santé, Affaires religieuses, Développement social)
qui parachevaient leur maillage de la société par le
réseau associatif islamique, et leur permettaient de
contrôler les budgets de l'État et l'embauche des
fonctionnaires dans ce secteur[11].

Cette expérience gouvernementale fut de courte
durée : une fois le danger le plus pressant passé,
l'Irak à terre et ses partisans désemparés, le roi Hussein appela le 17 juin un nouveau Premier ministre,
chargé d'inscrire la Jordanie dans le processus de
paix au Moyen-Orient sous égide américaine.
Celui-ci devait aboutir à terme au traité jordano-
israélien, le 26 octobre 1994 à Wadi Araba, une perspective inacceptable pour la quasi-totalité des
Frères. Ils ne furent pas conviés à participer au nouveau gouvernement, et le monarque n'eut dès lors de
cesse de rogner leur expression politique : la modification *ad hoc* de la loi électorale se traduisit lors des

législatives de 1993 par la baisse du nombre de leurs
élus (seize au lieu de vingt-deux), et ils boycottèrent
celles de 1997, excluant de leurs rangs les membres
qui avaient pris goût aux délices du pouvoir et
obtinrent, qui un mandat, qui un maroquin.

La participation aux élections, puis au gouvernement, avait mis à rude épreuve la cohérence d'un
mouvement qui était pourtant parvenu, contrairement à la plupart de ses équivalents dans les autres
pays, à conserver au sein d'une organisation unique,
les Frères musulmans, la très grande majorité des
sensibilités de ce courant. Contrairement au Hamas
voisin, qui avait dû compter avec la rivalité du Jihad
Islamique puis l'autonomisation croissante des Brigades al Qassam, aux Frères égyptiens sans contrôle
sur la *gama'a islamiyya* radicale, ou au FIS à
l'emprise de qui avait échappé le GIA, la confrérie
n'avait été contestée au royaume hachémite que par
des groupuscules[12]. En 1990, quelques militants de
retour d'Afghanistan, où ils avaient été électrisés par
la verve d'Abdallah Azzam, le héraut palestino-
jordanien du *jihad,* créèrent une Armée de Mohammed (le Prophète) forte de quelques dizaines de
conjurés. Ils passèrent à l'action dans les premiers
mois de 1991, tandis que l'opération « Tempête du
désert » déclenchait la foudre sur l'Irak, et mirent en
œuvre les techniques guerrières apprises dans les
camps autour de Peshawar, contre les débits
d'alcool et la petite minorité chrétienne de Jordanie.
Arrêtés et condamnés, ils furent graciés en
décembre par le roi. D'autres groupuscules formés
d'anciens « Afghans » défrayèrent la chronique
jusqu'en 1996, mais sans parvenir à percer dans un
champ politico-religieux que les Frères avaient ver-
rouillé plus fermement que leurs collègues égyptiens[13]. Outre cette contestation « extrémiste », on

trouvait en Jordanie une curiosité : les « islamistes indépendants », dont le sigle apparut à l'occasion des élections auxquelles ils participèrent. Il s'agissait de fait de notables qui, portés par la vague islamiste, souhaitaient capitaliser celle-ci sans aliéner pour autant leur liberté de manœuvre à l'organisation des Frères musulmans.

Comme partout ailleurs, celle-ci regroupait des tendances différentes, réparties entre les deux pôles de la jeunesse urbaine pauvre — en l'espèce, principalement d'origine palestinienne et issue des camps de réfugiés et de l'habitat spontané qui leur avait succédé — et de la bourgeoisie pieuse, venant surtout des villes traditionnelles de la rive orientale du Jourdain, Salt ou Irbid. En revanche, elle ne possédait guère de tribun ou d'« intellectuel islamiste » d'envergure capable de produire un discours de mobilisation populaire qui identifiât le « régime impie » comme la cause de tous les maux [14] et permît de dresser contre lui la rue comme la boutique. La monarchie hachémite a en effet été attentive à cajoler les plus brillants de ces intellectuels : ainsi, Ishaq Farhan, universitaire éminent d'origine palestinienne, a été ministre de l'Éducation, puis des Affaires religieuses, entre 1970 et 1973 — suspendant alors sa participation aux instances des Frères, cependant que son ministère recrutait en nombre militants et sympathisants. Il était donc malaisé à l'intelligentsia islamiste jordanienne de dénoncer le pouvoir à l'instar de ses pareils d'autres pays, et cela d'autant que la monarchie puisait abondamment dans le registre religieux pour légitimer son existence. L'intellectuel islamiste jordanien trouvait ainsi à s'employer aisément comme idéologue du régime au prix d'un changement minime de registre, ce qui découragea bien des vocations radicales, et

disposa le discours politique des Frères à la négociation plus qu'à la contestation.

Cette souplesse doctrinale dominante n'empêcha
pas pour autant l'émergence de propos plus vigou-
reux à l'intérieur du mouvement. Ainsi, dès 1989,
deux lignes s'opposèrent. Face aux « colombes »
favorables à la participation aux élections et à
l'osmose avec l'establishment politique, des « faucons », influencés par les écrits de Sayyid Qotb,
firent entendre leur voix. Pour les Frères jordaniens,
la difficulté principale résidait dans leur capacité à
maintenir au sein d'une organisation unie ces courants contradictoires reflétant des couches sociales
divergentes, malgré les forces centrifuges qui poussaient les dirigeants issus de la bourgeoisie pieuse
vers l'interpénétration avec le système, et ceux qui
avaient leur base dans la jeunesse urbaine pauvre
vers la radicalisation. D'un côté, la coexistence entre
ces deux courants, dont chacun disposait des
moyens de bloquer la machine de l'organisation,
conduisait le mouvement à un certain immobilisme.
De l'autre, la scission l'aurait condamné au destin
peu enviable de ses organisations sœurs dans le
reste du monde arabe, qui se battaient entre elles
pour contrôler le champ religieux, à la plus grande
joie du pouvoir « impie ».

Une première échappatoire à ce dilemme fut trouvée avec la création, en 1992, d'un parti islamiste,
reconnu légalement comme tel, sous le nom de
Front de l'Action Islamique. Dirigé par l'ancien
ministre Ishaq Farhan, l'une des « colombes » les
plus en vue, futur président de l'université privée de
Zarqa, il avait pour fonction d'assumer pleinement
la participation politique, tandis que la confrérie
conservait pour finalité de son action la prédication
religieuse et l'encadrement social. Le parti avait éga-

lement fait sien le vocabulaire de la démocratie, s'était ouvert aux femmes comme aux hommes[15], alors que la confrérie restait hostile à un concept politique inconnu des Textes sacrés et n'admettait pas les membres féminins. Mais cette volonté de jouer le jeu institutionnel avait été contrariée par les manipulations du mode de scrutin qu'avait exercées le pouvoir en 1993, et également par la signature de la paix avec Israël en 1994. Après cette date, participer aux institutions risquait d'apparaître comme une caution donnée à la « paix honteuse avec les juifs » abhorrée par la plupart des islamistes. La pression de la base contraignit le parti à boycotter les élections de 1997, alors que son chef avait annoncé que le FAI y prendrait part. Le mouvement islamiste jordanien, tandis que le souverain, malade, n'était plus directement en prise avec les affaires du pays, vit ainsi croître la tension entre ses élites pragmatiques originaires des classes moyennes, désireuses de prendre part au jeu politique, et ayant créé le FAI à cette fin, et une base qui subordonnait la participation aux élections à des conditions idéologiques.

Après le décès du roi Hussein et l'accession au trône de son fils Abdallah II en janvier 1999, le parti donna des gages de bonne volonté au nouveau souverain, qui avait nommé comme Premier ministre un ex-membre de la confrérie. Aux élections municipales de juillet, le FAI présenta des candidats dont la majorité furent élus; c'étaient en large part des notables urbains qui conquirent les mairies des villes moyennes. Mais le mois suivant, le régime exprima un signe d'inimitié indirect à la mouvance islamiste en fermant le bureau du Hamas palestinien à Amman, siège de sa branche « extérieure » et domicilié dans les locaux de la confrérie sœur jordanienne. À leur retour d'une réunion à Téhéran[16], les dirigeants de l'organisation islamiste palestinienne détenteurs d'un passeport jordanien furent incarcérés, et les autres expulsés[17]. Par ce coup de force, le nouveau souverain hachémite montrait qu'il pouvait toujours peser sur les événements de l'autre rive du Jourdain, tout en satisfaisant les requêtes israélienne, américaine et de l'OLP. Pour Arafat en effet, la direction extérieure du mouvement représentait un pôle extrémiste à éliminer, au moment où le raïs était parvenu à prendre langue avec les dirigeants islamistes des territoires, à l'instar du cheikh Yassine, qui se montrait plus ouvert à la négociation. Or cette intervention policière ouvrit aussi, dans le royaume lui-même, une crise de confiance entre le trône et la composante d'origine palestinienne des Frères musulmans jordaniens — dans laquelle prédominent les « faucons » du mouvement. Par-delà les considérations stratégiques et régionales, la répression des dirigeants exilés et « radicaux » de Hamas par Amman[18] s'est inscrite dans la logique de la plupart des pouvoirs établis du monde musulman à la toute fin du vingtième siècle : accélérer la dissociation entre les composantes de la mouvance islamiste, en isolant et réprimant la jeunesse urbaine pauvre et ses porte-parole intransigeants, et en cooptant des classes moyennes pieuses désireuses de participer au système politique. Reste à savoir si pareille tactique est un simple expédient pour figer les rapports de forces au profit de régimes autoritaires en mettant à profit la conjoncture de crise qui frappe les mouvements islamistes, ou si elle permettra d'élargir l'assise du pouvoir en favorisant un mode de participation démocratique — comme la Jordanie paraissait en avoir donné l'exemple au début des années 1990.

11

Du salut à la prospérité : la laïcisation contrainte des islamistes turcs

Le 28 juin 1996, à Ankara, capitale de la Turquie républicaine et laïque, Necmettin Erbakan, dirigeant du parti islamiste Refah, fut nommé Premier ministre. L'événement causa une onde de choc parmi les héritiers d'Atatürk, pour qui l'arrivée au pouvoir d'un islamiste représentait une hérésie majeure par rapport au dogme kémaliste. Angoissés ou exaltés, bon nombre d'observateurs inscrivirent ce phénomène dans ce que l'on prenait alors pour la marche triomphale d'un mouvement mondial qui tenait le maquis en Algérie, menaçait le régime égyptien, et venait de frapper la France d'une vague d'attentats — Oussama ben Laden diffuserait, le mois suivant, sa Déclaration de *jihad* aux Américains et les Talibans s'empareraient de Kaboul à l'automne.

En dépit des frayeurs des uns et des espoirs des autres, l'expérience gouvernementale islamiste en Turquie ne dura qu'une petite année. Le 18 juin 1997, la coalition parlementaire qui soutenait M. Erbakan se défit, sous la pression de l'état-major de l'armée, et le Premier ministre démissionna. Un semestre plus tard, le 18 janvier 1998, le parti Refah était dissous par le Conseil constitutionnel — sans que cela se traduise par les violences anticipées par certains. L'année suivante, le parti Fazilet, qui lui avait succédé, subit un recul notable lors des élections générales, parlementaires et locales du 18 avril 1999, alors que sa victoire était attendue. Quel qu'ait été le rôle joué par les militaires pour forcer le destin politique de la mouvance islamiste turque, celle-ci a dû fonctionner selon les règles d'un système pluraliste et relativement démocratique, qui fit d'elle, tout au long d'un quart de siècle, l'une des composantes de la vie parlementaire du pays. Pour beaucoup de ses militants et électeurs, les enjeux pragmatiques comptaient au moins autant, en fin de compte, que les bases idéologiques ou doctrinales de départ.

Dans une large mesure, l'islamisme turc a anticipé les évolutions que connaîtront la plupart de ses « frères » des autres pays musulmans. Il a émergé à la même époque — puisque M. Erbakan fonde son premier parti politique en 1970, l'année où Khomeini prononce ses conférences sur le Gouvernement islamique et où le monde arabe, avec la mort de Nasser et le Septembre noir des Palestiniens à Amman, voit péricliter l'idéologie nationaliste et s'y substituer les doctrines issues des Frères musulmans. Dès le milieu de cette décennie, M. Erbakan devient vice-Premier ministre; il est l'un des tout premiers responsables de cette mouvance dans le monde à exercer des responsabilités gouvernementales. Durant les années 1980, il tire bénéfice de l'expansion islamiste qui se déploie alors partout, même s'il lui faut partager les dividendes de celle-ci avec l'homme politique qui imprime sa marque sur le pays, Turgut Özal, Premier ministre puis président, et issu lui-même d'un milieu religieux. Son nouveau parti, le Refah — dont le nom, adéquatement choisi, signifie « prospérité » —, vise à faire participer à l'ouverture capitaliste et à l'emballement

économique de ces années la petite-bourgeoisie
pieuse descendue des plateaux d'Anatolie vers les
centres urbains. Parallèlement au parti, se constitue
une classe d'intellectuels islamistes originaux, en
dialogue permanent avec les courants divers de la
pensée occidentale. Pendant la décennie 1990, Erbakan, qui a construit des réseaux et des relais puissants dans la diaspora turque immigrée en Europe
de l'Ouest, saura élargir son audience de manière
significative : il attirera plus d'un votant sur cinq aux
élections législatives de 1995, qui feront du Refah le
plus important parti représenté au Parlement.
Celui-ci bénéficie des divisions de la droite
« laïque », mais parvient surtout à fédérer alors, sur
son slogan d'« ordre juste » *(adil düzen)*, outre les
classes moyennes pieuses et les intellectuels islamistes déjà acquis, la jeunesse urbaine pauvre des
gecekondu, ces quartiers informels « construits la
nuit » pour échapper à la démolition. En accédant
au pouvoir à l'été 1996, à la tête d'une coalition parlementaire, le Refah est confronté, avant tous les
autres partis islamistes du monde là encore, à une
véritable contrainte démocratique — à laquelle ne
résistera pas l'alliance entre les diverses composantes de son électorat, que la pression hostile des
militaires poussera à l'éclatement. Contrairement à
l'attente de beaucoup d'observateurs, le « coup
d'État postmoderne » par lequel l'armée « incite »
certains députés de la coalition à retirer leur soutien
à M. Erbakan afin de faire tomber son cabinet en
juin 1997, puis la dissolution du parti pour « menées
antilaïques » quelques mois plus tard ne suscitent
pas la révolte des *gecekondu* et la radicalisation violente de la jeunesse urbaine pauvre : elle a en effet
été négligée par le Refah au pouvoir, au profit des
classes moyennes pieuses. Seules celles-ci donne-

ront leurs suffrages à son successeur le Fazilet
(« vertu ») en avril 1999. En perdant l'attrait qu'il
avait su exercer sur des groupes sociaux hétérogènes
fédérés par l'idéologie islamiste, le parti se banalise
dans le paysage politique turc et devient l'expression
des intérêts d'un seul segment de la société — en
concurrence dans ce domaine avec l'extrême droite
nationaliste, grande bénéficiaire de l'affaiblissement
du Fazilet en 1999.

Lorsqu'il fonda le Parti de l'Ordre National (*Milli
Nizam Partisi*, MNP) le 26 janvier 1970 [1], Necmettin
Erbakan [2] avait derrière lui une formation d'ingénieur, comme beaucoup d'islamistes éminents, et
dirigeait la branche industrielle de l'Union des
chambres de commerce turque. Transfuge du Parti
de la Justice, une formation de droite où se retrouvaient beaucoup de militants issus du monde religieux et peu attirés par le laïcisme officiel instauré
par Atatürk, il venait de se faire élire comme député
indépendant à Konya, une ville d'Anatolie centrale,
bastion du conservatisme et foyer traditionnel du
confrérisme religieux — interdit en 1925 par le fondateur de la République. Lui-même était disciple du
cheikh de l'une de ces confréries [3]. Son programme
avait un double caractère « technocratique » et islamiste : adepte de l'industrialisation, il manifestait
une forte hostilité à l'Occident, notamment à la
Communauté économique européenne, en qui il
voyait l'expression de la trinité maudite du courant
islamiste, les francs-maçons, les juifs et les sionistes [4], et se déclarait favorable aux valeurs
d'« ordre » dans lesquelles il synthétisait le conservatisme moral de la religion et la défense des hiérarchies sociales propre à la droite. La cible de son
discours était alors surtout le petit entrepreneur
anatolien soucieux de moderniser son affaire,

d'avoir accès à la technologie et au capital bancaire monopolisés par les bourgeois cosmopolites et laïques d'Istanbul ou d'Izmir. Le MNP de M. Erbakan se distinguait des partis de droite faisant fond sur le sentiment religieux, comme le Parti de la Justice de M. Demirel, car il ne cherchait pas à annexer celui-ci pour renforcer un nationalisme conservateur, mais faisait de l'appartenance à l'islam la quintessence de l'identité turque. Il s'agissait bien d'un islam proche de celui des Frères musulmans égyptiens ou de la *jama'at-e islami* pakistanaise, mais dans le cadre contraignant de la laïcité d'État turque, il ne pouvait s'exprimer comme tel — sauf à encourir une répression immédiate. Du reste, lorsque l'armée effectua un coup d'État, en mars 1971, le Conseil constitutionnel bannit le MNP, le 20 mai suivant, pour infraction au caractère laïque de la République — la première des trois dissolutions que subiront les partis fondés sous l'égide de M. Erbakan. Le 11 octobre 1972, il renaissait sous le nom de Parti du Salut National *(Milli Selamet Partisi, MSP)* [5]. Un an plus tard, lors des élections législatives d'octobre 1973, il obtenait presque 12 % des suffrages, devenant le partenaire obligé de toute coalition pour fournir une majorité aux deux grands partis rivaux de la chambre, le Parti Républicain du Peuple (social-démocrate), dirigé par M. Ecevit, et le Parti de la Justice de M. Demirel. Obtenant sa meilleure implantation dans les villes de province où les guildes d'artisans et de commerçants traditionnelles étaient puissantes [6], le parti se fit, une fois au gouvernement, le défenseur privilégié des intérêts catégoriels de ce milieu. Pour prix de ses quarante-neuf députés, M. Erbakan, entre 1974 et 1978, devint successivement vice-Premier ministre de M. Ecevit, puis de M. Demirel — manifestant une indifférence relative à la couleur politique de son partenaire au pouvoir[7], et beaucoup d'intérêt pour le contrôle de ministères de « proximité » confiés au MSP (Justice, Intérieur, Commerce, Agriculture, Industrie) qui lui permirent de nommer dans tous les rangs des administrations concernées des partisans sûrs dont l'influence se ferait sentir à long terme[8]. Il obtint également que les élèves des « lycées pour imams et prédicateurs » *(Imam Hatip lisesi)* reçoivent l'équivalence avec ceux des lycées séculiers au terme de leur scolarité, et puissent entrer à l'Université, une mesure qui devait grandement contribuer à former une élite islamiste intellectuelle dans les décennies suivantes[9]. Avec ses deux mots d'ordre d'« industrie lourde[10] » et de « morale et spiritualité », le MSP exprimait les aspirations d'un milieu religieux à prendre en main le processus de modernisation du pays. Les ministres appartenant au parti s'efforcèrent de lutter, dans le cadre de leurs attributions, contre « l'occidentalisation », censurant les films qu'ils jugeaient « obscènes », restreignant la vente de bière, et ouvrant des salles de prière dans leurs administrations.

L'instabilité parlementaire à la fin de la décennie, qui se traduisit par un gouvernement faible et une exacerbation de la violence provenant de l'extrême droite comme de l'extrême gauche, causant quelque vingt morts par jour, aboutit au troisième coup d'État militaire de l'histoire turque moderne, le 12 septembre 1980[11]. La mouvance islamiste n'avait pas été exempte d'une certaine radicalisation, dans un contexte de turbulences intérieures et au moment où triomphait la révolution iranienne. Six jours avant le coup d'État, à Konya, dans un meeting du MSP consacré à la « libération de Jérusalem », on avait réclamé le retour à la *chari'a*, refusé de se lever pendant l'hymne national, et brandi des banderoles rédigées en arabe, autant de « blasphèmes » par rapport à l'idéologie kémaliste que les généraux invoquèrent pour justifier leur intervention. Comme les autres partis, le MSP fut dissous, et ses dirigeants (avec 723 des hommes politiques les plus en vue) privés de leurs droits civiques. Arrêté, puis jugé en avril 1981, M. Erbakan fut relâché en juillet.

Le troisième avatar du parti islamiste turc — le Parti de la Prospérité *(Refah Partisi)* ne voit le jour que le 19 juillet 1983, et M. Erbakan n'est officiellement porté à sa tête qu'en octobre 1987, lorsque le bannissement des anciens dirigeants politiques des années 1970 est levé par référendum.

C'est pourtant durant la première moitié de la décennie 1980, quand l'appareil du parti islamiste était le plus faible, que se produisirent les mutations majeures qui aboutiront à terme au succès passager du Refah. Elles feront aussi l'originalité de l'islamisme turc et faciliteront la pénétration d'idéaux démocratiques parmi bon nombre de ses adeptes. Comme ses pareils dans les autres pays, le mouvement bénéficia de l'expansion caractéristique de ces années, en subit les contradictions, mais il parvint à les surmonter en évitant la dérive violente qui marquerait ailleurs la dernière décennie du siècle, au prix de la perte d'une partie de sa substance doctrinale. Une tendance radicale vit pourtant le jour, en Turquie aussi, au tournant des années 1980, parmi certains militants fascinés par la révolution iranienne ou des groupes extrémistes arabes [12]. Valorisés par l'importance qu'accordèrent les généraux auteurs du coup d'État au « danger islamiste », ces militants se développèrent surtout à l'Université. Le champ de la contestation leur y était largement dégagé par la répression impitoyable qui s'abattit sur les étudiants activistes d'extrême gauche et d'extrême droite autrefois dominants, et principaux responsables du climat de violence de la fin des années 1970. Mais ce radicalisme islamiste estudiantin ne parvint pas à s'implanter dans la société et à mobiliser la jeunesse urbaine pauvre — contrairement à l'Égypte ou à l'Algérie. En effet, le domaine de l'islam politique fut largement investi, tandis que le parti Refah restait encore embryonnaire, par de nombreux acteurs issus de la société civile, ce qui favorisa l'émergence d'intellectuels islamistes autonomes. Ils étaient plus préoccupés de trouver leur place dans un système pluraliste et en pleine libéralisation, de définir leur rôle dans un État laïque, que de promouvoir une dynamique d'alliance révolutionnaire entre classes sociales pour abattre le pouvoir impie et édifier sur ses ruines l'État islamique. De plus, en l'absence d'un parti islamiste organisé, une bonne part des sympathisants de ce courant se retrouvèrent dans le Parti de la Mère Patrie (*Anavatan Partisi*, ANAP), créé en mai 1983 par M. Turgut Özal, et qui remporta une victoire sans appel aux premières élections organisées après le coup d'État militaire, en novembre suivant[13]. Cette formation se plaçait dans la continuité du centre-droit qu'avait incarné M. Demirel pendant la décennie précédente, et attira les suffrages des classes moyennes pieuses d'Anatolie, séduites par la réputation de piété de M. Özal, dont le frère, Korkut Özal, était très lié au monde des confréries[14]. Simultanément, il avait fourni aux généraux kémalistes assez de garanties pour qu'ils l'autorisent à concourir aux élections, et il offrait un programme de gouvernement qui faisait la part belle au libéralisme, économique et politique, présenté comme la seule solution apte à sortir la Turquie de l'impasse. Le patronat et les jeunes actifs

éduqués ouverts sur l'étranger apprécièrent un propos qui valorisait l'économie de marché, le rapprochement avec l'Europe de l'Ouest, et la promesse
du retour aux libertés publiques. L'Anap parvint
ainsi à fondre dans un mélange inédit des sensibilités diverses, ouvrant aux classes moyennes pieuses
une possibilité d'accès aux cercles du pouvoir et au
monde moderne, qui les intégrait au système politique dominant, rendant ainsi difficile la formation
d'un large mouvement islamiste en dissidence
ouverte avec l'ordre établi.

Dans le même temps, l'état-major militaire a cherché à prendre des mesures pour renforcer le
contrôle de l'État sur l'expression de l'islam. En
1982, les généraux au pouvoir rendirent obligatoire
l'enseignement religieux à l'école publique. Dans
leur esprit, il s'agissait d'offrir aux jeunes une formation exempte de toute influence « fanatique » ou
« extrémiste [15] », et le général Évren, chef du Conseil
National de Sécurité, incita les parents à y envoyer
leurs enfants, au lieu de recourir à des cours de
Coran « illégaux », dont les promoteurs furent réprimés [16]. Cette mesure s'apparentait à celles que
prirent à la même époque de nombreux dirigeants
de pays musulmans, soucieux de contrôler et prévenir l'expansion islamiste des années 1980. Elle eut
en Turquie des résultats aussi ambigus qu'ailleurs :
le personnel religieux qui encadra cet enseignement
« moderne » de l'islam avait été dans une large
mesure recruté dans des administrations coiffées
par les ministres appartenant au MSP de M. Erbakan, pendant la seconde moitié des années 1970 [17].

Un autre facteur d'incorporation des classes
moyennes pieuses à l'État issu du coup de septembre 1980 vint d'un mouvement original, la Synthèse Turco-Islamique *(Türk Islam Sentezi, TIS)*, qui

contribua à brouiller le discours islamiste. À l'origine, le TIS représentait un groupe d'intellectuels
conservateurs qui cherchaient à disputer aux intellectuels de gauche leur suprématie à l'Université ou
dans la presse pendant les années 1970 [18], et voyaient
la culture islamique comme un complément moral
nécessaire aux valeurs d'ordre incarnées par le
nationalisme turc. Bête noire des militants laïques
qui lui imputèrent les progrès de l'islam politique
pendant le quart de siècle écoulé, et le tenaient pour
un complot des secteurs les plus réactionnaires du
pouvoir destiné à affaiblir les forces progressistes, le
TIS était de fait influent parmi les fauteurs du coup
d'État. Il assura la liaison doctrinale entre certains
de ceux-ci et l'Anap de M. Özal qui remporterait les
élections de 1983. Son existence même, et l'attrait
qu'il exerçait sur des intellectuels proches des idées
islamistes, contribuèrent à « embourgeoiser » le discours de beaucoup d'entre eux. Comme en Jordanie,
où le régime avait su attirer sélectivement des idéologues issus des Frères musulmans, qui perdaient
ensuite toute velléité radicale et ne se préoccupaient
plus d'enflammer la jeunesse urbaine pauvre, la Turquie des années 1980 offrit des possibilités d'emploi,
d'ascension sociale et des bribes de pouvoir aux
« contre-élites » appartenant à la mouvance islamiste au sens large. Cela fut facilité par le passage, à
cette époque précisément, de l'économie administrée au libéralisme, sous la houlette de M. Özal,
tournant accompagné d'une liberté d'expression
exceptionnelle par rapport aux autres pays du
monde musulman. Un véritable marché des idées,
concurrentiel et capitaliste, vit alors le jour en Turquie, aboutissant à la multiplication des media
écrits et audiovisuels privés dans les années 1990 [19].
Ce marché fournit des emplois à beaucoup d'intel-

lectuels islamistes, à travers les organes que leur courant contrôlait. Il devait aussi contribuer à banaliser leur discours, en le contraignant à la concurrence avec d'autres dans des media qui dépendaient financièrement des annonceurs, et avaient tendance à gommer les aspérités extrémistes de tout propos qui risquerait de faire fuir des téléspectateurs ou des lecteurs, diminuant d'autant les ressources publicitaires.

Ces « contre-élites » islamistes des années 1980, incarnées par les figures de l'ingénieur barbu et de l'étudiante voilée[20], manifestaient l'arrivée en force, dans le monde urbain et éduqué, des enfants des ruraux qui avaient émigré d'Anatolie à partir de la décennie précédente. Ils introduisaient, dans l'univers du savoir et de la ville, réglé jusqu'alors par les codes sociaux occidentalisés imposés par Atatürk, la culture et les modes de vie islamiques transmis par les confréries et les associations religieuses. Un phénomène semblable se produisait dans les autres pays musulmans, mais le libéralisme politique et économique de la Turquie d'alors leur offrit des possibilités importantes de reconnaissance sociale, en même temps qu'elle les exposa à la laïcité dominante.

Dès lors, ce milieu fut soumis à une tension entre « pragmatistes » et « doctrinaires » : les premiers fleurirent tant que la vie politique turque fut dominée par M. Özal (Premier ministre jusqu'en 1989, puis président de la République jusqu'à son décès, en avril 1993). Les seconds accompagnèrent la montée en puissance du troisième parti de M. Erbakan, le Refah, dont les succès des années 1990 suivirent la baisse de popularité de l'Anap, à qui la mort de son fondateur causa un dommage majeur, et laissa le champ libre à l'expansion du parti islamiste.

À sa création, en 1983, le Refah n'est pas autorisé

à présenter des candidats au Parlement. En dépit d'une progression régulière[21], il restera, entre 1984 et 1991, en dessous de 10 % des suffrages. Cette année-là une alliance avec les nationalistes d'extrême droite lui permet de passer cette barre, nécessaire pour obtenir des élus à l'Assemblée, même si son propre contingent de voix ne dépasse guère ce niveau — qui le ramène aux meilleurs résultats de son prédécesseur, le MSP, en 1973 (11,3 %). Ce n'est qu'après la disparition de M. Özal qu'il fait un bond en avant : avec 19 % des voix aux élections municipales de mars 1994, il double quasiment son score, et remporte des victoires riches en symbole en s'emparant des mairies d'Istanbul et d'Ankara, ainsi que de 325 autres. Le 24 décembre 1995, avec plus de 21 % des voix aux élections législatives, le parti islamiste arrive en tête pour la première fois de l'histoire de la République turque moderne. En cette veille de Noël, l'heure est à la consternation dans le camp laïque : pourtant, la première place du Refah doit d'abord être attribuée à la division de la droite turque, dont les deux partis recueillent chacun un peu moins de 20 % des voix[22].

Le doublement des suffrages dont bénéficie le Refah en 1994-95 est un phénomène important (même si son ampleur n'est pas comparable au raz de marée électoral du FIS en Algérie lors des municipales de juin 1990 ou du premier tour des législatives de décembre 1991)[23] : il attire alors une masse de nouveaux électeurs par rapport à son réservoir de voix traditionnel dans les classes moyennes pieuses d'Anatolie. Il bénéficie de l'effet d'aubaine causé par le déclin de l'Anap, dont l'ultra-libéralisme s'est traduit, au terme de la décennie 1980 qu'il a dominée, en corruption généralisée et en une inflation exponentielle qui ronge les revenus des salariés. Mais dès le milieu de cette décennie, une tension s'était manifestée autour de l'expansion islamique : le pouvoir avait laissé faire — ou encouragé — la progression du nombre de mosquées, de cours de Coran, etc., avec l'ambition de contrôler et d'encadrer le phénomène. Or celui-ci s'exprima, dans un certain nombre de cas, de manière conflictuelle, rompant le consensus entre religieux et militaire que M. Özal garantissait, et promouvant des stratégies d'affrontement et de rupture dont le parti islamiste se fit le héraut.

En 1986, le Conseil supérieur de l'Éducation, organisme d'État, refusa aux étudiantes voilées l'accès aux campus, une décision qui causa des manifestations organisées en janvier 1987 par les amis de M. Erbakan à Istanbul et à Konya. L'agitation autour de ce thème créa des problèmes au sein du pouvoir, où M. Özal, favorable au libre port du « turban », fut contraint de reculer sous la pression des généraux, puis d'exclure les principaux représentants de la tendance islamiste de l'Anap en juillet suivant. En 1989, le voile fut interdit à l'Université par le Conseil constitutionnel, qui conclut son arrêt en notant que « la République et la démocratie sont l'antithèse du régime de la *chari'a*[24] ». La volonté gouvernementale de favoriser un islam « encadré » se heurtait ainsi à l'action de militants qui cherchaient à pousser leur avantage en conquérant des positions de pouvoir symbolique, bousculant les normes de la laïcité telles qu'Atatürk les avait établies, et dont le commandement militaire s'estimait le garant ultime. Comme en France, où la première grande affaire du voile à l'école eut lieu aussi en 1989, le discours islamiste maniait simultanément deux registres. Aux adeptes, le port du voile était présenté comme une obligation coranique à laquelle les bonnes musulmanes devaient se soumettre. À

destination de l'opinion publique, cette revendication était dépeinte comme une liberté individuelle
fondamentale, un « droit de l'homme » (ou de la
femme)[25] que le laïcisme autoritaire déniait à des
élèves ou des étudiantes qui devaient pouvoir être
libres de suivre les injonctions de la *chari'a*.

Contrairement à la plupart des autres pays du
monde musulman, où l'État avait accepté ou encouragé le port du voile à l'Université et à l'école, concé-
dant le domaine social et religieux à la mouvance
islamiste afin de conserver la politique sous son
contrôle exclusif, l'État turc tenait à maintenir son
emprise sur l'éthique publique[26]. C'est sur ce front
que fut établi le champ de bataille symbolique principal entre laïques et islamistes : il s'y déroula une
guerre de tranchées, où les avancées étaient suivies
de reculs, sans victoire décisive d'un camp ou de
l'autre, mais où nul ne pouvait se permettre de cesser le combat, sous peine de perdre la face. Les per-
cées réelles se produisirent dans les secteurs
économique et social — où l'État fondé par Atatürk
avait connu ses faillites les plus importantes.

Le passage au marché sous l'égide de M. Özal,
après des décennies d'économie dirigée, coïncida
avec la venue dans les grandes métropoles d'entrepreneurs des petites villes d'Anatolie, tandis que la
première génération des ingénieurs pieux issus de ce
même milieu et diplômés dans les années 1970 arrivait à l'âge de prendre d'importantes responsabilités
professionnelles. La privatisation et le libéralisme
leur offrirent soudain des possibilités de business
inouïes, dans de nombreux domaines[27]. L'un des
plus rémunérateurs fut la péninsule Arabique riche
de l'argent du pétrole — à la fois débouché pour les
produits turcs exportés, et source de capitaux que
Saoudiens ou Koweïtiens investirent dans un mar-

ché turc en pleine expansion. Des banques et sociétés d'investissement islamiques furent alors créées en joint-ventures[28]. Vu de Riyad, l'appui à une bourgeoisie pieuse émergente en Turquie s'inscrivait dans une stratégie politique globale de soutien à ce groupe social à travers le monde. C'était aussi une aubaine économique dont profitèrent des hommes d'affaires proches de l'Anap de M. Özal (dont son frère) comme du bien nommé Parti de la Prospérité de M. Erbakan. Ce secteur nouveau permit également à de nombreux entrepreneurs pieux anatoliens d'avoir accès au prêt bancaire (sans intérêt, selon le système islamique) dont ils avaient été tenus à l'écart par les grandes banques conventionnelles du pays. En 1990, ils fondèrent leur propre chambre patronale, le Müsiad[29], opposée à la confédération du patronat turc, le Tüsiad, que dominaient les principaux capitalistes d'Istanbul. Elle tenait à la fois d'un regroupement de PME et d'un lobby à coloration islamiste. Ses adhérents avaient créé cette structure d'entraide pour défendre leurs intérêts spécifiques face à la « bourgeoisie laïque », sur les plans commercial comme culturel. La dimension idéologique y était très présente — le Müsiad se réclamait d'un « marché commun musulman » opposé au « club chrétien » de la CEE — mais elle se combinait toujours avec une attitude pro-*business* : grâce à cette organisation, ses membres espéraient défendre et étendre au mieux leurs parts de marché. Combinant éthique islamique et esprit du capitalisme, ils aspiraient à entrer un jour dans l'establishment économique turc — d'où leurs origines modestes et régionales ainsi que leur mode de vie « rétrograde » les tenaient éloignés —, à s'enrichir, à faire montre d'habitudes de consommation somptuaire, sans déroger toutefois aux normes reli-

gieuses. Les plus « branchés » d'entre eux
fréquentent un hôtel de luxe situé au bord de la mer,
portant le nom (français) de *Caprice*, où cette bourgeoisie barbue et voilée passe des vacances familiales « licites », se baigne sur des plages pratiquant
la ségrégation des sexes, porte le « maillot de bain
islamique », et règle des additions salées au restau-
rant gastronomique *halal*, tout en discutant affaires
dans la salle de musculation. Par-delà l'anecdote
(qui rappelle des situations comparables dans le
monde du judaïsme orthodoxe riche), on touche à
l'ambiguïté de l'investissement de la bourgeoisie
pieuse dans le mouvement islamiste : doit-on lutter
pour l'État islamique et l'application de la *chari'a*, en
entraînant dans ce combat la jeunesse urbaine
pauvre, ou négocier une ascension sociale dans le
cadre de l'ordre établi, mêlant pression sur l'État et
compromis avec lui ? Les intellectuels islamistes
turcs transfuges de la gauche ou nourris du tiers-
mondisme qui avait fait les beaux jours de la révolution iranienne ont brocardé sans tendresse la « *high
society* voilée » et le Müsiad, accusés de toutes les
compromissions pour faire du profit. L'une des
figures de proue de ce courant, Ali Bulaç, qui appré-
hende la division des croyants entre « musulmans
pauvres » et « musulmans riches », incrimine ces
derniers en ces termes : « Afin de concilier votre
recherche de performances [économiques] avec vos
références [religieuses], [...] vous devriez lire
d'autres livres que le Livre Saint. Inutile de remonter
quinze siècles, il suffit d'en remonter un, et de feuil-
leter les ouvrages de cette période, dont le principal
— malheureusement écrit par un Juif — s'intitule *Le
Capital* : il y est question d'exploitation et de lutte
des classes[30]. »

Cette bourgeoisie pieuse aux aspirations politiques confuses, liée à l'Anap de M. Özal comme au Refah de M. Erbakan, bascula vers celui-ci après la mort du premier en 1993, anticipant et favorisant un succès politique islamiste dont elle escomptait un retour sur investissement élevé. En effet, le Parti de la Prospérité paraissait pouvoir gagner les élections : il sut récupérer à cette époque le désenchantement des couches populaires urbaines qui n'avaient pas bénéficié du libéralisme économique débridé des années 1980, et se montrait capable de les encadrer. Il obtiendrait leurs suffrages — qui faciliteraient sa victoire — et canaliserait leur mécontentement, évitant tout débordement. Pareil calcul plaidait en faveur d'un soutien massif des « capitalistes verts » au Refah. Ses campagnes des années 1990, de fait, ne manquèrent pas de moyens. Son organisation efficace s'appuyait sur les nombreux cadres qui avaient été recrutés dans les administrations depuis l'époque des ministres MSP, sur les municipalités d'Anatolie que contrôlait le parti depuis 1989, et sur les facilités dont il disposait après avoir obtenu quarante sièges au Parlement en octobre 1991. En outre, il recourut aux services payants d'une agence de communication pour « relooker », à la télévision, son image, dont le caractère par trop « anatolien » et rétrograde pouvait rebuter des électeurs potentiels « modernes » et urbains[31]. Il sut ainsi rendre attractif son slogan « Ordre juste », qui venait à point nommé pour attirer les suffrages de ceux qui trouvaient « injuste » la nouvelle répartition de la richesse résultant du triomphe du capitalisme pendant les années Özal. Contrairement aux autres partis frappés par la crise du militantisme, le Refah déploya enfin un activisme électoral à la base parfaitement rôdé. Il mêlait le porte-à-porte et la saisie informatique des préférences de chaque électeur, ciblant et « travaillant » les tièdes jusqu'à obtenir une promesse de voix, les relançant par téléphone[32], quadrillant chaque rue des circonscriptions à conquérir. Contrairement au MSP des années 1970, le Refah ne fit pas campagne pour les municipales de 1994 et les législatives de 1995 sur l'exacerbation de l'identité islamique — car cela aurait réduit son impact — mais, considérant comme acquis son réservoir de voix dans l'électorat pieux (quelque 10 % des suffrages), il centra son message sur des enjeux sociaux et économiques. Cela lui permit de conquérir une marge appréciable de 10 % d'électeurs supplémentaires qui, sans être hostiles aux islamistes, ne se définissaient pas *a priori* comme tels[33], et appartenaient notamment aux couches jeunes et populaires[34].

Grâce aux succès qu'il remporta à ces deux élections, le parti de M. Erbakan parvint à rassembler, en apparence, les trois composantes d'un mouvement islamiste à même de conquérir le pouvoir : bourgeoisie pieuse, jeunesse urbaine pauvre et intelligentsia militante. Il attira même des groupes sociaux séduits par ses promesses de changement, sans se reconnaître dans l'idéologie religieuse, et obtint la première place aux élections législatives de décembre 1995. Pourtant, il ne totalisa guère qu'un gros cinquième des voix, et son chef dut patienter six mois pour devenir Premier ministre. Loin de toute marche triomphante vers l'État islamique et la *chari'a*, il lui fallut passer par les contorsions et les compromis politiciens[35] d'une coalition parlementaire, comme pour rappeler que plus des trois quarts des Turcs ne lui avaient pas donné leur suffrage.

Les onze mois que dura la coalition entre le Refah et le Parti de la Juste Voie (centre-droit) de Mme Ciller furent l'occasion d'une mise à l'épreuve redoutable pour le parti islamiste. Son échec final dut beaucoup aux pressions exercées par la hiérarchie militaire et l'establishment politique. Il fut aussi le résultat des contradictions insurmontables entre le projet islamiste et la réalité de la gestion gouvernementale d'un État démocratique lié à l'Occident, sanctionnées par le désenchantement de la base électorale du parti. Contrairement à l'armée algérienne, qui interrompit brutalement les élections qu'allait gagner le FIS en janvier 1992, l'armée turque — auteur pourtant à trois reprises, en 1960, 1971 et 1980, d'un coup d'État — n'eut pas besoin d'intervenir par la force pour mettre un terme à l'expérience au pouvoir d'un mouvement islamiste qui s'y piégea lui-même.

Lorsque le gouvernement de coalition fut formé à la fin de juin 1996, le Refah retrouva, outre le poste de Premier ministre, la plupart des « ministères de proximité » que son prédécesseur le MSP avait détenus dans les coalitions des années 1970[36]. Certains d'entre eux lui permirent de prolonger sans obstacle, avec les moyens de l'État, la mobilisation et l'encadrement de la société qu'il avait entrepris à travers son réseau d'associations caritatives et les municipalités qu'il contrôlait. Mais d'autres, tels la Justice et la Culture, furent le lieu de contradictions intenables entre le programme d'islamisation et la laïcité des institutions. Au plan des symboles, le projet d'édifier une grande mosquée au milieu de la place Taksim à Istanbul, centre du quartier moderne auquel était attaché l'héritage d'Atatürk, et de réaffecter au culte musulman la basilique byzantine Sainte-Sophie (devenue un musée à l'époque républicaine, après avoir été transformée en mosquée à la conquête ottomane en 1453) polarisa les oppositions au Refah de la majorité de l'électorat, plus qu'elle n'enthousiasma le gros cinquième des Turcs qui avaient voté pour lui. En politique étrangère[37], le parti, qui avait dénoncé, avant son arrivée au pouvoir, l'alliance militaire avec Israël et promis de la révoquer, ne put y parvenir, et M. Erbakan dut ratifier, en sa qualité de Premier ministre, des accords entre l'industrie militaire des deux pays. Mis sur la sellette par les dirigeants des autres pays musulmans à ce sujet, il n'eut d'autre réponse que le propos attribué au Prophète de l'islam : « Allez chercher le savoir [en l'occurrence la technologie militaire] où que vous le trouviez. » Soucieux de reprendre l'initiative à l'extérieur, et cherchant dans le monde musulman des appuis face à la hiérarchie militaire turque, M. Erbakan entreprit deux tournées qui avaient pour objectif explicite de créer une sorte de « marché commun islamique », reprenant par la même occasion une revendication des petits patrons pieux du Müsiad, dont une forte délégation l'accompagna de l'Iran à l'Indonésie et du Nigeria à l'Égypte et la Libye. Ces voyages, teintés de nostalgie ottomane, et destinés à faire de M. Erbakan le « leader de tout le monde islamique », ne firent qu'affaiblir politiquement le Premier ministre — sommé de s'expliquer à Téhéran sur les relations turco-israéliennes, sèchement remis en place par M. Moubarak lorsqu'il plaida auprès de lui la cause des Frères musulmans égyptiens, et chapitré sous la tente par le colonel Kadhafi qui fit l'éloge du parti kurde PKK, en guerre contre Ankara, et réclama l'indépendance du Kurdistan.

Le cinquième congrès du Refah, qui se tint dans la semaine suivant le fiasco en Libye, exprima la fragilité idéologique du parti : alors qu'il aurait dû célébrer en triomphe la conquête tant attendue du pouvoir, et proclamer haut et fort les professions de foi islamistes et la critique de la laïcité qui avaient constitué le fonds de M. Erbakan depuis son entrée en politique en 1970, les délégués, rassemblés devant un immense portrait d'Atatürk, entendirent leur chef et Premier ministre faire l'éloge du fondateur de la République et présenter le Refah comme son plus fidèle héritier. Destiné à séduire l'establishment laïque, la hiérarchie militaire et à accroître la pénétration du parti dans les trois quarts de l'électorat qui n'avaient pas voté pour lui, pareil discours ne pouvait que décontenancer les militants, habitués à une tout autre rhétorique.

Ainsi, le 31 janvier 1997, le maire Refah de Sincan, une banlieue d'Ankara peuplée de migrants venus d'Anatolie, organisa une célébration de la Journée de Jérusalem où des jeunes jouèrent l'*Intifada*, tandis qu'étaient vilipendés Arafat, Israël et tous ceux qui signaient des accords avec l'État hébreu, et que les slogans et banderoles réclamaient l'application de la *chari'a* — en présence de l'ambassadeur d'Iran, qui prit la parole dans le même sens. Le lendemain, l'armée envoya les chars dans les rues de l'agglomération. L'ambassadeur de Téhéran fut expulsé, et le maire incarcéré : la visite que lui rendit, en prison, le ministre Refah de la Justice ne fit qu'aggraver la tension. Le 28 février suivant, une réunion du Conseil national de Sécurité, où étaient représentés l'état-major militaire et le gouvernement, prit une série de mesures opposées à la « réaction » *(Irtica)*, incriminant explicitement des initiatives des élus du Refah, y compris du Premier ministre[38]. Celui-ci fut contraint d'y apposer sa signature, et dut affronter les critiques d'une partie des militants. Du côté des couches urbaines sécularisées, le parti ne parvint pas à vaincre la méfiance qu'il avait pourtant tenté de dissiper. Ce même mois de février 1997, à l'initiative d'ONG laïques, de très nombreux Turcs éteignirent leurs lumières et sortirent dans la rue avec des bougies allumées, tous les soirs à 21 heures, sur le thème « Une minute d'obscurité pour un avenir lumineux ». Des remarques hostiles du ministre de la Justice en firent la cible des protestataires, qui dénonçaient ses velléités de rechercher dans la *chari'a* l'inspiration de la réforme de la Justice. Et, en mars, à l'occasion de la Coupe de Football du Premier ministre, M. Erbakan fut hué par la foule des spectateurs au cri de « Laïcité ! » — un signe que le public des stades, mobilisé en d'autres pays, comme l'Algérie des années FIS, derrière la cause islamiste, échappait au contrôle du Refah.

En mai 1997, le conflit s'aggrava avec l'expulsion des rangs de l'armée de plus de cent soixante officiers et sous-officiers soupçonnés de sympathies islamistes, et une controverse autour des lycées pour imams et prédicateurs, qui fournissaient les gros bataillons des cadres du parti. Parmi les mesures prises par le Conseil national de Sécurité figurait l'extension de l'éducation publique obligatoire de cinq à huit années, c'est-à-dire du niveau du certificat d'études primaires jusqu'au brevet des collèges. Par-delà l'amélioration du niveau scolaire en général, cette décision visait les classes de collège des *Imam hatip lisesi*, supprimées et réintégrées dans le tronc commun. La formation proprement islamique serait donc réduite à trois ans au lieu de six, et un *numerus clausus* serait appliqué, afin de diminuer sensiblement le nombre de leurs élèves. Les militants du Refah manifestèrent au cri de « Touche pas à mes écoles religieuses ! » (comme en écho au « Touche pas à mon pote ! » français des années 1980, un slogan destiné à mobiliser la société civile par-delà les rangs des seuls adeptes). Mais leur combat n'eut guère d'écho dans celle-ci, car il apparaissait comme dirigé contre l'élévation de l'âge de la scolarité obligatoire, et parut rétrograde.

Ramené à sa seule base dans l'électorat pieux, le parti islamiste vit aussi son magistère disputé dans ce milieu : Fethullah Gülen, dirigeant de l'une des plus importantes associations islamiques turques, à la tête d'un vaste réseau d'écoles privées, d'une chaîne de télévision et de nombreuses entreprises, appela M. Erbakan à démissionner. La pression des militaires sur divers députés et ministres du partenaire du Refah, le Parti de la Juste Voie de Mme Ciller, les amena à retirer leur appui à la coalition, tandis que le Conseil constitutionnel était saisi d'une requête concernant le Refah, accusé de violer les principes de la laïcité. Le 16 juin, le Premier ministre démissionna, dans l'espoir que Mme Ciller lui succéderait et maintiendrait la coalition inchangée. Le président de la République, M. Demirel, les prit de court tous deux en appelant le dirigeant de l'Anap, M. Yilmaz, à la tête d'une alliance de circonstance soudée par l'opposition aux islamistes et soutenue par l'armée, qui perdurerait jusqu'aux élections législatives anticipées d'avril 1999.

Le bilan du ministère Erbakan ne fut dans l'ensemble pas positif pour la mouvance islamiste en Turquie. Le Refah n'était pas parvenu à mettre en œuvre son programme d'islamisation : il se heurtait aux institutions laïques, qu'il ne pouvait attaquer de front, sauf à déclencher un processus révolutionnaire qu'il n'avait pas les moyens de contrôler, et dans lequel les classes moyennes pieuses, les petits patrons du Müsiad, ne l'auraient pas suivi. La frange radicale ne se retrouva pas dans les compromissions excessives, à ses yeux, dans lesquelles s'engageait le Premier ministre et se démobilisa. À la surprise de beaucoup, la dissolution du parti par le Conseil constitutionnel, en janvier 1998, critiquée par de nombreux démocrates qui ne virent que prétextes politiques dans les causes juridiques invoquées, ne suscita pas de protestation violente dans les rangs des militants, comme si l'échec du Refah au pouvoir valait que la page fût tournée.

En anticipation de cette décision, un quatrième avatar de parti islamiste vit le jour en décembre 1997 sous le nom de Fazilet (« vertu »). Contrairement aux trois précédents, sur lesquels M. Erbakan exerçait solidement son emprise, la nouvelle formation fut marquée par des oppositions fortes entre les « vieux turbans » qui s'identifiaient à lui, et une nouvelle génération, « réformiste », qui le jugeait comptable des échecs et prit le contrôle du parti. Celle-ci semble surtout préoccupée de favoriser l'insertion dans l'establishment turc de la classe moyenne pieuse, et a abandonné toute référence à ce que l'idéologie islamiste comporte comme symbole de rupture avec la laïcité ou l'Occident. Des femmes non voilées ont été nommées à son comité central[39], et l'une d'elles n'a pas hésité à servir de l'alcool à une réception donnée pour le parti, pas plus qu'à chanter à l'unisson avec le leader du Fazilet, M. Kutan. Les partis de M. Erbakan, par contraste, tenaient des réunions séparées pour hommes et pour femmes, n'avaient jamais promu celles-ci à des postes de responsabilité, et lui-même faisait jouer en sa présence une version de l'hymne national chantée par des chœurs exclusivement masculins. La nostalgie du califat ottoman semble également être passée de mode : contrairement au Refah qui cherchait à construire un « marché commun islamique » face à la CEE judéo-chrétienne, le Fazilet a exprimé son soutien à la demande turque d'adhésion à l'Union européenne[40]. Le port du voile lui-même est présenté comme une question de choix personnel et non plus comme un impératif religieux. Comme le « parti du Centre » *(hizb al wasat)* qu'avaient voulu créer en 1995 de jeunes Frères musulmans égyptiens réformistes, ou le Front de l'Action Islamique jordanien, le Fazilet fait de la démocratie un impératif politique premier — et a donné la priorité à la participation au pouvoir des classes moyennes pieuses dont il paraît l'émanation — au détriment de toute raideur doctrinale ou dogmatique. Comme dans les cas égyptien et jordanien, il doit tenir compte des aspirations d'un groupe social qui a changé au cours du quart de siècle écoulé, qui est beaucoup plus éduqué, dont les élites sont rodées à l'anglais et à l'informatique, et qui aspire à trouver sa place dans un environnement économique et politique libéral, où le marché et la démocratie représentent la meilleure occasion de réaliser du profit ou d'acquérir du pouvoir. Cette « contrainte démocratique » concerne au premier chef les classes moyennes qui avaient participé au mouvement islamiste, mais n'offre rien de tangible à la jeunesse urbaine pauvre : elle est porteuse d'un élargissement potentiel de l'assise du pouvoir, non d'une remise en cause radicale des hiérarchies sociales. En Turquie comme en Jordanie ou en Égypte, ces classes moyennes recherchent désormais une forme acceptable d'accès au système, un *modus vivendi* avec les régimes en place ou la bourgeoisie séculière. Mais cette stratégie les prive de l'alliance et du soutien de la jeunesse urbaine pauvre, qui ne perçoit rien dans ce projet démocratique et libéral qui serve ses intérêts. Or en étant privées de cet appui, les classes moyennes pieuses perdent leur plus fort atout dans la négociation avec le régime. Seules, elles n'ont plus guère de capacité de nuisance — du point de vue du pouvoir : celui-ci s'estime alors maître du jeu, et tend à imposer les conditions qui lui conviennent.

Ce processus — sur lequel on reviendra dans les dernières pages de ce livre — est aujourd'hui observable dans l'ensemble du monde musulman. Dans le cas turc, il a abouti au recul de la liste islamiste aux élections générales anticipées d'avril 1999. Le Fazilet a en effet perdu la première place qu'avait conquise le Refah, et est arrivé en troisième position avec moins de 15 % des suffrages (contre 21,4 % en décembre 1995)[41]. Avec le faible recul dont l'on dispose au moment où ces lignes sont écrites, il semble qu'il ait perdu des voix dans les périphéries pauvres des villes et dans les zones rurales, mais maintenu ses positions dans les quartiers de classes moyennes urbaines[42]. Et, de nouveau, une requête en dissolution du parti a été introduite devant le Conseil constitutionnel pour menées antilaïques, signe que le pouvoir souhaite imposer ses conditions en préalable à toute négociation et tirer parti de l'affaiblissement du mouvement islamiste. Dans le registre symbolique, on notera que la déprise entre celui-ci et la société s'est exprimée sans appel lors du terrible séisme qui a affecté la Turquie en août 1999 : dans le passé, pareille catastrophe naturelle avait fourni l'occasion par excellence au FIS, en Algérie, en novembre 1989, ou aux Frères musulmans, au Caire, en 1992, de manifester la force de leurs réseaux caritatifs, voire de remédier aux déficiences de l'État et se substituer à lui. Rien de tel après le tremblement de terre de Yalova : les islamistes étaient absents, et la mobilisation de la société civile pour porter secours aux sinistrés est principalement passée par des mouvements associatifs laïques, parmi lesquels s'est distingué le groupe d'alpinistes Akut.

CONCLUSION

Vers la « démocratie musulmane » ?

Le 29 décembre 1999, quelques jours après que le général Omar el Bachir, chef d'État du Soudan, eut écarté l'idéologue islamiste charismatique Hassan el Tourabi[1], « éminence grise » du régime et bête noire des États-Unis comme des régimes arabes conservateurs, le quotidien arabe de Londres *Al Qods al 'arabi* (« Jérusalem arabe ») publia un éditorial de l'une de ses plumes les plus renommées, Abdel Wahhab al Effendi. Soudanais éduqué en Angleterre, où il réside, auteur d'un ouvrage sympathisant, mais de qualité, sur l'islamisme dans son pays natal[2], il donna à son article un titre empreint d'amertume et de déception : « L'expérience soudanaise et la crise du mouvement islamique contemporain : leçons et significations[3]. » À le lire, les événements du Soudan s'inscrivent dans une longue série d'échecs du « renouveau islamique » de la fin des années 1990, qui commencent par l'Afghanistan et passent par l'éviction d'Anwar Ibrahim, le vice-Premier ministre islamiste de la Malaisie[4]. L'Afghanistan a été la plus grande victoire du mouvement à l'époque moderne, note l'auteur — qui, en bon sunnite, « oublie » la révolution iranienne — avant de devenir la suprême catastrophe dans son genre. Or, en dépit de la différence de leur contexte, les échecs afghan et soudanais ont une caractéristique commune : selon lui, tous deux sont imputables aux seuls islamistes, sans interférence de l'ennemi extérieur. À la limite, mieux vaut que le mouvement soit réprimé, comme en Égypte ou en Algérie, car il porte alors la palme du martyre. Dans les deux pays où il s'est emparé du pouvoir, l'Afghanistan et le Soudan, il a échoué dès la première épreuve : résoudre ses conflits internes de manière sereine et démocratique. Le spectacle des militants qui, une fois au pouvoir, s'incriminent les uns les autres et se trucident est douloureusement éloquent : il atteint le magistère moral dont ils se réclament, et « anéantit des années, voire des siècles, de campagnes de propagation de la foi ». Plus encore : « leurs divergences ne portent pas sur des questions religieuses, mais concernent la gloire et le pouvoir ! Or ils étaient supposés, comme musulmans véritables, ne tenir aucun compte de ceux-ci, même si pareille attitude n'avait pas abouti à diviser les rangs des croyants *[fitna]*... Et que dire quand cela mena à la ruine du pays, à la perdition des fidèles, et détourna les gens de la religion en défigurant l'image de l'islam et de ses hommes ! » L'auteur déplore que, parvenus au pouvoir, ils aient ignoré toute pratique démocratique, « bien que Banna [le fondateur des Frères musulmans] eût relevé que la démocratie parlementaire était ce qui se rapprochait le plus de l'islam ». Et, conclut-il, « si les islamistes ne parviennent pas à résoudre ce problème, ils infligeront un coup mortel aux espoirs du renouveau islamique, et feront s'abattre sur l'islam la calamité. Elle sera pire que ce qu'a pu lui faire subir la mouvance communiste ou laïciste — car eux l'atteignent dans ses organes vitaux, là où ses ennemis ne sont jamais parvenus à le toucher ».

Le spleen de ce « déçu de l'islamisme » **parmi bien**

d'autres mérite d'être relevé, eu égard à la personnalité de son auteur, et au quotidien qui l'a publié,
héraut de l'antisionisme, porte-voix habituel des
causes islamiste et nationaliste arabe radicales[5].
Par-delà le vocabulaire fortement idéologique, destiné à la consommation interne des militants et à
leur introspection, les trois facteurs de l'échec que
pointe M. Effendi recoupent ceux que nous avons
identifiés dans les pages qui précèdent : l'épuisement de l'utopie à l'épreuve du temps et du pouvoir,
le conflit entre ses diverses composantes, et la question de la démocratie. Mais là où le sympathisant ne
voit qu'affrontements de personnes, il nous paraît
que se dessine l'antagonisme social entre classes
moyennes pieuses et jeunesse urbaine pauvre.
Quand il fait de la démocratie la référence du mouvement islamiste dès l'époque de Banna — une
interprétation qui mérite discussion —, nous lisons
le souci des classes moyennes et d'une partie de
l'intelligentsia islamistes — dont l'auteur — de
rechercher une alliance avec la société civile laïque[6],
pour sortir du piège où leur logique politique les a
enfermées.

En Malaisie, autre référence de M. Effendi, où le
Wunderkind de l'islamisme local, Anwar Ibrahim, a
été traîné dans la boue après avoir été accusé
d'homosexualité par le dictateur qui l'avait élevé à la
pourpre, Mahathir Mohammed, les partisans de la
victime se sont trouvés confrontés à un dilemme du
même ordre. À l'époque de leur gloire, ils furent les
plus fervents défenseurs d'un régime autoritaire qui
les avait cooptés, choyés et enrichis[7]. Ils ne se sou-
ciaient guère de démocratie, puisqu'ils commu-
niaient dans le culte des « valeurs asiatiques »
célébré par M. Mahathir, une fumisterie qui arguait
du primat de la communauté sur l'individu en Asie

pour faire fi de la liberté, cette « valeur occidentale »
honnie. Or, en manifestant contre Mahathir, c'est
parmi les démocrates qu'ils trouvèrent leurs alliés
les plus sûrs. En témoigna, au sortir de son incarcération, l'ami d'Anwar vilipendé par la presse aux
ordres, Munawar Anees, un intellectuel islamiste
connu, autrefois grand pourfendeur des complots
multiples de l'Occident. Tiré des griffes du dictateur
musulman grâce aux pressions de défenseurs occidentaux des droits de l'homme, il en appela à un
examen de conscience sur ses anathèmes passés, à
grand renfort de citations de Thomas Jefferson[8]. Là
encore, c'est vers la société civile séculière que se
tournent les « déçus de l'islamisme » issus des
classes moyennes et de l'intelligentsia désireux de
contracter avec elle une alliance qui leur permette
de se recycler avec le minimum de pertes dans le
grand marché de la mondialisation qui s'ouvre à
l'aube du troisième millénaire.

Si les fiascos afghan ou soudanais affligent le
microcosme du « Londonistan » sunnite — comme
les intéressés eux-mêmes surnomment le monde des
réfugiés, journalistes, activistes et « financiers
verts » qui se sont fixés dans la capitale anglaise —
la faillite du projet politique de la République islamique d'Iran a donné le premier coup d'arrêt majeur
à l'enthousiasme général qui avait porté le mouvement dans son ensemble au crépuscule du vingtième siècle. Les « victoires » des islamistes sunnites
en Afghanistan et au Soudan, en effet, payés et
armés par l'Arabie Saoudite et la CIA dans un cas,
portés par un coup d'État militaro-religieux dans
l'autre, ne tenaient guère la comparaison face à la
véritable révolution qui avait eu lieu en Iran. Par-
delà la spécificité chi'ite de ce pays, elle incarnait
l'utopie islamiste au sens large. Or tout au long des

huit années de guerre contre l'Irak, un seul groupe social, le monde du bazar et des affairistes liés au pouvoir politico-religieux, a confisqué la République islamique[9]. Au détriment des anciennes élites du temps du chah, mais surtout de la jeunesse pauvre, envoyée d'abord manifester face aux baïonnettes de l'armée impériale, puis, la révolution accomplie, martyrisée en masse sur les champs de mines irakiens[10]. Selon une logique « thermidorienne », les sans-culottes de la révolution iranienne ont été éliminés des centres névralgiques du système, et payés de morale et de rigorisme religieux. À ces pauvres, ravalés de nouveau au bas de l'échelle, et à qui tout espoir d'ascension sociale avait été ôté après leur sacrifice, le régime offrit en pâture les femmes de la classe moyenne, contraintes à porter le voile — que les *pasdarans*, *bassidj* et autres gueux en battle-dress pouvaient arrêter et molester si elles se promenaient « mal voilées ». En 1989 Khomeini prononça la *fatwa* condamnant à mort Salman Rushdie. Ce ne fut qu'un gage macabre donné au radicalisme, pour masquer que la révolution avait échoué à l'exportation face au *containment* saoudien, et trahi les attentes de la masse de ses partisans, désormais nourris de symboles en lieu et place d'amélioration concrète de leur niveau de vie.

Puis tout au long de la décennie 1990, la démographie même, dont les gonflements rapides avaient tant servi la cause islamiste vingt ans plus tôt, en précipitant à la périphérie des villes des jeunes qui se soulevèrent pour elle, renversa ses effets. À l'explosion de la population a succédé une baisse régulière et rapide de la natalité, chez les nouveaux urbains confrontés à des problèmes insolubles de logement, et dont les femmes, en ayant accès au travail, sont obligées de réguler leur fécondité, en fonc-

tion des contraintes citadines. Par-delà l'idéologie
nataliste des militants islamistes, qui voient dans la
multiplication des berceaux la promesse de combattants pour les *jihads* de demain, les jeunes couples
qui vivent dans les métropoles du monde musulman
en l'an 2000 se déterminent d'abord selon leurs aspirations concrètes au mieux-être. Celles-ci passent
par une baisse de la natalité, qui substitue aux fra-
tries de sept membres et plus qui étaient encore la
norme il y a vingt ans des familles de deux ou trois
enfants[11]. Contrairement à leurs parents, pour la
plupart nés à la campagne et passés par les traumatismes de l'exode rural, ils ont vu le jour en ville. Ils
partagent la même culture écrite que leurs pères,
alors que ceux-ci, première génération alphabétisée
en masse, étaient séparés de leurs propres parents,
ruraux et illettrés, par un gouffre culturel propice
aux ruptures et à la pénétration de l'idéologie islamiste radicale. Les enfants des barbus ne croient
plus aux rêves qui peuplaient l'imaginaire de la
génération précédente, dans les années 1970. C'est
dans la République islamique, deux décennies après
la victoire de Khomeini en 1979, que ce phénomène
est aujourd'hui le plus éclatant. Le vingtième anniversaire de la révolution a vu arriver à l'âge adulte
une génération qui n'a pas connu l'époque du chah.
Elle subit un chômage massif, une morale répressive
et un ordre social figé, dominé par la hiérarchie religieuse, les Fondations qui contrôlent l'économie en
liaison avec les marchands du bazar, et l'ensemble
des profiteurs de la République islamique, opposés à
toute réforme qui saperait leur pouvoir. En 1997,
lors de l'élection présidentielle, cette jeune génération a voté sans équivoque contre le candidat de
l'establishment religieux, M. Nategh Nouri, et pour
le candidat du « changement », M. Khatami. Ce

changement s'effectue de manière graduelle : le président est lui-même issu du sérail, porte le turban, et sa marge de manœuvre reste limitée tant que les deux autres centres du pouvoir, le Parlement et le Guide de la Révolution, demeurent entre les mains du clan « conservateur » qui maîtrise une large part de l'appareil judiciaire et répressif[12]. Les élections législatives du 18 février 2000 viennent d'être remportées haut la main par les candidats réformateurs, signe indubitable que la société se prononce désormais contre l'ordre social et moral hérité de Khomeini. Les incertitudes sur les modes de transition de l'ère islamiste au « postislamisme » évoquent les débats autour du « postcommunisme » dans les sociétés anciennement soviétiques. Dans les deux cas, quelle que soit l'issue, la situation présente témoigne de l'échec éthique d'un modèle, devenu désormais un moment historiquement daté, dépassé et rejeté, et non plus une utopie porteuse d'avenir.

Pareille déconfiture dépasse les frontières de l'Iran comme du chi'isme, et atteint l'ensemble de l'idéologie islamiste, dans le monde sunnite aussi. L'article de M. Effendi que nous avons cité déplorait l'incapacité des islamistes sunnites parvenus au pouvoir à mettre en œuvre les idéaux auxquels ils souscrivaient lorsqu'ils étaient dans l'opposition, et voyait dans les mouvements réprimés par l'État plus d'authenticité. Mais leur bilan n'est guère plus fameux : ils ne sont parvenus à sortir vainqueurs ni des stratégies d'affrontement, ni des logiques de cooptation. Dans le premier cas, illustré notamment par les situations algérienne et égyptienne, la violence contre l'État prônée et appliquée par les groupes les plus radicaux, après des débuts prometteurs, s'est retournée contre ses instigateurs. Elle n'est pas parvenue à faire basculer la population

dans le soulèvement, même lorsque la cause islamiste était populaire et avait triomphé par les urnes,
comme en Algérie. Au contraire, le paroxysme qu'a
atteint la violence, stimulée par l'expérience du *jihad*
en Afghanistan, a éloigné la population d'une idéologie devenue un cauchemar sanglant. Les groupes
islamistes modérés et issus des classes moyennes
pieuses se sont trouvés en porte-à-faux, incapables
de contrôler la spirale de férocité dont ils ont parfois
été victimes. Ils n'ont pas su tenir leur rôle d'intermédiaires et de garants vis-à-vis de l'État et des puissances étrangères.

   Les États-Unis, entre 1992 et 1995, ont témoigné
de la bienveillance à divers représentants de ce courant, installés sur leur territoire, ou régulièrement
invités par des instances semi-officielles, dans le sillage de l'appui massif apporté par la CIA au *jihad* en
Afghanistan. Cette opération avait établi un vaste
réseau de relais opérationnels parmi des militants,
activistes et idéologues qui pourraient constituer des
interlocuteurs valables pour Washington, s'ils
venaient à s'emparer du pouvoir. Des universitaires
américains publièrent moult ouvrages à la gloire des
« islamistes modérés », en qui ils voyaient l'incarnation de la société civile et les meilleurs adeptes de
l'économie de marché. Des journalistes partageant
les mêmes sympathies préparèrent leurs lecteurs à
l'éventualité de victoires islamistes en Algérie et en
Égypte, qui, à leurs yeux, ne présentaient que des
avantages pour les États-Unis. À l'inverse, d'autres
universitaires et des groupes de pression d'outre-
Atlantique, souvent proches du lobby pro-israélien,
ainsi que des organes de presse dans cette obédience, s'efforçaient de démontrer que les « modérés » n'étaient que le masque souriant du terrorisme
et du fanatisme, consubstantiels, selon eux, à la

mouvance islamiste dans son intégralité [13]. Ce débat, pour médiocre qu'il fût sur le plan intellectuel, reflétait des enjeux de pouvoir et d'influence considérables : déterminer les choix de la politique américaine à l'égard des islamistes. Parmi les éléments qui firent basculer celle-ci, autour de 1995, du *benign neglect* au durcissement, figure l'extension du terrorisme d'inspiration islamiste au territoire américain. L'attentat contre le World Trade Center, avec toutes les zones d'ombre qu'il recèle encore, en représentait, à tout le moins, une manifestation spectaculaire. Dans un registre plus discret, le destin d'Anouar Haddam, « chef de la délégation parlementaire du FIS à l'étranger » et disciple de Mohammed Saïd, qui passa au GIA avant d'être exécuté sous l'« émirat » de Zitouni, témoigne aussi de ce changement. Installé aux États-Unis, interlocuteur officieux, il représenta le FIS à la conférence de Sant' Egidio, à Rome, en décembre 1994, à la place de Rabah Kébir — opportunément empêché de quitter l'Allemagne où il était réfugié. À l'époque où la conférence eut lieu, Washington favorisait encore un scénario de sortie de la crise algérienne où les islamistes joueraient un rôle central. En 1995, la spirale terroriste marquée par la « guerre contre la France », les attentats dans l'Hexagone, et les carnages en Algérie, par-delà la controverse sur l'identité de leurs responsables, rendit l'option islamiste inenvisageable, faute d'interlocuteurs qui pourraient en répondre. Washington en fit son deuil — et Anouar Haddam se retrouva incarcéré pour un motif lié à son permis de séjour (la même procédure avait été enclenchée contre le cheikh égyptien Omar Abdel Rahman).

Dans la seconde moitié de la décennie — à l'instar de M. Effendi, de M. Anees, mais aussi des Frères musulmans quadragénaires qui tentèrent de créer le parti Al Wasat en Égypte en 1995 ou des dirigeants « modérés » du Refah turc qui pilotèrent la transition vers le parti Fazilet après 1997, et de beaucoup d'autres — les plus lucides des intellectuels islamistes commencèrent à percevoir que l'idéologie politique du mouvement les menait vers une impasse. Celle-ci s'est manifestée sous diverses formes : violence incontrôlable en Algérie et en Égypte, ou inefficiente en Palestine ; conquête du pouvoir suivie de l'effondrement politique et économique du pays au Soudan et en Afghanistan ; guerre civile intraconfessionnelle au Pakistan ; cooptation par une dictature et usure du crédit moral dans la Malaisie de Mahathir et l'Indonésie de Suharto ; incapacité à gérer les contraintes du pouvoir dans une coalition gouvernementale en Turquie et en Jordanie ; sans oublier la faillite du régime iranien, à la mesure des espoirs gigantesques qu'avait fait naître la révolution dans l'ensemble du monde musulman.

C'est avec cette débâcle pour arrière-plan qu'il faut interpréter, nous semble-t-il, la nouvelle orientation prise par ceux des militants ou anciens militants qui, se réclamant désormais de la démocratie et des droits de l'homme, recherchent un terrain d'entente avec les classes moyennes séculières. Dans ces milieux, on met sous le boisseau l'idéologie radicale telle qu'elle s'était exprimée chez Qotb, Mawdoudi ou Khomeini — désormais tenus à distance —, on exprime son horreur de la doctrine « salafiste jihadiste » élaborée dans les camps d'Afghanistan, et on célèbre « l'essence démocratique de l'islam ». Face à des gouvernements autoritaires ou répressifs, on se fait le défenseur des droits de l'individu, luttant de conserve avec des démocrates laïques. Porter le voile dans les institutions publiques qui le prohibent n'est plus revendiqué comme le respect d'une injonction de la *chari'a*, mais comme un « droit de l'homme » (voire de la femme), l'expression d'un libre choix de la personne, à l'instar de tout autre [14].

Le bulletin *Islam 21*, qui coiffe un réseau de sites en ligne [15], de messageries électroniques, et d'organisation de colloques, est assez représentatif de ces efforts. Basé au « Londonistan », donnant régulièrement la parole, en arabe et en anglais, aux intellectuels comme le Tunisien Ghannoushi, M. Effendi, et beaucoup d'autres entre Maghreb et Asie du Sud-Est, il a proposé d'élaborer, en février 1999, une « charte pour les islamistes » qui mette en avant les questions « de la société civile, des droits des femmes, du droit aux opinions divergentes, et du besoin d'une interprétation éclairée de la religion ». Un éditorial déplore que « au cours des décennies passées, les islamistes, comme tous les autres militants politiques, [aient] eu pour but la conquête de l'État. L'expérience s'est avérée coûteuse et rarement réalisable. De plus, la prise du pouvoir ne résout pas les problèmes et peut être un handicap sérieux pour le projet islamiste dans son ensemble [16] ». Dans la livraison suivante du bulletin, sous le titre « Islamisme, pluralisme et société civile », ce thème est développé, citations de Tocqueville à l'appui. La société civile, comme mode d'opposition au despotisme, y est présentée comme la panacée aux problèmes du monde musulman contemporain, face aux « orientalistes qui continuent à plaider qu'Islam et démocratie sont incompatibles [...] et qui, ironiquement, sont soutenus en cela par une minorité, petite mais bruyante, de militants islamistes qui prétendent que les valeurs démocratiques n'ont pas leur place en islam [17] ».

Au-delà du « Londonistan », pareilles orientations

sont suivies par de nombreux groupes islamistes estudiantins, et par les prédicateurs qui en sont issus, en Europe et aux États-Unis. Dans le monde francophone, un orateur charismatique, Tariq Ramadan, petit-fils de Hassan el Banna, fondateur des Frères musulmans, et fils de Saïd Ramadan, installé à Genève et principal homme de liaison de la mouvance internationale qui en fut issue, s'en fait l'avocat. Refusant toute logique d'affrontement avec l'Occident, il voit dans la démocratie européenne un mode de protection face au despotisme régnant dans la plupart des États musulmans, et incite ses disciples à faire pleinement usage des droits que leur ouvre la citoyenneté. Ressortissant helvétique, il recherche le statut d'intellectuel auprès du monde universitaire et éditorial français. Auteur, dans une maison catholique parisienne, d'un livre préfacé par un journaliste tiers-mondiste fameux issu de la famille communiste[18], Tariq Ramadan a à cœur de faire reconnaître la présence active des islamistes dans le paysage démocratique. Il souhaite rendre légitime leur intervention, en la délestant de toute association avec les groupes radicaux ou les individus passés à la violence, comme ceux qui, en 1995, participèrent à la « guerre contre la France » de l'émir du GIA Zitouni[19]. Des journalistes, des ecclésiastiques et des enseignants, séduits par cet orateur rompu aux usages et à la rhétorique de ses interlocuteurs, voient en lui le porte-parole de la jeunesse musulmane de France ou d'Europe, et lui facilitent l'accès aux instances et aux lieux de pouvoir, tandis que d'autres, dubitatifs, s'interrogent sur ses intentions véritables et sur la nature du message qu'il adresse à son auditoire de jeunes. D'autres enfin font le pari que, quelle que soit l'idéologie qui sous-tend son discours, il incite ses ouailles et ses disciples à une mobilité sociale ascendante et à une intégration « citoyenne » qui, à terme, faciliteront leur acculturation dans la société française et les éloigneront pour de bon des conceptions islamistes. Ainsi, il y a quelques décennies, les enfants d'immigrés du Sud et de l'Est européens, prolétaires et communistes, étaient devenus, au terme de leur prise en main par le Parti et les syndicats et de l'ascension sociale qui s'était ensuivie, des petits-bourgeois français, sans plus d'attache avec le marxisme-léninisme ni d'allégeance au pays d'origine de leurs parents. Pour évoquer une situation propre au monde musulman contemporain, le cas des petits entrepreneurs pieux d'Anatolie est emblématique. Une fois introduits à Istanbul et Ankara dans les cercles économiques dominants pendant le passage au gouvernement du parti islamiste Refah, et satisfaits d'avoir atteint ainsi leur objectif, ils ne se mobilisèrent pas pour défendre ce parti lorsqu'il fut poussé vers la sortie puis dissous sous la pression de l'état-major militaire. Ils ont arbitré en faveur de la consolidation de leur situation sociale et économique, au détriment d'une organisation et d'une idéologie islamiste qui ne pouvaient plus les servir et risquaient même de les embarrasser dans leurs nouvelles stratégies d'alliances avec les milieux d'affaires laïques. Dans la même logique, poussée plus loin encore, on notait en Algérie, dès la fin de 1999, qu'un homme d'affaires richissime, très proche du parti « islamiste modéré » Hamas, membre de la coalition gouvernementale, s'était porté candidat à la création d'une grande brasserie privée. Elle devait produire localement une bière alcoolisée de marque européenne, à un coût suffisamment attractif pour convertir les couches de la population que le prix élevé de la bière d'État, à défaut de la piété, tenait éloignées de la boisson.

Cette dilution de l'idéologie islamiste dans l'économie de marché s'effectue, à l'aube du nouveau siècle,
dans un environnement différent de celui des décennies écoulées. Durant les années 1980, sa montée en
puissance avait accompagné la création d'un système bancaire « islamique » qui ne pratiquait pas le
taux d'intérêt, de multiples sociétés de placement de
fonds permettant de spéculer en conformité avec les
injonctions de la loi religieuse, etc. Ce qu'il reste
aujourd'hui de ces initiatives ne prospère que si elles
parviennent à capter et valoriser un segment du
marché de l'épargne — dans une logique purement
économique, sans que les considérations politiques
qui avaient présidé à la mise en œuvre de ces projets,
sous hégémonie saoudienne, pèsent encore d'un
véritable poids. De même, dans le domaine juridique, les tentatives pour substituer une « charte
islamique » des droits de l'homme à la Déclaration
universelle, entérinées par la réunion de l'OCI au
Caire en août 1990, au moment même où l'Irak
envahissait le Koweït, ne sont plus d'une brûlante
actualité : la mouvance islamiste au sens large n'est
plus aujourd'hui en phase de puissance, ni désireuse
ni capable d'imposer son langage particulier en lieu
et place d'un idiome universel hier encore dévalorisé
comme « occidental ». Les mouvements et partis
islamistes du tournant du siècle s'efforcent désormais de se faire reconnaître comme démocrates et
de dénoncer la répression dont ils sont victimes en
se réclamant du registre universel des droits de
l'homme — et non plus en le critiquant pour lui
substituer leur conception propre — et des valeurs
autrefois décriées de l'Occident impie (liberté
d'expression, libre choix par la femme de son destin,
etc.). Certains ne voient là que manœuvre cynique,
et assimilent cette stratégie à celle des partis

communistes qui ne parlaient de temps à autre le langage de la démocratie que pour mieux berner les « idiots utiles » dont ils avaient besoin pour élargir leur base et leurs réseaux, en particulier dans le monde intellectuel. Lorsque le bloc soviétique était en position de force relative, cette stratégie donnait des résultats favorables à ses desseins, attirant vers lui de nombreux « démocrates sincères » séduits par le messianisme dont le mouvement ouvrier était investi. En revanche, quand la crise qui devait emporter le bloc de l'Est et ses affidés commença à poindre, ces courants d'échange favorisèrent la défection des militants communistes, notamment les cadres et les permanents à qui leurs contacts « démocrates » fournirent une possibilitié de reconversion dans diverses institutions et associations civiles, hors des cercles du parti. C'est l'une des issues possibles — mais point unique — du « dialogue » entre des islamistes désormais moins sûrs d'eux-mêmes et les démocrates séculiers du monde musulman. Ces derniers, après avoir été vitupérés pendant deux décennies comme « occidentalisés », « fils de la France » au Maghreb ou *brown sahibs* en Asie du Sud-Ouest, disposent toujours des réseaux de relations, du niveau d'éducation et de la confiance des cercles de pouvoir politique et économique mondiaux, qui détiennent la clef des grandes décisions d'investissement à l'heure de la globalisation et de la privatisation généralisées.

À l'échelle du monde musulman dans son ensemble, outre les situations que nous avons mentionnées précédemment (retournement de l'utopie iranienne en légitimation religieuse de la répression de la société par l'État et exaspération de la population contre la mollarchie, banqueroute au Soudan, désastre afghan) les mouvements islamistes opposi-

tionnels sont frappés par une crise morale sans précédent. Leur projet politique — qui se caractérisait
par un grand flou et projetait dans un avenir
radieux, sinon dans l'au-delà, la définition précise de
« l'État islamique » ou de « l'application de la
chari'a » — est désormais comptable d'un bilan. Il
tirait des plans sur le futur, il est englué dans son
passé. La violence incontrôlée qui a marqué les
années 1990, même si beaucoup soupçonnent
qu'elle a été attisée par les agents provocateurs de
régimes qui y avaient intérêt, reste dans toutes les
mémoires. Pour cette raison, la composante la plus
modérée de la mouvance multiplie les professions de
foi démocratique pour se distancier d'un phénomène qui obère son avenir politique. Les classes
moyennes pieuses qui constituent sa base sociale
recherchent de nouvelles alliances avec leurs contre-
parties laïques, voire chrétiennes dans les États mul-
ticonfessionnels. Ainsi, au Liban, le Hizballah
chi'ite, à l'origine un groupuscule terroriste presta-
taire de services pour l'Iran de Khomeini, s'est transformé en mouvement de masse des déshérités, puis
est devenu l'incarnation de la résistance nationale
libanaise contre Israël, applaudi comme tel par
toutes les composantes du spectre religieux du
pays[20]. Dans la perspective d'un accord de paix entre
la Syrie, son client libanais, et l'État hébreu, le Parti
de Dieu, qui est représenté au Parlement, retournera
son énergie vers le théâtre politique intérieur libanais ; il est, à ce titre, l'objet des attentions de plus
d'un responsable chrétien maronite. Les « convergences » entre le culte marial et la dévotion chi'ite
pour Fatima, fille du Prophète, épouse d'Ali et
« mère des Croyants », sont soulignées — en attendant le rapprochement entre chrétiens et chi'ites
qui, ensemble, forment une large majorité des Liba-

nais, face à la tutelle syrienne et à un Moyen-Orient à prédominance sunnite. Les Frères musulmans égyptiens quadragénaires qui formèrent le projet du parti centriste et démocratique *Al Wasat* en 1995 ont placé au premier rang de leurs dirigeants un intellectuel chrétien (protestant), pour témoigner de leur sincérité et de leur ouverture d'esprit. Ailleurs, de l'Indonésie au Maroc, les islamistes participent, lorsqu'ils le peuvent et y sont autorisés, aux assemblées élues, dont leurs représentants se gardent de remettre en cause le principe. Oubliée, par ces mandants du peuple, la « souveraineté de Dieu » *(hakimiyyat Allah)* dont Qotb et Mawdoudi faisaient le critère de l'État islamique, par opposition à la souveraineté du peuple où ils ne voyaient qu'une forme d'idolâtrie propre à la *jahiliyya*, la « barbarie » antéislamique ressurgie au vingtième siècle. Vénérée, la démocratie que vitupérait un Ali Benhadj en s'indignant que 50,5 % des électeurs puissent légiférer selon leur caprice, décréter licite la consommation de vin, en contradiction avec les injonctions intangibles du Livre Sacré ! En Turquie, c'est sur la qualité de leur gestion municipale que les maires du Refah puis du Fazilet ont été reconduits, alors même que ce dernier parti peinait à reconquérir ses suffrages aux élections législatives de 1999, où les enjeux paraissaient plus explicitement politiques. Paradoxalement, l'expérience islamiste a peut-être produit, à son corps défendant, les conditions de son propre dépassement. Sans aller jusqu'à y voir, à l'instar du christianisme moderne, la « religion de la sortie de la religion », il faut noter que les modes concrets de socialisation politique qu'elle a engendrés ont rendu caducs les préceptes idéologiques dont elle se réclamait. Ainsi, les militantes voilées, réclamant l'application de la *chari'a*, ont formé, dans bien des cas, la première génération de femmes qui prenaient la parole sur la scène publique, hors du foyer et de l'univers domestique. Mais, ce faisant, elles se sont heurtées aux militants barbus, soucieux de les confiner dans un rôle de force d'appoint pour leurs propres enjeux. Certaines d'entre elles, en Turquie et en Iran notamment, ont alors imaginé un « féminisme islamiste » pour remettre en cause le « machisme » prévalant dans le mouvement. Probablement est-ce dans ce type de comportement que s'élabore aujourd'hui la démocratie musulmane de demain.

Cette observation va à rebours des visions figées qui font de la doctrine de l'islam elle-même un empêchement dirimant à toute implantation de la démocratie dans les pays où il est la religion dominante, comme de celles qui le parent, d'une manière tout aussi abusive, d'une « essence démocratique ». L'islam, comme toute autre religion, est aussi une « existence », et ce sont les musulmanes et les musulmans qui lui donnent corps. Or ceux-ci appartiennent à un univers où l'effacement des frontières intellectuelles, par le développement accéléré des télécommunications, anéantit les citadelles identitaires qu'avait tenté de fortifier l'idéologie islamiste. Outre les causes internes de son déclin, que nous avons recensées tout au long de ce livre, celle-ci n'a pas su réduire les musulmans contemporains à des militants islamistes mus exclusivement par des impératifs doctrinaux. La déprise de l'idéologie ouvre aux musulmans un vaste chantier pour déterminer leur devenir et s'émanciper du carcan dogmatique. On renoue, en ce sens, avec la grande tradition des sociétés musulmanes, qui fit la force de leur histoire, et qui se caractérise par une extrême plasticité aux mutations de l'univers ; elle leur per-

mit, aux temps de leur grandeur, de Bagdad à
l'Andalousie, de fondre en un ensemble original les
apports des deux civilisations persane et gréco-
méditerranéenne. Aujourd'hui, au sortir de l'ère islamiste, c'est dans l'ouverture au monde et l'avènement de la démocratie que les sociétés musulmanes
vont construire un avenir auquel il n'existe plus
d'alternative. Les jeunes Iraniens, comme les jeunes
Algériens, ou ceux des autres pays, ont tous un
parent à l'étranger : ils téléphonent, regardent les
chaînes de télévision par satellite, et voient passer le
train à grande vitesse de la modernité telle qu'elle
s'élabore en Europe et aux États-Unis. Le régime des
mollahs, le Front Islamique du Salut, le Front Islamique soudanais, sans parler des Talibans, les
laissent à quai. Comme le dit le parler des « hittistes » algérois, ils sont « périmés ». Mais cette
marche vers la démocratie doit affronter un obstacle, qui, pour sa part, n'a rien de religieux : il faut
que les États et les élites au pouvoir dans ces pays
fassent preuve d'une égale volonté de démocratisation dans leur mode de gouvernement. On ne saurait
oublier que l'utopie islamiste, dès la fin des
années 1960, a fleuri sur le terreau répressif et autoritaire de la quasi-totalité des États du monde
musulman, par-delà la faillite morale du nationalisme et l'échec économique. Elle a fait son lit, dans
les premières décennies, du rejet de la démocratie
kufr (« impie »), d'autant plus aisément que les pouvoirs qui emprisonnaient, torturaient, exécutaient
leurs opposants ou les condamnaient à l'exil bran-
dissaient, pour beaucoup d'entre eux, les slogans de
liberté, de socialisme ou de progrès, dont ils avaient
fait une mascarade. L'idéal islamiste paraissait une
voie d'autant plus attirante que ses adeptes
croyaient que Dieu et le Livre Sacré en garantiraient

la bonne exécution ici-bas, loin des perversions et manipulations des despotes, qu'ils fussent colonels, rois ou sultans. Le blanc-seing moral dont bénéficiait un mouvement qui voulait rompre avec des usages politiques violents et corrompus n'a guère survécu à trente années où se sont succédé la trique sur les campus contre la gauche, l'obligation du port du voile, les escroqueries aux placements « islamiques », la censure des écrits laïques et la terreur contre leurs auteurs, les massacres de civils ou de touristes. Face à cela, les militants avancent un bilan social positif, invoquent leurs réalisations dans le domaine caritatif, l'accès à la modernité urbaine qu'a permis le voile aux jeunes filles de milieu traditionnel, la dimension charitable du système bancaire islamique, les organisations humanitaires financées par celui-ci, etc. Sociologues et économistes feront la part de ces arguments, données chiffrées à l'appui. Mais dans l'attente de leurs résultats, le bilan moral et politique de trois décennies d'islamisme militant est, pour le moins, peu conforme aux aspirations de départ. Pour l'avenir proche, la balle est dans le camp des régimes sortis vainqueurs de l'affrontement qui les a opposés à la mouvance dans son ensemble, brisée par le choc de la violence armée ou prise aux rets de la cooptation dans les allées du pouvoir. En ce tournant de siècle et de millénaire, il leur revient d'intégrer les groupes sociaux qui avaient été tenus à l'écart depuis les indépendances, et de favoriser l'enfantement d'une sorte de démocratie musulmane, sachant mêler de manière inédite culture, religion, et modernité politique comme économique. Ce scénario suppose que les élites rajeunies qui accèdent au pouvoir, du Maroc de Mohammed VI[21] à la Jordanie d'Abdallah II, de l'entourage technocratique et militaire du président algérien Bouteflika à celui du président indonésien « Gusdur » Wahid, soient capables de se projeter dans l'avenir, et de « partager le gâteau » aujourd'hui pour le faire croître demain. Si ces élites se contentent de tirer un profit immédiat et égoïste de la décrue actuelle de l'islamisme, sans s'engager dans la réforme, le monde musulman sera confronté, à court terme, à de nouvelles explosions, que leur langage soit islamiste, ethnique, racial, confessionnel ou populiste. Les dirigeants de cet univers se trouvent, plus que jamais, face à leurs responsabilités, dans une conjoncture politique qui ne leur est pas défavorable. Il leur faut agir avec célérité. Des choix qu'ils feront dépendra que flotte à nouveau, sous quelque forme, l'étendard du *jihad* qui s'est déployé pendant ce dernier quart de siècle, ou que les peuples musulmans frayent eux-mêmes leur voie propre vers la démocratie.

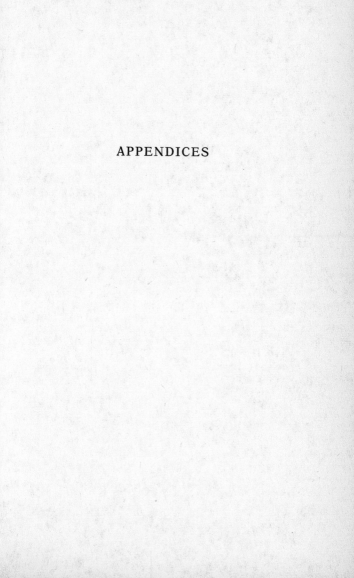

APPENDICES

NOTES

INTRODUCTION

1. En 1992, Olivier Roy, avec *L'échec de l'islam politique* (Éd. du Seuil), publiait un essai fécond, à contre-courant des idées reçues, frayant la voie à un renouvellement des approches du phénomène islamiste.

PROLOGUE : LA GESTATION
1. UNE RÉVOLUTION CULTURELLE

1. Dans cette présentation du nationalisme, de la création d'une langue nationale, et du rôle joué par les générations successives avant et après l'Indépendance, je reprends ici les voies ouvertes par Benedict Anderson (*Imagined Communities*, Verso, Londres et New York, 1991, notamment les chapitres 3, 5 et 7).

2. L'œuvre de Qotb a fait l'objet de nombreux commentaires et analyses. Pour compléter la brève présentation qui en est faite ici, je me permets de renvoyer le lecteur à mon livre *Le prophète et pharaon*, Le Seuil, Paris, 1993 (rééd.), chap. 2, p. 39-72. Des exégèses plus détaillées de son œuvre sont proposées par Olivier Carré (*Mystique et politique*, Presses de la FNSP et Cerf, Paris, 1984) et Ibrahim M. Abu Rabi' (*Intellectual Origins of Islamic Resurgence in the Muslim Arab World*, SUNY Press, Albany, 1996).

3. Mohamed Tozy, dans *Monarchie et islam politique au Maroc* (Presses de Sciences Po, Paris, 1999), propose de traduire *'ouboudiyya* par « servitude » ou « soumission » (p. 25-26). La racine arabe de ce terme comporte les deux sens.

4. Sur les Frères musulmans, l'ouvrage classique de

Richard P. Mitchell, *The Society of the Muslim Brothers*, Oxford University Press, Londres, 1969, est à compléter par le travail plus récent de Brynjar Lia, *The Society of the Muslim Brothers in Egypt. The Rise of an Islamic Mass Movement 1928-1942*, Ithaca Press, Londres, 1998. En français, lire Olivier Carré et Gérard Michaud, *Les Frères musulmans; 1928-1982*, Gallimard, Paris, 1983. B. Lia, qui a eu accès à une grande quantité d'archives inédites, insiste particulièrement sur le rôle qu'ont joué les Frères pour mobiliser les couches sociales qui n'étaient pas réceptives à la politique des élites. Je le suis sur ce plan, sans pour autant partager une lecture d'ensemble de l'organisation, qui aurait pu être plus critique.

5. Ce débat est rappelé dans B. Lia, *ibid.*, p. 6-7. Les historiens égyptiens Abd al Azim Ramadan, Rif'at al Sa'id et Tareq al Bichri ont illustré la première tendance; B. Lia me paraît illustrer au moins partiellement la seconde. Cette controverse s'inscrit dans une querelle d'interprétation autour du jugement à porter sur l'islamisme en général, qui oppose, dans le monde musulman comme en Occident, par-delà les partisans du mouvement eux-mêmes, ceux qui le considèrent comme un danger pour les libertés et la démocratie, et sont hostiles à toute alliance politique avec lui, à ceux qui en font une composante essentielle de la société civile, et sont favorables à sa participation au pouvoir. Sur cette question, qui a envahi une grande partie de l'énergie consacrée par la recherche à ce mouvement — et tend à substituer les jugements de valeur à l'analyse —, voir, ci-dessous, Conclusion, p. 529. Parmi l'abondante littérature consacrée à ce débat, le livre dirigé par Martin Kramer *The Islamism Debate* (Dayan Center Papers, nº 120, Tel-Aviv, 1997) propose une synthèse utile qui présente les arguments de protagonistes appartenant aux mondes universitaires américain, britannique, français et israélien.

6. L'Association des Frères musulmans avait recruté, dès les années 1930, des adeptes parmi les étudiants du Levant inscrits dans les universités du Caire, notamment Al Azhar. À leur retour, ceux-ci devaient former des branches locales, dirigées par un « contrôleur général » (*muraqib 'am*), en particulier en Syrie, en Palestine et en Jordanie. Le dirigeant syrien Mustafa al-Siba'i apporta une contribution significative à l'idéologie des Frères, et, lors de la répression nassérienne, en 1954, le centre de gravité de l'organisation fut temporairement basculé vers la Syrie, jusqu'à l'union syro-égyptienne (1958-61) qui mit hors la loi les Frères syriens. C'est en Jordanie, où la branche locale est fondée en 1946 par Abdul Latif Abu Qurah, puis diri-

gée à partir de 1953 par Muhammad Abdur-Rahman Khalifeh, que l'organisation peut déployer une activité légale ininterrompue jusqu'à ce jour. Dès les débuts, elle bénéficie de la mansuétude de la monarchie hachémite au pouvoir (le roi Abdallah, puis, à partir de 1953, le roi Hussein) qui voit en elle l'occasion de renforcer sa légitimité religieuse (face à l'Arabie Saoudite) et politique (c'est l'occasion pour cette dynastie originaire de la péninsule Arabique de trouver des relais dans la société jordanienne). Les Frères jordaniens sont aussi un important appui du régime face aux nationalistes de gauche et nassériens, notamment quand ces derniers effectuent une tentative de coup d'État en 1957. De même, les Frères restent fidèles au roi en septembre 1970, lorsque ses troupes écrasent l'insurrection palestinienne à Amman. Tous ces aspects sont développés ci-dessous (troisième partie, chap. 10).

7. Sur l'œuvre et l'action politiques de Mawdoudi, on se référera ici principalement aux deux livres de S.V.R. Nasr, *Mawdudi and the Making of Islamic Revivalism*, Oxford University Press, Oxford, 1996, et *The Vanguard of the Islamic Revolution. The Jama'at-i Islami of Pakistan*, I. B. Tauris, Londres, 1994.

8. Ce terme vient du turc *ordu*, « armée ».

9. S.V.R. Nasr, *The Vanguard...*, p. 7.

10. Voir S. Abul A'la Maududi, *Fundamentals of Islam*, Islamic Publications, Lahore (1re édition anglaise 1975), p. 249-250.

11. Ce texte est disponible dans une version annotée en anglais dans *Islam and Revolution. Writings and Declarations of Imam Khomeini* (traduit et commenté par Hamid Algar), Mizan Press, Berkeley, 1981.

12. Sur ces questions, voir Yann Richard, *L'islam chi'ite, croyances et idéologie*, Fayard, Paris, 1991.

13. Un exemple en est donné dans le recueil de diverses conférences d'Ali Shari'ati *What Is To Be Done, The Enlightened Thinkers and an Islamic Renaissance* (publié et commenté par Farhang Rajaee), IRIS Press, Houston, 1986, p. 1. On y retrouve la plupart des thèmes que nous évoquons. Sur Shari'ati, on dispose désormais d'un grand travail biographique très complet : Ali Rahnema, *An Islamic Utopian. A Political Biography of Ali Shari'ati*, Londres, Tauris, 1998.

14. Les mouvements armés iraniens des années 1960-70 comprenaient principalement les Fedayines du Peuple, fondés en 1963, un groupe marxiste-léniniste d'inspiration guévariste, qui prit le maquis et se livra à des combats spectaculaires

contre le régime du chah, et les Mojahedines du Peuple, chez qui la dimension islamique était plus marquée. Shari'ati n'avait pas de liens organiques avec eux, mais la synthèse islamo-marxiste qu'ils avaient élaborée en était inspirée pour partie. On peut ainsi lire sous leur plume que « les martyrs chi'ites [de Karbala] étaient tout à fait comme Che Guevara aujourd'hui. Ils avaient accepté le martyre comme devoir révolutionnaire, et considéraient la lutte armée contre l'oppression de classe comme leur obligation sociale » (cité dans Ervand Abrahamian, *The Iranian Mojahedin*, Yale University Press, Yale, 1985, p. 92).

15. Pour le récit de ces événements, on se reportera à Jean-Pierre Digard, Bernard Hourcade et Yann Richard, *L'Iran au xxe siècle*, Fayard, Paris, 1996.

16. On peut se faire une représentation de cette dimension doctrinaire et morale à travers la traduction vers le français de certains de ces textes d'avant 1970 dans *Principes politiques, philosophiques sociaux et religieux de l'ayatollah Khomeini*, Éditions Libres-Hallier, Paris, 1979. Le choix des extraits présente une image particulièrement dogmatique et rétrograde de leur auteur. Cet aspect est bien évidemment présent chez Khomeini (et gommé par ses laudateurs occidentaux de l'époque), mais il ne peut rendre compte du phénomène social et politique qu'a constitué la révolution islamique. Il illustre à tout le moins l'ambivalence culturelle de celle-ci.

17. Pour l'interprétation de la transformation de la pensée de Khomeini avec les conférences de 1970, je suis l'interprétation d'Ervand Abrahamian (*Khomeinism, Essays on the Islamic Republic*, University of California Press, Berkeley, 1993, en particulier p. 17-38).

2. LE CHAMP RELIGIEUX MUSULMAN DANS LE MONDE À LA FIN DES ANNÉES 1960

1. Sur la fin du califat et les divers aspects des sentiments panislamiques qui ont vu le jour à cette époque, on pourra se référer à Bernard Lewis, *Islam et laïcité*, Fayard, Paris, 1988 (édition anglaise : 1961); Jacob Landau, *The Politics of Pan-Islam*, Oxford University Press, Oxford, 1994 (2ᵉ édition); Martin Kramer, *Islam Assembled, The Advent of the Muslim Congresses*, Columbia University Press, New York, 1986.

2. Sur la création de la Grande Mosquée de Paris, nous

nous permettrons de renvoyer à notre ouvrage *Les banlieues de l'islam*, Seuil, Paris, 1987.

3. La *tablighi jama'at* était fort peu étudiée jusqu'aux années 1990. On trouvera des éléments dans *Les banlieues...*, *op. cit.*, dans Mumtaz Ahmad, « Islamic Fundamentalism in South Asia : The Jamaati-Islami and the Tablighi Jamaat of South Asia », *in* Martin E. Marty and R. Scott Appleby (sous la dir. de), *Fundamentalisms Observed*, University of Chicago Press, Chicago, 1991, p. 457-530, en attendant la publication du recueil dirigé par Muhammad Khalid Masud, Barbara D. Metcalf et William Roff, *Travellers in Faith Studies of the Tablighi Jama'at as an International Movement*, Brill, Leiden, 2000.

4. Ces biens « donnés à Dieu » tout au long de l'histoire des sociétés musulmanes ont permis de financer, par leur revenu, des fondations pieuses (mosquées, écoles religieuses, fontaines publiques...) permettant à leurs donateurs d'espérer le paradis, et ont également mis ces propriétés à l'abri de la rapacité des puissants, qui hésitaient à accaparer des biens dont le propriétaire n'était autre que Dieu. Dans les faits, les administrateurs des *waqfs* ou *habous* étaient des clercs religieux, des oulémas qui en tiraient leur propre revenu, ce qui leur permettait de jouir d'une indépendance financière par rapport au pouvoir politique. Le produit de ces biens (loyers, fermages, etc.) pouvait être affecté, outre l'entretien d'une fondation pieuse, à des bénéficiaires désignés par le donateur (famille, enfants, concubine...). Cela les mettait à l'abri des aléas et détournait quelque peu la finalité religieuse de l'entreprise. Mais dans des sociétés où la propriété était soumise à l'arbitraire des confiscations, les *waqfs*, par la sécurité qu'ils apportaient, connurent un développement extraordinaire. À l'époque contemporaine, les *waqfs* — que les colonisateurs non musulmans avaient traités avec prudence par opportunité politique — furent l'une des premières cibles des États indépendants — qui incriminèrent leur gestion généralement très mauvaise, leur improductivité, l'extinction de nombreux bénéficiaires, etc., et les nationalisèrent en les faisant passer sous gestion administrative, ce qui devait donner lieu à de nombreuses malversations fréquemment dénoncées dans la presse. Cette politique avait d'abord pour but de rationaliser la gestion économique et de la moderniser, mais l'un de ses effets fut la perte des revenus indépendants des oulémas, qui, en contrepartie, reçurent un salaire du ministère ou de l'administration des *waqfs*, ce qui, dans l'esprit des dirigeants, devait permettre de mieux contrôler les clercs religieux. Sur ces

questions, nous nous permettrons de renvoyer, pour l'Égypte, à K.T. Barbar et G. Kepel, *Les waqfs dans l'Égypte contemporaine*, Cedej, Le Caire, 1981.

5. La laïcité turque, si elle sépare la religion de l'État, permet à celui-ci d'exercer son contrôle sur celle-là. La direction des Affaires religieuses, organe gouvernemental, publie des ouvrages qui expriment la version de l'islam qui convient au pouvoir, établit les programmes des lycées pour prédicateurs (voir ci-dessous, p. 81), salarie les desservants du culte, etc.

6. Voir les travaux pionniers d'Olivier Carré (*La légitimation islamique des socialismes arabes*, Presses de la FNSP, Paris, 1979). Sur le marché du livre islamique en Égypte à l'époque nassérienne, lire Yves Gonzalez-Quijano, *Les gens du Livre*, Éditions du CNRS, Paris, 1998.

7. Pour l'Indonésie, on pense notamment au site d'Imogiri, où sont enterrés les sultans de Yogyakarta, au sommet d'une colline à laquelle on accède par un escalier monumental, à l'instar des lieux de dévotion hindous, et où les formes du culte rendu aux tombeaux de ces souverains musulmans sont imprégnées de syncrétisme hindou. Au Pakistan, un grand lieu de dévotion de Karachi (parmi beaucoup d'autres) manifeste cette interpénétration du fonds de la religiosité hindoue avec le culte des saints islamiques : le mausolée de Mangho Pir, établi au-dessus d'un bassin où l'on élève des crocodiles sacrés (observations personnelles, août 1997 et avril 1998). Les écrits sur l'islam des confréries sont trop nombreux pour être répertoriés ici : on pourra se référer à l'ouvrage collectif récent dirigé par Alexandre Popovic et Gilles Veinstein, *Les voies d'Allah*, Fayard, Paris, 1997, qui présente un vaste panorama de cette forme de religiosité islamique aujourd'hui.

8. Les mourides du Sénégal sont l'un des exemples les plus remarquables d'une confrérie qui utilise le vocabulaire religieux de l'islam tout en maintenant des formes de piété et de dévotion qui sont profondément ancrées dans la religiosité africaine, et qui est parvenue dans le même temps à constituer une puissance économique de premier plan, dont le principal ressort est l'obéissance absolue des fidèles aux directives du marabout, ou « calife général », lequel s'appuie sur une sorte de milice largement dispensée des obligations religieuses, les Baye Fall, qui en constitue comme un bras séculier. Fondée par Ahmadou Bamba (1850-1927), exilé par les Français en 1895 puis revenu définitivement au pays en 1912 — exil que ses disciples fêtent à l'instar de l'hégire du prophète Mohammed de La Mecque vers Médine —, la confrérie a établi dans

un premier temps sa puissance financière sur la culture de l'arachide. Elle l'a par la suite développée, après l'Indépendance, et grâce aux flux migratoires, à travers le contrôle de réseaux commerciaux nationaux et internationaux, particulièrement à partir des marchands ambulants sénégalais en Europe et en Amérique, dont l'immense majorité sont des disciples d'Ahmadou Bamba. La ville sainte des Mourides, Touba, jouit d'un quasi-statut d'extraterritorialité qui est propice à une intense contrebande. Sur les rapports entre confrérisme africain et islamisme, voir ci-dessous, p. 183-184 et 274-275.

9. Malgré l'Indépendance, ces photographies sont toujours en circulation. On pouvait se procurer les photos des khalifes généraux de la confrérie tidjane décorés par les Français à Tivaouane, ville sainte des tidjanes, au nord de Dakar, en février 1998 (observation personnelle).

10. Le renouveau des confréries turques dans les années 1950 se traduit à la fois par un regain de visibilité dans les campagnes — où elles avaient mené une existence secrète pendant les premières décennies de la république, et où elles témoignent que l'idéologie laïque a eu du mal à pénétrer dans le monde rural — et par l'émergence de confréries plus « modernes » qui recrutent dans les milieux urbains. Ces aspects sont développés ci-dessous, troisième partie, chap. 11.

11. Voir Reinhardt Shultze, *Islamischer Internationalismus im 20. Jahrundert : Untersuchungen zur Geschichte der Islamischen Weltliga*, Brill, Leiden, 1990. En 1969, à la suite d'un attentat perpétré contre la mosquée du Rocher à Jérusalem (sous occupation israélienne depuis 1967), une conférence de chefs d'État musulmans crée l'Organisation de la Conférence Islamique (OCI), qui a pour objectif d'unifier des positions communes aux États islamiques sur de grands thèmes internationaux (la question palestinienne en premier lieu, à l'époque). Soumise à la contrainte des intérêts divergents des États membres, elle n'a pas la même fonction idéologique que la Ligue Islamique Mondiale, mais l'Arabie Saoudite y joue un rôle éminent.

12. Ces deux auteurs — particulièrement le premier, qui vécut de 1263 à 1328 — deviendront l'une des références majeures de la mouvance islamiste sunnite à partir des années 1970, ce qu'aura facilité la diffusion massive de leurs œuvres dans toutes les mosquées du monde par les instances de propagation islamiques saoudiennes, comme on le verra ci-dessous.

13. Ainsi, les oulémas sont parvenus en 1999 à faire empêcher les célébrations commémorant le jubilé d'or de l'Arabie Saoudite, au motif que les deux seules fêtes licites sont celles de la rupture du jeûne (Aïd al Fitr, à la fin du Ramadan) et du sacrifice (Aïd al Adha), contre la volonté des autorités de l'État saoudien qui a dû s'incliner. Ils exercent, à travers la police religieuse des *moutawi'a*, constitués en Comités pour la Commanderie du Bien et le Pourchas du Mal, une pression considérable sur l'expression publique de la foi dans le pays, en contraignant les individus à participer aux cinq prières quotidiennes, en interdisant la mixité, les instruments de musique, la représentation humaine, etc. Néanmoins, si l'État leur concède une prééminence dans le domaine culturel au sens large, et se trouve parfois contraint de leur céder à son corps défendant, l'incorporation des oulémas dans l'administration a pour objectif de prévenir toute indépendance réelle de leur part dans les domaines politiques les plus sensibles. Voir Ayman Al-Yassini, *Religion and State in the Kingdom of Saudi Arabia*, Westview Press, Boulder, 1985, notamment p. 67 sq. Cet équilibre sera mis à rude épreuve à partir des années 1970, comme on le verra plus loin.

14. Sur la réforme d'Al Azhar et la question des oulémas dans l'Égypte contemporaine en général, on lira le livre de Malika Zeghal, *Gardiens de l'islam. Les oulémas d'Al Azhar dans l'Égypte contemporaine*, Presses de Sciences Po, Paris, 1996.

15. Sur les rapports entre le trône et les oulémas au Maroc, voir Mohamed Tozy, *Monarchie et islam politique, op. cit.*

16. Se référer à l'ouvrage d'Ali Merad, *Le réformisme musulman en Algérie de 1925 à 1940*, Mouton, Paris-La Haye, 1967.

17. Le quotidien du FLN, parti unique jusqu'en 1989, porte le titre d'*El Moudjahid*, se référant ainsi au combat de la guerre de libération (dont le pouvoir tire sa légitimité) dans le vocabulaire du *jihad*. De même, l'appellation honorifique de l'Algérie indépendante dans le monde arabe est « le pays du million de *chouhada* », c'est-à-dire de victimes algériennes de la guerre entre 1954 et 1962, expression qui permet à celles-ci d'avoir le statut de martyrs pour la nation, mais aussi pour la foi. Cette thématique sera reprise et mise en question lors de la guerre civile algérienne qui commence en 1992. Voir ci-dessous l'analyse d'une émission islamique de la chaîne satellitaire *Al Jazeera* par M. El Oifi, « La guerre en Algérie vue du monde arabe : le cas de la chaîne satellitaire d'Al Jazeera », *Pouvoirs*, automne 1998, p. 129-144.

18. Sur l'expansion des lycées pour prédicateurs, on lira notamment Ilter Turan, « Religion and Political Culture in Turkey », *in* Richard Tapper (sous la dir. de), *Islam in Modern Turkey*, Tauris, Londres, 1991.

19. La *Nahdatul Ulema* a été étudiée de manière détaillée par Andrée Feillard dans *Armée et islam en Indonésie*, L'Harmattan, Paris, 1996.

20. Sur l'intérêt de Soekarno pour les réformes d'Atatürk, lire François Raillon, « Islam et ordre nouveau ou l'imbroglio de la foi et de la politique », *Archipel*, n° 30, « L'islam en Indonésie », 1985, p. 229-262.

21. Voir Clifford Geertz dans *The Religion of Java*, University of Chicago Press, Chicago, 1960. L'auteur oppose les « abangan » — pétris de culture javanaise — aux « Santri » passés par le moule de la culture islamique formelle. Cette théorie a fait l'objet de nombreuses remises en cause, mais elle conserve une grande pertinence si l'on considère ces deux termes comme des types idéaux opposés entre lesquels se distribuent et se construisent les identités des musulmans indonésiens, et non comme deux catégories closes et mutuellement exclusives.

22. Les années 1950-60 voient éclater trois foyers d'insurrection islamique en Indonésie : outre le Darul Islam Java, un mouvement passe à la lutte armée à Aceh (Sumatra), la région la plus anciennement islamisée et la plus « puritaine » de l'archipel, et un autre aux Célèbes. Voir Manning Nash, « Islamic Resurgence in Malaysia and Indonesia », *in* Marty et Appleby, *Fundamentalisms...*, *op. cit.*, p. 691-739.

23. Sur l'école de Deoband (et les autres mouvements de revivalisme religieux qui travaillent l'islam du sous-continent à la fin du XIXe siècle), on lira l'ouvrage de Barbara D. Metcalf, *Islamic Revivalism in British India : Deoband, 1860-1900*, University of California Press, Berkeley, 1982.

24. Observations personnelles, Islamabad et Karachi, avril 1998.

25. On lira une analyse de ces combats dans les années formatrices du Pakistan, fondées sur un long séjour de terrain, dans le livre de Leonard Binder, *Religion and Politics in Pakistan*, University of California Press, Berkeley, 1961.

PREMIÈRE PARTIE
LE BASCULEMENT

1. SUR LES DÉCOMBRES DU NATIONALISME ARABE : 1967-1973

1. Les informations démographiques qui concernent le monde musulman doivent être lues avec prudence car elles émanent d'États où l'appareil statistique est fréquemment peu fiable, en raison de la difficulté à recueillir les données ou de la manipulation des chiffres à l'appui de tel ou tel effet de preuve. Ainsi la publication des Nations unies *World Population Resource* (1994, New York) à laquelle nous nous référons est-elle tributaire de ce que lui transmettent les États. Entre 1955 — date à laquelle nombre de pays musulmans ont accédé ou vont accéder à l'indépendance — et 1970, l'augmentation de la population est la suivante pour certains des États musulmans les plus importants : Algérie + 41,2 % ; Bangladesh + 46,6 % ; Égypte + 42,9 % ; Indonésie + 39 % ; Iran + 49,4 % ; Maroc + 51,5 % ; Pakistan + 48, 6 % ; Arabie Saoudite + 58, 3 % ; Turquie + 48,3 %.

2. Le terme *achwaiyyat* signifie littéralement « [habitations] spontanées », *gecekondu* veut dire « construit la nuit », beaucoup de ces habitations illégales étant édifiées de nuit, afin d'éviter que la police n'empêche le début des travaux.

3. Formé de l'arabe *hit* (« mur ») et du suffixe français -iste, ce terme créé par l'humour algérien désigne les jeunes désœuvrés qui passent la journée appuyés contre les murs. En connotant que ces jeunes « tiennent le mur » pour l'empêcher de s'écrouler, il fait de cette occupation un « emploi » fictif, qui ironise sur le plein emploi que promettait le socialisme algérien à l'ensemble de la population du pays.

4. On considère habituellement que la politique américaine d'appui à l'islam conservateur remonte à la rencontre entre le président Roosevelt et le roi Ibn Saoud, à bord du croiseur *Quincy*, à l'entrée de la mer Rouge, le 14 février 1945, au lendemain de la conférence de Yalta. De leur entretien résulta un soutien américain indéfectible au régime saoudien, en contrepartie d'une concession d'exploitation exclusive des pétroles du Hasa par l'Aramco. On trouvera un bon état des débats américains sur la politique étrangère des États-Unis envers la mouvance islamiste dans Scott W. Hibbard et David Little

(sous la dir. de), *Islamic Activism and U.S. Foreign Policy*, United States Institute of Peace, 1997. Deux lignes s'y opposent : l'une souhaite soutenir les mouvements islamistes « modérés », identifiés à la société civile luttant pour la démocratie contre des régimes autoritaires et autocratiques, et voit en eux le meilleur rempart contre les « extrémistes ». L'autre considère l'ensemble de la mouvance comme otage des extrémistes, et est hostile à tout compromis avec les « modérés ». Cette dernière option a la faveur des groupes de pression pro-israéliens, tandis que la première se retrouve notamment chez ceux qui sont sensibles au devenir des États musulmans conservateurs producteurs de pétrole. Leur point commun réside dans une perception purement idéologique de la mouvance islamiste, qui ne la considère nullement comme un conglomérat de groupes sociaux différents, mais qui débat en définitive pour déterminer si les « islamistes modérés » sont des « *good guys* » ou des « *bad guys* », étant entendu que les « extrémistes » appartiennent par définition à cette dernière catégorie.

5. L'appui du parti communiste iranien Toudeh (les masses ») à la révolution islamique de 1978-79 ainsi que l'appréciation plutôt favorable du mouvement communiste mondial étaient largement dus à sa dimension fortement anti-américaine — elle leur fit prendre les événements d'Iran pour un avatar religieux des révolutions tiers-mondistes qui avaient évolué vers le socialisme au cours des décennies précédentes, à l'instar de l'Égypte de Nasser.

6. Le Groupe Islamique Armé, qui apparaît en Algérie à l'automne 1992, au début de la guerre civile, est favorable à la prise du pouvoir par la violence et s'oppose à l'Armée Islamique du Salut, issue du Front Islamique du Salut, qui souhaite négocier en position de force avec le régime militaire. Voir troisième partie, chap. 5.

7. Le 17 novembre 1997, un petit groupe de militants islamistes armés massacra des touristes étrangers dans le temple d'Hatshepsout, près de Louxor, en haute Égypte. Voir ci-dessous, troisième partie, p. 442.

8. Chef du département de philosophie à l'université de Damas, Sadeq Jalal al 'Azm est l'un des principaux penseurs arabes contemporains, et un défenseur de la laïcité. Son livre sur la guerre de 1967, publié à Beyrouth, a suscité un afflux de commentaires. Parmi les nombreux autres intellectuels arabes qui replacent le phénomène islamiste dans la contexte de la crise du nationalisme arabe et des lendemains de la défaite de 1967, on pense au philosophe égyptien Hassan Hanafi, qui

s'est fait le porte-parole d'une « gauche islamique » tentant de marier les idéaux de la gauche arabe avec le vocabulaire du « renouveau » islamiste contemporain.

9. Sur l'histoire du mouvement égyptien des années 1960 et 1970, appuyée par des témoignages de première main, et dont l'auteur a été l'un des participants de premier plan au mouvement, on se référera à Ahmed Abdallah, *The Student Movement and National Politics in Egypt*, Al Saqi Books, Londres, 1985.

10. Voir Olivier Carré, *Septembre noir. Refus arabe de la résistance palestinienne*, Complexe, Bruxelles, 1980.

11. Sur la fidélité des Frères musulmans jordaniens au roi Hussein en septembre 1970, lire ci-dessous, troisième partie, chap. 10.

12. Pour les développements du mouvement étudiant égyptien jusqu'en 1973, voir Ahmed Abdallah, *op. cit.* Pour l'émergence islamiste en Égypte sous la présidence de Sadate, nous nous permettons de renvoyer à notre livre *Le Prophète et Pharaon. Aux sources des mouvements islamistes*, Seuil, Paris, 1993 (rééd.), qui fournit la base des données factuelles que nous remettons ici dans la perspective des analyses du présent travail.

2. LA VICTOIRE DU PÉTRO-ISLAM ET L'EXPANSION WAHHABITE : 1973

1. Parmi de nombreux autres, ces slogans sont répétés à l'infini sur des calicots ou les murs des deux pays. Sadate y était qualifié également de « président croyant » *(al raïs al mou'min)*, une formule qui indiquait la place centrale qu'il entendait donner à l'islam dans la légitimation de son pouvoir, et qui évoquait, par assonance, la titulature traditionnelle du Commandeur des Croyants en arabe *(amir al mou'minin)*. Après le voyage à Jérusalem de novembre 1977 (voir p. 119), Sadate fut qualifié de « Héros de la paix ». Quant au président syrien, son qualificatif de « Lion d'octobre » était d'ordinaire accolé à un autre jeu de mots sur son prénom, Hafez (« celui qui conserve, qui retient, qui garde ») : « Gardien de l'arabisme » *(Hafez al 'ourouba)*.

2. Dans le cas de l'Arabie Saoudite, le prix de revient moyen du coût d'approvisionnement des compagnies pétrolières exploitantes passe de 2,01 dollars le baril le 1er octobre 1973 à 10,24 dollars le 1er janvier 1975, soit un quintuplement des

prix en quinze mois. Lors du second choc pétrolier, causé par la révolution iranienne, les prix officiels connaissent des augmentations de 120 % à 165 % selon les qualités de pétrole, entre décembre 1978 et mai 1980. Les prix sur le marché « spot », variant au gré de la spéculation sur un marché qui se dérèglemente, montent jusqu'à 40 dollars le baril en mai 1979. Les revenus des produits pétroliers des principaux pays musulmans exportateurs sont les suivants, en milliards de dollars par an, avant (1973) et après (1974) la guerre d'octobre, après la révolution iranienne (1980) et lors du retournement du marché (1986) :

	Arabie Saoudite	Koweït	Indonésie	Algérie	Émirats Arabes Unis
1973	4,3	1,7	0,7	1,0	0,9
1974	22,6	6,5	1,4	3,3	5,5
1980	102,2	17,9	12,9	12,5	19,5
1986	21,2	6,2	5,5	3,8	5,9

L'Iran et l'Irak, gros producteurs, subissent des variations de leurs revenus particulières, liées aux aléas de la révolution islamique, pour le premier, puis de la guerre entre les deux pays entre 1980 et 1988 (source : Ian Skeet, *OPEC. Twenty-Five Years of Prices and Politics*, Cambridge University Press, 1988). Les ressources dont dispose pendant cette période l'Arabie Saoudite, en proportion, sont incommensurables par rapport à celles des autres pays exportateurs.

3. Les quatre écoles juridiques (*madhhab*) de l'islam sunnite se réfèrent respectivement aux imams Abou Hanifa (*ob.* 767), Malik (*ob.* 795), Al Chafi'i (*ob.* 820) et Ibn Hanbal (*ob.* 855). L'école hanéfite, la plus ancienne, se caractérise par une grande sévérité dans la sélection des *hadith* (dits du Prophète et récits de sa vie — un trait qui s'oppose à la pratique des militants les plus radicaux de la fin du vingtième siècle, qui vont chercher des *hadith* « douteux » pour justifier tel ou tel de leurs actes. L'école malékite, qui privilégie la tradition de Médine (élaborée à l'époque où le Prophète avait fondé un État) par rapport à celle de La Mecque, accorde une grande place aux considérations d'opportunité (*maslaha*) pour statuer sur un problème en l'absence de texte attesté. L'école chaféite a établi, au plus précis, le mode de raisonnement juridique en islam : confronter une question au Coran d'abord, dans le

doute au *hadith*, dans le doute au consensus des clercs (*ijma'*) et, si le doute subsiste, au raisonnement par analogie (*qiyas*). Cette école, qui aboutit à faire de la raison humaine une source du droit islamique, est violemment combattue par l'école han-balite, qui entend d'abord lutter contre toute forme d'« innovation condamnable » (*bid'a*) qui se glisserait, par la voie du raisonnement, dans l'application rigoriste et intransigeante des injonctions contenues dans le texte sacré. Elle a été notamment illustrée par Ibn Taïmiyya (1263-1328) et son disciple Ibn Kathir (1300-1373). Ceux-ci ont à leur tour grandement influencé à la fois le mouvement d'Ibn Abd al Wahhab (le wah-habisme), prédicateur né en 1703 qui s'allia à la famille des Al Saoud et permit son expansion dans la péninsule Arabique, et les groupes les plus extrémistes que nous observerons tout au long de ce récit. Sur Ibn Taïmiyya, on lira notamment Henri Laoust, *Essai sur les doctrines sociales et politiques d'Ibn Taï-miyya*, IFAO, Le Caire, 1939, un ouvrage inégalé depuis lors.

4. Sur l'ouverture des bureaux de la Ligue Islamique Mon-diale en Europe, nous nous permettrons de renvoyer à nos *Banlieues de l'islam*, op. cit., chap. 4.

5. Voir Jonathan S. Addleton : « The Impact of the Gulf War on Migration and Remittances in Asia and the Middle East », *International Migration*, 1991 (4), p. 522-524, et *Undermining the Centre : The Gulf Migration and Pakistan*, Karachi, Oxford University Press, 1992, p. 192.

6. Ce fait de société, relevé à de nombreuses reprises par des observations personnelles, fait par ailleurs l'objet de com-mentaires humoristiques dans le roman de l'écrivain égyptien Sonallah Ibrahim, *Les années de Zeth* (traduction française de Richard Jacquemond), Actes Sud, Arles, 1993.

7. Au Caire, le quartier de Medinet Nasr a vu se construire ces zones résidentielles pour la nouvelle bourgeoisie pieuse revenue du Golfe. La chaîne de magasins *Al Salam Shopping Centers Li-l Mouhaggabat* (Centres commerciaux Al Salam pour femmes voilées) s'est spécialisée dans ce marché.

8. Voir les données fournies par Ignace Leverrier dans « L'Arabie Saoudite, le pèlerinage et l'Iran », *Cemoti*, Paris, 1996, n° 22, p. 137.

9. Sur le fonctionnement de ce système de financement pour les mosquées édifiées en France, nous nous permettons de renvoyer à nos *Banlieues de l'islam*, op. cit., p. 211 sq.

10. L'expression a été forgée par Z. Laïdi. Voir Zaki Laïdi (sous la dir. de), *Géopolitique du sens*, Paris, Desclée de Brou-wer, 1998.

11. À l'occasion du sommet de l'OCI à Téhéran, qui a représenté une victoire pour la diplomatie iranienne, la revue de l'IPIS (Institute for Political and International Studies), une cellule de réflexion du ministère iranien des Affaires étrangères, a publié une livraison spéciale consacrée à l'OCI, présentant un bilan critique vu de Téhéran. Il reprend également un article plus ancien qui constitue une bonne description de l'organisation : Noor Ahmad Baba, « The Organization of the Islamic Conference : Conceptual Framework and Institutional Structure », pp. 341-370, in *The Iranian Journal of International Affairs*, vol. IX, n° 3, automne 1997.

12. Voir Hassan Moinuddin, *The Charter of the Islamic Conference and the Legal Framework of Economic Cooperation among its Member States*, Clarendon Press, Oxford, 1987, p. 113 sq.

13. Voir ci-dessous, deuxième partie, chap. 3.

14. Voir Leverrier, art. cité.

15. Sur les manifestations iraniennes à La Mecque durant le pèlerinage (sur lesquelles on reviendra au chapitre suivant), voir notamment Martin Kramer, « Tragedy in Mecca », in *Orbis*, printemps 1988, p. 231 sq.

3. L'ASSASSINAT D'ANOUAR EL-SADATE ET LA VALEUR D'EXEMPLE DES ISLAMISTES ÉGYPTIENS

1. Ce chapitre remet en perspective les données que nous avons présentées dans *Le Prophète et Pharaon, op. cit.*, en les actualisant.

4. ISLAMISME, BUSINESS ET TENSIONS ETHNIQUES EN MALAISIE

1. Sur l'émergence islamiste en Malaisie pendant les années 1970, on consultera l'ouvrage très complet de Judith Nagata, *The Reflowering of Malaysian Islam. Modern Religious Radicals and Their Roots*, Vancouver, University of British Columbia Press, 1984. Également, voir l'analyse d'un observateur engagé, Chandra Muzaffar, *Islamic Resurgence in Malaysia*, Petaling Jaya, Penerbit Fajar, 1987. Beaucoup d'éléments figurent par ailleurs dans les articles de N. John Funston, « The Politics of Islamic Reassertion : The Case of Malaysia »,

in A. Ibrahim, S. Siddique, Y. Hussain (sous la dir. de), *Readings on Islam in Southeast Asia*, Singapore, Institute of Southeast Asian Studies, 1985, et Manning Nash, art. cité.

2. Qui évoque les conflits sociaux et de générations autour de l'usage du français ou de l'arabe classique par l'élite en Afrique du Nord à la même époque.

3. Elle tirait son nom (« La demeure d'Arqam ») d'un proche du Prophète, qui lui avait accordé l'hospitalité.

4. Pour les développements de l'islamisation en Malaisie dans les années 1980-90, voir Chandra Muzaffar, « Two Approaches to Islam : Revisiting Islamic Resurgence in Malaysia », non publié, mai 1995 ; David Camroux, « State Responses to Islamic Resurgence in Malaysia : Accomodation, Co-option, and Confrontation », *Asian Survey*, septembre 1996, p. 852 sq. Beaucoup de données factuelles, traduites de la presse locale, dans Laurent Metzger, *Stratégie islamique en Malaisie (1975-1995)*, Paris, L'Harmattan, 1996.

5. Né à La Mecque en 1936, et recteur de l'Université Islamique Internationale depuis 1988, le docteur Abdulhamid Abu Sulayman appartient à l'establishment islamiste international. Il a été le secrétaire général de la WAMY (World Assembly of Muslim Youth), un organe de la Ligue Islamique Mondiale, de 1973 à 1979, et est l'auteur de plusieurs ouvrages, dont *Towards an Islamic Theory of International Relations*, Herndon, International Institute of Islamic Thought, 1993.

6. Sur le système bancaire islamique, voir deuxième partie, chap. 4.

7. Sur les événements de l'automne 1998, voir notamment les analyses d'un témoin oculaire, Raphaël Pouyé, *Mahathir Mohamad, l'Islam et l'invention d'un « universalisme alternatif »*, mémoire, Institut d'Études Politiques de Paris, novembre 1998.

8. Dépêche du 28 janvier 1999 (je remercie David Camroux de me l'avoir signalée).

9. Ainsi, un attaché d'ambassade thaï fut pourchassé par la police religieuse pour avoir été trouvé dans une chambre d'hôtel avec sa femme, mais sans pouvoir prouver à la police munie de ses lecteurs magnétiques la validité de son mariage. Le frère aîné d'Anwar Ibrahim fut également victime de ce type de zèle, mais la jeune femme avec laquelle il se trouvait n'était autre que sa seconde épouse (la polygamie est une pratique légale au regard de la *chari'a*). La presse aux ordres du régime, qui s'était empressée d'ironiser sur la libido de la famille, en fut pour ses frais, ne pouvant que s'incliner devant

la polygamie sanctifiée par des injonctions islamiques dont il
était fait grand cas en toutes circonstances...

10. Munawwar A. Anees, « Jefferson vs. Mahathir : How the
West Came to this Muslim's Rescue », *Los Angeles Times*,
13 sept. 1999. Les valeurs de Jefferson auxquelles l'auteur fait
référence sont la citation inscrite au fronton de son mausolée,
à Washington : « J'ai juré sur l'autel de Dieu une hostilité éter-
nelle à toute forme de tyrannie sur l'esprit de l'homme » —
mentionnée au début de l'article. Le texte fait un récit détaillé
des tortures et humiliations subies par M. Anees durant son
incarcération. Au terme de son procès, un quotidien anglophone de Kuala Lumpur, d'obédience gouvernementale, avait
publié la photographie en grand format de son visage, presque
groggy, le chef ceint du petit chapeau carré affectionné par les
musulmans de la région, sous le titre en gros caractères
« *Sodomised!* » (« sodomisé! ») *The Sun*, 20 sept. 1998.

11. Voir l'entretien avec Anwar Ibrahim, alors ministre des
Finances, lors d'une session de la Banque Mondiale à Washington, par Joyce M. Davis, *Between* jihad *and* salaam. *Pro-
files in Islam*, Macmillan, Londres, 1997, p. 297 sq. Lors de son
éviction, des manifestations de solidarité ont émané de représentants des élites politiques et économiques, parmi lesquels
Chris Patten, ancien gouverneur de Hong Kong, qui a témoigné son estime à « l'ancien vice-Premier ministre à l'œil
poché ».

12. Sur les débats au sein de la mouvance islamiste au sujet
de la démocratisation, face aux « valeurs asiatiques » et à la
légitimation islamiste du pouvoir de M. Mahathir, lire
S. Ahmad Hussein : « Muslim Politics and the Discourse on
Democracy in Malaysia », *in* Loh Kok Wah et Khoo Boo Teik
(sous la dir. de), *Democracy in Malaysia : Discourses and Prac-
tices*, Curzon, Londres (2000).

5. LA LÉGITIMATION ISLAMISTE DE LA DICTATURE DANS LE PAKISTAN DU GÉNÉRAL ZIA

1. On trouvera une analyse comparative « à chaud » dans
Mohammed Ayoob, « Two Faces of Political Islam : Iran and
Pakistan Compared », in *Asian Survey*, 6/1979, vol. XIX, n° 6,
p. 535-6.

2. Une analyse détaillée de l'usage de l'islamisation par le
régime militaire pour traiter les problèmes de tension sociale,

ethnique et religieuse est présentée par Mumtaz Ahmad :
« The Crescent and the Sword : Islam, the Military and Political Legitimacy in Pakistan, 1977-85 », in *The Middle East Journal*, vol. L, n° 3, été 1996, p. 372-386. Markus Daechsel, dans
son article « Military Islamisation of Pakistan and the Spectre
of Colonial Perceptions » (*Contemporary South Asia*, 1997,
6 (2), p. 141-160), met l'accent sur l'instrumentalisation de
l'islam par la hiérarchie militaire, sans que celle-ci ait été mue
par une conviction idéologique.

3. Entre 1971 et 1988, les transferts des émigrés pakistanais
au Moyen-Orient constituent la première source de devises, et
contribuent de façon très importante à l'émergence de
groupes sociaux autonomes qui ne dépendent plus de l'État
pour leur ascension sociale — contrairement à ce qui se passait à l'ère du nationalisme dirigiste. Sur ces aspects, voir
J. Addleton, *Undermining the Centre...*, *op. cit.*, p. 200 sq. Sur le
renforcement des liens avec le Moyen-Orient après la défaite
de 1971, *ibid.*, p. 45-48.

4. Voir le calendrier 1990 de l'Université Islamique Internationale.

5. Voir S.J. Burki, *Pakistan under Bhutto*, New York, St
Martin's Press, 1982.

6. Sur les derniers mois du gouvernement d'Ali Bhutto, voir
notamment William L. Richter, « The Political Dynamics of
Islamic Resurgence in Pakistan », in *Asian Survey*, n° XIX,
vol. 6, juin 1979, p. 551-552, et John Adams, « Pakistan's
Economic Performance in the 1980s : Implications for Political Balance », *in* Craig Baxter (sous la dir. de), *Zia's Pakistan*,
Westview Press, Boulder, 1985, p. 51-52.

7. Voir S.V.R. Nasr, « Islamic Opposition to the Islamic
State : the Jama'at-i Islami 1977-1988 », in *International Journal of Middle East Studies*, vol. XXV, n° 2, mai 1993, p. 267.

8. L'ouvrage cité de Baxter, *Zia's Pakistan*, présente les soutiens dont bénéficie le régime dans les différents groupes
sociaux. Robert LaPorte Jr. (« Urban Groups and the Zia
Regime », p. 7-22), note que le général a bénéficié d'un soutien
sans faille des élites rurales, commerciales et industrielles,
d'une popularité dans les classes moyennes entrepreneuriales
et commerçantes dues à la prospérité liée aux multiples conséquences de l'émigration vers le Golfe, ainsi que parmi le clergé
sunnite. En revanche, ce soutien était moins net chez les
membres des professions juridiques perturbés par l'islamisation des lois, les médecins qui refusaient de pratiquer les
amputations prescrites aux voleurs par les *hudud*, et surtout

les couches populaires urbaines, pénalisées par l'interdiction des grèves, la répression des syndicats, etc. Mais, là encore, le régime a tiré parti des bonnes conditions économiques, traduites par une hausse momentanée de l'emploi et des salaires.

9. Voir Anita M. Weiss (sous la dir. de), *Islamic Reassertion in Pakistan. The Application of Islamic Laws in a Modern State*, Syracuse University Press, New York, 1986, notamment p. 11-17.

10. Voir Grace Clark, « Zakat and 'ashr as a Welfare System », *in* Weiss, *op. cit.*, p. 79-95, notamment p. 93.

11. Sur l'expansion des *dini medressas* dans les années 1980, voir les données très détaillées qui figurent dans Jamal Malik, *Colonialization of Islam / Dissolution of Traditional Institutions in Pakistan*, Vanguard Books, New Delhi, 1996, notamment les pages intitulées « *Mushroom-Growth* », p. 179 sq., qui traitent également de leur financement par les fonds de *zakat*. Sur le mouvement déobandi, voir ci-dessus, prologue, p. 83.

12. Voir, parmi d'autres, Human Rights Commission of Pakistan, *HCPR Newsletter*, vol. VII, n° 2, avril 1996, p. 32, qui rapporte un cas d'élèves de *medressas* enchaînés. Autres cas signalés, *ibid.*, vol. V, n° 3, juillet 1994, et vol. VI, n° 4, octobre 1995. Le phénomène est récurrent, et bien connu. Lors des visites que nous avons effectuées dans des *medressas* pakistanaises en avril 1998, nous avons pu constater que les élèves étudiaient serrés les uns contre les autres, à même le sol, mangeant et dormant dans les salles qui servaient aux cours, dans des conditions de promiscuité extrêmes.

13. Jamal Malik (*op. cit.*, p. 196) note que le nombre des *medressas* contrôlées par les déobandis a crû de plus de 500 % entre 1979 et 1984. Il dénombre 1 097 établissements pour les seuls déobandis à cette date. Voir les tableaux p. 198-199.

14. La crise interne de la *jama'at-i islami* au sujet de l'attitude à tenir envers Zia est présentée en grand détail par S.V.R. Nasr, art. cité, et reprise dans son ouvrage *The Vanguard...*, p. 188-205.

15. Zia mourut dans l'explosion d'un avion militaire, en compagnie de l'ambassadeur américain à Islamabad et du général Akhtar, le responsable du *jihad* en Afghanistan. L'extrême sophistication de l'attentat conduisit à soupçonner des services secrets étrangers — soit les Soviétiques, qui avaient eu beaucoup à souffrir du *jihad*, soit même, en dépit de la mort de leur ambassadeur, les Américains, à cause du caractère « incontrôlable » qu'aurait acquis Zia à la fin de sa

vie. On peut lire sur ce sujet les mémoires d'un proche du dictateur, qui présente la vision qu'eut de ces années un membre de la haute hiérarchie militaire, Khalid M. Arif, *Working with Zia. Pakistan Power Politics, 1977-1988*, Oxford University Press, Karachi, 1995.

6. LEÇONS ET PARADOXES DE LA RÉVOLUTION IRANIENNE

1. La grande majorité des publications concernant la révolution iranienne est le fait d'Iraniens vivant aux États-Unis, où un certain nombre se sont réfugiés après avoir pris part à un mouvement qui a déçu leurs espérances. Le phénomène a donc été extrêmement bien documenté, même si les interprétations s'opposent avec une virulence qui fait penser à la transposition dans le champ universitaire des oppositions entre les différents mouvements politiques iraniens, en particulier libéraux, marxistes et gauchistes. Sans pouvoir citer ici l'ensemble de ces recherches, dont il faut souligner la qualité d'ensemble (qui reflète la sophistication des intellectuels iraniens en général, que la chape de plomb de la République islamique a fait perdre de vue), on distinguera quelques grandes écoles d'interprétation. Pour Saïd Amir Arjomand, dont *The Turban for the Crown : The Islamic Revolution in Iran* (Londres, Oxford University Press, 1988) a eu une grande influence, la Révolution est un mouvement antimoderne, qui porte au pouvoir (au contraire de la Révolution française par exemple) des groupes traditionnels, incarnés par le clergé et le bazar. Les travaux de Nikki Keddie (*Roots of Revolution : an Interpretive History of Modern Iran*, Londres, Yale University Press, 1981) accordent une importance centrale au rôle des oulémas et à leur capacité à donner un sens à un mouvement social de réaction face à une modernisation déstructurante. Ceux d'Ahmad Ashraf et Ali Banuazizi (« The State, Classes and Modes of Mobilization in the Iranian Revolution », *State, Culture and Society*, printemps 1985, p. 3-40) identifient le rôle de trois groupes, les oulémas, les intellectuels et les bazaris, et proposent l'une des premières périodisations du déroulement de la révolution (précisément détaillée par Mohsen Milani, *The Making of Iran's Islamic Revolution. From Monarchy to Islamic Republic*, Londres, Westview Press, 1988, chap. 7 à 10). Enfin, les travaux de Farhad Khosrokhavar, en particulier *Le discours populaire de la révolution iranienne* (avec Paul Vieille) (Paris, Contempora-

néité, 1990), *L'utopie sacrifiée. Sociologie de la révolution iranienne* (Paris, Presses de la FNSP, 1993) puis *L'islamisme et la
mort. Le martyre révolutionnaire en Iran* (Paris, L'Harmattan,
1995), mettent l'accent sur le rôle des classes populaires dans le
mouvement révolutionnaire.

2. Sur les classes moyennes laïques en Iran, on se référera
au livre d'Azadeh Kian-Thiébaut, *Secularization of Iran. A
Doomed Failure? The New Middle Class and the Making of
Modern Iran*, Travaux et mémoires de l'Institut d'études iraniennes, 3, Paris, 1998.

3. Sur les Fedayines du Peuple (*Fedayan-e Khalq*), voir *ibid*.,
p. 180-188.

4. L'ouvrage de référence sur les Mojahedines du Peuple est
le livre d'E. Abrahamian, *The Iranian Mujahidin* (première
partie, *op. cit.*).

5. Sur les classes populaires et les immigrés des campagnes,
voir Farhad Kazemi, *Poverty and Revolution in Iran*, New York
University Press, New York, 1980, et F. Khosrokhavar, *L'utopie...*, p. 98, qui note que, à la veille de la révolution, près de la
moitié de la population de Téhéran n'en était pas originaire.

6. L'expression, employée par F. Khosrokhavar, indique la
persistance et l'inadaptation des structures mentales rurales à
la nouvelle situation des immigrés urbains.

7. Assef Bayat, dans *Street Politics. People's Movements in
Iran* (New York, Columbia University Press, 1997), témoigne
de sa propre expérience de jeune migrant rural socialisé à travers le réseau éducatif islamique d'un quartier informel du
bas. Téhéran, p. XIII-XV.

8. En septembre 1977, Khomeini écrivit aux oulémas pour
les inciter à s'exprimer contre le chah, pour ne pas laisser aux
intellectuels le monopole de l'opposition, dans un contexte où
la répression s'était adoucie. Voir la citation qu'en fait Milani,
The Making..., p. 187.

9. La commémoration (*dhikrat al arba'in*) du quarantième
jour du décès donne lieu au Moyen-Orient à des cérémonies.

10. Les *tekkiye* sont les lieux où l'on célèbre le martyre des
imams du chi'isme, et qui se prêtent à tout rassemblement
public rituel; ils ont été réutilisés pour accueillir les rassemblements révolutionaires. Les *hey'at* sont les associations religieuses de quartier, qui maillent le tissu social, et par
lesquelles sont passés les mots d'ordre et les circuits de la
mobilisation. Les *Hosseiniye* sont en principe spécialisés dans
la commémoration du martyre de l'imam Hossein (ou Hussein), tué à Karbala.

11. Sur l'usage de ces termes par Khomeini à travers le temps, voir Ervand Abrahamian, *Khomeinism. Essays on the Islamic Republic*, Berkeley, University of California Press, 1993, p. 27-31, qui note que, après la révolution, Khomeini élargit l'usage du terme *moustad'afines* aux classes moyennes traditionnelles qui soutenaient le nouvel ordre social.

12. Le refus de Khomeini de critiquer Shari'ati (relevé par A. Rahnema, *An Islamic Utopian...*, p. 275) contraste fortement avec son opposition de toujours aux Mojahedines du Peuple.

13. Bien que nombre d'auteurs estiment que les couches populaires n'ont joué qu'un faible rôle dans la révolution, je suis ici les analyses de Vieille et de Khosrokhavar, découlant de leur enquête de terrain, qui fondent cette opinion sur le fait que les études basées sur des documents sous-estiment la participation politique des groupes sociaux qui n'ont pas accès au discours écrit.

14. Sur ces actions, voir les données d'A. Bayat, *Street Politics...*, chap. 2 et 3.

DEUXIÈME PARTIE
EXPANSION ET CONTRADICTIONS

1. L'EFFET DE SOUFFLE
DE LA RÉVOLUTION IRANIENNE

1. Entretien paru dans le quotidien libanais *Al Safir*, le 19 janvier 1979, cité par David Menashri dans « Khomeini's Vision : Nationalism or World Order ? », *in* D. Menashri (sous la dir. de), *The Iranian Revolution and the Muslim World*, Westview Press, Boulder, 1990, p. 51.

2. Les assaillants demandèrent à l'imam de la Grande Mosquée de proclamer que leur dirigeant était le Messie attendu — dont une croyance islamique populaire annonce la venue à chaque siècle hégirien. Celui-ci, Muhammad al Qahtani (36 ans), appartenait, ainsi que le chef militaire du groupe, Juhayman al Utaybi (27 ans), à des tribus qui n'étaient pas liées à la famille royale saoudienne, et qui se réclamaient de la filiation du mouvement puritain des *Ikhwan*, éliminés par Ibn Saoud après qu'ils lui eurent permis de fonder l'actuel royaume saoudien, en mars 1929. Les rebelles prêchèrent aux milliers de croyants retenus par eux dans la mosquée que le régime saoudien avait dévié de l'islam, et que la famille royale était mora-

lement corrompue et devait être renversée. À la demande du pouvoir, le conseil des oulémas autorisa (après une attente de cinq jours) les forces de l'ordre à donner l'assaut à la mosquée où les assaillants, bien armés et équipés, s'étaient retranchés. Les événements frappèrent de stupeur et d'incrédulité le monde musulman — à tel point que la première réaction venue de Téhéran fut de dénoncer l'événement comme complot américain. À Islamabad, des manifestants mirent à sac l'ambassade américaine pour ce motif, ajoutant aux déboires de la diplomatie américaine dans la région — l'ambassade des États-Unis à Téhéran venait d'être occupée par les « étudiants dans la ligne de l'imam ». Sur ces événements, voir Ayman al-Yassini, *Religion and State in the Kingdom of Saudi Arabia*, Westview Press, Boulder et Londres, 1985, p. 124 sq.

3. Le 28 novembre, à l'occasion de la célébration de la fête de *'Achoura* qui commémore le martyre de l'imam Hussein, des milliers de chi'ites manifestèrent, pour la première fois dans l'histoire du royaume saoudien, contre les discriminations dont ils étaient l'objet, et affrontèrent la police. Des slogans favorables à Khomeini furent scandés. Au début de février 1980, à l'occasion du premier anniversaire de son retour à Téhéran, d'autres incidents éclatèrent dans la ville de Qatif, où de nombreux chi'ites manifestèrent en brandissant son portrait et en mettant le feu à divers bâtiments.

4. Voir Mohga Machhour et Alain Roussillon, *La révolution iranienne dans la presse égyptienne*, Cedej, Le Caire, 1982, pour une sélection d'articles favorables — jusqu'au déclenchement de la guerre Iran-Irak, en septembre 1980.

5. En juillet 1979, Saddam Hussein, jusqu'alors vice-président du général Hassan al Bakr, assume seul le pouvoir. L'événement est suivi d'exécutions de dignitaires soupçonnés de « complot ».

6. La culture arabe classique dispose de toute une tradition de polémique antipersane, qui incrimine l'influence excessive qu'aurait acquise la Perse conquise et culturellement très développée par rapport aux descendants des conquérants arabes, notamment durant le califat abbasside de Bagdad (750-1253). Ce phénomène, connu sous le nom de *chou'oubiyya*, est vu par les polémistes arabes comme une déformation de l'islam authentique. L'idéologie irakienne a ravivé cette vieille querelle durant la guerre, et a mobilisé des intellectuels arabes de renom, cinéastes, poètes, romanciers, qui ont confectionné des fictions historiques d'où ressortait le

sentiment que Saddam Hussein était le porte-glaive des valeurs arabo-islamiques contre les descendants des « mages ». La bataille de Qadissiya, qui vit l'armée des Arabes musulmans vaincre celle du dernier roi persan, et sonna le glas de l'indépendance sassanide, fit l'objet d'un film à grand spectacle du cinéaste égyptien Salah Abou Seif, commandité par Bagdad.

7. Mis en cause en tant que race étrangère à l'islam authentique par les nationalistes arabes de Bagdad fraîchement convertis à la rhétorique islamique (qui ne donne en principe aucune préséance aux Arabes sur les autres musulmans), les idéologues iraniens répliquèrent sur le plan doctrinal. Selon eux, la laïcité dont se réclamait le parti Ba'ath était assimilable à l'apostasie traditionnelle, puisque le laïque n'était qu'un musulman qui avait rejeté la notion de *chari'a*, d'organisation de la cité selon les injonctions des Textes sacrés de l'islam. Les ba'athistes au pouvoir à Bagdad étaient donc passibles du châtiment prescrit à l'apostat, la mort, et il revenait aux « musulmans véritables » de la République islamique de le leur infliger, en se réclamant de l'exemple du premier calife, bien avant la bataille de Qadissiya, qui avait châtié des tribus arabes qui avaient pris prétexte de la mort du Prophète pour rompre l'allégeance qu'elles lui avaient faite, à lui-même et à la religion qu'il annonçait. À l'occasion de la guerre, la doctrine ba'athiste fut mise en sourdine en Irak, car elle embarrassait le régime de Saddam Hussein dans sa propagande de surenchère à l'islam. Le phénomène prendrait plus d'ampleur encore lors de la guerre du Golfe de 1991, où l'Irak serait opposé à des États arabes à qui il lui faudrait disputer leur légitimité islamique, au premier rang desquels l'Arabie Saoudite.

8. Mohammad Baqir as-Sadr (1935-1980), l'un des fondateurs du parti islamiste irakien chi'ite Da'wa (« Appel à l'islam ») en 1958, est révéré jusqu'à ce jour dans la mouvance islamiste, sunnite comme chi'ite, comme le fondateur de l'économie islamique (voir ci-dessous, p. 229), avec son livre *Iqtisaduna* (« Notre économie ») paru en 1961. Il fut à l'avant-garde de la lutte contre la gauche marxiste et ba'athiste au pouvoir à Bagdad, et joua un rôle important dans la politisation du milieu religieux de Nadjaf, où vécut Khomeini entre 1964 et 1978. Voir Amazia Baram, « The Radical Shi'i Movement in Irak », *in* David Menashri, *op. cit.*, p. 133 sq., et Hanna Batatu, « Shi'i Organizations in Irak », *in* J. Cole et N. Keddie (sous la dir. de), *Shi'ism and Social Protest*, Yale University Press, New Haven, 1986, p. 139 sq. Également Pierre Martin

(pseud.), « Le clergé chi'ite en Irak hier et aujourd'hui », in *Maghreb-Machrek*, n° 115, janvier 1987.

9. On se rapportera aux exemples donnés dans J. Esposito (sous la dir. de), *The Iranian Revolution : Its Global Impact*, Florida International University Press, Miami, 1990, pour une vue d'ensemble. En décembre 1982, cinq proches d'Alija Izetbegovic, issus de l'organisation des Jeunes Musulmans de Bosnie-Herzégovine, se rendirent au congrès des imams du Vendredi à Téhéran, ce qui fut retenu à charge contre eux lors du procès d'août 1983 qui condamna douze « fondamentalistes musulmans » à de lourdes peines de prison, voir ci-dessous, p. 241.

10. Pour une analyse détaillée de ce phénomène, voir notre ouvrage *Les banlieues de l'islam, op. cit.*, p. 313-352.

11. On trouvera des données sur la mouvance rassemblée par Kalim Siddiqui dans G. Kepel, *À l'ouest d'Allah*, Seuil, Paris, 1994, p. 193 sq.

12. *Wal Fadjri*, n° 1, 13 janvier 1984, p. 2. Éditorial signé du fondateur, Sidy Lamine Nyass.

13. *Ibid.*, n° 2, p. 14. L'Égypte avait été suspendue de l'OCI après la signature des accords de paix israélo-égyptiens en mars 1979 ; elle fut réintégrée à la conférence de Casablanca en 1984. Voir aussi in *ibid.*, p. 2, l'article concernant l'unité chi'ite-sunnite, vue dans un sens très conforme à l'exportation de la révolution : « Sunnites et chiites sont des frères de lait, ils forment la même école sur la ligne islamique ». Sur la « guerre imposée », articles du docteur Chamran [Mostafa Chamran, ministre de la Guerre de la République islamique], n° 4, p. 27 sq. « Manifeste de l'État islamique par l'imam Khomeini », n° 6, p. 30 sq., et n° 7, p. 17 sq., etc. Le directeur de la revue participe également au « congrès des imams à Téhéran » en mai 1984, où est exposée « l'horreur des crimes de Saddam », n° 7, p. 15.

14. Voir sur ces aspects un livre de circonstance, Moriba Magassouba, *L'islam au Sénégal : demain les mollahs ?*, Karthala, Paris, 1985, bien documenté, et dont le titre traduit pour partie les incertitudes d'alors. *Le Musulman*, revue fondée en 1982, est enthousiasmé par la révolution, mais ne se définit pas comme « pro-iranien », selon l'un des ses fondateurs, Omar Ba (entretien, Dakar, février 1998).

15. L'ambassade d'Iran à Dakar fut fermée au printemps 1984, suscitant les protestations de *Wal Fadjri*, n° 3, p. 8-9.

16. Entretien avec Sidy Lamine Nyass, Dakar, février 1998.

17. Voir Fred von der Mehden : « Malaysian and Indonesian

Islamic Movements and the Iranian Connection », *in* J. Esposito, *op. cit.*, p. 248. Un dirigeant de l'ICMI (« Association des
Intellectuels Islamiques Indonésiens »), fondée en décembre
1990, qui s'était rendu à Téhéran en 1979 nous a également
fait part de son enthousiasme pour les événements d'Iran,
sans toutefois souhaiter les reproduire à l'identique en Indonésie, préférant s'inspirer de leur esprit plutôt que les imiter
Entretien, Djakarta, août 1997.

18. Outre les subventions à diverses associations islamistes
et les invitations à des congrès se tenant à Téhéran (comme
celui de mai 1984 sus-mentionné), la République islamique
publiait dans diverses langues des journaux de propagande
vantant les réalisations et les objectifs du régime. En arabe et
en ourdou : *Al Shahid* (« le martyr ») et *Sawt al-Umma* (« la
voix de la Communauté des Croyants »). En français : *Le Message de l'islam*, un périodique irrégulier, était principalement
destiné aux musulmans francophones d'Afrique noire et
d'Afrique du Nord. Mais les moyens mis en œuvre étaient sans
commune mesure avec ceux dont disposaient les pétromonarchies pour s'attirer ou conserver les allégeances de ces
mêmes milieux.

19. Certains de ses dirigeants, dont Yasser Arafat, avaient
fréquenté les Frères musulmans dans leur jeunesse, mais
avaient vécu leur maturité politique avec le nationalisme
arabe.

20. Au début des années 1970, la mouvance des Frères
musulmans est représentée au Liban, notamment dans les
milieux sunnites de Tripoli, mais elle est limitée à des intellectuels et des notables, à l'instar des Frères syriens et jordaniens
de l'époque. Elle est surtout connue grâce à son idéologue le
plus prolifique, Fathi Yakan. Elle ne jouera de rôle social que
vers le milieu des années 1980, où elle parviendra à s'implanter dans la jeunesse urbaine pauvre de Tripoli, notamment
dans le quartier de Bab Tebbané, d'où elle luttera contre
l'armée syrienne et ses alliés locaux. Voir Dalal Bizri, « L'islamisme libanais et palestinien : rupture dans la continuité »,
Peuples méditerranéens, n° 64-65, juillet-décembre 1993, p. 265
sq., et Michel Seurat, « Le quartier de Bab Tebbané à Tripoli
(Liban) », in *L'État de Barbarie*, Seuil, Paris, 1989, p. 110 sq.

21. Le camp « islamo-progressiste » comptait de nombreux
chrétiens de gauche ou des nationalistes arabes, particulièrement nombreux parmi la communauté de rite grec-orthodoxe.
Sur les confessions chrétiennes du Proche-Orient, voir J.-P.
Valognes, *Vie et mort des chrétiens d'Orient*, Fayard, Paris

1994, un ouvrage très engagé mais qui comporte beaucoup de données bien mises à jour.

22. La présentation la plus complète de la présence palestinienne au Liban se trouve dans le livre de Yezid Sayigh, *Armed Struggle and the Search for the State. The Palestinian National Movement 1949-1993*, Clarendon Press, Oxford, 1997, notamment la troisième partie : « The State in Exile, 1973-1982 », p. 319-544.

23. Sur la prudence des Frères musulmans palestiniens, voir Ziad Abu-Amr, *Islamic Fundamentalism in the West Bank and Gaza. Muslim Brotherhood and Islamic Jihad*, Indiana University Press, 1994, notamment chap. 2. Certains responsables de l'OLP soupçonnèrent Israël d'encourager les Frères pour affaiblir le mouvement nationaliste — comme Sadate avait encouragé les islamistes sur les campus égyptiens au début des années 1970 pour contrecarrer la gauche arabe et les nassériens. Les Frères, par la voix du cheikh Ahmad Yassine, dirigeant du *Mujamma' Islami* (« Rassemblement islamique »), leur centre d'activités dans la bande de Gaza, estimaient quant à eux : « L'OLP est laïque. Elle ne peut être acceptée comme représentative à moins de devenir islamique » (entretien avec Ziad Abu-Amr, in *ibid.*, p. 31). En construisant un vaste réseau caritatif et religieux, les Frères renforçaient leur implantation sociale dans l'attente de jours meilleurs, tout en évitant le terrain proprement politique sur lequel il leur aurait fallu être subordonnés — ou opposés — à la direction de l'OLP, ce qu'ils préféraient éviter. Sur les formes que prit la « réislamisation autoritaire de la société » dans la décennie 1980, marquée par des attaques contre la gauche et des violences contre les « impies », voir Jean-François Legrain, « Les islamistes palestiniens à l'épreuve du soulèvement », in *Maghreb-Machrek*, nº 121, juillet-septembre 1988, p. 8-10.

24. Voir Machhour et Roussillon, *op. cit.*, p. 45-54, pour des extraits de cet ouvrage. Publié sous le pseudonyme de Fathi 'Abdel 'Aziz, ce livre, le premier paru en langue arabe sur la victoire de la révolution islamique en Iran, épuisa en quelques jours son premier tirage de 10 000 exemplaires, et valut à son auteur une brève détention par la police égyptienne. Voir Rif'at Sid Ahmed (sous la dir. de), *al a'mal al kamila li-l shahid al douktour fathi al-shqaqi* [Œuvres complètes du docteur martyr Fathi Shqaqi], Le Caire, Yafa, 1997, vol. I, p. 53 et 459-534.

25. Sur le mouvement du *jihad* islamique palestinien, outre Abu-Amr, *op. cit.*, chap. 4, voir Élie Rekhess, « The Iranian

Impact on the Islamic Movement in the Gaza Strip », *in* David Menashri, *op. cit.*, pp. 189-206, et Jean-François Legrain, *Les voix du soulèvement palestinien*, CEDEJ, Le Caire, 1991, p. 14-15. Les principaux écrits de Fathi Shqaqi, assassiné par le Mossad à Malte le 26 octobre 1995, ont été rassemblés par le publiciste islamiste égyptien Rif'at Sid Ahmed dans le recueil sus-mentionné.

26. Sur les éléments organisationnels de cette mouvance, on lira avec profit J.-F. Legrain, « Autonomie palestinienne : la politique des néo-notables », *REMMM*, t. 81-82, 1996/3-4, p. 153-206.

27. Sur la sociologie de la communauté chi'ite libanaise et ses transformations dans les années 1970, voir A.R. Norton, *Amal and the Shi'a. Struggle for the Soul of Lebanon*, University of Texas Press, Austin, 1987, notamment p. 13-38.

28. Voir l'ouvrage de référence de Fouad Ajami, *The Vanished Imam. Musa al Sadr and the Shia of Lebanon*, Cornell University Press, New York, 1986.

29. Jusqu'au milieu des années 1970, les mouvements libanais d'extrême gauche, notamment l'Organisation pour l'Action Communiste au Liban (OACL) connue sous son nom arabe de *al Mounazzamé* (« l'organisation »), recrutaient beaucoup de jeunes chi'ites éduqués appartenant à la première génération urbanisée, un groupe socioculturel que le mouvement de Moussa Sadr cherchait également à attirer.

30. C'est à cette croyance que se réfère le titre du livre cité de F. Ajami, *The Vanished Imam* (« L'imam disparu »). L'imam Mahdi, Mohammad al Muntazar, s'est occulté, selon la tradition, en 874 (voir ci-dessus, p. 54).

31. Sur le Hizballah libanais et ses liens avec l'Iran, voir M. Kramer, « The Pan-Islamic Premise of Hizballah », *in* David Menashri, *op. cit.*, p. 105 sq. Sur l'articulation entre le rôle du parti islamiste au Liban et son jeu dans la géopolitique de l'époque, en tant qu'auxiliaire de l'Iran contre l'Occident, lire Magnus Ranstorp, *Hizb'Allah in Lebanon. The Politics of the Western Hostage Crisis*, St Martin's Press, New York, 1997.

32. L'aide financière accordée par la République islamique au Hizballah libanais entre 1982 et 1989 est estimée à un demi-milliard de dollars par A. R. Norton dans « Lebanon : The Internal Conflict and the Iranian Connection », *in* J. Esposito (sous la dir. de), *op. cit.*, p. 126.

33. 241 *marines* américains et 56 légionnaires français furent tués. À Tyr, l'attentat fit 29 morts, dont dix Libanais.

34. Pour une chronologie et une interprétation précises de

cette politique d'enlèvements et de prises d'otages, voir Magnus Ranstorp, *op. cit.*, p. 86 sq.

35. Ces actions, exercées en rétorsion du soutien financier du Koweït à l'effort de guerre irakien contre l'Iran, avaient impliqué des activistes du parti Da'wa irakien ainsi que des militants libanais du mouvement Amal Islamique, unis par des liens de famille à ses dirigeants.

36. La pression exercée sur la France se manifesta également par une série d'attentats à Paris et en province, en 1985 et 1986.

37. Les négociations secrètes avec les États-Unis étaient encouragées par M. Rafsandjani, alors président du Parlement et futur président de la République, et combattues par le dauphin potentiel de Khomeini comme guide de la révolution, l'ayatollah Montazeri, aidé par le principal artisan de la ligne « radicale » dans l'exportation de la révolution, Mehdi Hashemi, qui organisa la « fuite ». Cela devait coûter à l'ayatollah Montazeri sa disgrâce, et à Mehdi Hashemi sa vie : il fut exécuté en 1987. À cette occasion commencèrent à être perceptibles les dissensions au sein de l'establishment iranien quant aux rapports avec le reste du monde, qui opposaient les « réalistes » aux « radicaux », mais dont l'expression resta limitée jusqu'à la mort de l'ayatollah Khomeini, en juin 1989.

38. En janvier 1982, les autorités de Téhéran organisèrent un « rassemblement international des imams et sermonnaires » à l'occasion de l'anniversaire de la naissance du Prophète — après que le mufti d'Arabie Saoudite, le cheikh Ben Baz, eut prononcé une *fatwa* qui dénonçait cette célébration comme hérétique (pour les wahhabites, elle s'apparente à l'idolâtrie d'un homme, fût-il le Prophète, alors que seul Allah doit faire l'objet de l'adoration de ses fidèles). C'était l'occasion, face au dogmatisme wahhabite, de rassembler chi'ites et sunnites dans la même vénération de Muhammad, mais l'événement n'eut que peu d'échos. Puis une première conférence, mieux organisée, fin décembre 1982, rassembla 130 participants. La troisième, en mai 1984, aurait rassemblé quelque 500 personnes venant de 60 pays. Voir les chroniques de Martin Kramer, « Intra-Regional and Muslim Affairs », in *Middle East Contemporary Survey* (ci-après *MECS*), vol. VI, p. 290, vol. VII, p. 240, vol. VIII, p. 168.

39. Le cimetière de Baqi' aurait été le lieu d'inhumation de la fille du Prophète, Fatima, épouse d'Ali, de la lignée desquels se réclament les chi'ites, et de quatre des imams. Il fut saccagé par les *Ikhwan* d'Ibn Saoud lorsqu'ils s'emparèrent de Médine.

40. Les Iraniens constituèrent le premier contingent de pèlerins, avec près de 18 % du total — et cela dans un contexte où, indépendamment des enjeux politiques, les autorités saoudiennes cherchaient à réduire le nombre de pèlerins, dont l'affluence, facilitée par la baisse du prix du transport aérien, posait d'insurmontables problèmes.

41. Le niveau des pressions iraniennes était lié à l'évolution de la guerre contre l'Irak, qui avait tourné à l'avantage de Téhéran en 1984, et des tentatives iraniennes de détacher l'Arabie Saoudite de Saddam Hussein.

42. Sur le déroulement des pèlerinages à La Mecque, on se reportera aux chroniques de Martin Kramer, art. cit. in *MECS*, vol. VIII à XII. Sur le pèlerinage de 1987, voir, du même auteur, « Tragedy in Mecca », *Orbis*, *op. cit.*

2. L'ENDIGUEMENT DE LA RÉVOLUTION ISLAMIQUE
LE « JIHAD » EN AFGHANISTAN

1. L'expression est empruntée à l'ouvrage rédigé par un général pakistanais, en collaboration avec un journaliste britannique, l'un des travaux les plus documentés sur l'échec soviétique en Afghanistan : M. Atkin et M. Youssef, *The Bear Trap*, trad. française *Afghanistan, l'ours piégé*, Alérion, Paris, 1996. On sait désormais que dès l'été 1979, les services secrets américains avaient fait passer des fonds et de l'armement à la résistance afghane anticommuniste, provoquant ainsi l'intervention de Moscou.

2. Aux trois millions de réfugiés au Pakistan s'ajoutaient quelque deux millions en Iran, venant pour la plupart de la minorité chi'ite concentrée surtout dans l'ouest de l'Afghanistan.

3. Abréviation de Directorate of Inter-Services Intelligence, les services de renseignement de l'armée, fondés en 1948 par un officier britannique, coopérant militaire dans l'État pakistanais créé l'année précédente.

4. Par « jihadistes », on désignera dans les pages qui suivent les partisans étrangers du *jihad*. Au cours des années 1990, les militants radicaux issus de celui-ci devaient se nommer eux-mêmes « salafistes jihadistes » (*salafiyyun jihadiyyun*).

5. Le coup d'État communiste qui renversa le régime du prince Daoud (lequel s'était emparé du pouvoir en 1973 en contraignant à l'abdication son cousin le roi Zaher Chah), fut

appelé par les nouveaux dirigeants « la révolution de Saour », du nom du mois (« du Taureau ») du calendrier hégirien solaire pendant lequel il avait eu lieu. Pour une histoire événementielle bien documentée en français, voir Assem Akram, *Histoire de la guerre d'Afghanistan*, Balland, Paris, 1996.

6. Barnett R. Rubin, dans le livre de référence sur la question afghane contemporaine *The Fragmentation of Afghanistan. State Formation & Collapse in the International System*, Yale University Press, Londres et New York, 1995, chap. 4, p. 81-105, développe le parallèle entre les origines sociales et la trajectoire culturelle des communistes et des islamistes. L'originalité de l'Afghanistan, dans ce domaine, tient à la simultanéité de l'apparition des deux mouvements, alors que dans le reste du monde musulman la mouvance islamiste des années 1970-80 arrive sur le devant de la scène politique après les communistes, qui ont été plus actifs au cours des deux décennies précédentes. Le Parti Démocratique du Peuple Afghan (communiste) fut fondé en 1965, et le premier mouvement islamiste, la *Jamiat-e Jawanan-e Mussulman* (« Association des Jeunes Musulmans »), créé par des étudiants afghans revenus de l'université Al Azhar où ils avaient été influencés par les réseaux clandestins des Frères musulmans égyptiens, vit le jour en 1968 à l'université de Kaboul.

7. Dirigée par Babrak Karmal, la fraction Parcham fut éliminée en juillet 1978. Nour Mohammed Taraki, dirigeant historique du Khalq, fut étranglé sur ordre de son second, Hafizullah Amine, qui s'empara du pouvoir le 15 septembre 1979.

8. Sur les motivations de l'intervention soviétique et les débats à ce sujet entre dirigeants de l'Union soviétique, voir les témoignages des acteurs (rendus possibles par la disparition du système communiste) cités par A. Akram, *op. cit.*, p. 145 sq. et 582-601.

9. L'Égypte, qui avait signé un traité de paix avec Israël, était suspendue pour cette raison de l'OCI, qu'elle ne réintégra qu'en 1984 (voir ci-dessus, chap. 1, note 13).

10. Voir le texte de la déclaration du troisième sommet de l'OCI et des résolutions et recommandations in *MECS*, vol. V, 1980-81, p. 137-145.

11. La jurisprudence islamique distingue le *jihad* défensif et le *jihad* offensif. Le premier est proclamé lorsque le territoire de l'Oumma est attaqué par les infidèles, et que la continuité même de l'existence de l'islam est menacée. C'est pourquoi les oulémas estiment que, dès lors qu'une *fatwa*, ou avis juridique

référé aux Textes sacrés, est émise en ce sens, tous les musulmans doivent s'engager dans le *jihad*, que ce soit en portant les armes ou en contribuant à la cause de toute autre manière appropriée, par le don financier, la charité, la prière, etc. En revanche, lorsque le *jihad* est proclamé pour attaquer le « territoire des impies », ou *dar el kufr*, le conquérir et soumettre ses habitants à la loi de l'islam, il n'est qu'une obligation collective, ou *fard kifaya*, dont la responsabilité n'incombe qu'au chef de guerre et à ses hommes, sans que l'ensemble des musulmans soit contraint à s'y engager. Sur ce thème, on ne dispose que de travaux relativement anciens. Alfred Morabia, dans *Le gihad dans l'islam médiéval : le combat sacré des origines au douzième siècle* (Albin Michel, Paris, 1993), fait le point sur les textes classiques. Pour l'époque moderne, on peut se reporter au recueil d'articles de Rudolf Peters, *Islam and Colonialism : The Doctrine of Jihad in Modern History*, Mouton, La Haye, 1979. On lira sous la plume de Ramadan al-Bouti *Le jihad en islam. Comment le comprendre ? Comment le pratiquer ?*, Dar el-Fikr, Damas, 1996, une vision du *jihad* par l'un des principaux oulémas syriens, accompagnée des débats que cette question suscite.

12. Ainsi, dans l'Algérie des années 1980, liée à l'Union soviétique par de multiples relations, le *jihad* en Afghanistan fut suivi avec intérêt par les premiers groupes islamistes, qui voyaient là la légitimation du combat contre un État socialiste, idéologie dont se réclamait encore à cette époque le pouvoir algérien. Voir Ignace Leverrier, « Le Front Islamique du Salut entre la hâte et la patience » *in* Gilles Kepel (sous la dir. de), *Les politiques de Dieu*, Seuil, Paris, 1993, p. 34.

13. La genèse du mouvement islamiste afghan est décrite avec précision dans l'ouvrage de référence d'Olivier Roy, *Afghanistan. Islam et modernité politique*, Seuil, Paris, 1985, p. 95 sq., auquel sont empruntées la plupart des données présentées ici.

14. Cette tendance « putschiste » de la mouvance islamiste se manifeste à peu près à la même époque en Égypte, où une tentative de soulèvement a lieu en avril 1974 à l'académie militaire d'Héliopolis. Elle a été mise en relation avec la stratégie de prise du pouvoir prônée par le Parti de la Libération Islamique, fondé en 1948 en Palestine par Taqi al Din al Nabahani, qui préconisait la prise de contrôle de l'État par un coup de force, en réaction à ce qu'il percevait comme l'échec des stratégies d'implantation sociale des Frères musulmans telles que les avait défendues Hassan el Banna. Sur ce parti, voir

Soha Taji-Faruqi, *A Fundamental Quest : Hizb-al Tahrir and the Search for the Islamic Caliphate*, Grey Seal Books, Londres, 1996.

15. L'Afghanistan rassemble des ethnies qui parlent de multiples langues et dialectes, et comporte une minorité chi'ite estimée à 15 % de l'ensemble de la population. Les groupes les plus importants sont les Pachtounes (ou Pathans) — présents également au Pakistan dans la province de Peshawar — estimés à environ 7 millions de personnes en 1979, qui parlent le pachto et ont traditionnellement dirigé le pays, les Tadjiks (3,5 millions) qui parlent le persan dans sa version locale, ou dari (mais sont sunnites, comme les Tadjiks du Tadjikistan, alors république soviétique), les Hazaras (chi'ites et persanophones, 1,5 million) et les Ouzbeks (sunnites, parlant l'ouzbek, qui appartient au groupe linguistique turc, 1,3 million). Voir B. Rubin, *op. cit.*, p. 26 sq.

16. Les classes moyennes urbaines sécularisées, peu nombreuses en Afghanistan, furent l'une des cibles prioritaires de la répression communiste. Les intellectuels non communistes et non islamistes qui parvinrent à rester en vie et en liberté partirent en exil lorsqu'ils le purent, sans s'investir dans la résistance — la religion resta donc le seul idiome politique disponible.

17. Tadjik (donc persanophone), ancien élève du lycée franco-afghan de Kaboul et de la faculté polytechnique, le commandant Massoud bénéficiera d'une grande popularité en France, grâce à la sympathie que lui vouent journalistes et chercheurs.

18. Cette politique est explicitée et défendue par l'un de ceux qui l'ont menée, le brigadier (C.R.) Mohammad Yousaf, auteur de *Silent Soldier. The Man behind the Afghan Jehad* (« Le soldat silencieux. L'homme derrière le *jihad* afghan »), Jang Publishers, Lahore, 1991, le même auteur que celui de *The Bear Trap*. Responsable du bureau afghan de l'ISI de 1983 à 1987, l'auteur consacre son livre à défendre l'œuvre de son chef, le général Akhtar, directeur général de l'ISI de 1979 à 1987, et à ce titre architecte du *jihad* afghan, décédé dans l'attentat qui coûta également la vie au président Zia en août 1988. Au moment où ce livre est rédigé, l'Armée rouge s'est retirée mais Kaboul est toujours aux mains du dirigeant communiste Najibullah. Les *moujahidines* sont regardés désormais avec suspicion, tant par certains cercles américains que par le pouvoir saoudien, qui a vu le parti d'Hekmatyar, riche de financements du Golfe, prendre fait et cause pour

Saddam Hussein pendant la guerre de 1990-91. Au Pakistan même, le gouvernement de Benazir Bhutto a remis en cause l'appui exclusif aux partis afghans islamistes de son prédécesseur, et le livre doit être lu comme la justification *a posteriori* d'une politique critiquée de divers côtés. En conséquence, l'auteur, à l'appui de son plaidoyer, fait plusieurs révélations sur les relations entre CIA, ISI et *moujahidines*, et précise que 70 % des armes reçues des Américains étaient redistribuées aux « partis fondamentalistes » islamistes (p. 19), ce qu'il justifie au nom de l'efficacité.

19. Entretien avec le *deputy amir* (vice-président) de la *Jama'at-i Islami*, Mansourah (Lahore), avril 1998. Selon ce responsable, les Arabes de la péninsule, ignorants des différences entre partis afghans, s'en remettaient à la *J.I.*, qui, à son tour, finançait les partis qu'elle connaissait — en privilégiant le Hezb.

20. Nommé à sa naissance Ghulam Rassoul (un patronyme qui se réfère au Prophète, *Rassoul* signifiant en arabe l'« Envoyé », c'est-à-dire le prophète Mohammad), ce qui ne pouvait que déplaire aux wahhabites, pour lesquels l'adoration du Prophète est de l'impiété (voir ci-dessus, chap. 1, note 38), il se fit ensuite appeler Abd al Rabb (« adorateur du Seigneur ») Sayyaf (« porte-glaive » ou « bourreau »). En 1984, il reçut le prix international du roi Faysal pour services éminents à l'islam — qui récompense chaque année une personnalité appréciée de la monarchie saoudienne et est doté de 350 000 rials saoudiens.

21. Parallèlement aux sept partis sunnites de Peshawar, une alliance de trois partis chi'ites est basée à Quetta, la capitale du Baloutchistan pakistanais. Parmi les sept partis, on distingue : le Front National Islamique d'Afghanistan, le Front de Libération National d'Afghanistan (dirigés par des guides de confréries soufies) et le Mouvement de la Libération Islamique (dirigé par un ouléma), qui sont les trois partis « traditionalistes ». Ils n'ont que de faibles soutiens extérieurs. Les quatre partis « islamistes » sont respectivement : le Hezb dirigé par Hekmatyar, le Hezb dirigé par Y. Khalis (une scission du précédent sur des bases tribales et idéologiques), et l'Union Islamique pour la Liberté de l'Afghanistan, animée par Sayyaf — tous trois principaux récipiendaires de l'aide saoudienne — et le *Jami'at* du professeur Rabbani, considéré comme plus modéré que les précédents. Voir B. Rubin, *op. cit.*, p. 196-225, en particulier tableaux p. 208-209.

22. *Ibid.*, p. 215.

23. Le terme arabe *qawm* (voir sa francisation en « goum » dans l'Afrique du Nord coloniale) désigne le « groupe de solidarité » primaire traditionnel à travers lequel les Afghans se lient à l'environnement extérieur (État, autres individus, etc.).

24. Le mouvement déobandi a toutefois été mêlé avant 1947 à divers mouvements radicaux qui avaient pour ambition de secouer la tutelle britannique — comme le mouvement du Khilafat qui mobilisa de nombreux musulmans du sous-continent indien au moment où Atatürk abolissait le califat ottoman, en 1924.

25. L'engagement américain en soutien à l'Afghanistan lèvera la plupart des préventions qui étaient liées au développement du programme nucléaire pakistanais, au moins jusqu'en 1987. Le Pakistan devient en 1982 le quatrième bénéficiaire de l'aide militaire américaine — après Israël, l'Égypte et la Turquie. Sur ces questions, voir Leo E. Rose et Kamal Matinuddin (sous la dir. de), *Beyond Afghanistan. The Emerging U.S.-Pakistan Relations*, University of California, Berkeley, 1989, un ouvrage dont la plupart des contributeurs plaident pour le maintien de la relation privilégiée entre les deux pays malgré le retrait soviétique d'Afghanistan, et qui s'ouvre sur un hommage au général Zia par un diplomate américain. Le Pakistan bénéficie aussi pendant cette décennie de revenus considérables provenant du rapatriement des salaires de ses travailleurs émigrés dans les pays arabes du Golfe (voir ci-dessus, première partie, chap. 2, note 5).

26. Voir des données chiffrées précises ainsi que la description des mécanismes de l'aide dans B. Rubin, *op. cit.* La totalité de l'aide de la CIA est estimée à 3 milliards de dollars. Selon Milton Bearden, ancien responsable de la CIA chargé du dossier afghan, « *the Saudi dollar for dollar match with the US taxpayer was fundamental to the success [of the ten year engagment in Afghanistan].* » http://www.pbs.org/wgbh/page/frontline/shows/binladen/interviews/bearden/html.

27. Les régions pakistanaises frontalières de l'Afghanistan sont classées en « zones tribales » et bénéficient d'une autonomie interne, qui leur permet notamment d'importer des marchandises détaxées, prétexte à des trafics à grande échelle. Le pavot y est cultivé sans beaucoup d'entraves, et les armes de toutes sortes y sont en vente libre, à des prix que l'abondance de l'offre, séquelle des détournements liés à la guerre d'Afghanistan, rend particulièrement compétitifs (observations personnelles, avril 1998).

28. En 1988, la Ligue Islamique Mondiale, à travers sa branche de Peshawar, déclarait avoir ouvert 150 centres d'apprentissage du Coran et 85 écoles islamiques pour les Afghans — en sus d'une aide humanitaire saoudienne qu'elle évaluait à 445 millions de rials saoudiens. Le comité de soutien du prince Salman, quant à lui, avait dépensé 539 millions de roupies pakistanaises en aide humanitaire (voir *MECS*, 1986, p. 133, et 1988, p. 197).

29. Une biographie (à caractère hagiographique) d'Abdallah Azzam figure sur le site des Azzam Brigades, http://www.azzam.com/html/body–sheikh–abdullah–Fazzam.html. En dépit de l'importance du personnage, il n'a guère attiré à notre connaissance, l'attention des chercheurs, et l'on ne dispose pas de biographie critique. Nous reprenons ici les éléments qui nous ont paru crédibles et qu'il a été possible de recouper, notamment grâce à des personnes l'ayant fréquenté. Je remercie en particulier M. Ibrahim al-Gharaibeh, à Amman, d'avoir évoqué l'itinéraire d'Abdallah Azzam avec moi.

30. Certains Frères musulmans de la branche jordanienne avaient collaboré avec l'OLP contre Israël (voir troisième partie, chap. 10). Au moment de « Septembre noir » en 1970, le général Zia ul-Haq était en poste en Jordanie, ce qui lui aurait fait prendre conscience du danger d'accueillir sur son territoire des populations de réfugiés représentés par une seule organisation. Cela aurait expliqué l'insistance de l'ISI à maintenir à Peshawar sept partis afghans distincts, dont les chefs voyaient séparément le général Akhtar.

31. Nos sources ne permettent pas de comprendre pourquoi Abdallah Azzam encourut l'ire du pouvoir jordanien, en bons termes avec l'establishment des Frères musulmans. Toutefois, la monarchie hachémite tenait en suspicion ceux des Frères qui maintenaient des rapports trop cordiaux avec la dynastie saoudienne (qui l'avait évincée de La Mecque en 1928), contre laquelle elle défendait une conception de l'islam moins rigoriste que le wahhabisme.

32. Sur l'Université Islamique Internationale d'Islamabad, voir p. 143.

33. Le champ de « l'humanitaire islamique », encore relativement peu étudié à ce jour, du fait de la grande difficulté d'accès aux sources, naît au début des années 1980, à peu près à l'époque où commence le *jihad* en Afghanistan, dont il sera l'une des principales causes. Il est très lié, sur le plan financier, à l'émergence du secteur bancaire islamique (voir chapitre

suivant) qui lui affecte le bénéfice de ses revenus non *halal* (provenant de l'intérêt) sur injonction des oulémas membres des *chari'a boards* de ces banques. Sur la scène internationale, il représente une manifestation de l'évergétisme des activistes islamiques riches — principalement originaires de la péninsule Arabique — dans un contexte où ceux-ci ne peuvent laisser aux organisations humanitaires occidentales le monopole de la charité — en particulier en Afrique, où l'activité caritative est perçue comme un vecteur du prosélytisme religieux. Bon nombre de ces associations ont été soupçonnées par la presse occidentale de servir de couverture à des mouvements radicaux, aux membres et dirigeants desquels elles fournissaient un emploi, des moyens d'action et une respectabilité. Sur la naissance du phénomène et ses développements au Soudan, voir J. Bellion-Jourdan, « L'humanitaire et l'islamisme soudanais : les organisations *Da'wa Islamiyya* et *Islamic African Relief Agency* », *Politique africaine*, nº 66, (1997), p. 61 sq.

34. La brochure publiée sous le titre *Ilhaq bi-l qafila* (« Rejoins la caravane du [*jihad*] ») s'achève par des conseils pratiques aux « jihadistes » étrangers débarquant à Peshawar : comment obtenir passeport et visa, quel numéro de téléphone appeler, attendre le véhicule qui viendra les chercher à l'aéroport pour les emmener au Bureau des services, etc. Abdallah Azzam, *Ilhaq bi-l qafila*, Dar Ibn Hazm, Beyrouth, 1992 (réédition). Le site des Azzam Brigades (qui en assure la vente par correspondance) la décrit comme la « source d'inspiration de nombreux musulmans à travers le monde pour aller combattre en Afghanistan et en Bosnie ».

35. http://www.azzam.com. Ce site, animé à partir de Londres, a été créé postérieurement au décès d'Abdallah Azzam, et a principalement fourni des données sur les *jihads* de la décennie 1990, en Bosnie et Tchétchénie surtout. On s'y référera plus longuement dans la troisième partie de ce livre.

36. Abdallah Azzam, *Al difa' 'an aradi al muslimin ahamm furud al a'yan*, publications de *Jamiat al da'wa wa-l jihad*, Peshawar, 1405-6 hégirien (1984-85), 2ᵉ édition. Une traduction anglaise « effectuée par des Frères qui combattaient en Bosnie en 1995 », disponible par correspondance sur le même site (cf. note précédente) sous le titre *Defence of Muslim Lands*, est présentée ainsi : « Ce livre est centré sur la célèbre *fatwa* d'Ibn Taïmiyya (*ob* 1328 a.D.) : la première obligation après la Foi est de repousser l'agresseur ennemi qui assaille la religion et ce monde. » Cette même *fatwa* sera utilisée, après la mort

d'Azzam et en extrapolant son interprétation, pour justifier le « *jihad* contre les Américains occupant la terre des deux Lieux Saints » appelé par Oussama ben Laden. Voir p. 472. Le texte de cette « Déclaration de *jihad* » se réfère du reste à A. Azzam.

37. Abdallah Azzam, *Jihad sha'b muslim* (« le *jihad* d'un peuple musulman »), Dar Ibn Hazm, Beyrouth, 1992, p. 24

38. Du même, *Ilhaq...*, *op. cit.*, p. 44, entre autres références.

39. Du même, *Bacha'ir al-nasr* (« Les auspices de la victoire »), même édition, p. 28. Texte du sermon prononcé à Peshawar lors de la prière du *'ad al Adha* (Aïd el Kébir, ou Fête du sacrifice) de 1988.

40. Ne pas participer au *jihad* dès lors qu'il est « obligation individuelle » est un péché comparable à ne pas faire la prière ou ne pas jeûner pendant le mois de Ramadan, selon le consensus des docteurs (à l'exception de quelques hanbalites qui considèrent que la prière a préséance), explique A. Azzam dans *Jihad sha'b..*, *op. cit.*, p. 25, entre autres.

41. *Ibid.*

42. A. Azzam, *Bacha'ir...*, *op. cit.*, p. 26.

43. A. Azzam, *Jihad sha'b...*, *op. cit.*, p. 59.

44. Assem Akram, *op. cit.*, p. 268, n. 1, pour la première estimation, Xavier Raufer (*VSD*, 3 sept. 1998, p. 20, citant des sources du renseignement britannique) pour la seconde. Selon Milton Bearden, ancien responsable de la CIA en Afghanistan, il n'y eut jamais plus de 2 000 Arabes en même temps sur le territoire afghan lui-même, et leur participation aux combats fut minimale.

45. Sur les voyages du cheikh Omar Abdel Rahman à Peshawar, lire les récits recueillis par Mary Anne Weaver, *A Portrait of Egypt*, Farrar, Strauss & Giroux, New York, 1999, p. 169 sq.

46. Oussama ben Laden, jeune milliardaire saoudien islamiste promis à la célébrité dans la décennie suivante, aurait été, selon ses admirateurs, l'une des exceptions, et aurait participé à la tête de ses troupes à des engagements meurtriers contre les Soviétiques, faisant preuve d'un courage physique qui lui valut la révérence que ne pouvait lui procurer sa seule richesse. Voir p. 466.

47. Voir Assem Akram, *op. cit.*, p. 274-277. L'auteur ne cache guère son antipathie pour les Arabes.

48. En 1986, nous avions déjà pu rencontrer en France des jeunes « Beurs » réislamisés ou Français convertis, qui avaient « fait le *jihad* » (comme la génération précédente des gauchistes arabes et de leurs compagnons de route européens

avait fréquenté les camps palestiniens du Liban). Au cours d'une réunion dans la banlieue parisienne, l'un d'eux avait raconté à l'assistance comment les corps des martyrs musulmans embaumaient sur le champ de bataille, tandis que les cadavres des Russes à peine abattus puaient la charogne.

49. Lors du procès du groupe islamiste français dont certains membres étaient impliqués dans un attentat qui eut lieu à Marrakech en 1994, plusieurs inculpés firent le récit de leur voyage au Pakistan où ils avaient souhaité accomplir le *jihad*. Il s'agissait seulement d'un stage d'endoctrinement et de maniement d'armes, sans participation au combat. À leur retour, certains s'étaient entraînés au tir et au crapahutage dans la campagne française. Voir C. Erhel et R. de La Baume, *Le procès d'un réseau islamiste*, Albin Michel, Paris, 1997.

3. « ISLAMIC BUSINESS » ET HÉGÉMONIE SAOUDIENNE

1. Sur le calcul de la *zakat* à l'époque contemporaine, voir G. Causse et D. Saci, « La comptabilité en pays d'islam », *in* Pierre Traimond, *Finance et développement en pays d'islam*, Edicef, Vannes, 1995, p. 62-68.

2. Toute banque islamique opérant sur le marché mondial doit disposer de devises, dont le mouvement est régi par le taux d'intérêt. Elle obtient donc des revenus qui proviennent de l'« usure » et a obligation de les faire sortir de son bilan — ce à quoi veillent les oulémas qui figurent au conseil de surveillance. La création des ONG islamiques correspond entre autres à la nécessité de trouver un emploi pour ces sommes, qui peuvent être très élevées.

3. À la tête d'un capital social de 2 milliards de dollars, apportés principalement par l'Arabie Saoudite, le Koweït et la Libye, la BID tentait de contribuer à la naissance d'un espace économique et financier islamique, alors que, dans les faits, moins de 10 % des échanges des pays musulmans s'effectuent entre eux — le reste, pour l'essentiel, se fait avec les pays occidentaux. La BID finança des projets d'infrastructure, mais dut aussi contribuer à aider les pays pauvres à importer des biens occidentaux, contrairement à son ambition initiale. Elle avait une seconde fonction : former les cadres du secteur public des pays musulmans à l'esprit de la finance islamique et de la suprématie saoudienne, au sein de l'Institut Islamique de Recherches Financières, basé à Djedda, afin qu'ils deviennent

les promoteurs de ce système à leur retour chez eux. C'est à
partir de ce centre saoudien de la BID qu'ont été motivés
beaucoup de ceux qui allaient devenir, à partir de 1975 puis
tout au long des décennies 1980 et 1990, les responsables des
banques islamiques commerciales dans de nombreux pays.

4. Voir Samir Abid Shaikh, « Islamic Banks and Financial
Institutions : A Survey », *Journal of Muslim Minority Affairs*,
vol. XVII, nº 1, 1997, p. 118-119. L'auteur, secrétaire général
de l'Association Internationale des Banques Islamiques, basée
à Djedda et dirigée par le prince Muhammad al Faysal,
dénombre un total de 187 banques et institutions, mais ne
prend en compte que les 144 sur lesquelles il a pu disposer
d'informations précises.

5. Pour une présentation des sources dogmatiques islamiques par un auteur qui considère que le taux d'intérêt est
radicalement prohibé et assimilable à l'usure proscrite, voir
Hamid Algabid, *Les banques islamiques*, Economica, Paris,
1990, p. 32 à 48. Ancien Premier ministre du Niger, ancien responsable de la Banque Islamique de Développement, M. Algabid était, au moment de la publication de cet ouvrage (extrait
de sa thèse soutenue à l'université Paris I en 1988), secrétaire
général de l'Organisation de la Conférence Islamique.

6. « Le *riba'* [usure] comporte quatre-vingt-dix-neuf cas,
dont le moins répréhensible est assimilable au cas de fornication entre un homme et sa mère », selon un *hadith* (propos) du
Prophète, rapporté par Muslim, l'un des deux collecteurs de la
tradition prophétique considérés comme les plus sûrs par les
oulémas.

7. Sur les débats autour de la licéité du prêt à intérêt selon
des oulémas égyptiens modernes et contemporains, voir
Michel Galloux, *Finance islamique et pouvoir politique ; le cas
de l'Égypte*, Presses Universitaires de France, Paris, 1997,
notamment p. 40-45. L'actuel cheikh d'Al Azhar, alors mufti de
la République, émit une *fatwa* en 1989 qui déclarait licite le
système bancaire conventionnel et le prêt à intérêt — au terme
d'une décennie pendant laquelle les sociétés islamiques de placement de fonds avaient détourné une masse d'épargnants des
banques égyptiennes (voir note 11).

8. Sur les débats autour du caractère légal de l'assurance du
point de vue de la *chari'a*, on trouvera une synthèse claire chez
Ernst Klingmüller, « Islam et assurances », *in* Gilbert Beaugé
(sous la dir. de), *Les capitaux de l'islam*, Presses du CNRS,
1990, p. 153 sq.

9. Cette « ruse » qui permet de proposer un taux d'intérêt

tout en prétendant ne pas le pratiquer est particulièrement frappante dans le cas de l'économie iranienne, entièrement « islamisée » par décret dans la République islamique. Les placements y sont en effet rémunérés sur la base d'un « taux de profit garanti », qui correspond dans les faits au taux d'intérêt, et qui est calculé en fonction du taux d'intérêt des prêteurs « au noir » du bazar.

10. On distingue cinq grands types de modes d'investissement et de financement. La *mudaraba*, ou financement participatif, dans lequel la banque fournit le capital pour un projet, et l'entreprise le travail. Profits ou pertes sont répartis selon une clef établie à l'avance. La *musharaka*, ou prise de participation, fait participer la banque au capital d'une entreprise ayant un projet, les dividendes étant ensuite répartis au prorata de l'apport en capital. Le financement des opérations commerciales s'effectue selon trois modalités possibles : la *murabaha*, ou achat à terme, voit la banque acheter à un fournisseur des marchandises pour un client auquel elle les revend avec une marge prédéterminée, le remboursement s'étalant dans le temps. Le *ta'jir* correspond au leasing, et le *ba'i mu'ajjal* au crédit-bail. Toutes ces opérations supposent une association étroite entre l'entreprise et la banque, qui supporte par là des frais d'étude de projet élevés.

11. Le développement de la finance islamique a procuré un nouvel emploi, extrêmement rémunérateur, aux oulémas les plus connus, dans la mesure où leur présence dans un « *chari'a board* » donne à une banque ou une société d'investissement une garantie de sérieux comme de licéité. Le cheikh égyptien Youssef al Qaradhawi compagnon de route des Frères musulmans et installé au Qatar, est très convoité par les banques islamiques — entre lesquelles joue la concurrence. Les oulémas exercent aussi dans ce contexte un rôle important en déclarant « non licite » le système bancaire conventionnel, orientant ainsi les dépôts des croyants les plus pieux vers le système islamique. Les revenus que certains d'entre eux ont tiré à titre personnel de ces fonctions — surtout lorsqu'ils couvraient de leur autorité des sociétés d'investissement douteuses — ont donné lieu à d'amples polémiques, en particulier dans la presse égyptienne dans la seconde moitié des années 1980. Voir sur cet aspect Alain Roussillon, *Sociétés islamiques de placements de fonds et « ouverture économique »*, Cedej, Le Caire, 1988.

12. En 1969, as-Sadr publia un texte plus bref et plus technique que *Notre économie*, intitulé *La banque non usuraire en*

islam, en réponse à une demande du ministère koweïtien des *waqfs* sur les conditions de fonctionnement d'une banque islamique dans un environnement capitaliste « conventionnel ». Voir Chibli Mallat, « Muhammad Baqer as-Sadr », *in* Ali Rahnema (sous la dir. de), *Pioneers of Islamic Revival*, Zed Books, Londres, 1994, p. 263-267.

13. Sur les techniques et le fonctionnement du système bancaire islamique, ainsi que les autres types de produits financiers qu'il procure, voir Fuad al-Omar et Mohammed Abdel-Haq, *Islamic Banking. Theory, Practice and Challenges*, Zed Books, Londres, 1996, p. 1-19. En français, outre l'exposé, engagé mais clair, de Hamid Algabid, *op. cit.*, voir l'introduction de G. Beaugé, « Les enjeux de l'islam dans le champ économique », *in* G. Beaugé (sous la dir. de), *Les capitaux...*, *op. cit.*, p. 20-28.

14. Voir M. Galloux, *op. cit.*, p. 23-25.

15. *Ibid.*, p. 28-35.

16. Sur la corrélation entre explosion des prix du pétrole et naissance de la finance islamique, voir Abdelkader Sid Ahmed, « Pétrole et économie islamique », *in* G. Beaugé (sous la dir. de), *op. cit.*, p. 73 sq.

17. Deux jours après l'assassinat de Sadate, le 6 octobre 1981, par le groupe *Al Jihad*, la branche de haute Égypte du mouvement avait déclenché une insurrection à Assiout, qui ne fut réduite que grâce à l'intervention des parachutistes. Voir chap. 3.

18. L'émeute des conscrits de la police est présentée dans notre article « Égypte : le raïs, les mutins et le baril », *Les Cahiers de l'Orient*, 1986, n° 2, p. 69 *sq.*

19. On trouvera quelques données sur la banque Faysal du Soudan dans le livre d'un journaliste proche du prince Faysal, Moussa Ya'qoub, *Muhammad Faysal Âl Sa'oud : malamih min tajriba al iqtissadiyya al islamiyya* (« aspects de l'expérience de l'économie islamique »), Saudi Publishing and Distributing House, Djedda, 1998, notamment p. 54-55 et 60.

20. Il s'agit d'Abd el Rahim Hamdi, qui deviendra ministre des Finances, puis directeur de la Bourse de Khartoum sous le régime islamiste.

21. Lire Clement Henry Moore, « Islamic Banks and Competitive Politics in the Arab World and Turkey », *The Middle East Journal*, vol. 44/2, printemps 1990, p. 243-249.

4. L'« INTIFADA » ET L'ISLAMISATION
DE LA CAUSE PALESTINIENNE

1. Négociée en secret à Oslo, la « déclaration de principe sur des arrangements intérimaires d'autonomie » (surnommée « accords d'Oslo ») fut signée à Washington le 13 septembre 1993 par Yitzhak Rabin, Premier ministre israélien, et Yasser Arafat, président de l'OLP, en présence de Bill Clinton.

2. Salah Khalaf, cité dans *MECS*, 1988, p. 237.

3. Le récit le mieux documenté des débuts de l'*Intifada* reste le document de Z. Schiff et E. Ya'ari, *Intifada*, Stock, Paris, 1991 (éd. originale 1989).

4. En 1991, la natalité en Cisjordanie et à Gaza est de 46,5 ‰ et de 56,1 ‰ respectivement ; la fécondité de 8,1 et 9,8 enfants par femme. Voir P. Fargues, « Démographie de guerre, démographie de paix », *in* G. Salamé (sous la dir. de), *Proche-Orient, les exigences de la paix*, Complexe, Bruxelles, 1994, p. 26.

5. Voir Y. Sayigh, *op. cit.*, p. 608 et 628.

6. En 1987, près de la moitié de la terre des territoires occupés par Israël en 1967 était passé sous le contrôle de l'État hébreu, et plus de 60 000 colons israéliens étaient installés en Cisjordanie et à Gaza. Sur l'économie de Gaza sous occupation, lire Sara Roy, *The Gaza Strip. The Political Economy of De-development*, Institute for Palestine Studies, Washington, D.C., 1995.

7. Voir Adil Yahya, « The Role of the Refugee Camps », *in* Jamal R. Nassar & Roger Heacock (sous la dir. de), *Intifada, Palestine at the Crossroads*, Praeger, New York, 1990, p. 95 : « Toute la première phase du soulèvement, de décembre 1987 à février 1988, fut d'abord la phase des camps de réfugiés. Le soulèvement ne gagna pas les villages et les villes avant la mi-février 1988. » La Cisjordanie comme Gaza sont sociologiquement divisées entre les camps, où vivent dans des conditions difficiles des Palestiniens d'origine modeste réfugiés des territoires sur lesquels a été créé l'État d'Israël en 1948, et les villages et villes, où vivent les Palestiniens originaires de Gaza et de Cisjordanie, et où toutes les couches sociales, élites comprises, sont représentées.

8. Sur le degré de participation des diverses catégories sociales à la première année de l'*Intifada*, voir les analyses contrastées de H.J. Bargouti, « The Villages in the Intifada »,

de J.R. Hiltermann, « The Role of the Working Class in the Uprising », et de S. Tamari, « Urban Merchants and the Palestinian Uprising », *in* Nassar & Heacock, *op. cit.*, p. 107-125, 143-175. On trouvera une mise en perspective de la participation des *shebab* à l'*Intifada* dans la durée dans Laetitia Bucaille, *Gaza. La violence de la paix*, Presses de Sciences Po, Paris, 1998, p. 29-51.

9. La date du début de l'*Intifada* a fait l'objet d'un débat entre le Jihad Islamique (qui la fixa au 6 octobre, date d'une opération militaire menée par ses militants), l'OLP et Hamas, qui retenaient le 9 décembre, débat d'autant plus crucial que cette date devait devenir par la suite l'objet de célébrations. La fin du soulèvement est généralement estimée à l'été 1994 — quand Arafat revint à Gaza (voir troisième partie, p. 487). L'*Intifada* avait marqué le pas à partir de 1989, mais la situation dans les territoires restait encore insurrectionnelle. La fin de la guerre du Golfe et la défaite militaire de l'Irak firent baisser l'intensité du mouvement. Le moral s'en ressentit, comme le financement de son organisation, les monarchies pétrolières ayant coupé les subsides à l'OLP en punition pour l'appui apporté à Saddam Hussein. Mais des sabotages et des assassinats continuèrent à se produire.

10. « Critiquer la centrale palestinienne revenait à être perçu comme œuvrant pour l'ennemi, d'où la difficulté rencontrée tout au long de la décennie 1980 par les islamistes palestiniens dans leur course pour la légitimité politique, idéologique et sociale », remarque Jean-François Legrain dans « La Palestine : de la terre perdue à la reconquête du territoire », in *Cultures et Conflits*, n° 21-22, printemps 1996, p. 202.

11. Voir J.-F. Legrain, *Les voix du soulèvement palestinien, 1987-1988*, Cedej, Le Caire, 1991, p. 15. Texte original du communiqué p. II/12 trad. p. I/7.

12. Voir J.-F. Legrain, « L'*Intifada* dans sa troisième année », *Esprit*, juillet-août 1990, p. 16-17.

13. Art. 15 et 13, cités d'après la traduction de J.-F. Legrain dans *Les voix...*, *op. cit.*, p. 155-156. La Charte est un potpourri des thèmes habituels de la mouvance islamiste, et a un contenu déclamatoire plus qu'opérationnel. Son article 24 reprend tous les clichés de l'antisémitisme du vingtième siècle, que l'on retrouve régulièrement dans la littérature des Frères musulmans (voir sur cet aspect notre *Prophète...*, *op. cit.*, p. 118-124). Y. Sayigh (*op. cit.*, p. 631-632) attribue la médiocrité de son niveau et de son style à sa rédaction par des jeunes

activistes de Gaza. Voir une analyse précise de ce document par J.-F. Legrain, « La Palestine... », art. cit., p. 204-210.

14. « Dans les trois premières années du soulèvement, le PNB par tête baissa de 41 % dans la bande de Gaza — de 1700 US $ à 1000 US $, ce qui était au-dessous du seuil de pauvreté pour un couple et une famille de quatre personnes vivant en Israël en 1989 » (Sara Roy, *op. cit.*, p. 295).

15. Voir *MECS*, vol. XIV, 1990, p. 252.

16. Voir J.-F. Legrain, « A Defining Moment : Palestinian Islamic Fundamentalism », *in* James Piscatori (sous la dir. de), *Islamic Fundamentalism and the Gulf Crisis*, The American Academy of Arts and Sciences, Chicago, 1991, p. 79. Également, du même auteur : « Palestiniens de l'intérieur dans la crise du Golfe (août-décembre 1990) », *in* M. Camau, A. Dessouki et J.-C. Vatin, *Crise du Golfe et ordre politique au Moyen-Orient*, Paris, CNRS, 1993, p. 223-240.

17. Voir *MECS*, *ibid.*

5. ALGÉRIE : LES ANNÉES FIS

1. Données citées d'après International Monetary Fund, *Algeria : Stabilization and Transition to the Market*, Washington, D. C., 1998, p. 4.

2. L'humour algérien se plaît à fabriquer des catégories conceptuelles factices en mêlant un terme courant, voire trivial, du dialecte arabe, et l'emphase du suffixe français « iste », ce qui crée à la fois un effet comique sûr et une « trouvaille » sociologique. Outre « hittiste », on aura par exemple « khobziste » (arabe *khobz*, « pain »), qui désigne celui qui « va à la soupe » indépendamment de toute considération idéologique, « benammiste » (arabe *ben 'amm*, « fils de l'oncle paternel »), celui qui doit sa position au népotisme, etc.

3. La captation de la légitimité du combat pour l'indépendance et la réécriture de l'Histoire par les dirigeants algériens ont été l'un des enjeux idéologiques majeurs du quart de siècle qui a suivi 1962, dans un État policier où toute expression d'une vue dissidente était interdite — à l'image des démocraties populaires d'Europe de l'Est. Ces questions ont été traitées par les historiens Mohammed Harbi, Monique Gadant et Benjamin Stora notamment. On en trouvera une présentation succincte dans Gilles Kepel, *À l'ouest d'Allah*, Seuil, Paris, 1994, p. 217-219.

4. L'humour algérien surnomme cette zone de l'Est le

« BTS », d'après les villes de Batna, Tébessa et Souk Akhras, les pointes du triangle qu'elles forment autour de Constantine, la métropole traditionnelle où fut créée en 1931 l'Association des oulémas algériens. Voir p. 79.

5. Le terme *trabendo* provient du mot espagnol familier *estraperlo*, « contrebande, marché noir ».

6. Au milieu des années 1990, l'Algérie disposait d'un stock de 4 millions d'unités de logement, de qualité médiocre et vétuste, pour une population de 28 millions d'habitants, ce qui lui donnait l'un des ratios d'occupation de logements les plus élevés du monde. Voir IMF, *Algeria, op. cit.*, p. 49.

7. L'expression est d'Ali Ammar, représentant en France de l'Amicale des Algériens en Europe, organisme de contrôle de l'émigration algérienne, lors d'un entretien à la chaîne de télévision française FR3. Elle sera tournée en dérision par les opposants au régime qui y verront une illustration de la langue de bois du pouvoir, et son éloignement des réalités.

8. Dans les années 1990, l'ancien président Ben Bella, en exil en Europe, devait faire un retour à la religion et se rapprocher de la mouvance islamiste.

9. En 1982, la République islamique iranienne a déjà trois ans, le Hizballah naît au Liban, la ville de Hama, en Syrie, se soulève à l'instigation des Frères musulmans et, en Égypte, après l'assassinat de Sadate à l'automne 1981 par le groupe *Al Jihad*, des centaines de militants islamistes passent en procès. Le « retard » algérien est imputable en partie à l'indépendance tardive de ce pays (1962, à comparer avec la prise du pouvoir par Nasser au Caire en 1952) : ce n'est qu'au début de la décennie 1980 qu'arrive à l'âge adulte la première génération qui n'a pas connu la période coloniale.

10. L'« épopée Bouyali » est décrite avec précision par Séverine Labat dans *Les islamistes algériens. Entre les urnes et le maquis*, Seuil, Paris, 1995, p. 90-94.

11. On trouvera une présentation plus détaillée des événements de novembre 1982 dans notre livre *À l'ouest d'Allah*, Seuil, Paris, 1994, p. 225-226. La mouvance islamiste non violente de l'époque comportait des personnages qui joueront presque tous un rôle important après 1988.

12. Les centres de formation des oulémas maghrébins se situaient traditionnellement à l'université Qarawiyyine de Fès au Maroc et à l'université de la Zitouna à Tunis. La nationalisation puis le démantèlement des *zaouias*, et la fermeture des *medressas* franco-arabes créées à l'époque coloniale avaient achevé de priver le champ religieux algérien de toute instance

de formation des clercs. Voir chap. 1, p. 70. Sur le développement des mosquées dans les années 1980 et la création de l'Université islamique de Constantine, voir Ahmed Rouadjia, *Les Frères et la mosquée*, Karthala, Paris, 1990.

13. Décédé en 1996, le cheikh Mohammed al Ghazali, après avoir fait partie des Frères musulmans puis pris ses distances avec eux, resta toujours en contact avec le régime égyptien et ceux de la péninsule Arabique. Son rigorisme religieux et sa vaste culture islamique en firent un partenaire recherché par les pouvoirs en quête de légitimation religieuse, mais il ne se priva pas de soutenir les islamistes les plus radicaux lorsqu'il estima que ses intérêts de clerc étaient en jeu. Il trouva en juin 1992 des circonstances atténuantes aux assassins de l'essayiste laïque égyptien Farag Foda, à la consternation du gouvernement du Caire (voir chap. 4). Youssef al Qaradhawi, Égyptien naturalisé Qatari, également issu de la mouvance des Frères musulmans, est devenu, à la fin des années 1990, l'une des références de l'islam sunnite. Doyen de la faculté de *chari'a* de l'université du Qatar, membre des *chari'a boards* des principales banques islamiques, il anime l'émission religieuse de la chaîne satellitaire arabe *Al Jazeera*, « *al chari'a wa-l hayat* » (« la *chari'a* et la vie »). Il dispose également d'un site en ligne, « Yusif al-Qaradhawi homepage ». Voir l'analyse de son émission consacrée à la situation en Algérie par Mohammed El Oifi, « La guerre en Algérie vue du monde arabe : la chaîne satellitaire *Al Jazeera* », *Pouvoirs*, sept. 1998, n° 86.

14. Sur les divergences entre les réformateurs regroupés autour du directeur de cabinet du président, Mouloud Hamrouche, persuadés de la nécessité d'une ouverture politique, et les hiérarques du FLN, voir Rémy Leveau, *Le sabre et le turban. L'avenir du Maghreb*, Bourin, Paris, 1993, p. 130 sq.

15. Le nom du parti se réfère à un verset du Coran, sourate III, 103 : « Vous étiez sur la lèvre d'un précipice de feu : Il vous en sauva » (trad. Jacques Berque), Albin Michel, Paris, 1995.

16. Né en 1938, Mahfoudh Nahnah s'engage très tôt dans la mouvance islamiste clandestine ; arrêté dès 1976 pour sabotage, gracié en 1981, il est au contact de Bouyali, mais garde également des liens avec le régime, qui le feront suspecter par beaucoup de militants. Il est le relais en Algérie de l'Association internationale des Frères musulmans, et s'opposera aux islamistes trop préoccupés par les enjeux locaux, qu'il qualifiera de « djazaristes » (voir note 18). Refusant d'intégrer les fondateurs du FIS parmi lesquels son concurrent Abbassi Madani conquiert rapidement la prépondérance, Mahfoudh

Nahnah crée en décembre 1990 le parti Hamas — utilisant le même acronyme que le mouvement islamiste palestinien, mais avec une signification différente (*Harakat al Moujtama' al islami* : « mouvement pour la société islamique »). Ce parti permettra de diviser le vote islamiste aux élections législatives de décembre 1991. Ultérieurement, en 1996, l'acronyme Hamas prendra une nouvelle signification (*Harakat Moujtama' al Silm* : « mouvement pour la société de paix »), après l'interdiction de toute appellation confessionnelle des partis politiques autorisés. Sur le rôle du Hamas dans la décennie 1990, voir 3e partie, chap. 9.

17. Implanté dans le Constantinois et relais dans cette région du mouvement de novembre 1982, Abdallah Jaballah se refuse, comme M. Nahnah, à dissoudre son capital de militants dans une formation dirigée par Madani. Il créera le mouvement *Al Nahda* (« la renaissance »), qui contribuera, comme le Hamas, à diviser l'électorat islamiste en 1991.

18. Originaire de l'Ouest algérien, cette mouvance tire son nom d'un sobriquet décerné par M. Nahnah (*al djazara'* : les « algérianistes »). Composée pour la plupart d'universitaires à formation moderne française ou anglo-américaine de haut niveau, tenus à l'écart des responsabilités par la nomenklatura issue de l'est du pays, elle incarne une tendance « technocratique » de l'islamisme algérien, sans grande base populaire. Ses adversaires au sein de la mouvance l'assimilent à une sorte de franc-maçonnerie islamique, structurée autour de réseaux destinés à conquérir le pouvoir.

19. Sur la personnalité de Benhadj, voir Séverine Labat, *op. cit.*, p. 53. sq.

20. L'expression « entrepreneur militaire » désigne, selon Luis Martinez, l'ancien officier qui, grâce à ses relations dans l'appareil, a fait des affaires, et contrôle les réseaux du *trabendo* dans son quartier. Voir le récit de l'arrivée de « la Mercedes de Madani » chez un « entrepreneur militaire » de la banlieue d'Alger *in* L. Martinez, *La guerre civile en Algérie*, Karthala, Paris, 1998, p. 51.

21. Les observateurs ont généralement estimé, à l'époque, que d'importants dons en provenance de la péninsule Arabique ont permis au FIS de déployer les moyens importants mis en œuvre à Tipasa — ce qui n'enlève rien au dévouement des volontaires islamistes, traditionnellement bien représentés, en Algérie comme ailleurs, dans les rangs des étudiants en médecine. Un phénomène comparable s'est produit au Caire en octobre 1992, où les victimes d'un séisme ont été secourues

par les membres des *gama'at islamiyya* avant que l'État n'intervienne (voir p. 436-442).

22. Voir les témoignages recueillis par Luis Martinez, *op. cit.*, p. 53-81.

23. La situation des femmes répudiées, auxquelles le Code de la famille d'inspiration islamique voté en 1984 par le FLN n'accorde pas le maintien dans le logement conjugal, est particulièrement dramatique dans ce contexte. Vivant seules avec leurs enfants, souvent dans des hôtels meublés misérables, elles sont pourchassées comme prostituées par des moralistes de circonstance.

24. Cette haine du français ne se retrouve pas dans l'islamisme syro-libanais, pourtant soumis également à la domination française entre les deux guerres mondiales — mais pour une durée très inférieure à la colonisation du Maghreb où la francisation des élites a pénétré très profondément. On ne retrouve pas de haine comparable pour l'anglais parmi les islamistes indo-pakistanais, malgré l'intensité de l'anglicisation des élites du sous-continent depuis le milieu du XIXᵉ siècle. Au contraire, les mawdoudistes ont fait de la maîtrise de l'anglais par leurs dirigeants un atout pour propager l'islamisme dans le monde, et un avantage comparatif par rapport aux Frères musulmans arabes, d'ordinaire moins bons anglophones qu'eux. Dans cette perspective, l'anglais apparaît comme un idiome universel et donc propice à la *da'wa* (la propagation de l'islam), sans qu'il soit « contaminé » par son statut de langue du Grand Satan américain. Il paraît neutre aux militants et il deviendra, dans les années 1990, la langue par excellence de la *da'wa* sur Internet. En revanche, le français pâtit d'une image négative qui associe d'ordinaire son usage aux valeurs honnies par la mouvance islamiste. Les militants francophones algériens des années 1970 ont dû s'arabiser pour survivre dans leur famille de pensée. Quant aux auteurs islamistes européens de langue française, ils ne sont guère estimés outre-Méditerranée (à l'exception des convertis). La polémique contre la France et ses « enfants » menée par le FIS est analysée dans Gilles Kepel, *À l'ouest...*, *op. cit.*, p. 220-238.

25. Entretien avec Slimane Zeghidour, *Politique internationale*, automne 1990, p. 156.

26. Le sociologue algérien Lahouari Addi a ainsi pu noter, par un mot fort bien trouvé, que « le FLN est le père du FIS ». Cela signifie à la fois que ce dernier se réclame de la filiation idéologique de l'ex-parti unique, mais également qu'il partage la même vision totalitaire d'une société monolithique, nation

algérienne ou Oumma mythifiées, dans laquelle l'expression des contradictions est interdite — comme anti-nationale dans un cas, anti-islamique dans l'autre. Voir L . Addi, *L'Algérie et la démocratie : pouvoir et crise du politique dans l'Algérie contemporaine*, La Découverte, Paris, 1994.

27. Par exemple, *Al Munqidh*, n° 18, p. 1 et 7.

28. Le FIS a obtenu 4 331 472 voix (54,25 % des suffrages exprimés) en juin 1990, et 3 260 222 voix (47,27 %) en décembre 1991, selon les chiffres officiels, qui doivent être considérés avec prudence (le FIS les a contestés). L'augmentation de l'abstention, probablement imputable aux jeunes démunis qui ne croyaient plus au processus électoral, et la modification dans le régime des procurations expliquent sans doute en partie cette désaffection relative, que l'absence d'études fiables de sociologie électorale en Algérie ne permet guère d'interpréter plus avant. Voir les résultats détaillés dans J. Fontaine, « Les élections législatives algériennes », *Maghreb-Machrek*, n° 135, mars 1992, p. 155 sq.

29. L'expression politique de cet appui des classes moyennes urbaines fut le Comité National pour la Sauvegarde de l'Algérie (CNSA), créé *ad hoc* en janvier 1993, qui regroupait, outre des partis politiques aux militants peu nombreux mais actifs — comme le PAGS (Parti de l'Avant-Garde Socialiste) et le RCD (Rassemblement pour la Culture et la Démocratie), le syndicat professionnel des entrepreneurs publics, et surtout l'UGTA (Union Générale des Travailleurs Algériens), puissant et bien organisé sous la direction de M. Benhamouda, et dont le SIT (Syndicat Islamique du Travail, créé par le FIS) n'avait pas réussi à entamer les positions parmi les travailleurs des grandes entreprises. Contrairement à l'Iran, les employés du secteur pétrolier ne basculèrent pas du côté du FIS, et ils devaient rester fidèles au pouvoir pendant toute la durée de la guerre civile.

6. LE PUTSCH MILITAIRE
DES ISLAMISTES SOUDANAIS

1. Sur les débuts du mouvement, voir Hassan Mekki, *Harakat al Ikhwan al muslimin fi-l sudan*, 1944-1969 (« le mouvement des Frères musulmans au Soudan »), Éd. Dar al balad li-l tiba'a wa-l nachr, Khartoum, 1998 (4ᵉ éd.). En dépit des relations très fortes entre l'Égypte et le Soudan, dont les intellectuels allaient se former au Caire et étaient ainsi exposés à la

pensée des Frères, le mouvement soudanais vit le jour bien postérieurement aux branches syrienne ou jordano-palestinienne, du fait des pressions de la puissance coloniale britannique. En anglais, voir le livre plus général d'un militant du mouvement, Abdelwahab al-Effendi, *Turabi's Revolution. Islam and Power in the Sudan*, Grey Seal Books, Londres, 1991.

2. On peut comparer la situation soudanaise dans les années 1960 à celle du Sénégal indépendant, où les confréries encadraient le champ religieux et ne laissaient qu'un espace restreint à l'expression de l'idéologie salafiste, wahhabite ou des Frères musulmans. Voir J.-L. Triaud, « Introduction », *in* Ousmane Kane et J.-L. Triaud (sous la dir. de), *Islam et islamismes au sud du Sahara*, Karthala, Paris, 1998, p. 16-20.

3. Sur les Ansars à l'époque contemporaine, lire Gérard Prunier, « Le mouvement des Ansars au Soudan depuis la fin de l'État mahdiste (1898-1987) », in *Islam et islamismes*, *op. cit.*, p. 41 sq.

4. Sur les 33 millions d'habitants que compte le Soudan en 1998, 70 % sont musulmans sunnites, les 30 % restant se partageant entre chrétiens (5 %) et animistes (25 %) — ces derniers situés principalement dans le Sud, et désormais, du fait des migrations forcées consécutives à la guerre dans cette région, s'implantant dans les nouveaux quartiers périphériques de Khartoum. En termes ethniques, 52 % de la population sont définis comme « noirs », et 39 % comme « arabes ». Voir *Facts on Sudan*, http://www.sudan.net. (mai 1999).

5. Durant les cinq années que Tourabi passa en France, il participa à la fondation de l'Association des Étudiants Islamiques en France (AEIF), un mouvement de sensibilité proche des Frères musulmans dont le guide était le professeur Hamidullah, universitaire d'origine indienne et auteur de la traduction française du Coran qui fait référence dans les milieux islamistes. Sur ce séjour, voir Hassan Al-Tourabi, *Islam avenir du monde. Entretiens avec Alain Chevaliéras*, J.-C. Lattès, Paris, 1997, p. 301. Sur l'AEIF, *Les banlieues de l'islam*, *op. cit.*, p. 96. Notre thèse, *Les pouvoirs de crise dans les droits anglo-saxon et français, étude de droit comparé*, fut soutenue le 6 juillet à la faculté de droit de l'université de Paris.

6. La primauté donnée à l'activisme politique et à la conquête du pouvoir par Tourabi l'a conduit à prendre ses distances par rapport aux canons usuels des Frères musulmans, voire à interpréter de manière personnelle certains points de dogme dont il souhaitait dépoussiérer la lecture traditionnelle.

En 1999, l'association soudanaise officielle des Frères musulmans ne participait pas au pouvoir, que son dirigeant qualifiait de « régime issu d'un coup d'État militaire » et de « totalitaire », reprochant à Tourabi d'aller contre la ligne des Sahaba (compagnons du Prophète), d'avoir sur l'islam des idées personnelles sans cohérence, puisées dans ses lectures occidentales, et déplorant notamment le caractère hérétique de ses propos sur les femmes « dont il dit que la place n'est pas à la maison » (entretien avec le cheikh Sadiq Abdallah Abd al Majid, Khartoum, 15 mai 1999). Sur la position de Tourabi estimant que les femmes n'ont pas à être confinées à l'espace de leur demeure, et ses divergences sur ce point avec certains Frères musulmans, voir ses propos *in* Alain Chevaliéras, *op. cit.*, p. 34-37. Les premiers écrits de Tourabi sur cette question figurent dans son opuscule de 1973 *Sur la position des femmes dans l'islam et la société islamique*, rédigé en prison, à une époque où le mouvement cherchait à attirer les femmes éduquées et les étudiantes qui étaient alors davantage tentées par la gauche et le PC soudanais. Il y développe un argumentaire qui met l'accent sur la responsabilité individuelle des femmes et leur égalité avec les hommes, et les encourage à participer à la vie publique.

7. Il existe deux collèges électoraux au Soudan, l'un pour les « masses » et l'autre pour les « diplômés », qui bénéficient de la sorte d'une représentation particulière à leur groupe socioculturel.

8. Je me réfère ici aux données de H. Mekki, *op. cit.*, p. 72-73.

9. L'émigration soudanaise dans la péninsule Arabique après 1973 a concerné plus d'un million de travailleurs, dont un certain nombre a occupé des positions de confiance, notamment dans l'encadrement des forces armées. Le transfert de leurs devises au pays s'est effectué d'ordinaire par des circuits parallèles, leur confiance dans les banques d'État restant ténue. Les militants islamistes présents des deux côtés de la mer Rouge ont su rapidement profiter de cette opportunité économique, grâce à des réseaux de changeurs fiables, qui versaient en livres soudanaises aux familles restées au pays l'équivalent des devises que leur remettaient les travailleurs, minorées d'une commission. Ce fut l'une des sources de l'enrichissement des cadres exilés du parti de Tourabi, et de leur insertion dans le système financier islamique.

10. Voir p. 134.

11. Sur le Centre islamique africain, lire Nicole Grandin,

« Al-Merkaz al-islami al-ifriqi bi'l-Khartoum. La République du Soudan et la propagation de l'islam en Afrique noire (1977-1991) », *in* R. Otayek (sous la dir. de), *Le radicalisme islamique au sud du Sahara : Da'wa, arabisation et critique de l'Occident*, Karthala, 1993, p. 97 sq. Le financement du Centre a été durement affecté lorsque le Soudan du général Bachir a soutenu Saddam Hussein, et il a été transformé en Université Internationale d'Afrique, qui accueille toujours des étudiants étrangers, mais avec un budget réduit et une moindre propension au prosélytisme dans ses fonctions d'enseignement (entretien avec Hassan Mekki, IUA, Khartoum, mai 1999).

12. Mahmoud Mohammed Taha prônait une « seconde mission de l'islam » fondée sur les versets les plus anciens du Coran, révélés au Prophète à La Mecque. Il les considérait comme « un appel à la responsabilité et à la liberté », par opposition aux versets plus récents, révélés à Médine, liés aux contraintes de l'époque, au moment où le Prophète fondait un État. Cette interprétation fut considérée comme hérétique par les oulémas traditionnels, et lui valut des accusations d'apostasie. Voir une présentation concise de sa pensée dans Étienne Renaud, « À la mémoire de Mahmud Mohammed Taha », *Prologues, revue maghrébine du livre*, nº 10, été 1997, p. 14-20. Une traduction anglaise de *The Second Mission of Islam* a été publiée par son disciple Abdullah al Na'im (Syracuse University Press, New York, 1987). Tourabi a approuvé quelques mois plus tard, lors d'un entretien avec une journaliste égyptienne, l'exécution de M.M. Taha, qualifié d'« apostat » et de « pion de l'Occident » (cité par R. Marchal, « Éléments d'une sociologie du Front National Islamique soudanais », *Les Cahiers du CERI*, nº 5, septembre 1995, p. 12). Dans son entretien avec un journaliste français, il déclare n'avoir « pas soutenu son exécution », tout en faisant de M.M. Taha « le prophète d'une nouvelle religion [qui] divinisait sa propre personne », voir Alain Chevaliéras, *op. cit.*, p. 306.

13. Ann M. Lesch, « The Destruction of Civil Society in the Sudan », *in* A.R. Norton (sous la dir. de), *Civil Society in the Middle East*, E.J. Brill, Leiden, 1996, vol. II, p. 163.

14. Le putsch aurait été mené par 300 militaires, et soutenu par le directeur de la Faysal Islamic Bank, note A. Chouet, qui indique que le nouveau régime fut immédiatement reconnu par l'Arabie Saoudite. Voir A. Chouet, « L'islam confisqué : stratégies dynamiques pour un ordre statique », *in* R. Bocco et M.-R. Djalili (sous la dir. de), *Moyen-Orient : migrations, démocratisation, médiations*, PUF, Paris, 1994, p. 381.

15. Voir Haydar Ibrahim Ali, « Islamism in Practice : The Case of Sudan », *in* Laura Guazzome (sous la dir. de), *The Islamist Dilemma*, Ithaca Press, Londres, 1955, p. 202.

16. Voir les déclarations de Tourabi devant le comité des Affaires étrangères de la Chambre des représentants des États-Unis, le 20 mai 1992, *in* A. Chevaliéras, *op. cit.*, p. 49-61.

17. Parmi les dirigeants islamistes, on est frappé par le nombre de *halaba* (« alépins », appellation générique des personnes d'origine levantine installées au Soudan, et que distingue la clarté de leur peau) exclus des réseaux du pouvoir traditionnel des confréries, et qui ont vu dans le parti islamiste l'occasion d'accéder aux responsabilités politiques qui leur étaient fermées.

18. Originaires du nord du Nigeria et du Tchad, les Fallata traversaient traditionnellement le Soudan sur le chemin du pèlerinage à La Mecque. Employés par la suite comme journaliers dans les champs de coton, ils formaient un prolétariat agricole méprisé, à qui le parti islamiste sut offrir à la fois une revanche sociale et une intégration religieuse (ils appartiennent à l'école malékite dans un pays dont les confréries chaféites les tenaient à l'écart). Lors des élections de 1986, les sièges parlementaires qu'obtint le FNI en dehors des circonscriptions réservées aux diplômés furent obtenus grâce aux suffrages des Fallata.

19. Pour le MTI, entretien avec Habib Mokni, Paris, 1993, et nombreuses déclarations en ce sens de R. al Ghannoushi, principal dirigeant du mouvement. Pour Hamas, voir *MECS*, 1991, p. 184.

20. Sur les échecs de l'économie soudanaise depuis 1989, et l'enrichissement des hommes d'affaires issus du FNI, voir H.I. Ali, *art. cit.*, p. 204-207.

21. Participants et déroulement des trois conférences de Khartoum sont décrits dans *MECS*, 1991, p. 182-183 ; 1993, p. 143-146 ; et 1995, p. 107-109. Sur cette dernière, également le récit d'un participant, F. Burgat, dans *Maghreb-Machrek*, n° 148, avril-juin 1995, p. 89 sq.

22. Le dirigeant soudanais est très friand des grands médias occidentaux, qui ont fait de lui un « islamiste présentable », capable de donner le frisson à leurs lecteurs tout en utilisant leur langage. Lire la présentation réaliste, par François Soudan, de l'un des innombrables entretiens avec Tourabi dans *Jeune Afrique*, 8 avril 1993 : « Il y a en fait deux Tourabi. Celui qui critique les excès de la révolution iranienne, parle de libération de la femme, tend la main à l'Occident. Et celui qui

conseille les islamistes afghans, aide Ghannouchi le Tunisien, Zindani le Yéménite, Cheikh Omar [Abdel Rahmane] l'Égyptien et les dirigeants en exil du FIS algérien dans leur lutte pour le pouvoir. Discours et réalité : à chacun de choisir "son" Tourabi. »

7. EUROPE, TERRE D'ISLAM : LE VOILE ET LA « FATWA »

1. La lecture de l'affaire Rushdie que nous proposons ici s'appuie pour l'essentiel sur les recherches effectuées pour notre *À l'ouest d'Allah, op. cit.*, deuxième partie, dans lequel on trouvera les références bibliographiques d'ouvrages parus jusqu'en 1994.
2. La différence entre la *fatwa* condamnant Rushdie à mort et sa qualification d'apostat vient du droit qu'a ce dernier, s'il se repent, d'échapper à la peine capitale. Dans le premier cas, il s'agit d'une condamnation sans appel, dans le second d'une mise en jugement qui permet (en principe) le déploiement d'une argumentation contradictoire.
3. Cité dans Reinhardt Schulze, « The Forgotten Honor of Islam », *MECS*, 1989, p. 175.
4. Pour l'histoire des premiers développements de l'islam en France, on renverra à notre ouvrage *Les banlieues de l'islam, op. cit.*, dont les grandes lignes sont reprises ici et réinscrites dans une perspective européenne et généalogique au regard des événements postérieurs à la parution de ce livre (1987).
5. Cité dans Reinhardt Schulze, art. cit., p. 178.

TROISIÈME PARTIE ENTRE VIOLENCE ET DÉMOCRATISATION

1. LA GUERRE DU GOLFE ET LA FISSURE DU MOUVEMENT ISLAMISTE

1. Malgré la situation dramatique du monde musulman pendant ces premières journées d'août 1990, les ministres des Affaires étrangères de l'OCI consacrèrent leur énergie à adopter la Déclaration du Caire sur les droits de l'homme en Islam (le 5). Elle fit droit aux conceptions wahhabites en la matière en précisant, dans son article 24 : « Tous les droits et libertés stipulés dans cette déclaration sont soumis à la *chari'a* », fai-

sant ainsi pièce à la Déclaration universelle des droits de l'homme.

2. Sur les différentes conférences convoquées par l'Arabie Saoudite et l'Irak pour recueillir l'appui des instances religieuses islamiques, on lira les chroniques de Martin Kramer, « The Invasion of Islam », *MECS*, 1990, p. 177-207, et « Islam in the New World Order », *MECS*, 1991, p. 172-205. Sur la dimension islamique de la guerre de façon générale et sa perception dans le monde musulman, voir James Piscatori (sous la dir. de), *Islamic Fundamentalisms and the Gulf Crisis*, *op. cit.*, en particulier son chapitre « Religion and Realpolitik : Islamic Responses to the Gulf War », p. 1-27.

3. Une quatrième session était prévue en 1998, mais les opposants à Tourabi à l'intérieur du régime soudanais la firent annuler, la jugeant inopportune alors même qu'ils cherchaient à se réinsérer dans le concert des nations en récusant toute accusation de « soutien au terrorisme » (entretien avec M. Baha el Din Hanafi, Khartoum, mai 1999).

2. LE POUVOIR SAOUDIEN
PRIS À SON PROPRE PIÈGE

1. La description et l'analyse les plus détaillées de l'opposition islamiste en Arabie Saoudite se trouvent dans Mamoun Fandy, *Saudi Arabia and the Politics of Dissent*, Macmillan, Londres, 1999. Parmi les premières analyses du phénomène parues dans une langue européenne, on notera les missives de Katherine Roth, datées des 11 et 12 novembre 1994, et diffusées par The Institute of Current World Affairs, *Islamic Rumblings in the Kingdom of Saud*, Hanover, États-Unis.

2. Sept des membres du Conseil se firent porter malades pour ne pas siéger à une réunion qui devait condamner une initiative qu'ils approuvaient. Prenant prétexte de l'état de santé défaillant qu'ils avaient invoqué, le roi les mit à la retraite et les remplaça, en décembre suivant, par dix autres oulémas dont il espérait plus de loyauté. Voir J. Teitelbaum, « Saudi Arabia », *MECS*, 1992, p. 677.

3. Dans la société bédouine saoudienne traditionnelle s'opposent les tribus de lignage « noble », descendantes des nomades qui élevaient les chameaux, et les déclassés, ou *khediri*, confinés aux tâches domestiques, avec lesquels il n'était pas contracté d'alliance matrimoniale — prohibition qui est toujours en vigueur malgré l'égalitarisme dont se réclame

l'islam. L'appartenance de Mas'ari à ce second groupe a été mise en avant par ses détracteurs, qui soulignaient également qu'il avait une ancêtre éthiopienne, cause de sa peau sombre, une mère égyptienne et une femme américaine, épousée durant ses longues années d'études passées en Occident — tous arguments destinés à le discréditer au regard du *mainstream* saoudien. Voir M. Fandy, *op. cit.*, p. 121 sq. Sur les différenciations tribales, voir A. Al-Yassini, *Religion and State in the Kingdom of Saudi Arabia*, *op. cit.*, notamment p. 53.

3. DÉCOMPOSITION ET PROLIFÉRATION DU « JIHAD » AFGHAN

1. Sur les réactions à la guerre du Golfe au Pakistan, lire Mumtaz Ahmad, « The Politics of War : Islamic Fundamentalisms in Pakistan », *in* J. Piscatori (sous la dir. de), *Islamic Fundamentalisms...*, *op. cit.*, p. 155-185.

2. Sur le « salafisme jihadiste », voir notre article « Le GIA à travers ses publications », *Pouvoirs*, automne 1998. Cette expression, employée par l'imam Abou Hamza, l'un des représentants de ce courant, lors d'un entretien avec lui (Londres, février 1998), revient régulièrement dans ses brochures et documents audiovisuels.

3. Sur Sayyid Jamal al-Din al-Afghani (1838-1897), Muhammad Abduh (1849-1905) et Rashid Rida (1865-1935), dans leur rapport aux courants islamistes contemporains, lire Nikki Keddie, « Sayyid Jamal al-Din al-Afghani », *in* Ali Rahnema (sous la dir. de), *Pioneers of Islamic Revival*, *op. cit.*, p. 27-29.

4. Critiquant Sayyid Qotb, Abou Hamza (*Talmi' al Ansar lisayf al battar* [les partisans du Prophète font briller le sabre tranchant], Londres, avril 1997) lui reproche de n'avoir lu le Coran qu'à partir de sa culture moderne, sans être qualifié comme exégète patenté. On a là un indice de la transformation qu'introduit le « salafisme-jihadisme » dans l'idéologie islamiste contemporaine : Qotb comme Mawdoudi s'exprimaient dans une langue simple, aisée à comprendre et à reproduire pour toute personne capable de lire. En revanche, les militants ultra-radicaux de la décennie 1990, passés par l'Afghanistan, retrouvent la fonction d'autorité absolue (et inpénétrable au commun des croyants) des cheikhs et oulémas traditionnels. Les militants, fanatisés, n'ont plus véritablement à comprendre les textes, il leur est demandé d'obéir aveuglé-

ment aux injonctions d'oulémas autoproclamés et légitimés par leur participation au *jihad* afghan.

5. Voir p. 119-121.

6. Voir p. 123-124.

7. Voir p. 217-221.

8. Boujema' Bounouar, dit Abdallah Anas, l'un des membres du courant « salafiste » du FIS, né en 1958, participa au *jihad* en Afghanistan et épousa l'une des filles d'Abdallah Azzam. L'attaque du poste-frontière algérien de Guemmar, le 28 novembre 1991, considéré comme le point de départ symbolique du *jihad* dans ce pays, eut lieu deux ans (et quatre jours) après l'attentat qui coûta la vie à Abdallah Azzam à Peshawar.

9. Voir p. 83.

10. Le fonctionnement des partis d'oulémas pakistanais évoque celui des partis « ultra-orthodoxes » (*haredim*) en Israël, État fondé un an après le Pakistan. Dans les deux cas, les partis religieux, qui voulaient faire prévaloir le judaïsme ou l'islam de stricte observance sur la simple appartenance qui était à la racine du nationalisme israélien ou pakistanais, commencèrent à participer au système politique pour bénéficier de subventions de l'État à leurs écoles ; ultérieurement, ils participeraient dans les deux pays aux coalitions au pouvoir. Voir p. 98, sur le Pakistan, et notre *Revanche de Dieu*, *op. cit.*, chap. 4, sur Israël.

11. Voir p. 146.

12. Sur ces questions, voir les travaux de Mariam Abou Zahab, notamment « The Regional Dimension of Sectarian Conflicts in Pakistan », colloque du Ceri, Paris, 7 décembre 1998, à paraître.

13. Les *Sahaba*, ou Compagnons du Prophète, sont particulièrement révérés par les sunnites pieux, auprès desquels leur témoignage fait autorité sur les premiers temps de l'islam. C'est dans leur milieu que naîtront les califes successeurs de Mohammed, en particulier la dynastie Omeyyade. Ils sont en revanche exécrés par les chi'ites, qui leur imputent la défaite d'Ali en 657, et le massacre de Hussein et de ses compagnons à Karbala en 680. Dans le contexte pakistanais, la référence aux Compagnons est d'emblée comprise comme anti-chi'ite.

14. L'expression fait référence à Haq Nawaz Jhangvi, l'un de ces personnages à mi-chemin entre banditisme et islamisme ultra. On rapprochera son surnom « Haq Nawaz Pistol » de celui d'un « Hassan Karaté », illustre dans la « République Islamique d'Embaba », en Égypte, ou de l'émir du GIA « Seif Allah Dja'far » (« Dja'far épée de Dieu »).

15. Le terme *Ansar* désigne, dans l'histoire islamique, les « partisans » que le Prophète trouva à Médine lorsqu'il y chercha refuge en 632, fuyant La Mecque avec ses premiers disciples, les *mouhajiroun* (« émigrés »).

16. De même que le nom du SSP, celui du SMP (dont il constitue un décalque) a des connotations polémiques immédiatement perceptibles : dans l'esprit des militants chi'ites, la défense du Prophète inclut celle de sa famille, écartée du pouvoir par les *Sahaba* dont se réclament les sunnites.

17. Lire Mariam Abou Zahab, « Islamisation de la société ou conflit de classes ? Le *Sipah-e Sahaba Pakistan (SSP)* dans le Penjab », *Cemoti*, printemps 2000.

18. Voir M. Ahmad, « Islamic Fundamentalisms... », in *op. cit.*, p. 166.

19. Lire Ahmed Rashid, « Pakistan and the Taliban », *in* William Maley (sous la dir. de), *Fundamentalism Reborn ? Afghanistan and the Taliban*, Hurst & Co, Londres, 1998, p. 72-89. Du même auteur, on consultera l'ouvrage *Talibans*, Tauris, Londres, 2000.

20. Le projet de gazoduc qui devait relier le Turkménistan à la ville pakistanaise de Multan, au Penjab, a suscité les convoitises de deux cartels pétroliers : Unocal, Delta (compagnies respectivement californienne et saoudienne) d'une part, et Bridas (Argentine) de l'autre. Unocal s'est fait l'ambassadeur le plus éloquent des Talibans dans les cercles dirigeants américains, et le Département d'État a publié des communiqués qui n'étaient pas défavorables au mouvement lorsqu'il s'empara de Kaboul le 27 septembre 1996. Le projet a par la suite été remisé, à la suite des pressions exercées aux États-Unis par les mouvements féministes contre la compagnie pétrolière, du fait du traitement que subissaient les femmes afghanes sous le joug des Talibans. Il a également souffert de la baisse du prix des hydrocarbures à la fin des années 1990, consécutive à la crise économique asiatique, et au regain de tension indo-pakistanaise — exprimée par les essais nucléaires auxquels ont procédé les États au printemps 1998. La rentabilité du gazoduc n'était en effet assurée que si l'Inde, également partenaire privée d'énergie pétrolière, s'y approvisionnait. Sur ces questions, lire notamment Richard Mackenzie, « The United States and the Taliban », *in* W. Maley, *op. cit.*, p. 90 sq.

21. Lire sur ces questions l'article d'Andreas Rieck, « Afghanistan's Taliban : an Islamic Revolution of the Pashtun », *Orient*, 1/1997, notamment p. 135 sq., et Mariam Abou Zahab,

« Les liens des Taleban avec l'histoire afghane », *Les Nouvelles d'Afghanistan*, n° 85, 3e trimestre 1999.

22. Ces impressions de Kaboul sous domination des Talibans proviennent d'un séjour que nous avons effectué sur place en avril 1998.

23. L'institution des *moutawi'a* remonte à Ibn Abd al Wahhab, l'imam qui donna son nom au wahhabisme, et qui, dès qu'il disposa du pouvoir spirituel sur le premier État saoudien (1745-1811), instaura cette « police religieuse » qui surveillait les comportements individuels, recherchait et punissait toute déviance, et s'assurait que les croyants se rendaient à chaque prière.

24. Voir A. Rashid, art. cité, p. 76. L'auteur signale le rôle joué par Maulana Fazlur Rahman, dirigeant du JUI et alors président de la commission des Affaires étrangères du Parlement, dans l'organisation des chasses à l'outarde dont étaient friands les princes saoudiens, et qui les mirent en contact avec les Talibans. Il démarcha également avec succès les capitales européennes et l'américaine, ainsi que les pays de la péninsule pour les faire connaître.

25. L'un des aspects les plus surprenants du voyage dans l'Afghanistan des Talibans, pour qui quitte Kaboul où « l'ordre déobandi » règne sans faiblesse, et se rend au Pakistan par la route, est le spectacle des champs de pavot à perte de vue, destinés à fabriquer l'héroïne qui droguera les infidèles, ainsi que celui des contrebandiers qui encombrent le col de Khaybar entre les deux pays, apportant à dos d'homme dans les « zones tribales » pakistanaises tout l'équipement (audiovisuel entre autres) qui provient de Dubayy. Observations personnelles de l'auteur, avril 1998.

26. Ainsi, les pressions de l'Arabie Saoudite pour obtenir l'expulsion d'Oussama ben Laden d'Afghanistan sont restées sans effet, ce qui s'est traduit par la rupture des relations diplomatiques entre les deux pays, sans doute la plus visible d'une série d'autres mesures de rétorsion saoudiennes en 1999.

27. Pour une appréciation de l'impact global des partis islamistes sur la vie politique pakistanaise à la toute fin des années 1990, voir Amélie Blom, « Les partis islamistes à la recherche d'un second souffle », *in* Christophe Jaffrelot (sous la dir. de), *Le Pakistan, carrefour de tensions régionales*, Complexe, Bruxelles, 1999, p. 99-115, et Mumtaz Ahmad, « Revivalism, Islamization, Sectarianism and Violence in Pakistan », *in* Craig Baxter et Charles Kennedy (sous la dir. de), *Pakistan 1997*, Westview, Boulder, 1998.

28. Sur cette question, voir notamment *Cemoti*, n° 18, 1995, « Le Tadjikistan existe-t-il ? », et M.-R. Djalili et F. Grare, *Le Tadjikistan à l'épreuve de l'indépendance*, IUHEI, Genève, 1995.

29. Ibn al Khattab, probablement originaire de la péninsule Arabique, aurait décidé de partir en Tchétchénie depuis l'Afghanistan en 1995, avec huit compagnons, après avoir établi le caractère de *jihad* du combat mené dans ce pays contre les Russes. Le 16 avril 1996, il aurait dirigé cinquante combattants qui attaquèrent un convoi militaire russe battant en retraite, y causant beaucoup de morts, et Chamil Bassaiev, le dirigeant islamiste de la résistance locale, l'aurait fait général tchétchène. Il participe également au soulèvements de villages daghestanais, en août 1999, qui précipiteront la nouvelle offensive russe en Tchétchénie dans la seconde moitié de cette année. Sur la participation des *jihadistes* venus d'Afghanistan à ce conflit mal connu, voir l'entretien avec Ibn al Khattab dans *Al Hayat*, 30 sept. 1999, ainsi que le site cité des « Azzam Brigades » (http://www.azzam.com.) qui contient de longs développements sur l'implication de ceux-ci en Tchétchénie. Voir notamment l'hagiographie du « martyr » égyptien Abu Bakr Aqeedah, tombé le 23 décembre 1997 — dont l'itinéraire militant débute en haute Égypte, passe par le cheikh Abdel Rahman, se poursuit en Afghanistan puis en Tchétchénie.

4. LA GUERRE EN BOSNIE ET LE REJET DE LA GREFFE DU « JIHAD »

1. L'Empire ottoman fit la conquête de la Bosnie en 1463 et de l'Herzégovine en 1482. Il était déjà présent dans les Balkans un siècle auparavant, ayant notamment remporté en 1389 la bataille de Kosovo, dite du « champ des merles », considérée rétrospectivement par les orthodoxes serbes comme l'ultime sursaut de la résistance des populations locales à l'envahisseur, et commémorée comme telle. En 1989, la célébration du sixième centenaire de la bataille de Kosovo par l'Église orthodoxe serbe fut l'un des symboles de l'exaltation des nationalismes qui mena à la désagrégation de la Yougoslavie. Sur l'histoire de la Bosnie, voir la synthèse récente de Noël Malcolm, *Bosnia, A Short History*, Papermac, Londres, 1996. Une version « romancée » de la bataille de Kosovo qui permet d'en comprendre la charge symbolique contemporaine se lit sous la plume d'Ismaïl Kadaré, *Trois chants funèbres pour le Kosovo*, Fayard, Paris, 1997. Sur l'islam balkanique en général, on se

référera à la somme d'Alexandre Popovic, *L'islam balkanique*, Otto Hassarowitz, Wiesbaden, 1986.

2. Lors du recensement de 1991, la République de Bosnie, encore membre de la Yougoslavie, comptait 4 364 574 habitants, dont 43,7 % se déclaraient Musulmans, 31,4 % Serbes, 17,3 % Croates, 5,5 % Yougoslaves, et 2,1 % « autres ». Sur la signification du terme « Musulmans » entendue comme nationalité, voir p. 244. Source : Xavier Bougarel, *Bosnie, anatomie d'un conflit*, La Découverte, Paris, 1996, p. 141. L'Indépendance est proclamée le 3 mars, à la suite d'un référendum où elle est approuvée à la quasi-unanimité des 63,4 % des électeurs inscrits qui prennent part au vote (les Serbes, qui représentent un tiers de l'électorat, l'ont boycotté).

3. On date conventionnellement le début de la guerre en Bosnie du 6 avril 1992, le jour où commence le siège de Sarajevo par des milices serbes — et où l'indépendance de la Bosnie-Herzégovine, proclamée un mois plus tôt, est reconnue par la Communauté européenne. Le lendemain, une « République serbe de Bosnie-Herzégovine » est proclamée à Pale, une petite ville des environs de Sarajevo.

4. L'expression « nettoyage ethnique », passée dans le langage courant à l'occasion de la guerre dans l'ex-Yougoslavie, désigne l'expulsion, par la force, hors d'un territoire donné, des populations considérées comme allogènes par ceux qui le contrôlent. Ce phénomène a pris une acuité particulière dans une région où les populations se réclamant de l'appartenance à des communautés différentes voisinaient depuis des siècles.

5. L'interprétation du conflit dans l'ex-Yougoslavie a été très largement tributaire de sa couverture par la presse, et des manipulations sémantiques auxquelles se livraient les adversaires pour gagner des soutiens à leur cause et diaboliser celle de l'ennemi. Sur la réalité et l'extension du « nettoyage ethnique » et du « génocide » ainsi que l'usage de ces termes, on se reportera aux remarques de Xavier Bougarel, *op. cit.* p. 11-14.

6. . La première conférence destinée à sensibiliser le monde musulman à la cause de la Bosnie et à en présenter une lecture islamique a lieu les 18-19 septembre 1992 à la mosquée de Zagreb (édifiée en 1987 grâce à des fonds saoudiens), et rassemble des dirigeants de la mouvance islamiste internationale proche des Frères musulmans. Voir Xavier Bougarel, *Islam et politique en Bosnie-Herzégovine. Le parti de l'Action démocratique*, thèse de doctorat, Institut d'Études Politiques de Paris, 1999, p. 342, à paraître, sous le même titre, aux Presses de

Sciences Po, Paris, 2000. Les développements ultérieurs de ce chapitre sont très largement redevables au travail pionnier de Xavier Bougarel, dont l'ampleur et la richesse ne trouvent dans ces lignes qu'un mince écho.

7. Alors que la plupart des relais d'opinion occidentaux adoptèrent durant la guerre une attitude hostile à la Serbie, que les Nations unies prirent dès 1992 des mesures punitives contre la nouvelle Yougoslavie (formée de la Serbie et du Monténégro le 27 avril 1992) en excluant celle-ci, et que le Tribunal Pénal International de La Haye inculpa pour crimes contre l'humanité et génocide les principaux dirigeants de la « République serbe de Bosnie » autoproclamée à Pale le 7 avril 1992, les milieux activistes islamistes présentèrent la guerre comme un génocide antimusulman mené par l'Occident, qui refusait d'accepter l'existence d'un « État islamique » en Europe. Dans cette logique, les milices serbes, puis M. Milosevic, n'étaient que les exécutants d'un plan d'extermination dont les véritables concepteurs se donnaient les gants de déplorer les « bavures » sans rien faire concrètement pour en empêcher le déroulement. Voir les cassettes vidéo de l'une des principales organisations humanitaires islamiques, Islamic Relief, citées par Jérôme Bellion-Jourdan, « Les réseaux transnationaux islamiques en Bosnie-Herzégovine », *in* Xavier Bougarel et Nathalie Clayer (sous la dir. de), *Le nouvel islam balkanique*, Ellipses, Paris, 2001.

8. Sur les réactions du monde arabe au début du conflit en Bosnie, voir Tarek Mitri, « La Bosnie-Herzégovine et la solidarité du monde arabe et islamique », *Maghreb-Machrek*, janvier 1993, p. 123-136, et les chroniques de *MECS*, 1992 p. 218-220, 1993 p. 109-111, 1994 p. 127, et 1995 p. 98-100. Sur la guerre civile en Algérie vue du Moyen-Orient, voir Mohammed El-Oifi, art. cité, *Pouvoirs*, automne 1998.

9. Ces évaluations, qui ne constituent qu'un ordre de grandeur et ont été établies par le Renseignement américain puis transmises à la presse, doivent être prises avec prudence, en l'absence de toute donnée fiable. S'y adjoignent quelques centaines de gardiens de la Révolution iraniens, pour la plupart instructeurs militaires affectés aux forces armées bosniaques et demeurés sous le contrôle de celles-ci jusqu'à la fin du conflit.

10. Voir p. 35-37.

11. À l'échelle de la Bosnie toutes nationalités confondues, le SDA obtient 30,4 %, le parti serbe SDS 25,2 % et le HDZ croate 15,5 % — assurant le succès des partis nationalistes,

face auxquels les partis « citoyens » ne recueillent que 28,9 % des suffrages exprimés.

12. Des sondages réalisés en 1990 indiquent que le niveau de religiosité des musulmans était l'un des plus bas de toutes les nationalités yougoslaves : seuls de 34 à 36 % d'entre eux se déclaraient « religieux », et 61 % des jeunes affirmaient ne jamais se rendre à la mosquée. Voir Xavier Bougarel, « Discours d'un Ramadan de guerre civile », *L'Autre Europe*, n° 26-27, 1993.

13. Serbes et Croates portent des noms qui ne font pas référence à leur confession, mais, dans les faits, sont distingués par l'appartenance des premiers à l'orthodoxie et des seconds au catholicisme, qui s'est traduite par la transcription de leur langue commune, le serbo-croate, en caractères cyrilliques pour les uns et latins pour les autres. Ces allégeances respectives se sont traduites, au cours de l'histoire, par un tropisme vers les Églises d'Orient (passées sous domination politique musulmane), puis vers la Grèce et la Russie pour les Serbes, et vers l'Église de Rome, puis l'Autriche-Hongrie et l'Europe occidentale pour les Croates.

14. Contrairement aux musulmans arabes, qui déploraient l'abolition du califat, mais ne regrettaient guère l'Empire ottoman, perçu comme despotique et responsable de la décadence du Moyen-Orient, cause de son assujettissement à la colonisation européenne, les musulmans de Bosnie, qui ne pouvaient se référer à aucun passé islamique pré-ottoman, n'avaient pas matière à nourrir de grief comparable à l'encontre d'un Empire dont ils avaient été aliénés malgré eux par la conquête austro-hongroise de 1878.

15. Voir Xavier Bougarel, « Un courant panislamiste en Bosnie-Herzégovine », *in* Gilles Kepel (sous la dir. de), *Exils et royaumes*, *op. cit.*, p. 275-299.

16. Amine al Husseini, mufti de Jérusalem, hostile à la création d'un foyer national juif en Palestine et à la Grande-Bretagne qui l'avait rendu possible à la suite de la Déclaration Balfour de 1917, rejoignit le camp hitlérien et dirigea l'Institut islamique de Berlin. Il avait pour fonction de convertir l'hostilité au sionisme dans le monde arabe et musulman en soutien à la politique nazie.

17. La Seconde Guerre mondiale, en Yougoslavie, double l'occupation allemande et italienne et les actions de résistance contre elles d'une guerre civile dont les principaux protagonistes sont les oustachis, les tchetniks et les partisans, dont la mémoire demeurera vivace jusqu'au déclenchement de la

guerre civile des années 1990. Le mouvement oustachi, à travers la création d'un « État de Croatie » pro-nazi, le 10 avril 1941, qui inclut la Bosnie-Herzégovine, met en œuvre une politique d'extermination des Juifs, des Tziganes et des Serbes. Les musulmans, considérés comme « Croates de confession islamique », ne sont pas inquiétés. Le mouvement tchetnik, composé de résistants nationalistes serbes, se livrera également, en rétorsion, à des massacres de populations croates et musulmanes. Enfin, les partisans, dirigés par Tito, sauront attirer dans leurs rangs, outre les communistes, des Serbes et des Croates, bon nombre de musulmans, considérés, selon le modèle soviétique, comme une ethnie qui bénéficie d'un traitement particulier. Le souvenir des atrocités perpétrées par les divers adversaires pendant la Seconde Guerre mondiale a été réactivé à l'occasion du conflit des années 1990 : dans le camp serbe, on a rappelé les massacres perpétrés par les oustachis, et cherché à établir leur filiation dans la Croatie indépendante de 1991. On a aussi rappelé la participation de musulmans aux pogroms antiserbes et antijuifs. Dans les camps croate et musulman, le souvenir des massacres tchetniks a fait l'objet de commémorations, et les milices serbes ont fréquemment été nommées « tchetniks ». Comme ces derniers portaient la barbe non taillée, qui reste associée à leur image, les musulmans bosniaques demeurent scrupuleusement glabres — ce qui a suscité des frictions avec les « jihadistes » abondamment barbus arrivés en Bosnie en 1992. Sur ces usages, voir A. Popovic, « Les musulmans de Bosnie-Herzégovine : mise en place d'une guerre civile », in *Actes de la recherche en sciences sociales*, nº 116-117, mars 1997, p. 91-104.

18. Portant en exergue : « Notre but : l'islamisation des musulmans. Notre devise : croire et combattre », la *Déclaration islamique*, « synthèse des idées que l'on entend de plus en plus fréquemment un peu partout et qui ont une même valeur dans toutes les parties du monde musulman », se veut un programme « d'action organisée en vue de leur réalisation ». Ce texte bref comporte trois parties. La première dresse un bilan des causes de « l'arriération des peuples musulmans », imputée à la sclérose des oulémas (à cause de quoi « le Coran a perdu l'autorité de la Loi » et ses commandements « se sont dissous dans le ronronnement du texte coranique appris par cœur »), ainsi qu'à la perversion des « soi-disant progressistes occidentaux », et autres « modernistes » qui « représentent partout dans le monde musulman un véritable malheur ». Le

symbole des échecs de ces derniers est incarné, aux yeux de l'auteur, par Atatürk, dont les réformes ont abouti à faire de la Turquie « un pays de troisième ordre ». Pour surmonter ces obstacles, M. Izetbegovic « ne distingue qu'une seule issue : la création et le rassemblement d'une nouvelle intelligentsia qui pense et se sente islamique. Cette intelligentsia ensuite brandirait la bannière de l'ordre islamique et avec les masses musulmanes s'engagerait dans une action pour la réalisation de celui-ci ». Pareil programme de mobilisation, qui évoque certaines pages du *Signes de piste* de Sayyid Qotb, est suivi d'une deuxième partie consacrée à « l'ordre islamique », qui suppose qu'existent à la fois la « communauté islamique » et « l'ordre islamique », tout « mouvement islamique véritable » étant « en même temps un mouvement politique ». Cela étant posé, le reste du texte est assez flou et général : on n'y trouve pas de considérations sur la manière d'instaurer cet ordre islamique, ni de référence précise à la situation des musulmans en Yougoslavie. « Le renouveau islamique ne peut pas commencer sans une révolution religieuse, mais il ne peut pas continuer avec succès et se réaliser sans une révolution politique. Notre voie ne débute pas par la conquête du pouvoir, mais par la conquête des hommes », note l'auteur, alors que vingt ans plus tard, son parti, le SDA, s'emparera du pouvoir grâce à sa victoire électorale, mais sans avoir accompli de « révolution religieuse » en Bosnie. La troisième partie, « Les problèmes de l'ordre islamique aujourd'hui », se pose le problème du passage de la mobilisation religieuse à la lutte politique, pour des militants qui doivent être « tout d'abord des prédicateurs et ensuite des soldats ». « Le mouvement islamique doit et peut prendre le pouvoir dès qu'il est normalement et numériquement fort à tel point qu'il puisse non seulement détruire le pouvoir existant non islamique, mais aussi qu'il soit en mesure de construire le nouveau pouvoir islamique », afin de réaliser une « révolution islamique » et non un « coup d'État islamique ». Le texte s'achève par une référence critique à l'exemple pakistanais, créé comme « république islamique » en 1948, « grand espoir », mais qui déçoit l'auteur pour n'avoir su instaurer « l'ordre islamique ». (En 1970, le Pakistan, dirigé entre 1958 et 1969 par le général Ayyub Khan, un autocrate modernisateur, auquel succède le général Yahya Khan, vient de vivre la période la plus « séculière » de son histoire, et il est taraudé par l'opposition du Bengale à l'État, qui se traduira par la sécession de 1971.) (Sur les convergences entre les deux « islams minoritaires » indien et balkanique, voir p. 362-364.)

Enfin, la conclusion s'organise autour d'une vision panislamiste, qui trouve l'un des arguments pour l'union politique de
tous les musulmans du monde dans l'exemple de la Communauté Économique Européenne, et voit le fer de lance du
« mouvement islamique » dans la « nouvelle génération islamique qui a mûri ces dernières années », « née au sein de
l'islam, grandie dans l'amertume de la défaite et de l'humiliation, unifiée dans le nouvel esprit *patriotique* ». La traduction
de la *Déclaration islamique* utilisée ici a été publiée dans *Dia-
logue/Dijalog*, n° 2-3, septembre 1992, supplément « Dossier
yougoslave : les textes clés », p. 35-54.

19. L'indépendance croate est proclamée en juin 1991, tandis que les régions serbes de Bosnie se déclarent autonomes à
l'automne.

20. La perception d'une similitude entre « nettoyage ethnique » et « solution finale » a été à l'origine de la mobilisation
de nombreux intellectuels juifs libéraux en Europe de l'Ouest
et aux États-Unis aux côtés des musulmans bosniaques — en
dépit des efforts de la propagande serbe (et croate dans une
moindre mesure) pour dépeindre ceux-ci comme des fanatiques qui feraient d'une Bosnie islamique la tête de pont du
jihad et du terrorisme vers l'Europe.

21. De plus, l'engagement des États musulmans contrariait
dans certains cas des attachements anciens avec la Yougoslavie (qui remontaient à l'époque titiste) au Mouvement des
non-alignés et aux réseaux que Belgrade conservait en Indonésie, en Libye ou en Irak. De même, la solidarité avec le *jihad*
afghan s'était heurtée en 1979 aux réticences des amis arabes
de l'Union soviétique, voir p. 209.

22. Résolution du Conseil de Sécurité en date du 25 septembre 1991.

23. Voir T. Hunter, « The Embargo that Wasn't : Iran's
Arms Shipments into Bosnia », *Jane's Intelligence Review*,
n° 12, 1997.

24. L'opposition républicaine redoutait que, par le biais des
livraisons d'armes, l'Iran ne puisse construire une implantation et des relais importants au cœur de l'Europe. Voir dans
Ali Reza Bagherzadeh, *Une interprétation paradigmatique de
l'ingérence iranienne en Bosnie-Herzégovine*, mémoire de DEA,
IEP de Paris, 1999, la présentation des débats et leur analyse,
p. 11-14.

25. *Time*, 30 septembre 1996, cité et commenté dans A. R.
Bagherzadeh, *op. cit.*, p. 38.

26. Par suite des pressions américaines consécutives aux

accords de Dayton, qui en faisaient une condition de la mise en œuvre du programme d'assistance « *Train and Equip* », le vice-ministre de la Défense bosniaque Hassan Cengic, considéré comme proche de Téhéran, dut démissionner.

27. Voir Iman Farag, « Ces musulmans d'ailleurs : la Bosnie vue d'Égypte », *Maghreb-Machrek*, janvier 1996, p. 41-50.

28. Voir J. Bellion-Jourdan, art. cit., et M. Kramer, « The Global Village of Islam », *MECS, 1992*, p. 220.

29. Voir p. 218.

30. Sur les débats dogmatiques concernant le port de la barbe, sa teinture — en vue du *jihad* —, sa longueur, etc., on lira Mohammed H. Benkheira, *L'amour de la Loi*, *Essai sur la normativité en islam*, PUF, Paris, 1997, p. 80-104, en particulier p. 87.

31. Les éléments biographiques et les propos du commandant « Barbaros » sont extraits de son entretien d'août 1994 avec la revue *Al Sirat al Mustaqim* (« la voie droite »), n° 33. Traduction anglaise sur le site de la Muslim Students Association d'Amérique du Nord : http://msanews.mynet.net//MSA-NEWS/199605/19960509.0.html.

L'entretien est orné d'une photographie du commandant avec sa barbe flamboyante, qui pose en treillis militaire. Ce personnage avait été « découvert » par le magazine *Time*, auquel il avait accordé un entretien plus bref, en septembre 1992. Par contraste, l'entretien sur lequel nous nous fondons est destiné à un public acquis au *jihad*.

32. Il s'agit de Nasir al-din al-Albani (qui prêcha la prudence, au vu de la disproportion des forces), et des deux cheikhs salafistes proches du pouvoir saoudien Abd al Aziz Ben Baz, qui deviendrait mufti du royaume, et Mohammed Ben Otheimin.

33. Le site des Azzam Brigades présente dix hagiographies de « martyrs » tombés en Bosnie, ainsi qu'un récit de bataille qui fournit divers éléments sur d'autres combattants. Presque tous portent, comme en Afghanistan, en Algérie, en Égypte, et dans le reste de la mouvance « salafiste jihadiste », un nom de guerre calqué sur ceux qui étaient en usage à l'époque du Prophète (Abou [mot à mot : « père de »] suivi d'un nom, par ex. « Abou Omar », « Abou Saif ») et un terme indiquant son origine nationale ou locale (par ex. « Abou Khalid al Qatari » [Qatar], « Abou Hamam al Najdi » [Najd, en Arabie Saoudite centrale]). Sur les dix « martyrs », cinq sont saoudiens, deux yéménites, un qatari, un koweïti (soit neuf Arabes de la péninsule) et un égyptien. Par ailleurs, sur le même site, le récit de

la bataille de Tishin, en Bosnie septentrionale, où vingt-cinq « jihadistes » arabes auraient défait deux cents Serbes en décembre 1992, offre, par-delà sa dimension héroïque et édifiante à l'usage des sympathisants de la cause, une confirmation de l'importance de la participation des Saoudiens aux combats. Tous anciens d'Afghanistan, ces hommes étaient pour la plupart originaires de La Mecque. Ces récits — dont nous ne pouvons vérifier l'authenticité — ont pour premier intérêt de nous aider à percevoir l'image que les « jihadistes » souhaitent projeter d'eux-mêmes, à l'usage du public des internautes islamistes anglophones. Ainsi, les dix « martyrs » ont tous eu, avant de rejoindre le *jihad* par conviction religieuse, des parcours professionnels ou sociaux réussis : le Koweïti et le Qatari sont d'anciens champions sportifs, l'Égyptien et un Saoudien ont été militaires de carrière, et l'un des Yéménites, originaire du Yémen du Sud, autrefois communiste, a reçu à Cuba une formation d'élite de tankiste. Un autre Saoudien, de famille très riche, vivait dans le luxe. Tous ont choisi d'abandonner la voie du succès en ce monde pour servir la cause du *jihad*, au service de laquelle ils ont mis les talents qu'ils avaient acquis auparavant. Voir http://www.azzam.com.

34. Des photographies de ce type figurent sur le site MSA-NEWS cité ci-dessus.

35. Le commandant « Barbaros » déclare à ce propos : « En ce qui concerne les Bosniaques — et ce n'est pas mon opinion, mais ce que nos frères musulmans eux-mêmes disent : ils disent que ce n'est pas une crise (*azma*) mais une bénédiction (*rahma*). Sans cela, nous n'aurions jamais connu Allah, gloire sur Lui. Nous n'aurions jamais connu le chemin de la mosquée. Nos hommes, nos femmes, nos enfants, étaient moralement relâchés, et dans leur apparence on ne pouvait pas distinguer le musulman du chrétien. Les femmes musulmanes étaient vêtues, mais nues en réalité (*'Ariyat*). Mais maintenant, *alhamdulillah*, grâces en soient rendues à Allah, nos mosquées sont pleines. Nos femmes portent le *hijab* complet. C'est-à-dire qu'elles se couvrent complètement, visage compris. Elles sont fières quand elles se promènent voilées au marché ou au bazar. Maintenant, le *hijab* complet est quelque chose de naturel. Et cela, *alhamdulillah*, est dû à la *da'wa* [propagation de la foi] à laquelle nos jeunes, les *moujahidines freelance* [c'est-à-dire ceux qui ne sont pas embrigadés dans l'armée bosniaque], s'adonnent durant leur temps libre » (voir MSANEWS, *op. cit.*).

36. Lire dans la thèse de Xavier Bougarel, *op. cit.*, p. 357-

359, la traduction de textes ironiques sur l'islam des « frères arabes » et leurs tentatives maladroites de l'imposer en Bosnie.

37. Le départ des « jihadistes » arabes s'effectua difficilement, car ceux-ci craignaient d'être éliminés en quittant le territoire bosniaque pour se rendre à l'aéroport de Zagreb. En mars 1996, plus de trois cents d'entre eux quittèrent Sarajevo vers Istanbul où, après un accueil chaleureux du parti islamiste turc Refah, ils auraient été « écrémés » par le MIT (les services spéciaux de ce pays) : cent se seraient dirigés vers un camp d'entraînement de Chypre du Nord (sous protectorat turc), tandis que deux cents seraient retournés à Jalalabad, dans un camp contrôlé par M. Hekmatyar, en attendant un transfert éventuel vers la Tchétchénie. D'autres seraient partis pour l'Albanie, autre front potentiel du *jihad*, qui devait échouer. Voir MSANEWS, *op. cit.*

38. Elles sont principalement représentées par l'Organisation de la Jeunesse Musulmane Active, basée à Zenica, et dirigée par A. Pezo, ancien invalide de la guerre. En juin 1998, nous avons pu constater que son mensuel *Saff* (terme arabe qui désigne le rang des croyants en prière alignés à la mosquée), bien imprimé, était en vente devant les principales mosquées du pays. À Mostar, où un ouléma charismatique bien en cour dans la péninsule Arabique, M. Saleh Colakovic, a créé un centre islamique indépendant de l'Islamska Zajednica, l'Organisation de la Jeunesse Musulmane Active organisait un meeting pour lequel des affiches avaient été placardées dans toute la partie musulmane de la ville.

39. Voir p. 119 et 131.

40. Enes Karic, « Islam in Contemporary Bosnia », *Islamic Studies*, 36 : 2, 3 (1997), p. 480.

5. LA SECONDE GUERRE D'ALGÉRIE : LOGIQUES DU MASSACRE

1. Parmi d'autres, cette opinion a été développée par l'un des analystes de la Rand Corporation, Graham Fuller, dans une étude intitulée *Algeria : The Next Fundamentalist State ?*, Santa Monica, Californie, 1995.

2. Voir l'entretien avec un dirigeant « afghan » à l'origine du GIA dans *Al Ansar* (publication des « partisans du *jihad* en Algérie et dans le monde », et porte-voix du GIA à l'étranger, créée en juillet 1993), n° 17, 5 novembre 1993, cité par Camille

al-Tawil dans *Al haraka al islamiyya al mussallaha fi-l jazaïr / man « al inqadh » ila « al jama'a »* (« Le mouvement islamique armé en Algérie : du FIS au GIA »), Dar al Nahar, Beyrouth, 1998, p. 84-85. Cet ouvrage, rédigé par le journaliste libanais qui suit le dossier algérien au quotidien *Al Hayat* à Londres, est la source la plus exhaustive à ce jour sur la mouvance armée algérienne entre 1992 et 1997, grâce au grand nombre de sources écrites et audio-visuelles auxquelles l'auteur a eu un accès privilégié. En français, on trouvera des éléments précis fondés sur des documents recueillis en Belgique, dans l'article d'Alain Grignard, « La littérature politique du GIA algérien des origines à Djamal Zitouni. Esquisse d'une analyse », *in* F. Dassetto (sous la dir. de), *Facettes de l'islam belge*, Academia-Bruylant, Louvain-la-Neuve, 1996, p. 69-95.

3. « Al Afghani » est un surnom qu'ont fréquemment adopté les anciens du *jihad* en Afghanistan (sans qu'il dénote de lien de parenté).

4. L'appellation de « qotbiste » est décernée par ses ennemis à un groupe d'anciens « afghans » dirigé par le docteur Ahmed el Wad, qui utilisent des concepts issus de l'œuvre de Qotb, comme la *jahiliyya* et la *hakimiyya* (voir p. 35-36) pour déchiffrer le monde contemporain — autant d'innovations que les « salafistes » tiennent pour des élucubrations non canoniques et pernicieuses. Ahmed el Wad fut brièvement, à l'automne 1992, à la tête de la mouvance armée qui devait prendre le nom de GIA, avant d'être arrêté. Il trouvera la mort lors de la mutinerie de la prison de Sirkaji, à Alger, en février 1995. Voir C. al-Tawil, *op. cit.*, p. 65, et une critique de ceux qui idolâtrent Sayyid Qotb dans le texte d'Abou Hamza al-Misri, *Talmi' al Ansar li-l seif al battar* (« Les partisans polissent *Le sabre tranchant* »), Londres, mars 1997, p. 20-21.

5. Ce courant, qui tire son surnom du groupe *al takfir wa-l hijra* (« excommunication et hégire »), apparu en Égypte dans les années 1970 et dirigé par Choukri Mustapha (voir p. 119-121), comprenait notamment des anciens d'Afghanistan, rassemblés autour du docteur Ahmed Bou 'Amara, dit « le Pakistanais ». En excommuniant toute la société sauf ses propres adeptes, il portait préjudice au *jihad* en rétrécissant la base potentielle des recrues. Il fut violemment combattu par les « salafistes jihadistes » pour cette raison, et l'accusation de « takfirisme » (excommunication de la société) fut fréquemment utilisée lors des liquidations et purges que connut le GIA à partir de 1995. Le dernier communiqué connu de « l'émir » Antar Zouabri, publié le 26 septembre 1997 par

Al Ansar, justifiera les massacres de ce mois-là au nom du *kufr al mujtama'* (« excommunication de la société, tenue pour impie »), manifestant le basculement du GIA sur sa fin dans le « takfirisme » — comme nous le verrons plus loin. Voir C. al-Tawil, *op. cit.*, p. 280-283.

6. Sur les « jazaristes » qui entrent dans le FIS au congrès de Batna en juillet 1991, voir p. 270. Leur figure de proue est Lounès Belkacem, dit Mohammed Saïd, qui rejoindra le GIA en mai 1994, et sera éliminé en novembre 1995.

7. Voir ci-dessus, p. 159-163.

8. Ces arrestations massives ont permis au pouvoir de bénéficier d'un répit en 1992, en démantelant les réseaux du FIS, et ont conduit sa stratégie de mobilisation révolutionnaire à l'échec. Mais l'organisation des camps, dénués de tout, a été prise en main par les militants les plus aguerris et les mieux formés, qui y ont recruté pour la lutte armée bon nombre de jeunes, révoltés par le traitement qu'ils subissaient et pour lesquels l'État se présentait désormais sous les seuls traits de la répression, ceux-ci qui sont montés au maquis sitôt libérés, à partir de la fin de 1992. Voir entre autres le témoignage d'un ancien prisonnier des camps passé au *jihad* dans le quotidien algérien *Liberté* du 12 septembre 1999. Dans l'Égypte nassérienne, la relégation des Frères musulmans dans des camps du désert, dans des conditions éprouvantes, avait joué un rôle important pour la radicalisation de la mouvance islamiste : c'est là que Sayyid Qotb avait élaboré son manifeste *Signes de piste*, et c'est là également qu'était né le mouvement « takfiri ». Voir p. 38 et 119.

9. Publié à Stockholm par des islamistes algériens proches du GIA, *al chahada* fait paraître sa première livraison en novembre 1992. Il est difficile de savoir dans quelle mesure « l'entretien » avec l'émir retranscrit ses propos, ou est le produit d'une élaboration collective. La clarté de la démonstration, la vision historique, les références mentionnées, plaident plutôt pour l'intervention d'intellectuels du mouvement.

10. Layada cite quatre penseurs islamistes algériens : les cheikhs Misbah, Abdellatif Soltani, al 'Arbaoui (anciens membres de l'Association des oulémas algériens qui demeurèrent dans l'opposition au régime après 1962), et le penseur réformiste Malek Bennabi (1905-1973).

11. Sur la proclamation du *jihad* en Afghanistan comme « obligation de chacun » (*fard 'ayn*), à l'instigation d'Abdallah Azzam, voir p. 218. L'auteur semble déplorer que les soutiens considérables dont a bénéficié le *jihad* afghan, notamment en

provenance de la péninsule Arabique, ne profitent pas au combat des groupes armés algériens.

12. L'auteur précise que le GIA résulte de « l'union du groupe de Mansouri Meliani, du docteur Abou Ahmed [Ahmed el Wad] et de Moh Leveilley ».

13. L'expression arabe qu'utilise Layada se réfère au salafisme dans son acception rigoriste (*ittiba' minhaj ahl al sunna wa-l jama'a wa fahm al salaf al salih*).

14. Ces références parcellaires à des auteurs occidentaux dont on sollicite la pensée pour leur faire attester du déclin de leur propre civilisation sont fréquentes dans la littérature islamiste. Il est difficile de savoir si les noms d'Oswald Spengler (auteur du célèbre essai intitulé *Le déclin de l'Occident*, trad. française Gallimard, 1948) et du philosophe et mathématicien Bertrand Russell étaient connus du carrossier Layada, ou s'ils résultent d'une interpolation par les éditeurs d'*al chahada*.

15. Coran, V (La table servie), 51. « Vous qui croyez, ne nouez ni avec les juifs ni avec les chrétiens des rapports de protection. Qu'ils le fassent les uns avec les autres ! *Quiconque d'entre vous en nouerait, conséquemment serait des leurs* » (trad. Jacques Berque, *op. cit.*). Des traductions plus proches de la mouvance islamiste, comme celle du professeur Hamidullah, lisent ce verset comme une interdiction de prendre pour ami des juifs et des chrétiens. Le fragment cité ici — pour lequel nous proposons une traduction plus simple — assimile implicitement aux juifs et aux chrétiens les gouvernants « impies ». Un autre fragment au sens similaire (« Ils sont d'eux » : *hum manhum*) est d'un usage très fréquent dans les textes du GIA, et sert à justifier la « responsabilité collective » de tous ceux qui sont supposés aider le pouvoir, voire n'ont pas rejoint les rangs de la lutte armée. Il sera mentionné pour justifier les assassinats de femmes et d'enfants en 1997 (voir Abou Hamza, *Talmi'*, *op. cit.*, p. 23). L'expression « nous en sommes innocents » signifie qu'il est licite de verser le sang des personnes considérées. On remarquera que la citation du verset V, 51 dans le texte de l'entretien contient une erreur lexicale (« *fa huwa man hum*, au lieu de *fa innahu man hum* »), qui ne modifie pas le sens, mais qui porte atteinte à la sacralité du texte coranique, et dénote que l'auteur de l'entretien (ou ses rédacteurs) possède une culture islamique qui laisse à désirer, en dépit de ses prétentions au salafisme le plus orthodoxe.

16. L'expression « rejoindre la caravane du *jihad* » fait écho au titre de l'un des ouvrages d'Abdallah Azzam sur ce thème,

Ilhaq bi-l qafila! (« Rejoins la caravane! »). Voir p. 218, note 34.

17. Entre la chute de Kaboul aux mains des *moujahidines* en avril 1992 et sa conquête par les Talibans en septembre 1996, l'Afghanistan connut une situation d'anarchie qui porta préjudice à la « victoire du *jihad* » dont se prévalaient ses partisans. Voir p. 346.

18. Les passages les plus significatifs de « l'entretien » sont reproduits dans C. al-Tawil, *op. cit.*, p. 79-84. Consulter également, p. 74-78, des extraits du Communiqué n° 2 du GIA, ainsi que la transcription d'une cassette audio de Layada.

19. Les 466 Assemblées Populaires Communales (municipalités) conquises par le FIS en juin 1990 sont dissoutes en avril 1992 et placées sous administration de responsables nommés par le pouvoir, qui constitueront une cible de prédilection pour les groupes armés.

20. Ce phénomène est décrit avec beaucoup de précision par Luis Martinez, *La guerre civile en Algérie, op. cit.* L'auteur démontre plus largement que la guerre est l'occasion d'une redistribution de la richesse grâce à l'usage de la violence, par-delà l'affrontement idéologique entre islamistes et pouvoir. Dans le cas qui nous occupe plus précisément, le racket et les autres formes de prédation pratiqués par les groupes armés (péages, rançons, vols, etc.) fourniront l'essentiel des ressources financières du *jihad*, en l'absence d'un sponsor extérieur, à l'instar des pétro-monarchies de la péninsule Arabique durant la guerre en Afghanistan. Au fur et à mesure de l'enlisement du conflit algérien, un nombre croissant de meurtres, de dommages à des biens ou de vols sera attribué à des intérêts privés divers, qui parviennent à faire de la violence islamiste leur instrument (en ruinant un concurrent ou une victime dont on convoite les biens), voire mettent à profit le climat d'insécurité pour déguiser le gangstérisme en *jihad*.

21. Un certain Aïssa ben Omar assure brièvement la transition en juillet-août, avant d'être abattu par les forces de sécurité, selon C. al-Tawil, *op. cit.*, p. 115.

22. Voir S. Labat, *Les islamistes algériens, op. cit.*, p. 236-237.

23. Le terme « *Ansar* » fait référence aux premiers partisans du Prophète Mohammed lorsqu'il arriva à Médine aux lendemains de l'Hégire, en l'an 622. Se présentant comme « la voix du *jihad* en Algérie et en tous lieux », ce bulletin de 16 pages au format A4, composé sur ordinateur, était diffusé le vendredi à la sortie de certaines mosquées londoniennes, et pro-

pagé ailleurs par télécopie et courrier électronique. Certaines livraisons comportaient un supplément intitulé *Al Qital* (« le combat »), organe propre du GIA algérien. À l'exception des « nouvelles du *jihad* », communiqués du GIA (et d'autres groupes « jihadistes » libyen ou égyptien notamment), entretiens avec certains responsables ou militants, et des éditoriaux, son contenu consistait principalement en textes illustrant l'idéologie salafiste jihadiste à grand renfort de citations d'auteurs appartenant à la tradition classique islamique, comme Ibn Taïmiyya et l'école hanbalite. Cette caution doctrinale apportée à la lutte armée en Algérie s'exprimait dans un style et un vocabulaire abscons, davantage destinés à faire autorité qu'à être véritablement compréhensibles par un lecteur disposant d'un vocabulaire usuel en arabe contemporain. Par opposition à la clarté et au caractère « moderne » d'un auteur comme Sayyid Qotb, qui s'adresse directement à l'intelligence de ses lecteurs, le jargon des « salafistes jihadistes » cultive une obscurité délibérée propre à susciter une adhésion aussi absolue qu'irréfléchie. Il n'est en tous cas pas à la portée du militant moyen du GIA issu de la jeunesse urbaine pauvre.

24. Le 21 août 1993, au moment où Dj'afar al Afghani prend la tête du GIA, est assassiné Kasdi Merbah, ancien Premier ministre du président Chadli jusqu'à l'été 1989 et longtemps patron des services de sécurité. Dénoncé par les représentants du FIS en Europe comme un meurtre perpétré par les services algériens eux-mêmes (opposés aux contacts que la victime avait eus avec certains islamistes à l'étranger), l'assassinat est revendiqué par le GIA. C'est la première opération d'envergure à propos de laquelle la question d'une manipulation du GIA par les services secrets algériens est posée par certains cercles du FIS.

25. Le 26 octobre, trois employés du consulat de France à Alger sont enlevés puis relâchés, munis d'une lettre du GIA exigeant le départ de tous les étrangers d'Algérie.

26. *Al Wasat*, édité à Londres, publie le 21 janvier 1994 un entretien daté de Peshawar, et par personne interposée, avec un dirigeant du GIA qui sera identifié comme Cherif Gousmi, ce qui laisse supposer que celui-ci aurait séjourné dans la zone afghano-pakistanaise.

27. C. al-Tawil, *op. cit.*, p. 144-154, donne une description très documentée de la rencontre, à partir de la transcription d'une cassette vidéo diffusée dans les milieux islamistes et où s'expriment les différents participants. Voir une traduction française du « Communiqué de l'unité » par F. Burgat, « Algé

rie : l'AIS et le GIA, itinéraires de constitution et relations »,
Maghreb-Machrek, n° 149, juillet-septembre 1995, p. 111.

28. A. Redjem se prévalait de son titre de chef du bureau
exécutif du FIS, et S. Mekhloufi signa en son nom et au nom
de A. Chebouti, absent et gravement malade.

29. Furent exclus de l'IEFE A. Haddam, chef de la Délégation parlementaire du FIS à l'étranger, résident aux États-
Unis, et Ahmed Zaoui, résident en Belgique. Le 8 juillet, le premier avait publié un communiqué bénissant l'union du
13 mai.

30. C. al-Tawil, *op. cit.*, p. 184-189, présente les diverses versions des circonstances de la mise à l'écart de Mahfoudh
Tajine.

31. On trouvera un exposé très construit de la thèse de la
manipulation systématique des groupes islamistes armés par
les services spécialisés de l'armée algérienne sur le site en
ligne du Mouvement des Officiers Algériens Libres, un groupe
d'officiers dissidents fondé à l'été 1997 dont les responsables
sont installés à Madrid. Comme toutes les informations non
recoupées sur ces questions, ces « révélations » sont à verser
au dossier, mais à prendre avec beaucoup de prudence (http://
www.anp.org.). Voir aussi « Algérie : un colonel dissident
accuse », *Le Monde*, 27 novembre 1999, p. 14-15.

32. Durant le détournement, un communiqué du GIA exigea la libération tant des dirigeants islamistes arrêtés en Algérie (notamment Layada, Madani et Benhadj) qu'en Arabie
Saoudite (les cheikhs al 'Auda et al Hawali ; voir p. 331) et aux
États-Unis (le cheikh égyptien Omar Abdel Rahman, à l'occasion de l'attentat contre le World Trade Center de New York ;
voir p. 448), réitérant ainsi l'inscription du groupe dans la
mouvance salafiste jihadiste internationale.

33. Les conséquences proprement françaises des attentats
terroristes perpétrés dans l'Hexagone en 1995 sont examinées
p. 457-465.

34. On lira une critique du soutien des États-Unis à la réunion de Rome dans le livre de Richard Labévière, *Les dollars
de la terreur. Les États-Unis et les islamistes*, Grasset, Paris,
1999, p. 197-203.

35. Le Syrien Abou Mous'ab publia en 1995 un opuscule
intitulé *L'accord de Rome à l'ombre de la croix du Vatican*, dans
lequel il résumait l'opposition du courant salafiste jihadiste à
la politique des dirigeants du FIS (voir C. al-Tawil, *op. cit.*,
p. 248, n. 17). La rencontre de Rome fut organisée par la
communauté *Sant'Egidio*, proche de certains cercles du Vati-

can, mais l'initiative ne fit pas l'unanimité dans la curie romaine.

36. Sur les problèmes posés par la manipulation des groupes islamistes, notamment les plus radicaux d'entre eux, voir notes 44 et 49.

37. Intitulé en arabe *Hidayat rabb al 'Alamin* (mot à mot : « la guidance du seigneur des mondes [Allah] »), cet opuscule, qui fourmille de citations des Textes sacrés et des grands auteurs de la tradition salafiste (au premier rang desquels Ibn Taïmiyya), suppose la maîtrise d'une culture classique islamique dont il paraît difficile de créditer Zitouni. Curieusement, tous les chiffres utilisés dans le texte (numérotation des pages, des paragraphes, etc.) sont les chiffres indiens, en usage au Moyen-Orient mais non au Maghreb (où l'on emploie, comme en Europe, les chiffres arabes), ce qui peut plaider pour une rédaction au moins partielle par des auteurs orientaux appartenant à la mouvance salafiste jihadiste de Londres. Il est daté du 6 *sha'ban* 1416 de l'hégire (le 28 décembre 1995), soit après l'assassinat de Mohammed Saïd.

38. Le texte de la *Hidaya* considère que les Frères musulmans et les « jazaristes » « sont porteurs de l'impiété [*kufr*] et de l'associationnisme [*shirk* : associer à Allah d'autres divinités] dans leur doctrine », les premiers pour se référer à la démocratie, et les seconds pour avoir déclaré que « le *jihad* est une méthode non civilisée ». Mais les militants ne sont pas explicitement désignés comme « impies » et donc passibles d'exécution. C'est le cas des chi'ites, en revanche, et particulièrement de Khomeini (voir *Hidaya, op. cit.*, p. 29-30). Après avoir détaillé les conditions d'adhésion au GIA et les étapes du repentir de diverses catégories d'Algériens (les anciens membres des « instances impies », partis laïques, armée, etc., ceux du FIS et de l'AIS, les takfiris, les non-Algériens, les prédicateurs qui avaient négligé le *jihad*, les oulémas qui suivent la voie salafiste), l'opuscule s'achève par un curieux formulaire d'adhésion au GIA (à compléter par le candidat et ses parrains) qui évoque davantage un parti de type léniniste doté d'une bureaucratie qu'un conglomérat de groupes armés dispersés dans les maquis et les quartiers urbains pauvres.

39. Avec A. Chebouti et S. Mekhloufi (voir p. 389).

40. Le « procès » de Lamara et Tajine a eu lieu le 4 janvier 1996, d'après C. al-Tawil, *op. cit.*, p. 240 sq., qui retranscrit une partie du contenu de la cassette. Les « aveux » des deux hommes et leur condamnation font également l'objet de longs

développements dans un opuscule ultérieur, *Al seif al battar* (« le sabre tranchant »), datant de l'émirat de Zouabri (voir note 47).

41. Les moines étaient demeurés dans cette zone à haut risque des montagnes proches du fief islamiste de Médéa car ils bénéficiaient d'un sauf-conduit des émirs locaux du GIA. Sur cette affaire, lire Mireille Duteil, *Les martyrs de Tibhirine*, Brépols, Paris, 1996.

42. Dans un opuscule d'apparence savante intitulé *Ibn Taymiyya. Le statut des moines*, et sous-titré en arabe *Rubban al ghariqin fi qatal ruhban Tibéhirine* (« le pilote de ceux qui se sont noyés à propos du meurtre des moines de Tibéhirine »), un universitaire arabisant belge converti à l'islam et qui a utilisé pour l'occasion le pseudonyme de Nasreddin Lebatelier, propose une justification théologique de l'assassinat des moines dans la tradition islamique (El-Safina Éditions, Beyrouth, 1997). Traduisant et commentant une *fatwa* d'Ibn Taïmiyya, l'auteur distingue les ermites qui n'ont aucun rapport avec la société, qu'il est interdit de tuer, et les moines qui se mêlent aux hommes, et qu'il est permis de mettre à mort. Rappelant la recommandation du premier calife Abou Bakr au conquérant musulman de la Syrie : « Vous trouverez des gens qui se sont reclus dans des ermitages. Laissez-les, ainsi que ce pour quoi ils se sont reclus. Vous trouverez aussi des gens qui se sont fait comme un nid du milieu de la tête. Frappez de l'épée ce nid qu'ils se sont fait », ainsi que la sévérité d'Ibn Taïmiyya envers ces « tonsurés » qualifiés d'« imams de la mécréance », il souligne ainsi les fondements doctrinaux de l'argument utilisé par Zitouni dans son communiqué du 18 avril 1996 pour justifier l'exécution éventuelle de ses prisonniers, et qui se réfère à ce type de sources. Par-delà les polémiques qu'a suscitées cet opuscule assez marqué par un ton antichrétien et une cuistrerie de potache orientaliste (ainsi du sous-titre arabe, en prose assonancée (*saj'*), imitant le style des titres des opuscules du GIA, ou du nom des Éditions El-Safina [« le bateau »] publiant un texte de « Lebatelier ») pour le moins déplacée à l'occasion d'une affaire tragique, l'auteur apporte des matériaux importants sur la construction de l'univers mental et théologique du courant salafiste jihadiste dans lequel s'inscrit le GIA. Quelle que soit par ailleurs la manipulation dont Zitouni a pu faire l'objet par des intérêts non identifiés à ce jour, les auteurs des communiqués parus sous sa signature disposaient d'une réelle culture islamique. Voir la page consacrée par Henri Tincq dans *Le Monde*, 7-8 juin 1998,

à l'affaire de Tibéhirine, qui rend compte également du scandale causé par l'opuscule *Le statut des moines*, qualifié d'« apologie du massacre ». Lire également « Oxford Fellowship for Author of Murder Monks' Book », *The Observer*, 6 sept. 1998.

43. C. al-Tawil, *op. cit.*, p. 230-239. Zitouni se voyait principalement reprocher de n'avoir pas fourni les « preuves chariatiques » justifiant l'élimination de M. Saïd et A. Redjem et des anciens d'Afghanistan. Il était également taxé d'« exagération » (*ghoulou*), un terme qui désigne les partisans des kharijites.

44. Le bulletin *Al Ribat*, organe des partisans du FIS en Europe, note ainsi dans son n° 113, le 19 juillet 1996, au lendemain de la mort de l'émir du GIA : « Le bilan de Zouabri depuis qu'il est à la tête du GIA est extrêmement négatif pour la mouvance islamiste algérienne, mais, en revanche, plus positif pour le régime. Sa dérive meurtrière et l'exportation du terrorisme en France ont facilité la diabolisation de l'islamisme algérien, de même que la guerre menée à l'encontre des militants et des cadres du FIS (plus d'un millier de cadres ont été liquidés par le GIA), et la guerre menée aux familles des membres des forces de l'ordre, y compris les épouses et les enfants. »

45. La publication *al jama'a* (« la communauté » — mais le terme désigne le GIA dans cet usage et ce contexte), qui a servi d'organe au GIA entre la suspension d'*Al Ansar* en juin 1996 et sa réapparition en février 1997 (voir ci-dessous), publie dans son n° 10 (septembre 1996) un « dialogue avec l'émir du GIA Abou Talha Antar Zouabri ». Les seuls éléments biographiques qu'il comporte se réfèrent, outre sa naissance près de Boufarik en 1970, à son engagement dans les groupes armés, et à sa proximité avec leurs leaders. Le reste de l'entretien est consacré à réfuter les accusations de kharijisme, à justifier les liquidations de l'époque Zitouni, à polémiquer contre les groupes égyptien et libyen qui ont retiré leur soutien au GIA en juin 1996, et à réaffirmer la ligne « salafiste jihadiste » (p. 5 à 16).

46. Voir p. 268.

47. Rédigé à la demande d'Abou Hamza par le responsable du Comité des affaires religieuses du GIA, Abou Moundher, avec une préface de Zouabri, ce texte de soixante pages s'orne, comme les autres publications de ce type, d'un titre en prose assonancée (*saj'*), qui signifie : *Le sabre tranchant, en réplique à ceux qui ont frappé dans le dos les pieux moujahidines et sont installés chez les impies* (visant ainsi Abou Qatada et Abou Mous'ab, qui ont critiqué depuis Londres le GIA de Zitouni en juin 1996). Il comporte pour l'essentiel une justification des

purges accomplies sous l'émirat de Zitouni, sur lesquelles il fournit de nombreuses informations, ainsi qu'une qualification de la société algérienne (voir note 48). Distribué dans la mosquée de Finsbury Park en mars 1997, il fait l'objet le mois suivant d'une remise en perspective par Abou Hamza, sous la forme d'un texte de trente-deux pages intitulé *Les partisans [Al Ansar] font briller le sabre tranchant (Talmi' al ansar li-l seif al battar)*, selon une tradition de la scholastique musulmane où les oulémas se répondaient les uns aux autres en « faisant briller », « éclairant », etc., leurs libelles respectifs, qu'ils enrichissaient de leur érudition propre. Lors d'un entretien (Londres, février 1998), Abou Hamza nous a précisé avoir observé des erreurs dans *Le sabre tranchant* par rapport à la ligne salafiste jihadiste, et avoir écrit son « *Talmi'* » pour remettre le GIA sur la voie. Rédigé dans un style extrêmement recherché, riche en glossèmes et en archaïsmes, ce texte est à peu près incompréhensible pour un lecteur disposant d'un bagage moyen en arabe courant contemporain, et remplit principalement une fonction d'autorité. Voir notre article « Le GIA à travers ses publications », *Pouvoirs*, n° 86, 1998, p. 82-84, pour la traduction française d'un extrait de ce dernier texte.

48. *Al seif al battar, op. cit.*, p. 39-40 (chap. 8 : « Propos excellents sur la classification des gens de ce pays par le GIA »). Au début du chapitre, l'auteur rappelle que le GIA ne qualifie pas la société algérienne d'impie dans son ensemble (se distinguant ainsi des takfiris), car « son fondement est l'islam ». Mais le texte prévoit des sanctions contre ceux qui traînent les pieds ou ont peur de s'engager dans le *jihad*.

49. Le thème de la « connivence » entre GIA et islamistes en général est développé, par exemple, dans *Le Matin* (Alger) du 7 octobre 1997, à l'occasion de la découverte de documents consécutive aux offensives de l'armée contre des « bases de terroristes » dans le village de Gaïd Gacem. À l'inverse, on lira dans Patrick Denaud, *Le FIS : sa direction parle...*, L'Harmattan, Paris, 1997, l'opinion de plusieurs des membres de l'IEFE sur le GIA, dont ils perçoivent la stratégie comme le résultat de l'infiltration par les services secrets algériens. Ainsi, selon G. Abdelkrim, vice-président de l'IEFE, « Au sein du GIA, on trouve des hommes sincères dans leurs croyances extrémistes, qui [...] sont des proies faciles de la sécurité militaire algérienne : ils sont rejoints par des éléments infiltrés qui sont essentiellement chargés de faire le lien entre les besoins extérieurs et les décisions intérieures de façon à rendre le plus per-

tinente possible la manipulation médiatique » (p. 167). De même, Dja'far el Houari, ancien président de la Fraternité Algérienne en France (FAF), qui représentait le FIS dans l'Hexagone, avant son expulsion à la fin de 1994, décrit Zouabri comme « un analphabète de 26-27 ans, dont la famille, les frères, sont d'ex-délinquants. Il n'a aucune connaissance, aucune formation, que ce soit scientifique, politique ou religieuse. Comment peut-il faire des déclarations qu'il ne saurait pas lire ? Comme pour Djamel Zitouni, c'est évidemment quelqu'un dont on tire les ficelles par-derrière » (p. 222). À la fin de 1997, la Communauté Algérienne en Grande-Bretagne, une organisation favorable à la lutte armée, publie un opuscule (en arabe) intitulé *Les phalanges du jihad attestent de l'infiltration du GIA par les services secrets* (s.d., Londres). Il rassemble vingt-deux communiqués de divers groupes armés, parus entre décembre 1995 et septembre 1997, qui ont rompu avec Zitouni puis Zouabri en les accusant d'avoir abandonné la voie du « salafisme jihadisme » et d'être passés au *takfir*.

50. Le communiqué n° 51 de Zouabri, publié dans *Al Ansar* n° 165 le 27 septembre 1997, ainsi que les explications d'Abou Hamza sont reproduits dans C. al-Tawil, *op. cit.*, p. 280 sq.

51. Voir Luis Martinez, « Algérie : les enjeux des négociations entre l'AIS et l'armée », *Politique internationale*, 4/97, p. 499 sq.

52. Le 6 juin, Madani Merzag, « émir national » de l'AIS, annonça « l'arrêt définitif de la lutte armée », à quoi Abbassi Madani apporta son soutien le 11, dans une lettre à « son excellence le président Abdelaziz Bouteflika », auquel il précisait : « Si vous continuez la marche dans cette voie appréciable qui cadre avec les aspirations de notre valeureux peuple, vous me trouverez, avec l'aide de Dieu, à vos côtés » (*Le Monde*, 13-14 juin 1999).

53. L'expression « import-import » désigne, dans l'humour algérien, le circuit d'enrichissement des dignitaires du régime, détenteurs des monopoles d'importation de produits qui ne sont pas fabriqués sur place ou dont ils veillent à empêcher la confection en Algérie afin de ne pas porter atteinte à leurs parts de marché. Réglées grâce aux ressources de l'exportation d'hydrocarbures, traduites par des crédits des banques (nationalisées) auxquelles ces dignitaires ont un accès privilégié, ces importations (de médicaments par exemple) ont assuré des profits considérables à ceux qui les contrôlaient, en même temps qu'elles empêchaient l'émergence d'une bourgeoisie entrepreneuriale en Algérie et la création d'emplois. De nom-

breuses destructions d'entreprises, pendant la guerre civile, ont été mises par la rumeur sur le compte de cette « mafia » de l'import-import.

6. L'ISLAMISME ÉGYPTIEN
AU PÉRIL DU TERRORISME

1. Lire Amani Qandil, « L'évaluation du rôle des islamistes dans les syndicats professionnels égyptiens », *in* B. Dupret (sous la dir. de), *Le phénomène de la violence politique : perspectives comparatives et paradigme égyptien*, Cedej, Le Caire, 1994, p. 282. Les succès des listes présentées par les Frères musulmans dans ces « ordres professionnels » composés de membres des classes moyennes étaient dus à plusieurs facteurs. Tout d'abord, le gonflement du nombre de leurs jeunes membres, issus de l'explosion des effectifs universitaires dans les années 1970, s'était traduit par une paupérisation de ceux-ci — un phénomène particulièrement sensible chez les nouveaux médecins, qui ne pouvaient trouver de clientèle solvable, et dont beaucoup survivaient d'un salaire misérable versé par le ministère de la Santé. À cette détresse matérielle, les Frères répondaient par l'organisation de services sociaux et caritatifs, une activité à laquelle ils étaient rodés à travers le contrôle de nombreuses associations de bienfaisance financées par la *zakat* de musulmans riches ou subventionnées par les pétro-dollars de sympathisants égyptiens émigrés dans la péninsule Arabique ainsi que par des islamistes ou salafistes locaux. De plus, en présentant un projet de changement politique où les classes moyennes pieuses seraient valorisées, les Frères répondaient aux frustrations de beaucoup de ces jeunes diplômés, dont les espoirs d'ascension sociale étaient battus en brèche par la prolétarisation. Enfin, l'abstention massive aux élections des ordres professionnels favorisa la victoire de la minorité active et bien organisée des Frères. Ce dernier phénomène fournira au pouvoir un argument pour reprendre le contrôle des ordres professionnels en 1993 (après la victoire des Frères à l'ordre des avocats, le 11 septembre 1992). Un décret stipula que 50 % des membres devaient prendre part au vote pour que l'élection soit valide, condition dont la non-satisfaction se traduisit par le placement des ordres sous administration étatique. Voir p. 288-289, et les commentaires de Nabil Abdel Fattah, *Veiled Violence. Islamic Fundamentalism in Egyptian Politics in 1990s* [sic], Sechat, Le Caire, 1993, p. 36-45 et 74-81.

2. Voir p. 232-235.

3. Derrière les programmes islamiques venaient les programmes politiques (11 000 heures) et de divertissement (8 000 heures), tandis que les émissions « immorales » (comme la danse) ou jugées « incompatibles avec les valeurs islamiques » étaient censurées. *Al Ahram*, 21 mai, et *Mayo*, 25 mai 1985, cités dans Ami Ayalon, « Egypt », *MECS*, 1984-1985, p. 351.

4. Entre 1981 et 1984, le confinement de plusieurs centaines de militants radicaux dans les mêmes centres de détention favorisa un large débat parmi eux, qui se traduisit par la rédaction de nombreux opuscules théoriques, à partir desquels a été élaborée la distinction entre les positions du groupe Al Jihad d'un côté, de la *gama'a islamiyya* de l'autre. Après 1984, les premiers refuseront de reconnaître Omar Abdel Rahman comme « émir », du fait de sa cécité, tandis que les seconds considéreront qu'un prisonnier (A. al Zomor) ne peut remplir les conditions de l'« émirat » d'un groupe armé. Sur ces débats, voir *Taqrir al hala al diniyya fi misr 1995 (Rapport sur la situation religieuse en Égypte en 1995)*, sous la direction de Nabil Abdel Fattah, Centre d'Études Politiques et Stratégiques d'*Al Ahram*, Le Caire, 1996 (ci-après *Taqrir 95*), p. 185-187.

5. Ayman al Zawahiri, qui jouera un grand rôle dans les réseaux islamistes radicaux internationaux dans la seconde moitié des années 1990, né en 1951 et docteur en chirurgie en 1978, est issu d'une grande famille cairote de médecins et de diplomates. L'un de ses aïeux avait été ambassadeur et l'autre cheikh à Al Azhar. Militant dès son adolescence dans la mouvance islamiste clandestine à l'époque nassérienne, il rejoint le groupe des assassins de Sadate à travers Abboud al Zomor. Arrêté en octobre 1981 et libéré en 1984, il passe la fin de la décennie en Afghanistan et circule également en Europe, à partir de la Bulgarie. Voir notamment *Taqrir al hala... 1996 (Rapport sur la situation religieuse... 1996)*, *ibid.*, Le Caire, 1998, p. 280.

6. Voir p. 123.

7. Dans les années 1970, le terme *gama'at islamiyya* (au pluriel en arabe) désignait les mouvements estudiantins de la nébuleuse islamiste, toutes tendances confondues. À partir du milieu de la décennie 1980, cette expression, employée au singulier, et précisée parfois par l'épithète *radikaliyya* (« radicale »), ne se rapporte qu'au mouvement clandestin qui s'engagera dans la violence et se réclamera de la direction spirituelle du cheikh Omar Abdel Rahman.

8. Sur cette expression islamique et son usage en Afghanistan et en Arabie Saoudite, voir p. 351.

9. Né en 1938, diabétique et aveugle à l'âge de dix mois, Omar Abdel Rahman fit des études religieuses (une vocation fréquente chez les aveugles, que leur infirmité n'empêchait pas de mémoriser les Textes sacrés — ainsi du cheikh Kichk, star de la prédication islamiste dans les années 1970). Diplômé d'Al Azhar en 1965, il fut emprisonné une première fois pour dix-huit mois en octobre 1970, lorsqu'il émit une *fatwa* interdisant de prier pour Nasser (qui venait de mourir) car il était « impie ». Après avoir obtenu son doctorat en 1977, il partit enseigner en Arabie Saoudite jusqu'en 1980, puis devint le « mufti » du groupe des assassins de Sadate — à qui il procura une *fatwa* autorisant à attaquer les coptes (voir notre *Prophète et Pharaon, op. cit.*, p. 226). Arrêté en 1981 et innocenté au terme du procès, il fut libéré en 1984. Voir, entre autres, *Taqrir 96*, p. 280. Pour la suite de sa biographie, largement médiatisée après son arrivée aux États-Unis, voir p. 446-449.

10. Sur ces incidents, et pour une vision globale de la situation de la mouvance islamiste dans la seconde moitié de la décennie 1980, lire Alain Roussillon, « Entre Al-Jihad et Al-Ray an : phénoménologie de l'islamisme égyptien », *Maghreb-Mac rek*, n° 127, janvier-mars 1990, p. 5-50 (ici, p. 25-26).

11. En janvier 1990, Zaki Badr, qui venait d'échapper à un attentat le mois précédent, et qui incarnait la ligne « dure », fut remplacé par Abdel Halim Moussa, qui serait lui-même remercié en avril 1993, après avoir encouragé un Comité de médiation formé de religieux, en pleine période d'exacerbation de la violence. Lui succéda le général al Alfi, qui resterait en poste jusqu'à la tuerie de Louxor, en novembre 1997. Tous trois avaient été gouverneurs d'Assiout avant d'être nommés ministres, et étaient « spécialisés » dans l'islamisme radical.

12. Sur ces personnages et leur rôle en Algérie dans les années 1980, voir p. 258.

13. Les statistiques sur le nombre de coptes en Égypte font l'objet de polémiques incessantes entre ceux qui souhaitent minimiser l'importance du christianisme égyptien et ceux qui cherchent à la gonfler. Elles sont nourries par l'absence de recensement incontesté sur ces questions. Sur la situation de la communauté copte égyptienne, on se reportera à la thèse de Dina El Khawaga, *Le renouveau copte : la communauté comme acteur politique*, Institut d'Études Politiques de Paris, 1993. Sur la tension confessionnelle dans la Vallée, voir Claude

Guyomarc'h, « Assiout : épicentre de la "sédition confessionnelle" en Égypte », *in* Gilles Kepel (sous la dir. de), *Exils et
royaumes*, *op. cit.*, p. 165-188.

14. Voir une analyse de cette affaire et une lecture de la
« sédition confessionnelle » dans Alain Roussillon, « Changer
la société par le jihad. "Sédition confessionnelle" et attentats
contre le tourisme : rhétoriques de la violence qualifiée d'islamique en Égypte », *in* B. Dupret (sous la dir. de), *Le phénomène de la violence politique*, *op. cit.*, p. 299 sq., et
C. Guyomarc'h, art. cité, p. 171-172.

15. En décembre 1992 (six mois après l'assassinat de Farag
Foda), Nasr Abou Zeid, professeur à la faculté des lettres de
l'université du Caire, déposa ses travaux pour être promu titu-
laire d'une chaire. Sur la base d'un rapport défavorable, rédigé
par un autre professeur, également prédicateur et proche des
Frères musulmans, cette titularisation lui fut refusée, au prétexte que l'auteur, ancien marxiste, ne pouvait prétendre
écrire sur l'islam. N. Abou Zeid proposait en effet une lecture
du texte coranique qui en faisait une création certes divine,
mais formulée dans le langage et les concepts propres à être
compris dans une société du septième siècle, et donc susceptibles d'une interprétation contemporaine qui ne soit pas littérale (ainsi, l'esclavage, que le Coran ne prohibe pas et auquel il
est fait maintes références, n'est-il plus, selon l'auteur, d'actualité pour un musulman d'aujourd'hui). Sa démarche fut jugée
sacrilège — autant pour son contenu propre que parce qu'elle
émanait d'une personnalité laïque — et lui valut, malgré le
soutien de nombreux intellectuels et universitaires, des
attaques virulentes des membres de l'establishment religieux
proche des Frères musulmans. En mai 1993, tirant argument
de ce refus de titularisation, des avocats islamistes déposèrent
une plainte exigeant la séparation des époux Abou Zeid, au
prétexte que ce dernier, un apostat, ne pouvait demeurer
marié à une musulmane. Rejetée dans un premier temps par
le tribunal du fait que les plaignants n'avaient aucun intérêt
légal dans l'affaire, la plainte fut finalement instruite, au nom
d'une disposition de la *chari'a*, la *hisba*, qui stipule que tout
musulman a qualité pour « commander le bien et pourchasser
le mal ». En juin 1995, la cour d'appel du Caire divorça d'office
(et sans leur consentement) les époux, qui se réfugièrent aux
Pays-Bas le mois suivant — où ils demeurent à ce jour. Des
extraits de l'œuvre de l'universitaire sont disponibles en français : voir Nasr Abou Zeid, *Critique du discours religieux*, Sind-
bad-Actes Sud, Paris, 1999. Lire sur cette affaire B. Dupret, « À

propos de l'affaire Abû Zayd », *Maghreb-Machrek*, n° 151, janvier-mars 1996, p. 18 sq.; « Un arrêt devenu une "affaire" »,
Égypte/Monde Arabe, n° 29, 1ᵉʳ trim. 1997, p. 155 sq.; ainsi que
« L'affaire Abû Zayd devant les tribunaux » (traduction
d'extraits des jugements), *Égypte/Monde Arabe*, n° 34, 2ᵉ
semestre 1998, p. 169-201. Voir également le dossier Nasr
Abou Zeid publié par *Inter-Peuples*, n° 44, mars 1996.

16. Les cassettes d'Omar Abdel Rahman ont été reproduites
dans la presse égyptienne anti-islamiste — leur outrance
même laissant penser aux rédacteurs de ces titres qu'elles se
retourneraient contre leur auteur. Ainsi, *Al Mussawar* du 4 déc.
1992 cite le cheikh aveugle selon qui « le tourisme que connaît
l'Égypte est indubitablement illicite et constitue un péché
indiscutable et une grave offense [...]. Si la *gama'a islamiyya*
prend sur elle de lutter contre cet état de choses, elle ne fait
rien d'autre que son devoir en matière de pourchas du mal »
(voir aussi *Sabah al Khayr*, 24 déc. 1992). Quant à l'hebdomadaire *Al Sha'ab*, proche des vues des Frères musulmans,
il publie sous la plume de son rédacteur en chef Adel Hussein,
ancien marxiste passé à l'islamisme, un article retentissant sur
« ce que doit être la position islamique et patriotique par rapport au tourisme » qui « exige que celui-ci soit soumis aux dispositions de la *chari'a* et à la morale de l'islam ». Y sont
dénoncés aussi bien les émirs de la péninsule qui viennent
profiter des charmes de la prostitution locale que les touristes
israéliens, surtout liés au trafic de drogue, de fausse monnaie
ou d'armes, et à la propagation du sida » (*Al Sha'ab*, 2 oct.
1992, cité et traduit par A. Roussillon, art. cité, p. 307-309).

17. Première source de revenus avec les versements des
émigrés, le tourisme avait rapporté plus de 3 milliards de dollars en 1991-1992. Le président Moubarak estima en
décembre 1993 que le pays avait perdu cette année-là 2 milliards de dollars de recettes touristiques (*Akhbar el Yom*,
11 décembre 1993).

18. Les événements d'Embaba ont été l'objet de très nom-
breux articles de presse, d'enquêtes sociologiques et
d'ouvrages. On trouvera beaucoup d'éléments dans Hicham
Moubarak, *Al Islamiyyoun Qadimoun* (« Les islamistes
arrivent »), Mahroussa, Le Caire, 1995. Également Ni'met
Guenena et Saad Eddin Ibrahim, *The Changing Face of Égypt's
Islamic Activism*, US Institute of Peace, septembre 1997.
Enfin, je dois beaucoup d'informations de première main à
Patrick Haenni, qui m'a fait partager sa connaissance du ter-
rain d'Embaba. Qu'il soit assuré ici de ma reconnaissance.

19. L'articulation entre les mouvements islamistes radicaux passés à la violence (ou qui se targuent de la contenir) et les « mauvais garçons » est un phénomène fréquemment observé dans la décennie 1990. Pour la banlieue d'Alger, voir M. Vergès, « Chroniques de survie dans un quartier en sursis », *in* G. Kepel (sous la dir. de), *Exils et royaumes*, op. cit., p. 69 sq., et L. Martinez, *La guerre civile*, op. cit. Pour les Black Muslims des États-Unis et certaines banlieues françaises, *in* G. Kepel, *À l'ouest d'Allah*, op. cit., première et troisième parties. Au Pakistan, le parti sunnite anti-chi'ite radical Lashkar-e Jhangvi (voir p. 342-344 et note 13 du chapitre 3) était animé par un personnage surnommé « Haq Nawaz Pistol », à comparer avec l'une des figures de la *gama'a* à Embaba, « Hassan Karaté ».

20. Les principaux incidents antichrétiens se déroulèrent à l'automne 1991, leurs auteurs bénéficiant de la passivité de la police qui hésitait à se risquer dans le quartier en période de troubles.

21. Voir p. 394.

22. Ce phénomène est analysé par Sameh Eid et Patrick Haenni, « Cousins, voisins, citoyens. Imbaba : naissance paradoxale d'un espace politique », *in* Marc Lavergne (sous la dir. de), *Le pouvoir local au Proche-Orient*, à paraître, 2000.

23. Nabil Abdel Fattah, *Veiled Violence*, op. cit., p. 45.

24. Pour une analyse des controverses autour du droit entre islamistes et positivistes, voir B. Dupret, « Représentations des répertoires juridiques en Égypte : limites d'un consensus », *Maghreb-Machrek*, n° 151, janvier-mars 1996, p. 32 sq.

25. Sur les péripéties du conflit autour du contrôle des syndicats professionnels, voir E. Longuenesse : « Le "syndicalisme professionnel" en Égypte entre identités socio-professionnelles et corporatisme », *Égypte/Monde Arabe*, n° 24, 4ᵉ trim. 1995, p. 167-168.

26. Voir J. Bellion-Jourdan, « Au nom de la solidarité islamique... », art. cité.

27. Voir notre *Prophète et Pharaon*, op. cit., p. 185-205.

28. Sur le Comité de médiation, voir A. Roussillon, « Changer la société... », art. cité, p. 315-318.

29. L'attentat du 26 juin 1995 contre Hosni Moubarak, perpétré dans la capitale éthiopienne à l'occasion d'un sommet africain, marqua symboliquement le point culminant des attaques contre l'État, en un rappel de l'assassinat de Sadate en octobre 1981. Il témoignait de la puissance de la *gama'a islamiyya*, qui le revendiqua, bien qu'il fût plutôt dans le style du groupe Al Jihad, spécialisé dans les coups portés au som-

.net du pouvoir. Il supposait l'accès à des informations précises, une infrastructure internationale, la maîtrise d'armements perfectionnés, etc. Le gouvernement égyptien incrimina le pouvoir soudanais, accusé d'avoir abrité le « cerveau » de l'attentat, Moustafa Hamza, que l'Onu demanda à Khartoum de livrer au Caire. Bien que M. Hamza se soit montré en Afghanistan quelques jours plus tard et eut « disculpé » le régime de Hassan el Tourabi — qui venait de tenir trois mois auparavant la IIIᵉ Conférence populaire arabe et islamique où la *gama'a islamiyya* était représentée et où le pouvoir égyptien fut dénoncé —, de fortes pressions internationales s'exercèrent sur Khartoum. Le régime soudanais aurait depuis lors fait quitter son territoire aux militants égyptiens.

30. Ainsi, en 1995, 93 % des actes de violence répertoriés (qui causent en tout 366 morts) se déroulent en haute Égypte. Voir *Taqrir 1995*, p. 190.

31. Sur la « désescalade » de 1996, voir les données fournies par le *Taqrir 1996*, p. 235 sq.

32. Voir ci-dessous les développements de l'attentat contre le World Trade Center à New York.

33. Porte-parole de la *gama'a* à l'étranger, bénéficiant de l'asile politique au Danemark où il s'établit en 1993 après avoir quitté l'Afghanistan, Tal'at Fouad Qassem y éditait la revue *Al Mourabitun*, qui avait commencé de paraître à Peshawar en 1989. Il se serait rendu dans les Balkans en septembre 1995 pour y resserrer les liens avec les « jihadistes » égyptiens combattant en Bosnie, sur lesquels la *gama'a* avait perdu le contrôle. Mais, arrêté à Zagreb le 12 septembre, puis relâché le 14, il « disparut » le 16. Voir *Taqrir 1995*, p. 211-212, et R. Labévière, *Les dollars...*, *op. cit.*, pp. 71-72.

34. Le 18 avril, le jour même de l'attentat contre l'hôtel Europa au Caire, l'artillerie israélienne avait bombardé le centre de la Finul (Force des Nations unies au Liban) où étaient réfugiés 350 civils libanais, qui s'abritaient des conséquences de l'opération militaire « Raisins de la colère », déclenchée en représaille à des attaques du Hizballah. Le bombardement fit 112 tués et 130 blessés, principalement des femmes, des enfants et des vieillards.

35. La priorité à la lutte contre « l'ennemi proche » avait été théorisée dans l'opuscule d'Abdessalam Faraj, idéologue du groupe des assassins de Sadate (voir notre *Prophète et Pharaon*, *op. cit.*, chap. 7). Par la voix d'Ayman al Zawahiri, le groupe Al Jihad condamna toute trêve, rappelant que l'ennemi

proche (l'apostat, *murtadd*) est pire que l'ennemi lointain (l'impie, *kafir asli*)). Voir *Taqrir 1996*, p. 272.

36. Sur ces élections, voir Sandrine Gamblin (sous la dir. de), *Contours et détours du politique en Égypte : les élections législatives de 1995*, L'Harmattan-Cedej, Paris, 1997, en particulier A. Roussillon, « Pourquoi les Frères musulmans ne pouvaient pas gagner les élections », p. 101 sq.

37. Dans l'imaginaire coranique, le terme *wasat* résonne avec le verset (II, 143), très fréquemment cité : « Ainsi vous constituons-nous communauté médiane, pour que vous témoigniez des hommes, et que l'Envoyé témoigne de vous » (trad. Jacques Berque 1995, *op. cit.*). J. Berque rend par « communauté médiane » l'expression arabe « *oummatan wasatan* », dont d'autres traductions font la « communauté du centre » ou « du juste milieu ». Sur le parti Al Wasat, lire *Taqrir 1996*, p. 217-230.

38. Le nombre de morts passa de 366 en 1995 à 181 en 1996.

39. Le communiqué qualifiant d'« erreur » la tuerie de Louxor fut attribué à Oussama Rouchdi, réfugié aux Pays-Bas et successeur de Tal'at Fouad Qassem ; celui qui refusait toute cessation des attaques en Égypte à Rifa'i Ahmed Taha, un autre dirigeant du groupe, demeurant en Afghanistan.

40. Ce phénomène est finement décrit par Patrick Haenni, « De quelques islamisations non islamistes », *Revue des mondes musulmans et de la Méditerranée*, n° 85-86, 1999.

41. Pour une vision nuancée de l'évolution de l'Égypte par l'un des organes du milieu des affaires mondial, voir le *Financial Times Survey : Egypt*, 11 mai 1999 : « De nouveaux hommes d'affaires sûrs d'eux sont en train d'obtenir une influence politique, changeant subtilement la nature du régime », note l'éditorialiste, pour déplorer que « M. Moubarak n'apparaisse pas vouloir permettre l'émergence de quelque individu, force politique ou institution qui puisse remettre en cause son monopole sur le pouvoir » (David Gardner, « Reformist Zeal Put to the Test », p. 1). Consulter également *The Economist / A Survey of Egypt*, 20 mars 1999, notamment les articles intitulés *Islamists in Retreat* (« La retraite des islamistes ») et *Sham Democracy* (« Démocratie bidon »), p. 15-17.

7. LA GUERRE RATÉE CONTRE L'OCCIDENT

1. Lors du procès où comparurent des « Afghans » égyptiens, au début de 1996, leur avocat, Montasser al Zayyat, lui-

même militant de la *gama'a*, plaida que l'État, qui avait encouragé ses clients à partir pour le *jihad* afghan dans les années 1980, ne pouvait, sans se renier, les criminaliser à ce motif.

2. À travers ses entreprises de travaux publics disséminées à travers le monde, Oussama ben Laden devait jouer un rôle important dans les déplacements de nombreux jihadistes et leur fournir des points de chute divers. Voir p. 472.

3. Voir Peter Waldman, « How sheik Omar rose to lead islamic war while eluding the law... », *The Wall Street Journal*, 1ᵉʳ sept. 1993, p. A1. Cet article comporte une bonne biographie synthétique d'Omar Abdel Rahman. On lira également, dans M. A. Weaver, *A Portrait of Egypt, op. cit.*, un portrait plus subjectif et très documenté du cheikh, fondé sur plusieurs entretiens avec lui et son entourage pendant son séjour américain.

4. Voir p. 422 et 436, sur l'attitude du ministre envers la mouvance islamiste radicale jusqu'à la formation du Comité de médiation. Les conditions d'interrogatoire et de détention dans les geôles égyptiennes ont été fréquemment dénoncées par les organisations de droits de l'homme, qui incriminaient la pratique fréquente de la torture pour obtenir aveux et renseignements.

5. La version officielle américaine, présentée après l'attentat contre le World Trade Center en février 1993, attribue la délivrance du visa à une « erreur », imputée selon les versions à un employé soudanais du consulat des États-Unis ou à une défaillance informatique. Elle est assez difficilement crédible, eu égard à la notoriété du cheikh, aux délais entre ses différents déplacements, et à l'obtention très rapide du statut de résident permanent (la « carte verte ») après son arrivée (voir ci-dessous). Voir D. Jehl, « Flaws in Computer Check Helped Sheik Enter US », *The New York Times*, 3 juillet 1993, p. 22.

6. Des conflits sur la gestion financière du centre et l'usage des fonds auraient été la cause de l'assassinat de Shalabi, en mars 1991.

7. L. Duke, « Trail of Tumult on US Soil », *Washington Post*, 11 juillet 1993, p. A1.

8. Voir p. 333.

9. Lors de la dernière déclaration qu'il put faire à son procès, le 17 janvier 1996, le cheikh demanda pourquoi on ne l'avait pas arrêté dès son entrée aux États-Unis en juillet 1990, s'il était le chef d'une conspiration terroriste comme on l'en accusait, soulignant notamment : « Comment donc ai-je obtenu mon visa à l'époque où j'aurais été le principal dirigeant de l'organisation internationale du *jihad*, et l'émir du

jihad en Amérique? Comment ai-je obtenu ma carte verte en deux ou trois mois — et l'entretien pour l'obtenir n'a duré que deux ou trois minutes? », US District Court, Southern District of New York, *United States of America v. Omar Ahmad Ali Abdel Rahman [et alii], Defendants*, S5 93 Cr. 181 (MBM), p. 185.

10. Durant sa détention au début des années 1980 en Égypte, le cheikh avait pris comme seconde épouse la sœur de l'un de ses codétenus, âgée de 18 ans. Il avait été autorisé à consommer son mariage en prison. Ses avocats américains déclarèrent par la suite qu'il avait répudié l'une de ses deux épouses.

11. Pour incriminer le cheikh, en l'absence de preuves matérielles de son implication dans l'attentat lui-même, le procureur lia ensemble plusieurs cas : l'assassinat du leader extrémiste juif Meir Kahane, le 5 novembre 1990, tué par un militant islamiste égyptien fréquentant l'une des mosquées où officiait le cheikh, le projet d'assassiner le président égyptien Moubarak, l'attentat contre le World Trade Center, et divers projets d'attentats et d'assassinats à New York. Basé sur l'interprétation de passages de ses sermons et les enregistrements de conversations avec l'informateur, ainsi que sur les faits matériels dans les deux cas qui avaient abouti, l'acte d'accusation se référait à une notion très rarement utilisée dans le droit américain — ce qui lui valut le reproche, par les défenseurs, d'avoir été « fabriqué ». Voir US District Court, Southern District of New York, *Indictment S3 93 Cr. 181 (MBM)*, 25 août 1993 (27 pages).

12. Sur le rôle de l'informateur égyptien du FBI, Emad Salem, ancien gradé dans l'armée de son pays d'origine, voir notamment P. Thomas et E. Randolph, « Informer at Center of Case ; Hero or Huckster, Salem Shaped Charges », *Washington Post*, 26 août 1993, p. A1.

13. Arrivé le 2 septembre 1992 à New York dans un vol provenant de Karachi, porteur d'un passeport irakien, Ramzi Youssef pénétra sur le territoire américain en demandant l'asile politique. Rapidement intégré dans le cercle des proches du cheikh, il cohabita avec un manœuvre en bâtiment désargenté, M. Salameh, ressortissant jordanien, qui devait disposer soudain de sommes importantes lui permettant d'acquérir et stocker des explosifs. Il lui apprit également à conduire — mais ce dernier était si maladroit qu'il détruisit le véhicule qui les transportait, les contraignant l'un et l'autre à une brève hospitalisation. Louant à son nom, et à l'adresse de la mos-

quée du cheikh Abdel Rahman à Jersey City, la camionnette qui devait exploser dans le parking du World Trade Center, et déposant 200 dollars d'arrhes en liquide, M. Salameh revint chez le loueur deux heures après l'explosion, déclarant le véhicule volé, afin de récupérer sa caution. Il ne devait toucher cette somme que le 4 mars, alors que l'attendaient les agents du FBI qui avaient entre-temps identifié le véhicule. Quant à M. Youssef, il avait quitté le territoire américain le 28 février. Il serait arrêté au Pakistan en février 1995 et extradé, puis jugé et condamné aux États-Unis en janvier 1998, sans que le mystère qui l'entourait fût publiquement levé. Voir « The Bombing : Retracing the Steps », _The New York Times_, 26 mai 1993, p. B1. Dans cette affaire, M. Salameh apparaît comme un simple d'esprit, dont on peut se demander s'il n'a pas été convaincu à son insu de laisser tant de traces permettant de le retrouver, alors que M. Youssef s'avère un « professionnel » du terrorisme et de la manipulation.

14. Depuis les quartiers misérables de « Little Egypt » à Jersey City, on aperçoit au loin, à travers les marécages, les tours jumelles qui se dressent au-dessus du _skyline_ du bas de Manhattan, comme une sorte de monument païen qui écrase de sa hauteur et de son luxe les pauvres immigrants qui prient dans les locaux exigus de la mosquée _Al Salam_ où officie le cheikh Abdel Rahman. À la même époque, en Algérie, un monument édifié au-dessus du centre commercial _Riyad el Fath_, sur les hauteurs d'Alger, perçu par la jeunesse islamiste comme le symbole du paganisme de l'État, était voué aux gémonies sous le surnom de _Houbel_, en référence à un symbole pré-islamique de La Mecque.

15. Ainsi, le site du bulletin du groupe Al Jihad, _Al Mujahidun_, est installé à Londres sous la supervision de deux responsables du mouvement, tandis que d'autres animent le Comité international pour la défense des persécutés, actif dans le champ des droits de l'homme. Voir _Taqrir 1996_, p. 279.

16. Surnommé « _Tala'i al fax_ » (« les avant-gardes du fax ») par ses adversaires, eu égard à sa faible base sociale et à la surabondance de sa production de télécopies, ce groupe, dirigé depuis Londres par Yasser Tawfiq al Sirri, publie également un bulletin virtuel, _Al Mirsad al I'lami al Islami_ (« l'observateur islamique de l'information »), qui diffuse de nombreux communiqués et éléments d'information partisane sur la mouvance islamiste internationale (Tchétchénie, etc.).

17. Voir p. 330-332.

18. Sur la réconciliation entre les responsables de la _gama'a_

islamiyya et du groupe Al Jihad à Londres en 1996, voir *Taqrir 1996*, p. 283.

19. Installé à Londres, le « porte-parole international des Frères musulmans en Occident », M. Kamal al Halbaoui, de nationalité syrienne, est le premier non-Égyptien à avoir des responsabilités de ce type.

20. En 1999, M. Ghannoushi devait jouer un rôle d'intermédiaire entre le président algérien Abdelaziz Bouteflika et des responsables islamistes pour préparer la « concorde nationale » approuvée par référendum en septembre.

21. Sur cette institution, voir G. Kepel, *À l'ouest d'Allah*, *op. cit.*, p. 178-182. Elle sert également d'instance de formation et de coordination entre les responsables islamistes des divers pays européens, qui peuvent y séjourner afin de rédiger articles ou ouvrages par exemple. Y ont notamment demeuré l'ancien Premier ministre algérien Abdelhamid Brahimi, devenu proche du FIS, qui y a rédigé son ouvrage *Justice sociale et développement en économie islamique*, La Pensée Universelle, Paris, 1993, ainsi que M. Tariq Ramadan, animateur de l'association Musulmanes et Musulmans de Suisse, et aujourd'hui principal leader charismatique de cette mouvance en Europe francophone, qui y a mûri ses ouvrages les plus récents.

22. En rassemblant sur un programme radical de jeunes Indo-Pakistanais qui remplirent le stade, M. Bakri se situait en dehors du cadre du *gentlemen's agreement* implicite qui régissait les rapports entre islamistes radicaux et autorités britanniques, et selon lequel ce type de prosélytisme ne devait s'exercer que vers l'étranger. En 1996, il fonda le mouvement Al Mouhajiroun. Son meeting suivant, auquel devait participer le porte-parole international des Frères musulmans, fut interdit en août 1996.

23. Sur ces personnages, voir p. 395.

24. Sur la FAF et *Le Critère*, voir notre *À l'ouest...*, *op. cit.*, chap. 3.

25. Dans un entretien avec *Le Monde* du 17 novembre 1993, après l'opération de police contre des milieux islamistes en France consécutive à la prise en otage par le GIA de trois diplomates français à Alger, le ministre, en réponse à la question « Pourquoi des militants intégristes notoires comme par exemple M. Sahraoui, l'un des membres fondateurs du FIS, qui vit à Paris, n'ont-ils pas été inquiétés ? » déclara : « M. Sahraoui a toujours eu une attitude convenable : il a respecté nos lois et il a appelé à la libération immédiate et sans condition

des trois otages français. — À votre demande? — Le mot est peut-être excessif... En tout cas, il l'a fait. » Dans *Le Monde* du 15 octobre 1994, interrogé sur la réalité de contacts entre les autorités françaises et M. Rabah Kébir, porte-parole de l'IEFE (Instance Exécutive du FIS à l'Étranger), il répond : « Il n'y a pas de contacts avec Rabah Kébir. C'est la thèse des Américains, ça! D'ailleurs, si nous voulions avoir des contacts avec le FIS, ce n'est pas la peine d'aller très loin. Il y a Sahraoui à Paris. Si on veut avoir le point de vue du FIS, ce n'est pas difficile. »

26. Cette politique avait été mise en œuvre au Royaume-Uni, à la grande satisfaction de la mouvance islamiste locale. Les nombreuses conférences sur l'islam en Europe organisées dans les années 1990 à l'initiative de celle-ci n'ont jamais manqué de citer en exemple le modèle britannique et de vouer la France aux gémonies.

27. Les congrès de l'UOIF au Bourget, qui se tenaient alors à Noël, n'abordèrent jamais la question algérienne, mais des thèmes comme la démocratie, la république, la laïcité, etc., destinés à manifester aux autorités françaises leur adhésion aux catégories du discours politique en vigueur.

28. Après l'assassinat de deux géomètres français dans l'Ouest algérien en octobre 1993, revendiqué par le GIA, une vaste opération policière en France toucha plus de cent dix personnes, supposées liées à l'islamisme armé algérien.

29. La plupart des expulsés se sont ensuite retrouvés parmi les dirigeants du FIS en exil — et ont condamné l'action du GIA (voir les déclarations de D. el Houari, ancien président de la FAF, dans P. Denaud, *Le FIS...*, *op. cit.*, voir p. 272-273, et note 49). Mais dès mai 1994, les « jazaristes » emmenés par Mohammed Saïd avaient fait allégeance à l'« émir » du GIA Cherif Gousmi, et la FAF était pour l'essentiel de sensibilité « jazariste ». La vidéocassette du « communiqué de l'Unité », qui narrait la cérémonie d'allégeance, circulait dès l'été dans les milieux islamistes en Europe.

30. Personnalité bien connue du monde associatif et du milieu chrétien, M. Kechat bénéficia d'une campagne de solidarité importante. Son cas devait être classé, et il s'attacherait par la suite à faire de sa mosquée un « espace d'échanges » où de nombreuses conférences, rassemblant des orateurs de tous horizons, seraient organisées.

31. Les dirigeants du Mouvement de la Jeunesse Islamique du Maroc (MJIM) avaient été condamnés à de lourdes peines au début des années 1980. Le passage de certains d'entre eux

par l'Algérie — bien connu des autorités marocaines — avait rapidement conduit celles-ci à imputer l'attentat de Marrakech à une manipulation des services spéciaux de l'État voisin, au moment où ceux-ci reprochaient au royaume chérifien de fermer les yeux sur les activités du GIA du côté marocain de la frontière entre les deux pays. Comme dans l'affaire du World Trade Center, l'engagement terroriste mêle trajectoires militantes et manipulations éventuelles par les services spécialisés, sans qu'il soit possible d'en dérouler précisément l'écheveau.

32. Sur cette affaire, on peut lire les principaux extraits des minutes du procès, qui eut lieu en décembre 1996, dans *Le procès d'un réseau islamiste*, textes réunis par C. Erhel et R. de La Baume, *op. cit.*, ainsi que notre article « Réislamisation et passage au terrorisme : quelques hypothèses de réflexion », *in* Rémy Leveau (sous la dir. de), *Islam(s) en Europe. Approches d'un nouveau pluralisme culturel européen*, Les Travaux du Centre Marc-Bloch (n° 13), Berlin, 1998, p. 107-119.

33. Sur les menaces proférées contre le cheikh Sahraoui dans un communiqué du GIA, voir p. 402. Les partisans de la thèse de la manipulation du GIA notent que son assassinat avait été quasiment annoncé par un article du quotidien algérien *La Tribune* quelques jours auparavant.

34. Voir les déclarations de Boualem Bensaïd, le 3 juin 1999, se réclamant du GIA, et niant tout rapport avec la sécurité militaire, *Le Monde*, 5 juin 1999. On lira une synthèse de l'arrêt de renvoi dans *Le Monde* du 1er juin 1999, et des comptes rendus d'audience les 3 et 4 juin. Les prévenus ont oscillé entre réfutation du « tribunal croisé », en se référant à la « justice d'Allah », « insolences » envers la cour, et dénégation, pour certains, de leur appartenance au GIA.

35. Soutenue par certains défenseurs au procès de juin 1999, cette thèse soupçonne le chef et le coordonateur du réseau terroriste, Ali Touchent, dit « Tarek » — abattu à Alger le 27 mai 1997 par les forces de l'ordre —, d'avoir été un agent infiltré par la « sécurité militaire » algérienne. Au moment où ces lignes étaient écrites (automne 1999), et alors que les actions judiciaires concernant les attentats n'avaient pas encore été menées à leur terme, il n'existait pas d'élément matériel incontestable permettant d'étayer cet argument, ni de l'invalider de manière définitive. En ce sens, les zones d'ombre qui entourent les attentats de 1995 évoquent pour partie celles de la « conspiration » pour laquelle fut condamné en janvier 1996 à New York le cheikh Abdel Rahman.

36. Trois ans avant les attentats, le sociologue allemand Dietmar Loch avait effectué un long entretien avec K. Kelkal, au hasard d'une enquête sur les jeunes issus de l'immigration dans la banlieue lyonnaise. Il fut publié *in extenso* dans *Le Monde*, le 7 octobre 1995.

37. Voir notre commentaire dans *À l'ouest d'Allah*, p. 55-56. Élève doué qui voulait faire des études d'avocat, Malcolm s'entendit répondre par son instituteur blanc à qui il confiait son ambition qu'il ferait mieux de devenir charpentier, métier qui convenait davantage à un Noir. Devenu l'une des figures de Roxbury, le ghetto de Boston, puis arrêté pour vol et recel, il correspondit en prison avec le dirigeant de la *Nation of Islam*, Elijah Muhammad, et se convertit, traduisant son ancienne rupture délinquante avec la société en une rupture politico-religieuse.

38. Voir Farhad Khosrokhavar, *L'islam des jeunes*, Flammarion, Paris, 1997.

39. Sur ces mouvements, voir notre *À l'ouest...*, *op. cit.* Lire également Jocelyne Cesari : *Musulmans et républicains*, Complexe, Bruxelles, 1997, qui donne la parole à des jeunes militants des organisations.

40. Ces éléments d'interprétation de l'entretien de K. Kelkal sont développés dans notre article « Réislamisation et passage », art. cité, p. 108-109.

41. Voir *Libération*, 8 juin 1999.

42. Sur ce point, voir les travaux, fondés sur des données démographiques, de Michèle Tribalat, *Faire France*, La Découverte, Paris, 1996.

43. Voir les sites en ligne de l'UOIF et de son organisation sœur dans la jeunesse, la JMF, à laquelle avait été déléguée l'organisation des journées du Bourget à Noël. Ce dernier site n'est plus mis à jour fin 1999.

44. Dans un communiqué du 26 octobre 1999, l'UOIF envisage la perspective d'une Organisation des Musulmans de France destinée à fédérer la communauté pour laquelle « l'accompagnement des pouvoirs publics n'est pas à exclure, au contraire il est souhaitable à la condition qu'il évite toute ingérence et qu'il veille à sauvegarder la liberté de décision de la communauté et à ne pas lui imposer un modèle d'organisation ou à entraver sa démarche et les déclarations de M. le ministre de l'Intérieur à ce sens sont d'ailleurs plutôt rassurantes » *(sic)*.

8. OUSSAMA BEN LADEN
ET L'AMÉRIQUE :
ENTRE TERRORISME
ET GRAND SPECTACLE

1. Selon Milton Bearden, un retraité de la CIA de haut rang chargé de l'aide de l'agence au *jihad* afghan, puis chef de poste au Soudan, le traitement judiciaire et médiatique de ben Laden par les États-Unis est du simplisme : « Faire le lien entre lui et tout acte terroriste connu de la décennie écoulée, c'est une insulte à [l'intelligence] de la plupart des Américains. Et cela n'encourage certainement pas nos alliés à nous prendre au sérieux en la matière. » Voir http://www.pbs. [...]bearden.html, *op. cit.* Dans la littérature consacrée au personnage (qui commence à paraître quand ces lignes sont écrites, fin 1999) se distingue le gros volume de Yossef Bodansky, *Bin Laden. The Man who Declared War on America*, Prima Publishing, Californie, 1999. Expert du renseignement auprès de la Chambre des représentants, l'auteur mêle à une masse de données, dont certaines sont exactes et vérifiables, de nombreux éléments incontrôlables (sans citer une seule source), et une analyse globale qui semble aussi fantaisiste que liée à des intérêts précis. Il est régulièrement pris à partie par les « plumes » islamistes radicales (voir le compte rendu de son livre par Abdel Wahhab Al Efendi, un auteur soudanais de Londres, dans *al quds al 'Arabi*, 27 et 29 septembre 1999, intitulé « Il ment en moyenne deux fois par phrase ») ainsi que sur le site en ligne des Azzam Brigades.

2. À titre d'anecdote, l'auteur de ces lignes, feuilletant le magazine masculin *Esquire*, eut la surprise de découvrir un reportage sur ben Laden entre des rubriques très « déshabillées », des publicités pour du cognac ou du whisky et des conseils pour améliorer les performances sexuelles du lecteur (« Osama bin Laden : An Interview with the World's Most Dangerous Terrorist », *Esquire*, février 1999.

3. Entre autres objets de piété populaire consacrés à ben Laden, l'auteur dispose d'une affiche-calendrier de 1999, éditée par Islamic Peacekeepers, Islamabad, ornée d'une grande photo du héros dans un nimbe à la manière d'un saint soufi (et d'une image de la Grande Mosquée de La Mecque), surmontée de l'inscription en arabe et en ourdou « Expulsez les juifs et les chrétiens de la péninsule Arabique », voir note 18. À côté d'une

bannière étoilée lacérée s'y étalent, en anglais, les slogans « *Jehad is holy war against America* » et « *Allah is only super-power* » *(sic)*. Je remercie J. Bellion-Jourdan d'avoir mis à ma disposition ce document, acquis au Pakistan au printemps 1999. Les autorités du pays firent disparaître les affiches de ce type après l'été.

4. En 1979, l'un des frères ben Laden, Mahrous, fut inquiété après l'assaut donné à la Grande Mosquée de La Mecque par les conjurés regroupés autour de Juhayman al Utaybi (voir p. 175, et note 2). En effet, ses camions entraient et sortaient de celle-ci sans être fouillés, et les assaillants les auraient utilisés pour pénétrer dans l'enceinte sacrée. Mais les forces de l'ordre (et leurs conseillers français) eurent aussi besoin du groupe de BTP pour reprendre les lieux, car seuls les ben Laden en possédaient les plans détaillés. Voir « *About the Bin Laden Family* », http://www.pbs.org/wgbh/pages/frontline/shows/binladen/who/family/html.

5. La branche égyptienne du groupe, dirigée par un frère d'Oussama, Abdel Aziz, emploierait plus de 40 000 personnes, ce qui en faisait la plus grande société étrangère privée installée dans le pays. Voir « *About the Bin Laden Family* », *op. cit.*

6. Voir p. 73-74, sur les relations entre salafistes wahhabites et Frères musulmans.

7. Voir p. 218.

8. Sur la libération de la plupart des inculpés dans l'affaire de l'assassinat de Sadate et l'insurrection d'Assiout en 1981, voir p. 222.

9. Voir p. 457-462.

10. Selon plusieurs de nos interlocuteurs, Azzam, en phase avec ses commanditaires saoudiens, souhaitait confiner les « jihadistes » à l'Afghanistan, tandis que ben Laden était favorable à l'internationalisation du *jihad*. Cette théorie se heurte à l'analyse des textes et des sermons d'Azzam (voir p. 219-221) dans lesquels il appelle à l'extension du combat à toutes les terres où il faut, selon lui, restaurer la souveraineté de l'islam.

11. Le régime irakien baassiste, fondé sur une idéologie laïque et panarabiste, était vilipendé comme « impie » et « apostat » dans les cercles islamistes. Pendant la guerre irako-iranienne de 1980-1988, les États arabes conservateurs de la péninsule avaient mis une sourdine à ces attaques, auxquelles s'adonnait au contraire à plein l'Iran khomeiniste (voir p. 178). Après l'invasion du Koweït et l'arrivée des troupes de la coalition internationale « croisée » sur le sol saoudien, les « salafistes jihadistes » et le régime irakien

communièrent dans l'hostilité au pouvoir saoudien (voir p. 317

12. Voir p. 327.

13. Voir p. 323-324.

14. En 1992 et 1993, des anciens d'Afghanistan, yéménites et étrangers, prirent part à la déstabilisation du Parti socialiste qui contrôlait alors encore le pouvoir dans le sud du pays (réunifié en mai 1990). Leur chef, Tariq al Fadli, emprisonné à Aden, était accusé d'être en contact régulier avec ben Laden, alors installé à Khartoum. Sur l'islamisme yéménite — qu'il n'est pas possible de traiter dans le cadre de ce travail — on consultera notamment J.-M. Grosgurin, « La contestation islamiste au Yémen », *in* G. Kepel (sous la dir. de), *Exils et royaumes...*, *op. cit.*, p. 235-250 ; Paul Monet, *Réislamisation et conflit religieux à Aden*, mémoire de DEA, IEP de Paris, 1995 ; P. Dresch et B. Haykel, « Stereotypes and Political Styles : Islamists and Tribesfolk in Yemen », *International Journal of Middle Eastern Studies*, vol. 27/4 (1995) ; F. Mermier, « L'islam politique au Yémen ou la Tradition contre les traditions ? », *Maghreb-Machrek*, 1997, ainsi que L. Stiftl, « The Yemeni Islamists in the Process of Democratization », *in* R. Leveau, F. Mermier et U. Steinbach (sous la dir. de), *Le Yémen contemporain*, Karthala, Paris, 1999, p. 247 sq. Dans ce dernier ouvrage, les activités de T. al Fadli et ses rapports avec ben Laden sont évoqués par B. Rougier, « Yémen 1990-94 : la logique du pacte politique mise en échec », p. 112-114.

15. Voir un entretien avec Baha el Din Hanafi, l'un des penseurs de la stratégie internationale du régime soudanais, *in* Mark Huband, *Warriors of the Prophet*, Westview Press, Boulder, 1998, p. 37.

16. Voir *ibid*, p. 40. Également, *Indictment*, US Government, 4 nov. 1998, dans http://www.pbs..o.c....alqaeda.html., et « Déclaration de *jihad* », 23 août 1996 (voir ci-dessous).

17. En particulier, il joua un rôle majeur dans la décision de faire percer l'autoroute dite « du défi » (*at-tahaddi*) reliant la capitale à Port-Soudan, et longue de 800 km. Il aurait perdu plus de 150 millions de dollars dans l'opération, le gouvernement soudanais ne l'ayant jamais remboursé.

18. Ce mot d'ordre figure, en arabe, et sous une forme « modifiée » (*Akhrijou al yahoud wa-l nassara min jazirat-al arab* : « Expulsez les juifs et les chrétiens de la péninsule Arabique ») sur la plupart des documents, affiches, etc., qui exaltent ben Laden. Il se réfère à une parole que le Prophète aurait prononcée sur son lit de mort, et que la « Déclaration de

jihad » cite sous deux formes : « Expulsez les polythéistes de la péninsule Arabique » (selon Boukhari) et : « Si je survis, et s'il plaît à Allah, j'expulserai les juifs et les chrétiens de la péninsule Arabique » (selon un autre recueil, postérieur, *Sahih al jami' al saghir*). En contractant les deux formulations l'une en l'autre, ben Laden leur donne un sens plus fort et fait du Prophète le premier champion du *jihad* contre « l'alliance sioniste-croisée ». Une grande partie des *hadith*s du Prophète cités dans cette Déclaration sont issus du *Sahih al jami' al saghir*, considéré comme moins « fiable » que celui de Boukhari. La prédilection pour les *hadith*s dits « faibles » est une constante dans la littérature du courant « salafiste jihadiste ». Diffusée par fax, la Déclaration (*i'lan al jihad 'ala al amrikiyin al muhtalin li balad al haramein*) comporte deux traductions anglaises (assez différentes de ton) : l'une, militante, sur le site des Azzam Brigades (http://www.azzam.com/html/body5Fdeclaration.html), l'autre, due au CDLR (voir p. 329) et qui se veut « très exacte », sous le titre « *The Ladenese Epistle* », accessible sur le site de MSANEWS (http ://msanews.mynet net.MSANEWS/199610/19961012.3.html).

19. Sont cités, dans l'ordre : Palestine, Irak, Liban, Tadjikistan, Birmanie, Cachemire, Assam, Philippines, Ogaden, Somalie, Érythrée et Bosnie-Herzégovine. En dehors de la Palestine, les situations évoquées sont récentes, et témoignent de la « culture médiatique » de l'auteur, qui en fait tout uniment des « complots contre l'islam », en dépit de l'extrême diversité des causes des conflits mentionnés.

20. Alors qu'on attendrait de ben Laden une dénonciation de la pratique du prêt à intérêt (assimilé par le courant islamiste à l'usure), on lit dans sa Déclaration que le gouvernement doit à sa population « plus de 340 milliards de rials, sans compter les intérêts qui s'accumulent quotidiennement ».

21. Outre le roi Fahd, les deux princes nommément attaqués sont Sultan, ministre de la Défense, et surtout Nayyef, ministre de l'Intérieur, conseillé par l'ancien ministre de l'Intérieur égyptien Zaki Badr (écarté en 1992 pour avoir eu une politique trop brutalement répressive envers les islamistes, et en définitive inefficace ; voir p. 422, et note 11), responsable de la répression des islamistes saoudiens. En revanche, le prince héritier Abdallah, jugé « pieux » dans ces cercles, n'est pas mentionné.

22. Voir p. 328.

23. Les passages sur les Mongols cités évoquent ceux qu'utilise Abdessalam Faraj, l'idéologue du groupe des assassins de

Sadate, dans son opuscule *L'impératif occulté (Al Farida al Gha'iba)*, voir notre *Prophète et Pharaon, op. cit.*, p. 210-213. On notera aussi la référence au volume et au numéro de page (en l'occurrence *Recueil des fatwas*, vol. V, p. 506), inhabituelle dans ce type de proclamation, que l'on trouve également chez Faraj.

24. Nous n'avons pas identifié les cibles de cette volonté unitaire. On peut probablement y voir une ouverture vers l'Irak de Saddam Hussein et de ses partisans, moins claire-ment vers l'Iran, du fait de la haine antichi'ite quasi insurmon-table qui fait partie de l'éducation wahhabite de base, et n'admet que du bout des lèvres le chi'isme au sein de l'islam. De longs passages exhortent les musulmans à ne pas toucher, dans leur *jihad*, au pétrole, « grande richesse islamique et vaste pouvoir économique nécessaire à l'État islamique qui sera bientôt établi, par la grâce et avec la permission d'Allah ».

25. « Vous avez subi la disgrâce d'Allah et vous avez battu en retraite. »

26. Daté du 23 février 1998, publié en arabe dans le journal arabe de Londres *Al Qods al Arabi*, ce texte a été traduit en anglais sous le titre « World Islamic Front Statement Urging Jihad Against Jews and Crusaders » sur le site http://www.fas.org/irp/world/para/docs/980223-fatwa.htm. Voir l'in-terprétation qu'en donne Bernard Lewis — ainsi qu'une tra-duction de quelques passages — dans son article « Licence to Kill / Usama bin Ladin's Declaration of Jihad », *Foreign Affairs*, vol. LXXVII, nº 6, nov.-déc. 1998, p. 14-19.

27. La destruction de l'usine *Al Shifa*, dans la banlieue de Khartoum, devait surtout apparaître comme une pression exercée sur le gouvernement soudanais, la matérialité des accusations selon lesquelles celle-ci fabriquait des produits chimiques dangereux destinés à ben Laden n'ayant jamais été étayée. Les camps afghans bombardés, quant à eux, n'abri-taient pas ce dernier, mais des militants islamistes pakistanais qui s'entraînaient à porter la guerre au Cachemire indien. Les mesures de rétorsion américaines furent dénoncées dans un grand nombre de pays musulmans, et accueillies avec pru-dence par plusieurs alliés traditionnels des États-Unis. Au Pakistan, elles se traduisirent par un véritable culte de ben Laden, dont le portrait était brandi partout dans les manifes-tations organisées par les mouvements islamistes sunnites radicaux.

28. « Notre travail consiste à instiguer, par la grâce d'Allah, nous l'avons fait, et certaines personnes ont répondu à cette

instigation » (déclaration à *Time*, 23 décembre 1998). Dans un entretien le même jour à *ABC News*, ben Laden nia toute implication dans les attentats, mais dit son estime pour certains des suspects.

29. Ainsi, les morts de Louxor sont, pour la plupart, des touristes suisses ; ceux d'Algérie, des habitants des quartiers pauvres ; quant aux deux attentats d'Afrique, la grande majorité des victimes ne sont pas américaines.

9. ENTRE L'ENCLUME ET LE MARTEAU : HAMAS, ISRAËL ET ARAFAT

1. Pour l'exposition de ce point de vue, voir J.-F. Legrain, « Palestine : les bantoustans d'Allah », *in* R. Bocco, B. Destremau, J. Hannoyer (sous la dir. de), *Palestine, Palestiniens*, Cermoc, Beyrouth, 1997, p. 85-101.

2. Selon des sources israéliennes, citées par Elie Rekhess, *MECS 1993*, p. 216, les « fonds pour la fermeté » (*amwal al-sumud*) versés par l'OLP dans les territoires passèrent de 350 millions de dollars par an pendant l'*Intifada* à 120 millions après l'invasion du Koweït de 1990 et 40 millions en 1993. Les chroniques de Meir Litvak et Elie Rekhess, parues dans *MECS* et portant sur les années traitées dans ces pages, fournissent une mise en perspective qui a été très utile à l'auteur.

3. Hamas avait été interdit et ses militants pourchassés en décembre 1990. L'appartenance au mouvement était punissable d'emprisonnement. Voir p. 247.

4. Respectivement, Front Populaire et Front Démocratique pour la Libération de la Palestine, tous deux d'obédience marxiste.

5. Comme en Égypte, les élections professionnelles, réputées libres, servaient en Palestine à tester l'influence islamiste, notamment dans la classe moyenne ; il en allait de même pour les élections estudiantines, un bon indicateur de la force du mouvement sur les campus.

6. Sur la création et l'identité exacte des Brigades, le site même du mouvement Hamas sur la Toile présente deux versions contradictoires. Selon le *Glory Record*, qui recense (à l'automne 1989, date de la consultation) les 85 premiers attentats commis par ses militants (entre le 3 avril 1988 et le 19 octobre 1994), la première mention des Brigades apparaît le 17 février 1989 (un groupe qui leur appartient enlève un sergent israélien et l'« extermine et le jette »). En revanche, la

biographie de Yahia Ayache, dit « l'ingénieur » ou « l'artificier du Hamas » (assassiné en janvier 1996, probablement par les Services spéciaux israéliens qui avaient piégé son téléphone cellulaire), impute à ce « martyr » la création des Brigades « à la fin de 1991 ». La « présentation générale » du mouvement fait de même. Depuis le début de leurs activités, les Brigades ont bénéficié d'une assez large liberté d'action par rapport aux cadres du mouvement. Cela exprimait l'autonomie de la base populaire et des jeunes par rapport aux calculs politiques de la direction et aux intérêts des classes moyennes pieuses. Voir http://www.palestine-info.org.

7. Voir p. 188.

8. Voir la résolution 799, décembre 1992.

9. Sur la relation entre entrepreneurs palestiniens et pouvoir politique, voir Cédric Balas, « Les hommes d'affaires palestiniens dans un contexte politique en mutation », *Mahreb-Machrek*, nº 161, juillet-septembre, 1998, p. 51-59.

10. Le parti islamiste traduisit en ces termes la fonction des forces de sécurité palestiniennes : « L'Autorité, qui est soutenue par 30 000 hommes en armes formant une force de police qui porte des appellations diverses, doit mettre en application les obligations prévues par les accords. La première de celles-ci est de faire face aux opérations de résistance et de frapper les mouvements de résistance [...]. » Voir http://www.palestine-info, *op. cit.*

11. L'expression « gens de Tunis » — qui se réfère aux dirigeants de l'OLP arrivés à Gaza, en provenance de la capitale tunisienne où ils avaient établi leur quartier général depuis leur expulsion du Liban en 1983 (voir p. 158) — fut utilisée par les habitants des territoires qui soulignaient par là leur ignorance de la situation locale, notamment leur absence de participation aux épreuves de l'*Intifada*. Voir sur cette question Laetitia Bucaille, *Gaza. La violence de la paix*, *op. cit.*

12. Sur les obstacles à l'application des accords et les accusations mutuelles israéliennes et palestiniennes, voir le dossier établi par Agnès Levallois, « Points de vue israélien et palestinien sur les violations des accords d'Oslo », *Maghreb-Machrek*, nº 156, avril-juin 1997, p. 93 sq.

13. Voir L. Bucaille, ainsi que J. Grange, « Les forces de sécurité palestiniennes : contraintes d'Oslo et quête de légitimité nationale », *Maghreb-Machrek*, nº 161, juillet-septembre 1998, p. 18-28.

14. Assassiné à Malte le 26 octobre à son retour de Libye, Fathi Shqaqi était contesté à l'intérieur du mouvement. Son

successeur, un universitaire venant de Floride, ne parviendra pas à maintenir le mouvement comme composante significative de l'islamisme palestinien. Voir Rif'at Sid Ahmed, *Rihlat al dam...*, *op. cit.*, sur la vie et l'œuvre de F. Shqaqi.

15. Le bouclage des territoires après les attentats suicides de 1996 aurait mis au chômage environ 45 % de la population active de la bande de Gaza, et 30 % de celle de Cisjordanie. Le manque à gagner est évalué à 1 ou 2 millions de dollars par jour pour les Palestiniens. Voir Anat Kurtz (avec la collab. de Nahman Tal), *Hamas : Radical Islam in a National Struggle*, JCSS, université de Tel-Aviv, Memo, n° 48, juillet 1997 (http :// www.tau.ac.il/jccs/memo 48.html, ch. 3, p. 9).

16. Voir note 6.

17. L'opération « Raisins de la colère » contre le Hizballah libanais, entre le 15 et le 27 avril 1996, marquée par le massacre de civils libanais à Cana à la suite d'un bombardement israélien, a également contribué à la défaite de Shimon Peres. Sur les répercussions du massacre en Égypte, voir p. 438 et note 34.

18. En rétorsion, des agents israéliens tentèrent d'assassiner à Amman, le 25 septembre, le chef du bureau politique de Hamas, Khaled Mish'al. Ils furent arrêtés par la sécurité jordanienne et relâchés en échange de l'élargissement du guide spirituel du parti islamiste, le cheikh Ahmad Yassine.

19. Voir l'analyse et l'interprétation détaillées des élections de janvier 1996 par J.-F. Legrain, *Les Palestines du quotidien*, Cermoc, Beyrouth, 1999.

20. Voir « Hamas' Position towards the Self-Rule Authority », *in* http://www.palestine-info, *op. cit.*

10. L'OPPOSITION ISLAMISTE DE SA MAJESTÉ HACHÉMITE : LES FRÈRES MUSULMANS EN JORDANIE

1. L'expression (qui rend hommage au *Fellah marocain défenseur du trône*, de Rémy Leveau, Presses de Sciences Po, Paris, 1985 [2ᵉ édition]) est employée dans ce contexte par P.-W. Glasman, « Le mouvement des Frères musulmans », à ce jour la monographie la plus détaillée en langue occidentale, *in* R. Bocco (sous la dir. de), *Le royaume hachémite de Jordanie, 1946-1996*, Karthala, Paris, 2001. Je remercie l'auteur de m'avoir permis de consulter son travail avant parution. On dispose également d'un ouvrage très documenté et précis en

langue arabe : *Jama'at al ikhwan al muslimin fi-l urdun* (« l'association des Frères musulmans en Jordanie ») *1946-1996*, Dar Sindbad, Amman, 1997, par Ibrahim al-Gharaibeh (lui-même journaliste et Frère), complété par un ouvrage collectif (qui emprunte largement à ce dernier) disponible en langue anglaise, *Islamic Movements in Jordan*, Hani Hourani (sous la dir. de), Dar Sindbad, Amman, 1997. Bonne mise en perspective récente également par Shmuel Bar, *The Muslim Brotherhood in Jordan*, The Moshe Dayan Center, coll. Data and Analysis, Tel Aviv University, 1998. Les Frères musulmans jordaniens ont fait l'objet d'une littérature à tonalité favorable émanant d'universitaires anglo-saxons qui voyaient en eux la résolution de l'équation islamistes (modérés) = démocrates, et militaient pour la participation de ce courant au pouvoir un peu partout dans le monde musulman. Voir Glenn E. Robinson, « Can Islamists be Democrats ? The Case of Jordan », *The Middle East Journal*, vol. 51/3, été 1997, p. 373-387, et Lawrence Tal, « Dealing with Radical Islam : the Case of Jordan », *Survival*, vol. 37/3, automne 1995, p. 139-156, notamment p. 152 : « Coopter des islamistes modérés et leur donner un intéressement au maintien d'un ordre stable et démocratique est une meilleure option que la répression » (deux articles par ailleurs richement documentés).

2. Les Frères participent aux élections parlementaires et y obtiennent quelques députés. Opposés au pouvoir lorsque celui-ci leur apparaît trop dépendant de l'alliance anglaise, puis américaine, et parfois réprimés (modérément) pour ces raisons, ils lui apportent une aide importante contre l'opposition nassérienne et de gauche, et reçoivent à ce titre des marques de faveur. Sur la Cisjordanie, on trouvera une analyse détaillée de cette période dans Amnon Cohen, *Political Parties in the West Bank under the Jordanian Regime*, 1949-1967, Ithaca Press, Londres, 1982.

3. Sur la présence des familles de notables urbains dans les instances dirigeantes des Frères jordaniens, voir Philippe Droz-Vincent, *Les notables urbains au Levant. Cas de la Syrie et de la Jordanie*, Institut d'Études Politiques de Paris, 1999, p. 39-59.

4. Voir p. 187.

5. Sur l'épisode de la vie d'Abdallah Azzam entre 1967 et 1970, voir, outre sa biographie (http ://azzam.com), Gharaibeh, *op. cit.*, p. 77-79 (et entretien avec l'auteur, Amman, octobre 1998).

6. Voir Shmuel Bar, *op. cit.*, p. 36-39. En octobre 1998, le

contrôleur général (*muraqib 'am*) des Frères syriens, Ali al Bayanouni, était toujours basé à Amman, d'où il diffusait un bulletin intitulé *Akhbar wa Ara'* (« nouvelles et opinions »), à base de coupures de presse arabe, précédées d'un petit éditorial. Il nous avait fait part de ses convictions démocratiques (à l'instar des « colombes » de Jordanie) et de son désir de trouver un *modus vivendi* avec le régime syrien pour que les Frères puissent exercer leurs activités pacifiquement dans ce pays. Entretien avec l'auteur, Amman, octobre 1998.

7. Voir deuxième partie.

8. Les témoignages recueillis par Glasman, *op. cit.*, montrent que le palais et les Frères sont convenus à l'avance de l'étendue de la victoire de ces derniers, grâce à des dispositions électorales *ad hoc*. Lors des élections suivantes, en 1993, un changement tardif du mode de scrutin permettra de réduire le nombre de leurs élus.

9. Sur ces aspects, W. Hammad, « *Islamists and Charitable Work* », et H. Dabbas, « *Islamic Organizations and Societies in Jordan* », *in* H. Hourani (sous la dir. de), *op. cit.*, p. 169-263.

10. Voir I. al-Gharaibeh, « *Mu'adalat fi-l haraka al islamiyya al urduniyya* » (Les rapports de forces dans le mouvement islamiste jordanien), *Al Hayat*, 5 juillet 1997, et entretien avec l'auteur, Amman, oct. 1998, distingue deux « groupes d'intérêts » concurrents parmi les Frères. Le premier, dit de « l'association du centre islamique », contrôle l'hôpital islamique d'Amman (privé et bien coté), les écoles primaires et secondaires *Al Arqam* (sans rapport, autre que le nom, avec le groupe malaisien du même nom), et des investissements « pour une valeur de 100 millions de dinars jordaniens au moins ». Il fournirait la base de soutien des « faucons » du mouvement (voir ci-dessous), qui dirigeaient celui-ci pendant les années 1970 et 1980, selon l'auteur. Nous avons été reçu en octobre 1998 dans des locaux attenant à ces écoles par M. Mohammed Abou Farès (voir ci-dessous), l'un des représentants les plus éloquents de ce courant (après que la personne qui prenait le rendez-vous eut dû attester que nous n'étions pas juif). Le second groupe d'intérêts, dit de « l'université islamique », a pour symbole le plus visible l'université privée de Zarqa, fondée en 1994 et présidée par M. Ishaq Farhan (voir ci-dessous), actuel (1999) président du Parti de l'Action Islamique (voir ci-dessous), et l'une des principales figures de la tendance « colombes » des Frères, qui contrôle le mouvement dans les années 1990. Personnalité très chaleureuse, il nous a reçu à la même période dans ces locaux, dont le luxe

est frappant pour qui est habitué aux campus du Moyen-Orient (voire de bon nombre d'universités européennes). Le livre qui commémore la première promotion de diplômés (1997-1998), un magnifique volume cartonné en quadri-chromie sur papier glacé où figurent les photographies des membres du corps enseignant et des premiers licenciés (sur le modèle des *colleges* privés américains), présente une collection impressionnante de barbus portant cravate — dont la pilosité va décroissant selon les disciplines qu'ils enseignent (de la *chari'a* à l'anglais) et de dames voilées (5 sur 78 sont photo-graphiées tête nue, soit 4 étudiantes et 1 enseignante). Les étu-diants lauréats, qui posent en toge, ne sont que 31 à porter la barbe (dont certaines taillées à la mode et n'évoquant guère la piété) contre 73 dont le menton est glabre. En revanche, tous ont un air de santé réjouissant — peut-être à mettre en rapport avec le montant des frais de scolarité acquittés par leurs parents (entre 20 000 et 30 000 francs par an), que l'on peut supposer appartenir aux classes aisées (impression renforcée par la déambulation sur le campus). Islamique, certes, bien que cela n'apparaisse pas dans son intitulé, l'université est aussi privée, et manifeste que les Frères investissent le marché des services éducatifs payants de qualité, en compétition avec d'autres acteurs non religieux (voir J.-C. Augé, *Le public du privé*, mémoire de DEA, IEP de Paris, 1996). Enfin, le volume présente, en ouverture, les membres du conseil d'administra-tion de l'université, parmi lesquels on retrouve, aux postes de décision, les représentants de la tendance dite « colombe » des Frères (ainsi que ceux qui acceptèrent de collaborer avec le régime en 1997 et furent exclus de la confrérie, A. al Akaileh et B. al Ummush). Voir *Jamiat al zarqa al ahliyya / al kitab al sanawi / al faouj al awwal, 97-98 — 1419 h.*

11. Une description bien documentée de cette époque figure dans Beverley Milton-Edwards, « *A Temporary Alliance with the Crown : the Islamic Response in Jordan* », in J. Piscatori (sous la dir. de), *Islamic Fundamentalisms, op. cit.*, p. 88-108.

12. Si l'on excepte toutefois le Parti de la Libération Isla-mique (*Hizb al Tahrir al Islami*), fondé en 1948 par le cheikh Nabahani, partisan de la conquête du pouvoir par l'infiltration des élites puis l'action violente, et démantelé en Jordanie dans les années 1950. Sur ce mouvement, voir Soha Taji-Faruqi, *A Fundamental Quest, op. cit.*

13. Sur l'Armée de Mohammed, voir B. Milton-Edwards, « Climate of Change in Jordan's Islamist Movement », *in* A. Ehteshami et A.S. Sidahmed (sous la dir. de), *Islamic Funda-*

mentalism in Perspective, Westview Press, Boulder, 1996, p. 127-130. P.-W. Glasman, *op. cit.*, mentionne des arrestations d'autres « Afghans » en 1994 et 1996, inculpés pour des attentats ou projets d'attentats assez peu clairs. La médiatisation de leurs exactions réelles ou supposées a servi au régime à avertir les Frères qu'il existait des limites à ne pas franchir.

14. Ainsi, Mohammed Abou Farès, Palestinien d'origine et l'un des chefs de file du courant radical, est opposé à toute participation à un gouvernement « non musulman », même s'il admet la représentation du courant à l'Assemblée, perçue comme un lieu où propager la *da'wa*, le message, sans pour autant accorder quelque valeur positive à la notion de démocratie (voir sa brochure *Al mucharaka bi-l wizara fi-l andhima al jahiliyya* [la participation au gouvernement dans les régimes de *jahiliyya* (impies)], Amman, 1991). À l'opposé, Ishaq Farhan se déclare favorable à la participation des islamistes au gouvernement, sous certaines conditions, car « une contribution qui aidera à arrêter l'injustice, établir la justice et accroître le volume de la réforme dans la société est bien meilleure et bien plus nécessaire que l'isolement politique ». Il considère également que « démocratie » est un « concept occidental », mais que son usage est licite et « ne contredit pas le principe de base de la *Shura* ("consultation") dans l'islam » (voir Ishaq Farhan, *The Islamic Stand towards Political Involvment (with Reference to the Jordanian Experience)*, Dar el Furqan, Amman, 1997). Le « grand écart » théorique que traduisent ces deux prises de position opposées de deux personnalités des Frères indique assez leur difficulté à produire un discours de mobilisation commun qui se traduise par une rupture avec l'ordre existant.

15. Le Front de l'Action Islamique jordanien présente quelques similitudes avec le projet de parti « du Centre » (*Hizb al Wasat*) élaboré par des membres de la jeune génération des Frères égyptiens en 1995 (voir p. 440).

16. L'ouverture d'un bureau de Hamas à Téhéran, et les séjours réguliers des dirigeants extérieurs du mouvement dans la capitale iranienne depuis 1994, ont été l'objet de fortes critiques de l'Autorité palestinienne.

17. Furent notamment incarcérés Khaled Mish'al (qui avait été l'objet d'une tentative d'assassinat par le Mossad en septembre 1997 ; voir note 18, chapitre 9) et le porte-parole Ibrahim Ghawshé. En revanche, Moussa Abou Marzouq (porteur d'un passeport yéménite), qui avait été incarcéré aux États-Unis et libéré notamment grâce aux bons offices du roi Hus-

sein, fut expulsé vers Damas. Le 20 novembre, en dépit de leur nationalité jordanienne, MM. Mish'al et Ghawshé furent « éloignés » au Qatar.

18. Le 22 novembre 1999, quatre dirigeants emprisonnés, de nationalité jordanienne, furent « éloignés » au Qatar, prélude à une politique de « jordanisation » des réfugiés palestiniens dans le royaume hachémite, qui devrait éloigner toute perspective de retour de ceux-ci à l'ouest du Jourdain.

11. DU SALUT À LA PROSPÉRITÉ :
LA LAÏCISATION CONTRAINTE
DES ISLAMISTES TURCS

1. Les ouvrages du meilleur connaisseur de l'islamisme turc contemporain, le journaliste Rusen Cakir, ne sont disponibles pour l'heure qu'en langue turque (*Ayet ve Slogan* [« le verset et le slogan »], Mètis, Istanbul, 1990, et *Ne seriat ne demokrasi : Refah Partisini Anlamak* [« ni *chari'a* ni démocratie : pour comprendre le parti de la Prospérité »], *ibid.*, 1994). L'auteur de ces lignes doit beaucoup à ses nombreuses conversations avec M. Cakir, ainsi qu'avec le professeur Nilüfer Göle, auteur de recherches pionnières sur la dimension sociale de cette question (sans que nous ayons tous trois toujours la même analyse du phénomène islamiste dans son ensemble). En français, on lira notamment R. Cakir, « La ville : piège ou tremplin pour les islamistes turcs ? », *CEMOTI*, n° 19, 1995, p. 183 sq., et « La mobilisation islamique en Turquie », *Esprit*, août-septembre 1992, p. 130 sq. Des analyses de l'insertion du mouvement islamiste dans le contexte sociopolitique global du pays figurent dans l'ouvrage de référence sur la Turquie contemporaine, Eric Zürcher, *Turkey, A Modern History*, Tauris, Londres, 1997 (3e édition), notamment p. 269-342, ainsi que dans Hugh Poulton *Top Hat, Grey Wolf and Crescent. Turkish Nationalism and the Turkish Republic*, Hurst & Co., Londres, 1997. Une synthèse récente a été faite par Nilüfer Narli, « The Rise of the Islamist Movement in Turkey », *MERIA Journal*, vol. 3/3, septembre 1999.

2. Né en 1926 à Sinope, sur le littoral de la mer Noire, fils d'un haut fonctionnaire, M. Erbakan reçoit une éducation en langue allemande au lycée de garçons d'Istanbul (germanophone) et poursuit ses études à l'université technique de cette ville. En Allemagne, il deviendra ensuite ingénieur spécialisé en mécanique, puis professeur d'Université (en 1953) avant de

rentrer dans son pays. Il a eu pour camarade à l'université d'Istanbul Süleyman Demirel, l'un des principaux dirigeants de la droite turque, et chef du Parti de la Justice (*Adalet Partisi*, AP) dont M. Erbakan sera membre jusqu'en 1969. Depuis 1993, M. Demirel est président de la République.

3. M. Erbakan était un disciple du cheikh de la confrérie Nakshibendie, Zahid Kotku. Bannie en 1925, cette confrérie survécut dans la clandestinité et retrouva une grande importance à partir des années 1950, sous l'égide de Z. Kotku (1897-1980), qui œuvra pour la réislamisation de la société turque, et constitua un réseau d'entraide et de solidarité dont les membres joueront un rôle de premier plan dans plusieurs partis de droite (le Parti de la Justice de S. Demirel, et, ultérieurement, le Parti de la Mère Patrie (ANAP) de M. Özal, ainsi que dans les partis islamistes successifs de M. Erbakan). Sur cette question, voir Serif Mardin, « The Naksibendi Order in Turkish History », *in* R. Tapper (sous la dir. de), *Islam in Modern Turkey*, *op. cit.*, p. 121-142, et Thierry Zarcone, « Les Naksibendi et la République turque : de la persécution au repositionnement théologique, politique et social », *Turcica*, XXIV, 1992, p. 99-107, ainsi que « La Turquie républicaine », *in* A. Popovic et G. Veinstein (sous la dir. de), *Les Voies d'Allah. Les ordres mystiques dans le monde musulman des origines à aujourd'hui*, Fayard, Paris, 1996, p. 372-379.

4. On retrouve cette même « trinité » dans les pages de la revue des Frères musulmans égyptiens, *al da'wa*, quelques années plus tard (voir notre *Prophète...*, *op. cit.*, p. 118 sq.). Dans le contexte turc, la polémique contre la franc-maçonnerie est une manière indirecte d'attaquer la hiérarchie militaire, au sein de laquelle la rumeur veut que les loges soient particulièrement bien implantées. L'opposition au sionisme, dans ce même contexte, est aussi une façon de mettre en cause Atatürk, soupçonné dans les cercles islamistes d'appartenir à la secte des *dînme*, disciples du « messie » Shabbetaï Zvi (1626-76), qui professent en apparence l'islam mais demeurent juifs *in petto*. Pour une reprise récente de ce thème, voir par exemple *Yahoud al dawnama* (« Les juifs *dönme* »), d'Ahmad al Na'imi, Dar al Bashir, Amman, 1998.

5. Pour une monographie détaillée du MSP, voir Binnaz Toprak, « Politicisation of Islam in a Secular State : The National Salvation Party in Turkey », *in* Said Amir Arjomand (sous la dir. de), *From Nationalism to Revolutionary Islam*, Suny Press, New York, 1984, p. 119-133.

6. Voir Serif Mardin, « La religion dans la Turquie

moderne », *Revue internationale des sciences sociales*, vol. 29/2, 1977, p. 317, article pionnier pour l'analyse sociale des phénomènes religieux en Turquie. Le monde des *esnaf* (guildes, corporations), qui représente la petite bourgeoisie pieuse traditionnelle, se mobilisera à l'identique en Iran à la fin de ces années 1970, dans le cadre du bazar, derrière l'ayatollah Khomeini.

7. Peut-être faut-il voir dans ce flou politique la raison de la baisse des suffrages que subit le parti aux élections législatives de juin 1977, où il n'obtient plus que 8,6 % des voix (contre 11,8 % quatre ans auparavant).

8. La même politique fut suivie par les Frères musulmans jordaniens dont l'un des dirigeants fut nommé à titre personnel ministre de l'Éducation, puis des Affaires religieuses, au début de la décennie 1970 (voir p. 500). Sur l'influence des « réseaux » islamistes dans la haute administration turque à partir de cette époque, voir Rusen Cakir, « La ville... », art. cité.

9. Ces « lycées pour prédicateurs » (voir p. 81) avaient pour élèves principalement les enfants des familles provinciales rétives à la laïcisation impulsée par l'État, un milieu dans lequel le MSP était bien implanté. Ils étaient d'un niveau général inférieur aux autres lycées, et recrutaient dans des groupes sociaux moins favorisés — caractéristique que l'on retrouve dans le système d'enseignement religieux coiffé par Al Azhar en Égypte, ou dans les *medressas* pakistanaises. Dans ces deux pays également, les lobbies religieux se battirent pour obtenir que les diplômés de cet enseignement soient admis à l'Université, et aient accès aux carrières de la haute administration.

10. M. Erbakan s'était rendu célèbre dans les années 1970 en brandissant dans ses meetings des maquettes d'avion pour illustrer le souci d'industrialisation du parti, seul capable, selon lui, de redonner à la Turquie son rang et de réduire sa dépendance envers l'Occident. Dans les faits, la Turquie, en raison de sa position stratégique sur le flanc sud de l'ex-URSS, bénéficiait d'une aide militaire américaine considérable dans le cadre de l'Otan.

11. Outre la violence politique extrême et l'instabilité parlementaire, la situation de 1980 était caractérisée par le blocage du processus législatif, une crise dramatique causée notamment par l'échec de l'économie administrée héritée du kémalisme, et la généralisation des grèves dans tout le pays.

12. Aux *Akincilar* (« avant-gardistes »), formation paramilitaire de jeunes en lien avec le parti islamiste dissous, s'ajoute

une multitude de groupuscules se réclamant du Hizballah iranien ou libanais (qui ont publié des revues comme *Sehadet* ou *Tevhid*, pleines de photos exaltant la révolution iranienne), du Parti de la Libération Islamique palestino-jordanien, ainsi que de nostalgiques d'un Empire ottoman revu sous l'angle du radicalisme religieux, tel le mouvement *Ibda* « révélation »). Celui-ci, qui aspire à un Grand Orient (*Büyük Dogu* — sans rapport avec la franc-maçonnerie exécrée...), revendiquait le monopole du militantisme, et pourchassa à ce titre les adeptes du Hizballah dans un affrontement célèbre et dont les militants sortirent vainqueurs, et qu'*Ibda* surnomma « le petit Caldiran » — en référence au nom de la bataille où le sultan ottoman vainquit, en 1514, le chah de Perse... Voir R. Cakir, « La mobilisation.. », art. cité, p. 135. Entre 1985 et 1990, une revue ultra-radicale, *Girisim* (« entreprendre »), s'efforça de conceptualiser une idéologie de propagation de l'islam contemporaine, qui empruntait aux penseurs islamistes du monde (Mawdoudi, Qotb, Khomeini, Shari'ati, et d'autres). Après 1994, les animateurs de ce courant rejoignirent les cadres de la nouvelle municipalité Refah d'Istanbul, animant ses activités culturelles, dans une approche plus modérée et très préoccupée d'engager le dialogue avec les intellectuels non islamistes. Sur la postérité, assez restreinte, des groupes islamistes qui passèrent à la violence et commirent un certain nombre d'assassinats, on trouvera des éléments d'analyse dans Ely Karmon, « Islamist Terrorist Activities in Turkey in the 1990s », *Terrorism and Political Violence*, vol. 10/4, hiver 1998, p. 101-121.

13. Les élections du 6 novembre 1983, qui se déroulèrent sous haute surveillance militaire, devaient marquer le retour à la vie civile, après que le Conseil National de Sécurité, formé après le coup d'État, eut assumé l'effectivité du pouvoir et « rétabli l'ordre public ». Le 7 novembre 1982, une nouvelle constitution avait été approuvée par référendum et le général Évren, chef du CNS, élu président de la République pour un septennat. Les partis autorisés à concourir pour les élections législatives de novembre 1983 durent être approuvés par le pouvoir, qui veillait à éviter la reconstitution des anciennes formations sous d'autres noms. Des trois partis autorisés, l'ANAP apparaissait comme le plus indépendant de l'armée, bien que M. Özal eût exercé des responsabilités gouvernementales dans les lendemains du coup d'État. Il obtint 45,12 % des voix, et 211 sièges sur 400, soit la majorité absolue.

14. Korkut Özal était connu pour son appartenance à la confrérie Nakshibendie.

15. On trouvera beaucoup de données sur le contenu de cet enseignement « turco-islamique » nouveau dans H. Poulton, *op. cit.*, p. 182-183.

16. Plusieurs centaines de membres de confréries ou de groupes islamiques surpris en train de se réunir secrètement ou de donner des enseignements religieux non autorisés furent arrêtés en 1982.

17. Ce phénomène se retrouva à l'identique parmi la population turque émigrée en Europe de l'Ouest, où les proches de M. Erbakan avaient fondé l'AMGT (*Avrupa Milli Görüs Teskilati*, Organisation de la Vision Nationale en Europe), et pouvaient prospérer à l'abri de tout contrôle de l'État turc — assurant du reste aux militants restés au pays un soutien financier régulier, scandé par les *Fundraising Tours* du chef. Ils développèrent un réseau de mosquées, d'écoles coraniques et d'associations islamiques très efficace dans les quatre pays où se concentre l'émigration turque (Allemagne, France, Belgique, Pays-Bas), à même d'encadrer une population majoritairement originaire des milieux ruraux d'Anatolie et assez réceptive au discours religieux, au moins pour la première génération. Les consulats turcs s'efforcèrent de riposter en détachant en Europe des imams « officiels » agréés par la direction des Affaires religieuses, organisme rattaché au Premier ministre, mais il s'avéra que nombre de ceux-ci étaient très proches par la doctrine de M. Erbakan. Sur l'expression de l'islam dans la diaspora turque en Allemagne, voir Valérie Amiraux, *Itinéraires musulmans turcs en Allemagne*, thèse de doctorat en sciences politiques, IEP de Paris, 1997.

18. À l'origine de cette « synthèse turco-islamique », on trouve un groupe d'influence fondé en mai 1970, le Foyer des intellectuels (*Aydinlar Ocagi*, AO), regroupant universitaires, journalistes, religieux et hommes d'affaires de droite. Leur rôle est mis en exergue par H. Poulton, *op. cit.*, ainsi que B. Toprak, « Religion as State Ideology in a Secular Setting : The Turkish-Islamic Synthesis », *in* M. Wagstaff (sous la dir. de), *Aspects of Religion in Secular Turkey*, University of Durham, Center for Middle Eastern Studies, Occ. Paper, n° 40, 1990, p. 10-15.

19. En 1996, la Turquie comptait 16 chaînes de télévision nationales, 15 régionales et 300 locales — données fournies par Jenny B. White, « Amplifying Trust : Community and Communication in Turkey », *in* D.F. Eickelman et J.W. Anderson (sous la dir. de), *New Media in the Muslim World*, Indiana University Press, Bloomington, 1999, p. 169.

20. Sur l'ensemble de ce phénomène, on lira les travaux de Nilüfer Göle, « Ingénieurs musulmans et étudiantes voilées en Turquie : entre le totalitarisme et l'individualisme », *in* G. Kepel et Y. Richard (sous la dir. de), *Intellectuels et militants de l'islam contemporain*, Seuil, Paris, 1990, p. 167-192 ; *Musulmanes et modernes*, La Découverte, Paris, 1993, et « Secularism and Islamism in Turkey : the Making of Elites and Counter-Elites », *The Middle East Journal*, vol 51/1, hiver 1997, p. 46-58.

21. Lors des élections locales de mars 1984, les premières où il peut concourir, il n'obtient que 4,4 % des voix ; aux législatives de 1987, 7,16 %. En 1989, 9,8 % aux municipales, et, en 1991, allié aux nationalistes d'extrême droite, 16,2 % (dont un tiers pour ces derniers). Ce succès manœuvrier, même s'il ne traduit pas de réelle progression en voix par rapport à 1989, permet au Refah de construire un parti parlementaire doté d'un appareil, ce qui l'aidera dans les campagnes successives, notamment celle des municipales de 1994 où il double presque ses suffrages.

22. Le Refah recueille 21,4 %, l'Anap 19,7 %, le parti de la Juste Voie (DYP) qui se réclame de M. Demirel, successeur de M. Özal à la présidence de la République, 19,2 %, et le parti social-démocrate de M. Ecevit, 14,6 %.

23. Le FIS recueille plus de 54 % des voix en 1990, plus de 47 % en 1991. Voir p. 271, note 28.

24. Cité par A. Mango, dans *MECS*, 1989, p. 659.

25. Plusieurs auteurs ont noté la convergence paradoxale entre l'exigence du voile et les revendications féministes, voire celles des travestis envers qui la conception islamiste de la morale n'a, en principe, guère de sympathie. Voir Jean-Pierre Thieck, *Passion d'Orient*, Karthala, Paris, 1990, p. 70.

26. On trouvera une comparaison intéressante de la laïcité en France et en Turquie dans la livraison citée des *CEMOTI*, nº 19, janvier-juin 1995, principalement consacrée à ce thème.

27. On observa en particulier, à partir des années 1980, la réactivation de la formule islamique traditionnelle du *waqf* (bien de mainmorte consacré à Dieu, également connu au Maghreb sous le nom de *habous*), à travers lequel furent créées de nombreuses fondations, qui servirent dans un premier temps à accumuler du « capital vert », comme on désigne en Turquie l'argent des islamistes. Mais, par la suite, cette formule financière fut utilisée par d'autres acteurs économiques et sociaux, laïques y compris. Lire Faruk Bilici, « Sociabilité et expression politique islamiste en Turquie : les nouveaux

vakifs », *Revue française de science politique*, vol 43/3, juin 1993, p 412-434.

28. Ce phénomène s'inscrit dans le mouvement général d'expansion de la finance islamique (voir p. 225-236) et de la constitution d'une bourgeoisie pieuse dans l'ensemble du monde musulman, liée aux intérêts saoudiens. L'article cité de Clement Henry Moore, « Islamic Banks and Competitive Politics... », contient des éléments d'analyse portant sur la situation turque.

29. Le sigle Müsiad signifie « Association des Industriels et Hommes d'Affaires Indépendants (*Müstakil Sanayiciler ve Isadamlari Dernegi*), sur le modèle du Tüsiad (même signification, sauf « Tü », syllabe initiale de « Turcs »), qui regroupe le grand patronat, surtout localisé à Istanbul. La syllabe « Mü », qui renvoie « officiellement » à « indépendants », est comprise par tous comme signifiant en réalité « musulmans ». Créée le 5 mai 1990 par un groupe de jeunes hommes d'affaires de sensibilité islamiste, l'association comptait près de 3 000 membres en 1998, répartis en 28 sections locales, et le chiffre d'affaires de l'ensemble des entreprises adhérentes s'élevait à 2,79 milliards de dollars. (voir N. Narli, art. cité, p. 3). On lira une bonne monographie du Müsiad, fondée sur un travail de terrain effectué en avril 1998 (après la chute du gouvernement Erbakan et la dissolution du parti Refah) dans Burcu Gültekin, *L'instrumentalisation de l'islam pour une stratégie de promotion sociale à travers le secteur privé : le cas du Müsiad*, mémoire de DEA, IEP de Paris, 1998.

30. Ali Bulaç, *Din ve Modernizm. Referans-performans çatismasi* (« Religion et modernité. L'affrontement entre recherche de performance et recherche de référence »), Beyan, Istanbul, 1992, p. 68, cité et traduit par B. Gültekin, *op. cit.*, p. 77.

31. Ayse Öncü, dans son article « Packaging Islam : Cultural Politics on the Landscape of Turkish Commercial Television », *Public Culture*, vol. VIII, n° 1, automne 1995, p. 51-71, basé sur la campagne du Refah en 1991, montre comment ses messages faisaient l'impasse sur les habituelles citations coraniques et incluaient délibérément des images de femmes non voilées déclarant voter pour le parti.

32. Sur l'usage du téléphone par les activistes du Refah pour relancer les électeurs — sur le modèle américain —, voir J.B. White, art. cité, p. 172.

33. Lire l'analyse de l'électorat du Refah conduite en 1994 par Ferhat Kentel : « L'islam carrefour des identités sociales et culturelles », dans *Cemoti*, n° 19, *op. cit.*, p. 211 sq.

34. Comme tous les mouvements islamistes, le Refah a construit un réseau d'évergétisme et d'associations caritatives, qui furent l'un des instruments de l'encadrement des milieux populaires, et qui bénéficiaient, là encore, de donations d'hommes d'affaires escomptant en retour les faveurs du parti lorsqu'il parviendrait au pouvoir. Lors des élections de 1995, ce réseau fut converti en soutien politique par le biais du slogan « La charité commence chez soi », qui traduisait la capacité du parti à répondre, au nom de l'idéal religieux de *rahma* (miséricorde), aux besoins d'aide quotidiens des démunis. Par ailleurs, dans les quartiers informels des périphéries urbaines où la proportion d'émigrés ruraux en provenance du Kurdistan est importante, l'aspect islamique du Refah était particulièrement attractif car, contrairement aux partis laïques appuyés sur un discours nationaliste turc exacerbé auquel nombre de Kurdes ne voulaient pas s'identifier, il promouvait un idéal identitaire musulman qui englobait l'identité kurde mais ne la déniait pas.

35. Sur les négociations entre M. Erbakan et Mme Ciller pour mettre au point la coalition entre le Refah et le Parti de la Juste Voie (DYP), ainsi que les péripéties que connut le gouvernement dirigé par M. Erbakan, voir Aryeh Shmuelevitz, *Turkey's Experiment in Islamist Government*, The Moshe Dayan Center, Université de Tel-Aviv, Data & Analysis, mai 1999.

36. Le Parti de la Juste Voie contrôla les ministères des Affaires étrangères (dévolu à Mme Ciller), de la Défense, mais aussi de l'Intérieur et de l'Éducation (échus au MSP dans les années 1970 et qui avaient permis de recruter de nombreux militants islamistes dans la police et l'enseignement), de l'Industrie, notamment. Le Refah obtint les finances, l'équipement, le travail, l'énergie, la justice, la culture et l'environnement, ainsi qu'un ministère d'État, détenu par M. Abdullah Gül, qui fit office de ministre officieux des Affaires étrangères.

37. Je suis reconnaissant à R. Cakir de m'avoir permis de consulter son article non publié, « Foreign Policy of the Welfare Party », qui offre une analyse très documentée de cette question. Le premier accord militaire fut signé en février 1996, et dénoncé par M. Gül, qui promit de l'abroger lorsque le parti parviendrait au pouvoir. Le second accord, qui portait sur la rénovation de 60 avions de combat *Phantom* turcs en Israël, fut ratifié en août par M. Erbakan.

38. Le détail des accusations et des mesures préconisées figure dans A. Shmuelevitz, *op. cit.*, p. 24-27

39. Une femme a été élue député sur la liste du Fazilet en avril 1999, mais le fait qu'elle ait décidé de siéger voilée au Parlement a suscité la controverse. Fille d'imam et médecin ayant étudié au Texas (car elle ne pouvait fréquenter voilée l'Université turque), elle avait épousé aux États-Unis un Américain (musulman d'origine arabe) et était devenue citoyenne de ce pays, alors que l'État turc interdit, en principe, à ses ressortissants de posséder une autre nationalité (cette prohibition n'est guère appliquée). Refusant d'ôter son voile au Parlement, elle en fut expulsée, avant d'être déchue de sa nationalité turque.

40. Cette demande a été rejetée par l'Union européenne lors du sommet de Luxembourg en automne 1998. De nombreux commentateurs, en Turquie mais aussi en Europe, ont attribué la cause (inavouée) de cette décision au caractère musulman du pays..

41. Le parti social-démocrate nationaliste de M. Ecevit (DSP) est arrivé en tête, avec 21, 6 %, le parti nationaliste d'extrême droite (MHP) a obtenu 18,4 %, le Fazilet 14,9 %, et les deux partis de centre-droit (Anap et DYP) un peu plus de 13 %. Plusieurs observateurs ont attribué l'avance des deux premiers partis, opposés sur le spectre politique, mais tous deux « souverainistes », voire chauvins, à la fois à la capture du dirigeant du PKK Abdullah Öcalan (qui aurait bénéficié à M. Ecevit, Premier ministre) après une campagne d'intimidation contre la Syrie qui lui donnait asile, ainsi qu'à la fin de non-recevoir opposée par l'Union européenne à la candidature turque lors du sommet de Luxembourg à l'automne 1997.

42. Les premières analyses font état d'un effritement du vote islamiste dans les quartiers populaires, au profit des nationalistes d'extrême droite, qui ont mené campagne contre les militants du Fazilet « libéraux » dans le domaine économique, ainsi que dans le Sud-Est anatolien, où le Refah avait conjugué les électorats turc et kurde au nom de leur référence islamique commune. Après l'arrestation d'Öcalan, il semblerait que les électeurs turcs y aient voté pour le MHP, tandis que les Kurdes donnaient leur voix au parti Hadep (kurdisant). Néanmoins, les municipalités islamistes d'Istanbul et d'Ankara ont été reconduites, bénéficiant d'une image de bonne gestion dans les classes moyennes urbaines. Voir Riva Kastoryano, « Les élections et les nationalismes en Turquie » (*Études du CERI*, 2000).

CONCLUSION : VERS LA
« DÉMOCRATIE MUSULMANE » ?

1. Sur le coup d'État par lequel le général Bachir écarta du pouvoir M. Tourabi, on lira notamment une analyse très précise, qui reprend de nombreux commentaires de la presse arabe de Londres et des analyses locales, dans « What does Bashir's Second Coup Mean for Sudan ? », *Mideast Mirror*, 14 décembre 1999. Bonne présentation factuelle dans « Sudanese Leader Moves Against Rival : Bashir Dissolves Parliament, Dismisses, Former Mentor Who Challenged Him », *The Washington Post*, 14 décembre 1999.

2. Voir p. 274, et note 1.

3. Abdel Wahhab al Effendi, « *Al tajriba al sudaniyya wa azmat al haraka al islamiyya al haditha : durus wa dalalat* », *Al Qods al 'arabi*, 29 décembre 1999.

4. Sur l'éviction d'Anwar Ibrahim, vilipendé pour « sodomie », et ses conséquences sur l'évolution de la mouvance islamiste, voir p. 137, et note 7.

5. En 1994, une conférence avait réuni à Beyrouth islamistes et nationalistes arabes, qui avaient alors surmonté leur antagonisme pour lutter de conserve contre le processus de paix enclenché par les accords d'Oslo — perçu comme une capitulation face à l'impérialisme et au sionisme. Sur ce courant, dont le dirigeant islamiste tunisien R. al Ghannoushi, réfugié à Londres, est l'un des représentants les plus éloquents, voir l'ouvrage collectif édité par le Centre de l'Unité Arabe de Beyrouth, *think tank* traditionnel des nationalistes, *Al hurriyyat al 'amma fi-l daoula al-islamiyya* (« Les libertés publiques dans l'État islamique »), Beyrouth, 1993, qui est une sorte de main tendue à ces derniers.

6. Dans son article, M. Effendi incrimine non les « laïques » comme tels, mais les « laïques extrémistes » *(al harakat al almaniyya al mutattarifa)*, expression que nous avons traduite par « laïcistes », un terme qu'affectionnent les milieux islamistes et chrétiens antilaïques en France pour désigner de manière négative les partisans de la « laïcité jacobine » (et qui fut beaucoup utilisé pendant les affaires du voile islamique en 1989 notamment). En ne stigmatisant que les « extrémistes », M. Effendi semble laisser la porte ouverte à une ouverture envers les laïques qui, selon son acception, ne le seraient pas.

7. Grâce à leur accès à la richesse malaise, issue de la pro

duction d'hydrocarbures et de la ponction opérée sur les entre-preneurs d'ethnie chinoise, les islamistes dans le sillage d'Anwar ont contribué à de nombreuses « causes » idoines à travers le monde, et ont poli, auprès de certains cercles univer-sitaires américains notamment, une image de « modérés » compatible avec le capitalisme *(« business friendly »).*

8. Voir les déclarations de M. Munawwar Anees au sortir de son incarcération, p. 139, note 10.

9. Un premier bilan très bien documenté de la crise de la République islamique figure dans le livre collectif dirigé par Saeed Rahnema et Sohrab Behdad, *Iran after the Revolution. Crisis of an Islamic State*, I.B. Tauris, Londres, 1995. Lire en particulier « The Post-Revolutionary Economic Crisis » (S. Behdad), p. 97-129, où l'auteur identifie les groupes sociaux qui ont conquis une position dominante.

10. Le destin des jeunes volontaires partis pour le front et qui ont fini par rechercher le martyre afin de consommer, avec leur propre vie, l'échec de la révolution a fait l'objet d'une réflexion de Farhad Khosrokhavar, sous l'intitulé « Le chi'isme mortifère ». Voir p. 169.

11. Sur la transition démographique dans le monde musul-man à la fin de la décennie 1990, voir notamment J.-C. Chaste-land et J.-C. Chesnais, *La population du monde, enjeux et problèmes*, PUF-Ined, Paris, 1997.

12. Sur les conséquences de l'élection de M. Khatami, on lira notamment la livraison des *Cahiers de l'Orient*, « Le prin-temps iranien ? », dirigée par Azadeh Kian (n° 49, premier tri-mestre 1998), ainsi que F. Khosrokhavar et O. Roy, *Iran : comment sortir d'une révolution religieuse*, Seuil, Paris, 1999.

13. Sur ce débat américain, où l'argumentaire scientifique et intellectuel côtoie de très près les intérêts politiques ou économiques, une documentation assez abondante est parue depuis le milieu des années 1990. Voir en particulier Maria do Céu Pinto, *Political Islam and the United States. A Study of US Policy towards Islamist Movements in the Middle East*, Ithaca Press, Londres, 1999, qui fait la synthèse des différentes poli-tiques mises en œuvre par les gouvernements successifs et des groupes de pression qui les ont promues. Voir également Fawaz A. Gerges, *America and Political Islam. Clash of Cultures or Clash of Interests ?*, Cambridge University Press, Cambridge, 1999, ainsi que les ouvrages collectifs plus anciens dirigés par S.W. Hibbard et W.B. Quandt, *Islamic Activism and US Policy, op. cit.*, et M. Kramer, *The Islamism Debate, op. cit.*

14. Ainsi, entre autres exemples, *Islam 21*, dans un éditorial titré « Politicising Hijab and the Denial of a Basic Right » (« La politisation du *hijab* [voile] et le déni d'un droit élémentaire »), revient sur l'affaire de la députée turque Merve Kavakci, élue du parti Fazilet en 1999, et chassée du Parlement, puis déchue de sa nationalité après avoir prêté le serment d'allégeance couverte du *hijab*. Incriminant les « laïcistes » turcs, l'article note que ces derniers font du port du voile un signe d'oppression de la femme en islam. Afin de ne pas leur donner d'arguments, écrit l'auteur, « nous devons traiter ce type d'affaire du point de vue du *droit des femmes à choisir [the women's right of choice]* et non à partir d'une position traditionnelle ou politique ». On relèvera que le syntagme ci-dessus, souligné par nous, est exactement celui qu'utilisent les partisans de l'avortement — et qui est connoté en anglais comme signe d'adhésion aux causes de la « société civile » libérale. *Islam 21*, n° 17, juin 1999.

15. http://islam21.org.

16. *Islam 21*, n° 15, février 1999.

17. *Islam 21*, n° 16, avril 1999.

18. Tariq Ramadan, *Aux sources du renouveau musulman : d'al-Afghani à Hassan al Banna, un siècle de réformisme islamique*, Bayard, Paris, 1998, préface d'Alain Gresh, rédacteur en chef du *Monde diplomatique*. Les autres textes de l'auteur sont parus chez un éditeur islamiste, la librairie lyonnaise *al tawhid*, proche de l'Union des Jeunes Musulmans de cette ville, auprès de laquelle M. Ramadan exerce un magistère spirituel. Pour une analyse de cet ouvrage, voir Franck Frégosi, « Tariq Ramadan ou les habits neufs d'une vieille rhétorique », à paraître, 2000.

19. Certains inculpés dans les procès intentés aux réseaux de soutien au GIA en Europe avaient fréquenté les associations islamistes établies en particulier dans la région Rhône-Alpes.

20. Sur les transformations du Hizballah, on lira notamment H. Jaber, *Hezbollah : Born With a Vengeance*, Fourth Estate, Londres, 1997.

21. La mouvance islamiste se pose en censeur sourcilleux de ces nouveaux dirigeants, et escompte trouver un second souffle grâce à leurs éventuels faux pas. Un exemple significatif de pareille attitude se donne à lire dans le « Mémorandum à qui de droit » adressé par le dirigeant islamiste marocain Abdessalam Yassine au « jeune monarque Mohammed VI » le 14 novembre 1999. Rédigé directement en français, dans un

style « jeune et branché », et sur un ton qui se veut ironique envers le « prince charmant » au pouvoir, il manie des thèmes populistes qui enjoignent au souverain de distribuer au peuple la fortune amassée par son père, tout en dénonçant la « judéo-cratie » qui contrôlerait le Maroc, mais se voit contraint d'utiliser le vocabulaire de la démocratie. Voir le document sur le site en ligne de l'organisation *al 'adl wa-l ihsan* (« équité et don de soi ») : http://www.yassine.net/lettres/memorandum.htm. Voir A. Benchemsi, « Faut-il avoir peur de Yassine ? », *Jeune Afrique*, n° 2039, 8 février 2000.

Annexe

DÉBUT DU CHAPITRE
« LE *JIHAD* DANS LA VOIE D'ALLAH »

par Sayyid Qotb

Nous donnons ici la traduction du texte reproduit en couverture de l'ouvrage et extrait de Ma'alim fi-l tariq (« Signes de piste »).

L'imam Ibn al Qayyim [al Jawziyya][1] a résumé le contexte du *jihad* en islam, dans son livre *Le viatique pour l'au-delà*, au chapitre intitulé « La conduite du Prophète envers les impies et les hypocrites depuis la Révélation jusqu'à sa rencontre avec Allah, Tout-Puissant ».

Au commencement de la prophétie, Allah le Très-Haut, qu'Il soit exalté, lui ordonna de proférer [le message] au nom de son Seigneur le Créateur. En ce temps-là, Il lui ordonna de porter l'annonce *in petto*. Ensuite, Il lui révéla le verset : « Ô toi qui te couvres d'un manteau, lève-toi et annonce[2]. » Puis, Il lui ordonna d'avertir successivement sa famille la plus proche, les Arabes autour d'elle, l'ensemble des Arabes et enfin l'humanité tout entière.

Devenu prophète, Mohammed passa quelque dix années à prêcher sans combattre ni prélever [le tribut de capitation[3]. Il avait ordre d'éviter le conflit et de faire preuve de patience. Allah lui permit alors d'émigrer de La Mecque à Médine et de livrer bataille. Puis Il lui ordonna de combattre ceux qui le combattaient et d'épargner ceux qui, sans le suivre, ne le combattaient pas. Par la suite, il lui ordonna de combattre les « associateurs[4] » jusqu'à ce

---

1. Imam du XIVe siècle, disciple d'Ibn Taïmiyya.
2. Coran, sourate 74, v 1-2. Nous suivons ici une version du texte de Qotb légèrement différente de celle qui est reproduite sur la couverture – et qui provient du recueil *Al jihad fi sabil allah* (« le *jihad* dans la voie d'Allah ») – publié au Caire dans la collection « Sawt al haqq » (« la voix de la vérité ») en 1977 par les Éditions *al i'tissam* et *al jihad*. Ce fascicule rassemble les textes sur le *jihad* de Banna, Mawdoudi et Qotb. Le chapitre de Qotb donne la citation coranique dans son intégralité, alors qu'elle se trouve curieusement fragmentée dans le texte arabe que nous avons reproduit.
3. Tribut que devaient payer les gens du Livre, notamment les juifs et les chrétiens, pour continuer à pratiquer leur foi sous domination islamique.
4. Ceux qui associent à Dieu d'autres divinités.

que toute religion revienne à Allah. Ayant reçu ordre de mener le *jihad*, il se retrouva avec trois sortes d'impies : ceux à qui on peut accorder une trêve, ceux à qui on fait la guerre, et ceux qui paient la capitation. Ordre lui fut donné de conclure le pacte avec les premiers et de le respecter tant qu'ils s'y tiendraient. S'il venait à craindre une trahison de leur part, il lui fallait, sans les combattre, suspendre le pacte jusqu'à ce qu'il eût la certitude qu'ils l'avaient rompu. Et il lui fut ordonné de combattre ceux qui avaient fait ainsi. Lorsque la sourate *barâ'a*[1] fut révélée, elle précisa la sentence propre à chaque sorte d'impies : il lui fut ordonné de combattre ses ennemis parmi les gens du Livre jusqu'à ce qu'ils payent le tribut ou qu'ils entrent en islam, de mener le *jihad* sans merci contre les impies et les hypocrites. Il mena le *jihad* contre les impies par le glaive et la lance, et contre les hypocrites par l'argument et la parole.

---

1. Sourate 19, connue sous l'intitulé « Le Repentir », elle contient les injonctions les plus radicales contre les « impies ».

GLOSSAIRE

'achoura : célébration du dixième jour du mois hégirien de Mohar-ram ; commémore, chez les chi'ites, le martyre de l'imam Hossein à Kerbala, le 10 octobre 680.

'ahd (dar el-) : « terre de contrat » ; dans la doctrine islamique, zone où les musulmans peuvent vivre en paix dans un État non musulman [voir *harb (dar el-)* et *islam (dar-el)*].

amal : « espoir ». Acronyme de la milice du Mouvement des Déshérités du Liban.

ayatollah : titre hiérarchique du clergé chi'ite.

baraka : bénédiction procurée par Dieu, ou par un saint personnage.

barelwi : école mystique musulmane du sous-continent indien.

chafeite : l'une des quatre écoles de jurisprudence de l'islam sunnite, surtout répandue en Asie du Sud-Est et en Afrique de l'Est.

chari'a : loi qui prend sa source dans les Textes sacrés de l'islam et la tradition jurisprudentielle.

cheikh : titre de respect affecté à un dignitaire religieux, comme à toute personnalité ou tout homme âgé.

chi'isme (*chi'a 'Ali* : « parti d'Ali ») : doctrine et mouvement se réclamant de la Famille du Prophète, par la filiation des imams, à partir d'Ali, gendre du Prophète. Regroupe quelque 15 % des musulmans du monde, surtout en Iran et en Irak (majoritaires), en Inde, au Pakistan, au Liban, à Bahreïn.

choura : pratique de la « consultation » recommandée par le Coran au souverain.

da'wa (ou *dakwah*) : propagation de la foi, appel à l'islam.

déobandi : école d'oulémas du sous-continent indien, née en 1867 en réaction à la domination britannique.

émir : « seigneur » doté d'un pouvoir dans le monde musulman classique ; chef d'un groupe politique ou militaire, spécialement chef d'un groupe islamiste.

faqih : juriste spécialisé dans la science du droit musulman (*fiqh*).

fatwa : avis juridique fondé sur les Textes sacrés de l'islam en réponse à une question portant sur un cas précis.

fedayine (plur. de *fedaï*) : combattant prêt au sacrifice de soi pour une cause sacrée.

fellah : paysan.

fitna : désordre, sédition qui brise les rangs de la Communauté des Croyants.

gama'a islamiyya : « association islamique ». Nom de plusieurs mouvements islamistes égyptiens.

hajj : pèlerinage à La Mecque. L'un des cinq piliers de l'islam, se déroule pendant un mois spécifique du calendrier hégirien et selon un rite précisément codifié.

halal : « licite » au regard du *fiqh* (antonyme : *haram*).

hanéfite *(hanafî)* : l'une des quatre écoles juridiques de l'islam sunnite, surtout présente dans les mondes turc et indien.

hanbalite : l'une des quatre écoles juridiques de l'islam sunnite, surtout présente en Arabie Saoudite. Elle se caractérise par un rigorisme extrême, et une interprétation littérale des textes. A beaucoup influencé la mouvance islamiste.

harb (dar el-) : « guerre ». Dans la doctrine islamique, terre d'« infidélité » (voir *kufr*) où il est licite de porter le *jihad*.

hezb : « parti ».

hijab : voile féminin.

hijra : « hégire ». Fuite du Prophète de La Mecque à Médine fondatrice de l'islam et point de départ du calendrier musulman (« hégirien ») en septembre 622.

hittiste : de *hit* (« mur ») : jeune désœuvré appuyé au mur (Algérie).

hizballah : « Parti de Dieu », particulièrement en Iran, au Liban.

hudud : « peines légales », châtiments prescrits par la loi religieuse strictement interprétée (spécialement lapidation de la femme adultère, ablation de la main du voleur, etc.).

iltizam : pratique de la religion, piété.

imam : guide, directeur de la prière ou de la communauté. Chez les chi'ites, descendant d'Ali, revêtu de sacralité, et ayant vocation à exercer l'autorité suprême.

intifada : « soulèvement », spécialement soulèvement palestinien débutant en décembre 1987.

islam (dar el-) : « terre d'islam », là où la *chari'a* est censément appliquée.

jahiliyya : période antérieure à la révélation de l'islam en Arabie, où prédominait le paganisme.

jama'a [voir *gama'at* (égyptien)] : association, groupe; société.

jihad : effort pour propager l'islam, en soi-même, dans la société ou dans le monde, par tout moyen; « guerre légale », ou « sacrée », prescrite par la *chari'a* contre les infidèles.

kafir : « impie » [voir *kufr*].

khalwa : proximité (inconvenante) entre deux personnes non mariées.

kharijisme : appartenance à une secte islamique qui met au ban de la communauté tout pécheur. Appellation polémique de certains groupes islamistes extrémistes contemporains.

kufr (dar el-) : « terre d'impiété » ; s'oppose au *dar el islam* et se compose du *dar el 'ahd* et du *dar el harb*.

mahdi : messie qui viendra restaurer la religion et la justice ; douzième imam attendu par les chi'ites (Muhammad al Mahdi, « occulté » en 874).

malékite : l'une des quatre écoles juridiques de l'islam sunnite, surtout présente en Afrique du Nord et de l'Ouest.

marabout : chef de confrérie, santon vénéré par la religion populaire (Afrique du Nord et de l'Ouest), sanctuaire.

medressa (medersa) : école où l'on enseigne les sciences religieuses et juridiques islamiques.

mollah : titre désignant un religieux, surtout utilisé dans l'islam asiatique.

moujahidine (plur. de *moujahid*) : combattant du *jihad*. Nom de divers groupes militants, spécialement en Iran et en Afghanistan, et de formations islamistes armées.

ouléma (pl. francisé de *'alim*) : docteur de la loi islamique.

oumma : Communauté des Croyants.

pasdaran : gardiens de la révolution islamique (Iran).

qawm : tribu (spécialement en Afghanistan).

salafiste : adepte des « pieux ancêtres » *(salaf)* ou de l'islam des origines, caractérisé par un rigorisme extrême.

shebab : jeunesse.

soufi : mystique musulman.

sunnisme : doctrine de la majorité des musulmans du monde (environ 85 %), qui se réclame de l'exemple du Prophète et de la tradition juridique majoritaire de la communauté (par opposition aux chi'ites).

tabligh : « propagation de la foi ». Nom abrégé d'un mouvement islamique né en Inde en 1927.

takfir : imputation d'impiété, excommunication.

taliban (plur. persan de *taleb*) : étudiant d'une école religieuse, spécialement étudiants afghans issus des *medressas* déobandies.

wahhabisme : doctrine défendue par les disciples d'Ibn abd el Wahhab (1703-1792), prédicateur rigoriste dont l'influence prédomine dans l'islam saoudien.

zakat : aumône légale (l'un des cinq piliers de l'islam).

zaouia : bâtiment qui abrite un marabout (q.v.), un santon, ou une confrérie mystique soufie (q.v.).

Le lecteur pourra compléter ce glossaire par le *Dictionnaire historique de l'islam*, de Dominique et Janine Sourdel, PUF, Paris, 1996.

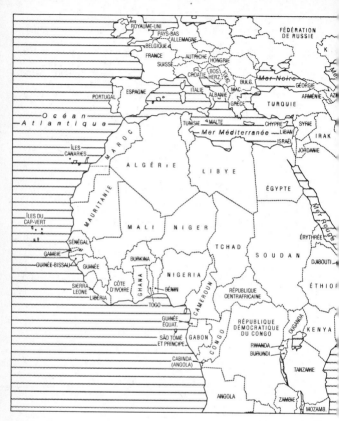

Carte 1. Les pays dont la population est majoritairement musulmane se situent dans un arc de cercle qui va de l'Indonésie à l'Afrique de l'Ouest en passant par l'Asie du Sud, l'Asie centrale, le Moyen-Orient et l'Afrique du Nord principalement.

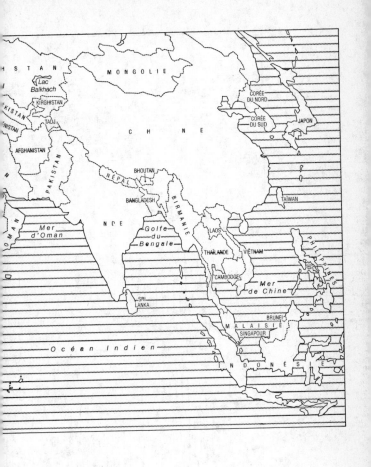

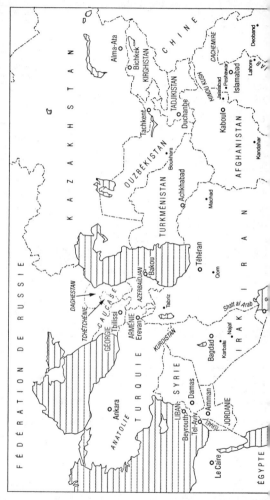

Carte 2. Asie du Sud-Ouest et Moyen-Orient

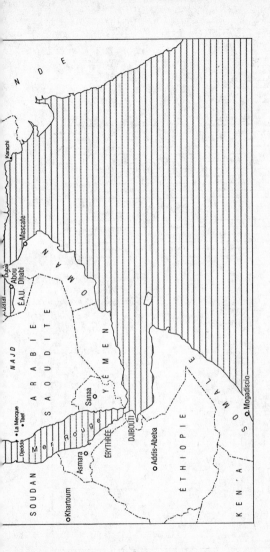

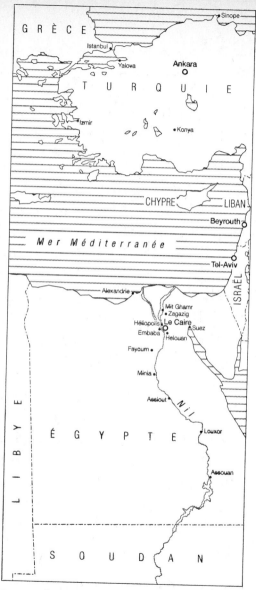

Carte 3. Égypte et Turquie de l'Ouest.

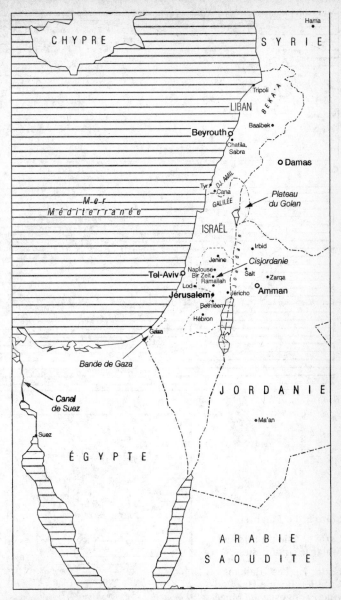

Carte 4. Liban, Syrie, Israël, Palestine, Jordanie.
N.B. : La Cisjordanie et la Bande de Gaza sont dévolues à l'Autorité palestinienne.

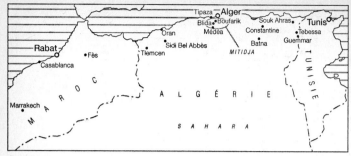

Carte 5

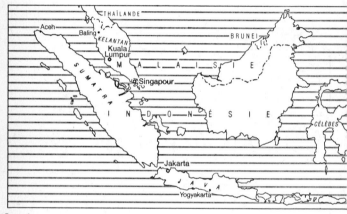

Carte 6

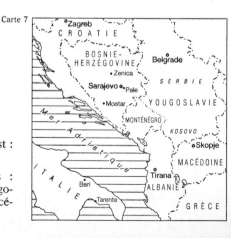

Carte 5. Le Maghreb.

Carte 6. Asie du Sud-Est :
Malaisie, Indonésie.

Carte 7. Les Balkans :
Croatie, Bosnie-Herzégo-
vine, Yougoslavie, Macé-
doine, Albanie.

INDEX*

ABD AL-AZIZ (roi) : 218, 468.

ABDALLAH (prince saoudien) : 562 n. 21.

ABDALLAH (roi de Jordanie) : 554 n. 6.

ABDALLAH II (roi de Jordanie) : 501, 548.

ABDALLAH, Ahmed : 564 n. 9 et n. 12.

ABDELKRIM, G. : 632 n. 49.

ABDEL RAHMAN, Omar (cheikh) : 221, 294, 420, 421, 429, 431, 438, 441, 446, 447, 448, 449, 456, 466, 473, 537, 590 n. 45, 606 n. 22, 613 n. 29, 628 n. 32, 635 n. 4 et n. 7, 636 n. 9, 638 n. 16, 642 n. 3, n. 5 et n. 9, 643 n. 10, n. 11 et n. 13, 644 n. 14, 647 n. 35.

ABDIC, Fikret : 368.

ABDUH, Muhammad : 336, 609 n. 3.

Abim (Ligue de la Jeunesse Musulmane Malaisienne) : 129, 130, 132, 133, 138, 184, 278.

ABOU ABDEL AZIZ (dit « Barbaros ») : 376, 620 n. 31, 621 n. 35.

ABOU BAKR : 178, 630 n. 42.

ABOU FARÈS, Mohammed : 658 n. 10, 660 n. 14.

ABOU HAMZA (Mustapha KAMEL) : 337, 408, 409, 453, 609 n. 2 et n. 4, 625 n. 15, 631 n. 47, 633 n. 50.

ABOU HANIFA : 565 n. 3.

ABOU MARZOUQ, Moussa : 660 n. 17.

ABOU MOUS'AB : 337, 395, 406, 452, 628 n. 35, 631 n. 47.

ABOU QATADA : 337, 395, 405, 406, 452, 631 n. 47.

ABOU SEIF, Salah : 575 n. 6.

ABOU ZEID, Nasr : 428, 435, 637 n. 15.

ABRAHAM : 78.

ABU QURAH, Abdul Latif : 554 n. 6.

* Établi par Emmanuel Raynal.

Table

DEUXIÈME PARTIE
EXPANSION ET CONTRADICTIONS

TROISIÈME PARTIE
ENTRE VIOLENCE ET DÉMOCRATISATION

Table

DU MÊME AUTEUR

Aux Éditions du Seuil

LE PROPHÈTE ET PHARAON, Aux sources des mouvements islamistes, 1984. *Nouvelle édition augmentée*, 1993.

LES BANLIEUES DE L'ISLAM, Naissance d'une religion en
France, 1987. *Repris dans « Points/Seuil »*, 1991.

INTELLECTUELS ET MILITANTS DE L'ISLAM
CONTEMPORAIN (en collaboration avec Y. Richard), 1990.

LA REVANCHE DE DIEU : CHRÉTIENS, JUIFS ET
MUSULMANS À LA RECONQUÊTE DU MONDE,
1991. *Repris dans « Points/Seuil »*, 1992.

LES POLITIQUES DE DIEU (ouvrage collectif sous la direction de G. Kepel), 1992.

À L'OUEST D'ALLAH, 1994. *Repris dans « Points/Seuil »*, 1995.

Aux Presses de Sciences Po

LES MUSULMANS DANS LA SOCIÉTÉ FRANÇAISE
(en collaboration avec R. Leveau), 1988.

EXILS ET ROYAUMES, Les appartenances au monde musulman (ouvrage collectif sous la direction de G. Kepel), 1994.

DANS LA COLLECTION FOLIO/ACTUEL

Composé et achevé d'imprimer
par la Société Nouvelle Firmin-Didot
à Mesnil-sur-l'Estrée, le 28 septembre 2001.
Dépôt légal : septembre 2001.
1ᵉʳ dépôt légal dans la collection : septembre 2001.
Numéro d'imprimeur : 57117.

ISBN 2-07-041868-5/Imprimé en France.